Lucien Jaume

LE DISCOURS JACOBIN ET LA DÉMOCRATIE

Fayard

Pour Franceline, qui a raccourci le temps et allégé les épreuves.

Introduction

« De te fabula narratur » (*C'est de toi que parle ce récit*)

Citation donnée par Marx, dans *Le Capital*

Régime de libertés, mais potentiellement despotique, régime fondé sur la loi du nombre mais pouvant consacrer une oligarchie, pouvoir constitutionnel mais toujours ouvert sur l'imprévisible : les paradoxes de la démocratie moderne sont bien connus, au point qu'il semblerait que plus rien de nouveau ne puisse être dit, depuis qu'il y a des hommes et qui votent. Pourtant, il existe des aspects moins soulignés qui peuvent être observés en quelque sorte à chaud, dans l'expérience de la Révolution française — comme le suggère le rapprochement entre « jacobinisme » et « démocratie » dans le titre du présent ouvrage. De ces deux termes, l'un relève du domaine de l'historien, l'autre de la théorie politique. Deux perspectives et deux disciplines sont ainsi appelées à se compléter réciproquement : leur complémentarité, leur unité éventuelle doivent être mieux précisées, même si la démonstration ne pourra provenir, en fin de compte, que de la mise en pratique.

Le problème se pose en effet de savoir jusqu'à quel point on peut rationaliser un moment historique (s'étendant du printemps 1789 à la chute des robespierristes, le 9 thermidor an II), pour en dégager une portée qui dépasserait la contingence des événements et la particularité des options exprimées. C'est le premier problème que pose le projet d'utiliser le jacobinisme pour comprendre la démocratie moderne. Il est vrai que dans cette période de la Révolution, où le courant jacobin est d'abord dans l'opposition, puis monopolise avec les Montagnards le gouvernement de « salut public », il entend se fonder sur les principes *universels* des Lumières, et délivrer pour toutes les nations le message de la Liberté, de l'Égalité et de la Fraternité ; cela y compris à travers les mesures d'exception du gouvernement révolutionnaire et de la Terreur.

D'ailleurs, on peut se demander s'il est possible de comprendre la démocratie moderne[1] dès lors qu'on la séparerait de l'histoire. Par histoire, il faut entendre les circonstances sous lesquelles ce régime est apparu en France, en lutte contre un autre principe de gouvernement et selon un antagonisme qui devait avoir des racines profondes, puisqu'on le voit se poursuivre jusqu'à la fin du XIXe siècle (fondation de la IIIe République), et encore au-delà. La démocratie et la République en France se sont formées du *rejet* d'un ordre monarchique, mais aussi, sous certains aspects à préciser, par le biais d'une substitution pure et simple.

Le double mouvement mis ici en œuvre consiste donc à convoquer le courant jacobin à l'élucidation théorique, puisqu'il s'y prête lui-même par les enjeux et les catégories de l'époque qui appartiennent à ce registre : le citoyen, la souveraineté du peuple, la représentation — et à historiciser l'idée démocratique en la comparant à ses commencements à la fois vigoureux et ambigus[2].

A la fois historique et théorique, organisant le dialogue entre passé et présent, cette démarche peut cependant rencontrer l'objection de se déplacer à l'intérieur d'un débat « franco-français », au lieu de concerner la démocratie en général ; le courant jacobin utilisé comme un *prisme* posé sur les présupposés et les ambiguïtés de la démocratie moderne, et utilisant lui-même le terme de démocratie[3], risque de réfracter un faisceau de controverses françaises, à propos d'une configuration française de l'État et du pouvoir. L'objection a son poids et ne pourrait être pleinement levée que dans le cadre d'une étude comparative — principalement avec la révolution américaine qui, à la même époque, enfante d'une constitution restée depuis en vigueur. Une telle étude ne pouvait être entreprise ici[4], car la redécouverte du jacobinisme par-delà un certain nombre de mythes suffit déjà à alimenter l'examen d'un corpus abondant et, à ce jour, peu analysé.

On peut, de plus, atténuer l'objection, dans la mesure où un certain nombre d'indications comparatives seront données chemin faisant ; et surtout, le meilleur remède au « gallocentrisme » consistera à exercer un recul historique sur la conjoncture révolutionnaire au moment même où elle est étudiée : les origines de la vision française de la *souveraineté*, retracées au chapitre III, permettent de comprendre pourquoi une conception de la démocratie reste marquée, en l'occurrence, par l'édification monarchique de l'État. En effet, la difficulté d'unir la souveraineté dans le peuple avec son exercice par des représentants élus, l'exigence opiniâtre d'unité, la primauté du politique, sont des traits caractéristiques de la culture politique dont hérite la Révolution : points d'appui de l'esprit jacobin, ils constituent en même temps des éléments durables de la France démocratique. Ce sont également ses limites, que l'analyse découvre de l'intérieur, fortifiée en cela par l'évolution récente de notre vie politique. Après les travaux pionniers de François Furet[5], et l'intérêt croissant porté à la culture politique[6], il devient peut-être plus facile de dresser un bilan du moment jacobin, notamment pour l'entrecroisement qu'il a noué entre le fil démocratique et le fil révolutionnaire. Cette question qui, on le sait, a longtemps préoccupé Tocqueville[6bis], peut maintenant être reprise sur d'autres bases.

Avant d'en venir à une définition plus précise du jacobinisme, il convient de montrer l'intérêt qu'il offre pour certaines questions suscitées par la démocratie moderne, soit qu'il y réponde, soit qu'il les réfute au vu de ses propres exigences.

La référence jacobine pour l'interrogation démocratique

On l'a signalé : les définitions de la démocratie sont variables et controversées. En se fondant sur les usages directement contemporains, on pourrait dire qu'elle se caractérise par l'admission du pluralisme politique, garantie de sa vitalité, moteur de son évolution. Elle se définit aussi comme le « pouvoir du peuple » conjugué avec la constitutionnalité des lois — par opposition au pouvoir d'un monarque, ou d'un monocrate, dont la volonté a force de loi. Mais il faut alors définir quel est ce peuple : si par peuple on entend « tous les citoyens », l'observation montre aussitôt que tous ne gouvernent pas, tant s'en faut.

De même, le premier élément de définition conduit à une interrogation : où se situe la spécificité de la démocratie, dès lors qu'en vertu du pluralisme elle ne peut rien *exclure* parmi les attitudes et les opinions ? En la matière, la réponse du jacobinisme est originale, car elle fonde la démocratie sur une exclusion nécessaire ; en témoigne, par exemple, le mot de Saint-Just, pour qui « ce qui constitue une République, c'est la destruction totale de ce qui lui est opposé ».

À partir de la lutte contre la société de corps et de privilèges, les Jacobins voient la spécificité de la République d'abord, puis de la démocratie, dans une *unité interne* de la Nation (ou du Peuple), seule apte à réaliser l'égalité de tous. En outre, l'unité à préserver ou à réaliser n'est ni juridique, ni même purement politique : elle est éminemment éthique. La démocratie par la vertu se nourrit de l'exclusion de tout ce qui fragmente le corps politique — c'est le thème du conflit avec le « fédéralisme » girondin, à partir de 1792 —, et également de ce qui peut le corrompre (depuis l'aristocratie, jusqu'aux diverses figures de l' « ennemi du peuple »).

Le premier intérêt de la conception jacobine, lorsqu'elle revendique l'appellation démocratique, réside donc dans la surprise qu'elle peut créer pour l'homme d'aujourd'hui, puisqu'elle minimise la portée du domaine juridico-constitutionnel ; il est vrai que la Constitution de l'an I, rédigée après l'expulsion des Girondins éminents de la Convention, semble manifester une volonté de donner à la France des institutions neuves, ou, pour employer le langage jacobin, « régénérées ». Mais la hâte avec laquelle ce texte a été rédigé, ainsi que l'abandon, tout aussi rapide, dont il fit l'objet, montrent que pour les grands leaders de la Convention et du Comité de salut public, l'essentiel du problème politique est ailleurs. Plus qu'un gouvernement par les lois, la « démocratie » recherchée par eux est un régime attaché à des *hommes* de vertu, à base de mœurs, d'éthique, réglé par une logique de dichotomie à l'encontre des forces opposées au progrès. Dans cette optique, la dimension révolutionnaire n'est pas extérieure à la définition de la démocratie, mais en fortifie au contraire la pureté et l'énergie. En grossissant le trait : séparer la démocratie de la révolution, ce serait séparer le peuple du gouvernement, de son gouvernement. L'opposition entre gouvernement d'exception et gouvernement constitution-nel sera de plus en plus réfutée par l'évolution du jacobinisme au pouvoir ; Robespierre ira jusqu'à dire de la Terreur qu'elle est « moins un principe particulier qu'une conséquence du principe général de la démocratie appliqué aux plus pressants besoins de la patrie »[7]. Principe général, démocratie, patrie : on est bien ici devant une vision qui entend rendre le régime à sa véritable essence.

Que la légitimité démocratique soit dépendante d'hommes d'exception constitue aussi une thèse qui peut étonner, mais pourtant maintes fois énoncée, et génératrice ensuite de bien des dilemmes à l'intérieur de l'idéologie républicaine. Pour citer un seul exemple, il suffit de se reporter à l'ouvrage rédigé par le fils de Carnot en vue d'exposer les *principes* de l'idéal républicain. Hippolyte Carnot écrit que l'attachement au salut public, et par là aux hommes d'exception, est une constante de la conception française — un attachement détenteur à la fois de fécondité et de certains dangers : « Le Français obéit plus volontiers à des chefs qu'à des livres, à la loi vivante qu'à la loi écrite : il ne cherche pas sa règle dans une bible législative : c'est son côté catholique. La règle a besoin de se personnifier devant lui et de revêtir un costume pour se faire reconnaître. Le Français est doué d'une impatience de mouvement qui lui rend pénible le joug de la loi : dès qu'elle le gêne, il fait un effort pour en sortir ; il n'attend pas qu'elle soit réformée, il la broie. Le prétexte du salut public justifie à ses yeux tout acte arbitraire et il accepte et acclame le despotisme éclairé parce qu'il espère toujours des progrès que la loi ne saurait lui promettre[8]. »

Texte écrit par un vrai républicain, texte audacieux, mais encore fidèle à l'esprit jacobin. Tous ces aspects semblent éloigner le jacobinisme de ce que nous appelons maintenant démocratie, de plus en plus associée à une tonalité libérale. L'unité intégrale, l'exigence éthique et l'exclusion paraissent aux antipodes du pluralisme, mais aussi du relativisme moral[9] que l'on a l'habitude d'observer. Dans les idées contemporaines, deux traits principaux permettent de spécifier la démocratie (au-delà de la trop simple dénomination de « gouvernement du peuple »). L'un concerne le fonctionnement du système (il s'agit du pluralisme), l'autre touche à l'ordre juridique qui soutient les institutions.

Selon le premier caractère, la démocratie ne saurait être jacobine, parce qu'elle constitue un régime de compétition pacifique pour le pouvoir [10] ; de ce fait elle est pluraliste par nature, et en elle-même neutre sur le plan des options éthiques. Cependant, on voit aussitôt l'objection qu'une telle définition n'a pas manqué de susciter : faut-il comprendre que la démocratie n'a pas d'ennemis ? Ou doit-on introduire ce correctif considérable : le pluralisme fondateur est resserré autour d'un credo minimum impliquant un champ de valeurs partagées ?

Que ce soit durant le siècle dernier où les républicains n'ont cessé de combattre ce qui menaçait la République (cléricalisme, monarchie, bonapartisme, antidreyfusisme...), ou dans les expériences tragiques du XXe siècle, la démocratie a dû admettre que la liberté rencontre en face d'elle des ennemis de la liberté.

Quant au deuxième caractère paraissant attaché à ce régime, il se révèle tout aussi discutable, par une certaine insuffisance vis-à-vis du réel politique. Il semble d'abord que le système démocratique se résume dans un ordre juridique dont toute la *valeur* proviendrait du fonctionnement qu'il génère. Fondé sur la séparation des pouvoirs, la souveraineté du peuple et de la représentation, le système suppose une hiérarchie de normes juridiques, d'où découle une capacité quasiment infinie de faire des lois ; celles-ci ne tirent pas leur valeur d'un contenu propre, d'une adéquation à un Bien commun reconnu par toutes les consciences, mais à la fois de leur conformité *formelle* aux normes, et de leur source (organe de délégation du pouvoir, issu du suffrage). La démocratie moderne serait un ordre formel sans contenu substantiel permanent et déterminé.

Mais alors, faut-il dire — et c'est la seconde objection — qu'elle fonctionne sans l'intervention des citoyens, mis à part le moment électoral ? Sans doute le peut-elle, selon l'idée, parfois exprimée, d'une bonne mécanique reposant sur la *division du travail* entre gouvernés et spécialistes de la chose politique. Cette idée ou cet idéal, en quelque sorte technologique, fut (depuis la Révolution jusqu'à l'Empire) celui de Sieyès, esprit constamment à la recherche d'une machine constitutionnelle parfaite et inviolable.

Mais si cette conception est réalisable, et encore une fois elle l'a prouvé, c'est au risque d'une faiblesse, d'un étiolement de ce qu'il pouvait y avoir de dynamique dans l'idée de souveraineté du peuple. Le *civisme,* qui est plus que la citoyenneté, constitue comme on le verra, l'une des obscurités majeures que la Révolution a rencontrées, lors même qu'elle ne cessait de l'exalter : il était ressenti comme nécessaire et pourtant mal concilié avec la logique constitutionnaliste des fondateurs. Ce fut le rôle de la « vertu » jacobine que de tenter de donner un contenu effectif et mobilisateur à une citoyenneté trop pauvrement conçue comme la détention de certains droits.

En outre, pour qu'il y ait un besoin effectivement éprouvé et une pratique vivante du civisme, ce dernier ne suppose-t-il pas que les hommes se réfèrent à des valeurs, qui motivent leur intérêt pour le système et un attachement envers lui ?

Ces interrogations que suscite la définition aujourd'hui répandue de la démocratie montrent qu'en fin de compte l'expérience jacobine n'est pas, jusque dans ses exaltations les plus surprenantes, aussi éloignée, ou incongrue, qu'il pouvait y paraître. La démocratie moderne — qui se différencie des références antiques, ou du modèle idéalisé du type Genève au XVIIIe siècle — ne peut se contenter durablement d'être un ordre juridique et institutionnel ; la raison principale tient à la dynamique prodigieuse que, par le suffrage universel, elle a impulsée, et dont Tocqueville prophétisait les effets. Elle ne se borne pas à définir un espace et des règles *pour ceux qui gouvernent,* elle est aussi, et inséparablement, un type de sociabilité. Il ne faut pas entendre par ce dernier terme une idéologie de légitimation de l'ordre institué [11], mais un investissement de l'homme en tant que citoyen ; ce qui, lorsqu'il a lieu, nourrit le phénomène des passions démocratiques, décrit par Tocqueville. Une démocratie sans passions, fût-elle la plus ingénieuse du monde, n'est déjà plus une démocratie — si du moins ce terme doit garder un sens.

Pareillement, on ne peut éviter la question de savoir si la démocratie sans la vertu peut être autre chose qu'une cohabitation d'intérêts particuliers ; là encore, un pareil dispositif peut fonctionner : il reste à savoir si ce n'est pas au prix de faiblesses, voire de phases de déclin brutales.

Le jacobinisme peut donc aider sinon à résoudre, du moins à

susciter la question, que toute approche fonctionnaliste écarte, de la *valeur* même de la démocratie : à quelle supériorité peut logiquement prétendre un système qui suspend toutes les valeurs afin d'en organiser la confrontation permanente ? Ou, si l'on préfère, pourquoi est-il *bon* que tous s'expriment (et nul maintenant n'ose nier ce vœu) si ni le bon ni le bien — ni le mauvais ni le mal — ne peuvent faire l'objet d'un accord, ou d'un pacte solennellement déclaré entre les citoyens ?

Il sera intéressant, de ce point de vue, d'examiner les propositions de Condorcet : face à l'option jacobine qu'il jugeait intolérante et dangereuse, le philosophe engagé dans la Révolution a défendu la nécessité d'une morale républicaine qui ne versât pas pour autant dans le catéchisme. Voilà un esprit scientifique, épris de rationalité, qui estimait que la vie démocratique ne pouvait être disjointe de jugements de valeur. De même, pour lui, l' « instruction », qui est plus qu'un apport intellectuel, se distingue cependant de l' « éducation », d'ordre privé. Sa conception exigeante de l'instruction a irrigué ensuite la vision de la laïcité et de la gratuité d'une école au service de la formation du citoyen. Mais aujourd'hui les choses paraissent moins claires : l'école (portant le titre d' « éducation nationale ») fait l'objet d'une controverse entre ceux qui entendent la restreindre aux acquisitions intellectuelles et ceux qui la conçoivent comme une fonction d'adaptation à des besoins ou à des modèles sociaux. Ni l'une ni l'autre de ces positions ne correspond à la *politique* républicaine de l'enseignement conçue par Condorcet.

L'approche du jacobinisme, menée à travers les questions du pluralisme, du constitutionnalisme, de la légitimité éthique opposée à la légitimité formelle, ne sera ni une apologie, ni à l'inverse une critique destructrice. Comme on le sait, ces deux attitudes font partie du débat sur la Révolution mené depuis deux siècles, en France et même ailleurs [12]; leur intensité passionnelle n'éclaire ni la réalité historique qui fut celle des Jacobins, ni les ambiguïtés qui reposent au cœur de la pratique démocratique. Pour une démarche qui se propose d'unir l'analyse historique et la réflexion théorique, il s'agit plutôt de rechercher l'élément d'*universalité* raisonnable dont l'homme d'aujourd'hui a besoin quand il se tourne vers le passé : pour être lui-même, pour rendre le jacobinisme à son temps en

dimensions véritables, et non mythiques, pour fortifier cons-
ciemment des éléments tels que le pluralisme, sur lequel il ne
saurait être question de revenir. Ce projet ne suppose pas qu'on
donne ici des réponses — pas plus que ce livre ne prétend à une
philosophie de la démocratie (en faisant l'hypothèse de sa
possibilité), ni à une philosophie de la Révolution française dont
il y a d'éminents exemples, chez Kant, Hegel et d'autres. On
s'attachera plutôt à montrer que la Révolution elle-même, à
travers le courant jacobin, a rencontré des *questions* que peut
retrouver aujourd'hui l'interrogation démocratique lorsqu'elle
s'alimente aux sources historiques : qu'est-ce qu'un citoyen, et
en quoi est-il susceptible d'une compétence vis-à-vis de l'intérêt
général ? Qu'est-ce que la souveraineté, et quelles sont les
contraintes qu'elle exerce sur la vision du pouvoir ?

Ces deux problèmes — dont on ne peut prétendre qu'ils ne
sont plus les nôtres — n'ont cessé de tarauder l'opinion
jacobine, comme le confirme la définition qui va maintenant être
donnée de cette dernière.

Caractérisation du jacobinisme
à l'intérieur de la Révolution

Quand les Jacobins se posent à eux-mêmes la question « Qui
sommes-nous ? » — ce qui se produit à plusieurs moments —,
elle est toujours vécue avec malaise ; car, entre la réalité des
pratiques et des stratégies du club, et le discours qui tente de les
rationaliser, un décalage important existe et se perpétue.

Dans sa première phase (jusqu'au 2 juin 1793, date de
l'élimination des Girondins), le mouvement peut être considéré
comme le héraut de la « volonté du peuple », dont il se veut
l'agent de libération, à l'encontre des limitations ou des
médiations que le juridisme introduit. Il appuie des formulations *locales* de cette volonté, et leur confère le label de l'intérêt
général : en cela, il a très tôt l'écoute des districts parisiens, puis
des sections ; il s'efforce ensuite d'*identifier* le club lui-même à la
volonté du peuple : ce processus est en route à partir de
septembre 1792, à la suite de la dynamique glorieuse du 10 Août
(qui a vu la chute de la monarchie). Enfin, après l'expulsion des
Girondins de l'Assemblée, et la courte tentative pour constitu-

tionnaliser le régime, il exerce le pouvoir et la « vengeance du peuple » (vocable qui désigne la Terreur), à travers l'édifice étatique et la Convention prorogée dans ses pouvoirs. La « volonté du peuple » — qui équivaut à l'exercice direct de souveraineté — est donc d'abord encouragée à l'autonomie, puis appelée à se reconnaître dans le gouvernement dominé par les Jacobins.

On conçoit qu'à partir du moment où la légitimité directe, supposée prise à sa source, ne doit pas être médiatisée sous peine d'altération (par des procédures, des organes ou des lois), il faut la *dire* et la désigner : la légitimité populaire est dans le discours même qui déclare la légitimité populaire. Bien entendu, une question ne pouvait manquer de se poser, et les adversaires des Jacobins ne s'en font pas faute : qui parle ?

C'est là qu'apparaissent les ambiguïtés et les réticences chez les membres du club, lorsqu'il leur faut se définir par rapport au peuple, dont ils ne se veulent pas séparés, mais en remplacement duquel, cependant, ils s'expriment. Qui dit la légitimité populaire ? Est-ce une organisation structurée et unifiée qui parle ? Non, car, dans les termes de l'époque, ce serait confirmer l'appellation infamante de « corporation », ou de « faction ». Ce sont peut-être des hommes éminents qui parlent ? Oui, parce qu'ils sont vertueux : le dévouement à la chose publique est leur affaire permanente, et le jacobinisme est quasiment un apostolat. Le terme de « missionnaires » est plusieurs fois revendiqué. Mais en fin de compte, non ; ce serait contraire à l'égalité, et une menace de tyrannie.

Dès lors, s'agit-il de représentants officieux du peuple ? Pas plus, car pareille notion reconnaîtrait une séparation vis-à-vis des représentés ; de plus, cette prétention entrerait ouvertement, et de façon répréhensible, en concurrence avec l'institution représentative !

Finalement, ce sont les *principes de la Révolution*, ou le Peuple lui-même comme entité symbolique portée par le discours, qui parlent. Dans la première période d'opposition, en contestant les procédures formelles par lesquelles s'étiole l'énergie du souverain, la démocratie jacobine est une prosopopée [13] de la Volonté du peuple — laquelle se formule à travers les Jacobins. Et, bien que le club ne puisse jamais se définir ainsi, car il violerait les tabous de l'époque, on peut dire qu'il assume de plus en plus la *Personne du peuple*. Il faut entendre par cette Personne : 1. ce qui manifeste la présence ubiquiste du souverain : partout où sont les Jacobins, le peuple est présent ; 2. ce qui unifie une vaste nation qu'on ne peut jamais rassembler en un seul lieu [14] ; 3. ce qui formule de façon intelligente et intelligible les vœux du peuple souverain [15].

A partir de juillet 1792, devant la montée de l'idée d'une insurrection contre le roi, les députés modérés et La Fayette, le Club jacobin de Paris remplit les diverses connotations que Hobbes avait attachées à la notion de « Personne représentative » *(Persona repraesentans)* : d'abord un masque figuratif, ensuite l'acteur qui le porte, que l'on écoute et regarde évoluer, enfin un agent de décisions, en lieu et place de ceux qu'il « représente » [16].

La différence est cependant que Hobbes désignait ainsi une *institution* : le Pouvoir souverain, légitimement habilité à incarner le peuple, à revêtir sa « personne » collective, tandis que les Jacobins ne sont pas une telle institution, à l'époque, d'où leur gêne à se définir au moment même où ils éveillent et rencontrent la légitimité populaire, et qu'ils en deviennent l'Acteur incarné.

On doit donc retenir que le premier élément de définition du jacobinisme est de l'ordre du fait et non du droit : avoir été, comme *organisation*, un support figuratif et incitatif de la légitimité populaire, ou encore, une incarnation de la volonté populaire. On comprend qu'alors le club se soit senti vocation à exercer le pouvoir : au moment même où il semble contester le système représentatif, en se référant à Rousseau [17], il laisse entendre que la représentation du peuple serait admissible à certaines conditions.

Si en effet, le Représentant institué qu'est l'Assemblée pouvait se confondre avec la Personne du peuple que détient le club, la souveraineté présente dans le peuple ne serait peut-être plus en divorce avec ceux qui, par délégation, en ont reçu le maniement effectif. Et de fait, le gouvernement révolutionnaire apparut comme l'*accomplissement* d'attentes exprimées antérieurement — même si l'on ne doit pas négliger d'autres justifications tirées des circonstances de l'été 1793. « Régénérée » par l'expulsion de l'aile girondine, redéfinie dans le cadre du décret Billaud-Varenne, matant les soulèvements intérieurs, la Convention devient une représentation légitime ; par elle le peuple peut s'*identifier* à ses gouvernants montagnards et jacobins. En d'autres termes, la légitimité démocratique que les Jacobins revendiquaient (avec épreuve de réalité) a pénétré l'institution étatique, la volonté du peuple est celle du gouvernement révolutionnaire.

Si l'on recense, provisoirement, les éléments qui ont permis la conversion du discours d'opposition en discours de pouvoir, ils sont au nombre de deux : le premier réside dans le statut, indéfini, de l'organisation, le second concerne l'idée jacobine de la légitimité. L'organisation a été le pivot de la conversion du discours, en prenant progressivement des traits du *parti* politique, pour devenir ensuite une véritable avant-garde ; enfin, cette dernière pénètre l'État et le transforme de façon originale. La dimension démocratique et la dimension révolutionnaire sont confondues sous la forme d'une *démocratie révolutionnaire* où le peuple est appelé à se gouverner lui-même, et à se régénérer lui-même, à travers sa « tête » dirigeante : tout un registre métaphorique (en lieu et place du droit constitutionnel) décrit avec vigueur le nouvel Individu géant.

L'idée de la légitimité est le second facteur qui poussa à cette évolution : la légitimité ne réside pas dans la loi du nombre (votation) et la conformité aux normes constitutionnelles ; elle est dans la vertu, dont le peuple constitue à la fois la source et le gardien.

Durant les premiers temps de la Révolution, ce fut Robespierre qui défendit avec le plus de constance la thèse selon laquelle le peuple est bon, tandis que les gouvernants sont corrompus ou en tout cas enclins à la corruption. Cette vision, appropriée ensuite par l'ensemble du mouvement jacobin purgé des éléments trop modérés, pouvait inciter à la conciliation que fut chargé d'opérer le gouvernement de l'an II : entre volonté du peuple et représentation, entre vertu et exercice du pouvoir. La légitimité passait par les Jacobins.

Une telle évolution n'a pas découlé d'une nécessité fatale, comme si 1793 était « compris dans » 1789 ; mais on pourra constater qu'elle a puisé ses éléments de facilitation dans les ambiguïtés de la période, et sa justification dans la vision antérieure du mouvement jacobin.

Après l'expression de la Volonté du peuple, l'autre élément de définition du jacobinisme est très lié à la conception de la légitimité : il est le courant qui, au nom d'un Peuple un et vertueux, a employé tous ses efforts pour endiguer les manifestations de l'*individualisme,* mentalité et comportement que suscitait la formation d'une société de commerce et de salariat naissant. De là la contradiction, sans cesse énoncée, entre les « intérêts particuliers » et l'Unité nécessaire. Cette unité est d'abord celle du peuple en tant que souverain (discours d'opposition), puis celle du peuple et de ses représentants légitimes (discours de pouvoir). Ainsi, le thème de la réforme des mœurs, et de leur soumission à la vertu, induisait à la fois une vision de la société et un octroi de légitimité envers ceux qui partageaient ce « programme », si l'on peut ainsi parler ; dans ses *Éléments du républicanisme,* qu'il commence à rédiger en 1792, Billaud-Varenne exprime bien la mobilisation jacobine, entamée autour de la lutte contre l'individualisme égoïste.

En dernière analyse, les deux éléments de définition qui viennent d'être donnés se rejoignent dans l'*exigence d'unité :* celle de la Volonté du peuple, comme celle créée par la vertu. La passion de l'unité que la Révolution a partagée (à part certaines exceptions), est particulièrement comprise et développée par l'esprit jacobin. On pourra constater que si neuve qu'apparût la politique du salut public, elle reprenait cependant, dans un contexte modifié, des présupposés et des contraintes de la *souveraineté* monarchique : la matrice de l'unité a précédé la Révolution, ce que Tocqueville avait montré, mais sur un autre plan que celui de la souveraineté. Plus que dans les ouvrages de philosophie politique, ce sont chez les théoriciens du droit public, au moment de l'apogée de la monarchie absolue, qu'il faut peut-être chercher la préhistoire du grand Léviathan révolutionnaire. C'est grâce à la « souveraineté représentative » (expression d'un Montagnard) qu'il exerce, que ce Léviathan s'efforce de concilier des exigences devenues contradictoires : unité et diversité, intérêts et vertu, souveraineté et représentation.

L'hypothèse d'ensemble qui sera suivie est donc la suivante : le paradoxe jacobin est d'unir des éléments archaïques — venus de la culture politique française — à des traits novateurs par lesquels ce mouvement anticipait même sur son temps ; car la formation des partis politiques était unanimement repoussée par une époque qui y dénonçait le retour aux « corporations ». Au cœur de cette union paradoxale, il y a la recherche d'une *démocratie* toujours plus transparente et plus égalitaire ; elle tente de se penser à travers Jean-Jacques Rousseau, mille fois invoqué, mais elle engendre en fait un pouvoir dont la configuration renoue avec l'incarnation monarchique de l'État.

Dans cette caractérisation générale du jacobinisme on a pu remarquer la place prépondérante du discours ; au-delà même du cas jacobin, le discours est un agent essentiel de l'artificialisme présidant à la politique moderne.

L'efficacité du discours

Le jacobinisme fut autant un type de discours qu'une forme d'organisation : n'est-il pas le regroupement qui *déclare* la présence et le contenu de la Volonté du peuple, contre ceux qui refusent de l'entendre ? On le voit bien, par exemple, dans le langage utilisé par la section de Mauconseil, dans son « arrêté » porté le 5 août 1792 à la barre de la Législative. À travers les porte-parole jacobins présents dans la section[18], la Volonté du peuple parle dans les termes suivants : « Considérant [...] qu'on ne peut reconnaître la Constitution comme l'expression de la volonté générale [...], que les pouvoirs institués n'ont de force que par l'opinion, et qu'alors la manifestation de cette opinion est un devoir rigoureux et sacré pour tous les citoyens [la section] déclare en conséquence [...] qu'elle ne reconnaît plus Louis XVI pour roi des Français. »

Cette intervention, violemment contestée au sein de la Législative — car elle revenait à « oublier la loi pour sauver la patrie » (formule de Mauconseil) — eut une portée décisive : elle dynamisa la mobilisation au sein des sections de Paris, qui aboutit à l'insurrection du 10 août, et par là à la République. Et Mauconseil devint ensuite, de ce fait, la section de Bon Conseil !

La Volonté du peuple que Mauconseil entend concentrer en elle seule, et par sa seule initiative, est à cette occasion appelée « volonté générale », et « opinion publique ». Elle surgit par la force du discours, à l'encontre des députés empêtrés dans le texte constitutionnel qui de Louis XVI a fait le chef de l'exécutif, ainsi que l'instance dotée du veto suspensif. Bien entendu, le discours n'est pas un instrument magique, ou un *deus ex machina*, qui créerait une situation à partir de rien : c'est en s'appuyant sur un mécontentement prolongé — ici vis-à-vis de Louis XVI, de La Fayette, et des députés timorés ou complices — que ce discours dénonciateur peut rencontrer le réel, *faire voir* aussi le réel, et catalyser des forces encore dispersées.

Dans deux grandes circonstances (qui ont des analogies entre elles), le 10 août 1792 et le 2 juin 1793, l'usage jacobin du discours, l'invocation directe de la volonté du peuple, produisit des effets insurrectionnels. Il est, bien sûr, d'autres moments où l'usage du discours, la référence au code dont il se nourrit (le peuple, la souveraineté, la vertu, l'égalité), fut sans effets. C'est typiquement le cas au soir du 9 thermidor, où les robespierristes font en vain appel aux sections pour contrer le décret de la Convention qui les mettait hors la loi. Selon un témoin, Couthon avait suggéré d'écrire aux armées, et Robespierre lui demanda : « Au nom de qui ? » Remarquable question, en effet : qu'est-ce que ces leaders, jacobins mais du courant robespierriste, pouvaient encore *représenter* ? « Couthon répondit : " Mais au nom de la Convention ; n'est-elle pas toujours où nous sommes ? Le reste n'est qu'une poignée de factieux que la force armée que nous avons va dissiper, et dont elle fera justice. " Ici, poursuit le témoin, Robespierre l'aîné sembla réfléchir un peu ; il se baissa à l'oreille de son frère ; ensuite il dit : " Mon avis est qu'on écrive au nom du peuple français [19] ". »

Invoquer « le peuple français » pour que celui-ci se reconnaisse dans les propos et se soulève, était dans la continuité du discours robespierriste — et c'était même renouer avec la phase précédente : la confiance envers le peuple, la méfiance envers l'Assemblée ; cependant, ce discours se trouvait à l'heure présente en divorce avec la force principale (la sans-culotterie) qu'il avait su auparavant unifier et mobiliser.

Situé à l'intérieur du contexte dans lequel il s'exerce, le discours ne doit pas être tenu pour une sorte d'épiphénomène que l'on pourrait négliger par rapport à de vraies « réalités » (forces politiques, forces sociales, données économiques...) ; il s'agit au contraire d'un jeu d'interactions. Et, manié par l'art des

Jacobins, le discours est indicateur de certains *enjeux* du moment, tant par les éclairages qu'il introduit au profit de ce courant que par les ambiguïtés de l'époque qu'il reproduit, voire qu'il aggrave — ou dans lesquelles, aussi, il s'emprisonne. Le discours sur « l'individu », étudié dans la seconde partie, est typique des trois aspects : lumière et ambiguïté, lucidité et inconscience, force et faiblesse.

Il faut donc considérer que, aussi illusoires que puissent être certains propos tenus ou certaines analyses menées par les protagonistes, ils ont une portée significative pour les enjeux de telle ou telle conjoncture. Dans une période (printemps 94) où quelqu'un peut être recherché et dénoncé comme « fédéraliste », il est intéressant de comprendre pourquoi les Jacobins disent, parallèlement, que « l'immoralité est un fédéralisme dans la République » (inscription rédigée pour la fête de l'Être suprême). Ces assimilations organisées par le discours (Gironde-fédéralisme-immoralité) sont révélatrices d'une façon de privilégier quelque chose ; en l'occurrence, il s'agit de l'Unité comme idéal de société et de gouvernement, et comme instrument de pouvoir.

Enfin, on pourra constater que, sur un plan général, le discours est constitutif du fonctionnement, et de la vie, de la démocratie moderne : les analyses d'abord développées sur le citoyen, la souveraineté et la représentation, seront reprises sous cet éclairage dans la conclusion de l'ouvrage.

Quant au discours *jacobin* proprement dit, il ne faut pas oublier qu'il a produit des effets tels que, parfois, les contemporains eux-mêmes ont repéré, explicité et dénoncé son caractère original. Louvet, par exemple, incrimine un type de discours incarné dans le prototype robespierriste. Et le 28 fructidor an IV (14 septembre 1794), après la chute des grands leaders, le député Edmé Petit se plaint que tous les termes capitaux du vocabulaire politique aient subi l'empreinte de cette « faction » : « Rappelons-nous qu'à commencer par le mot révolution, ils ôtèrent à tous les mots de la langue française leur véritable sens. » On voit alors Petit proposer un décret — que la Convention ne se résout pas à adopter — par lequel seraient proscrits certains termes (tels que « Plaine », « Montagne », « fédéralistes », « alarmistes », etc.). L'article 4 du décret stipulait : « Le Comité d'instruction publique est chargé de rédiger un ouvrage périodique destiné à donner aux mots qui composent la langue française leur véritable sens, et à rendre à la morale républicaine sa véritable énergie. »

La naïveté même de cette demande confirme l'importance que la *lutte des discours*, dans la lutte pour représenter « vraiment » le Peuple, a pu revêtir. Bien d'autres exemples le montreraient encore ; ainsi, ce Jacobin, Charles Lambert, qui en juin 1793 propose de redéfinir « la véritable, la seule acception du mot peuple »[20].

Discours jacobin, ou idéologie jacobine ?

La notion d'idéologie doit être employée avec précaution, car elle dit trop de choses et finit par ne rien dire. Il s'avère en outre que son application au jacobinisme peut créer des contresens.

C'est dans la mesure où il se dégage dans le club et dans ses filiales une vision assez constante (affinée au moyen de la lutte et de l'épuration internes), mais toujours modulée sur l'*opportunité* du moment, que l'on pourrait parler d'une idéologie jacobine. Il vaudrait mieux, pour plus de clarté, considérer un *discours-idéologie*, avec des repères symboliques (tels que la Volonté du peuple, ou l'égalité), des enjeux et des adversaires, une efficacité pratique à obtenir. En d'autres termes, il n'est pas possible de séparer ce qui relèverait de l'idéologie pure (système de représentations) et ce qui appartiendrait au discours pur — dissociation peut-être possible dans d'autres domaines ou d'autres époques politiques. Au lieu d'une *doctrine* jacobine (et, encore moins, d'une philosophie politique), on rencontrera un discours tout entier polarisé autour du Pouvoir de type nouveau à conquérir et à réorganiser en fonction de l'unité souveraine du peuple.

Pour autant, il ne s'agit pas d'un simple opportunisme, car la sincérité et le dévouement des Jacobins à leur idéal ne font pas de doute. Au-delà des révisions opérées chez les clubistes — qui ne manquent ni de réalisme, ni du machiavélisme souvent opératoire en politique —, il reste des invariants. Albert Soboul paraît donc aller trop loin lorsqu'il écrit : « C'est donc en fonction précise de l'événement et de ses exigences politiques que doivent être définies l'idéologie et la pratique jacobines, non

dans leur filiation ou leur résonance philosophique abstraites[21]. » En fait, cette « filiation » et cette « abstraction » ne
comptent pas pour rien dans le discours-idéologie qui est tenu,
ne serait-ce que dans le rapport à Rousseau. Réinterprétée et
déformée, la pensée de Rousseau est néanmoins connue — au
moins partiellement — et citée.

Il convient donc d'adopter une voie moyenne : ni philosophie
ou doctrine ni opportunisme, l'idéologie jacobine a sa consistance ; le caractère original est que les invariants concernent des
instances, des repères symboliques, non des contenus doctrinaux. Tel est le cas de la « souveraineté du peuple », métaphore
cardinale qui semble dire beaucoup, mais qui, d'abord, est
agissante ! De même encore pour la « volonté générale », que
même Louis XVI se voit obligé d'invoquer[22]. On peut redéfinir
ainsi la notion d'idéologie telle qu'elle sera appliquée au
jacobinisme : un ensemble de perceptions et de représentations,
à valeur inhibitrice ou mobilisatrice, qui se formulent en
réponse aux tâches du moment, en relation avec la culture
politique disponible[23]. Comme on le verra, le discours-idéologie
est aussi un discours-action, chose que Michelet avait bien
discernée dans la Révolution[24]. L'attention au seul événement
ou au seul donné socio-économique s'est payée longtemps par
une sous-estimation de la culture politique, laquelle ne peut plus
être considérée comme un reflet purement passif et illusoire.

L'analyse du discours jacobin vise donc à la fois à éclairer le
mode d'action et de représentation qui fut celui des Jacobins,
tout en procurant des matériaux pour une réflexion théorique
sur la démocratie moderne, dont le jacobinisme a voulu être
l'agent privilégié. Par ce biais seront abordés les problèmes,
notamment, du choix entre plusieurs conceptions de la citoyenneté ; ou des effets de la souveraineté sur une démocratie qui
valorise l'unité. Pour autant que le jacobinisme nous parle
encore (« De te fabula narratur », pourrait-on dire, en citant
Marx), il s'agit tout autant de le définir, que de nous définir en
fonction de sa propre grille d'interprétation de l'événement
Révolution.

Ordre des matières et documents de référence

L'ordre suivi dans l'étude des questions est assez simple, ce livre se divisant en trois parties. La première retracera l'évolution de la Société des Jacobins entre 1789 et 1794, tout en restituant le cours des événements, sur lequel le club exerce son action, ou par rapport auquel il essaie de se définir : le cadre général des six premières années de la Révolution française apparaîtra sous ce jour.

On passera dès lors à l'analyse des accélérateurs par lesquels le discours jacobin a pris appui sur son temps pour tenter d'infléchir le cours des choses. Comme il a déjà été signalé, deux grandes catégories remplissent cette fonction : en premier lieu, l'homme et le citoyen, groupés souvent par le discours, non sans diverses confusions, sous la notion d' « *individu* » (deuxième partie). Ensuite, l'étude des origines de la souveraineté, des problèmes qu'elle suscite chez le personnel révolutionnaire, ainsi que la recherche jacobine d'une représentation étatique différente, fera l'objet de la troisième partie. Ces analyses reprendront nécessairement le fil chronologique, mais en tenant désormais pour connue la trame des événements donnée dans la première partie. Finalement, il reviendra à la conclusion de situer la vision jacobine à l'intérieur du fonctionnement et des potentialités, voire des ambiguïtés, inhérents à la démocratie des temps modernes.

Les documents utilisés sont imprimés, sauf exception. Ils se répartissent entre le recueil des débats du club, réuni par Aulard[25], les débats de la Constituante, de la Législative et de la Convention reproduits soit dans les *Archives parlementaires*[26], soit dans le *Moniteur*[27].

On sait que les Archives parlementaires ont plus de clarté et sont bien plus complètes que le *Moniteur;* elles possèdent aussi le grand avantage de reproduire des libelles, pétitions ou mémoires en annexes des séances du Corps législatif. Cependant, elles ne sont pas d'une qualité scientifique sans reproche pour la période qui précède le mois d'août 1793 : l'appareil critique est des plus réduits, souvent inexistant. Il nous paraît néanmoins excessif d'adopter le jugement très sévère qu'a émis

Aulard dans son *Histoire politique de la Révolution française* : « Je ne me suis jamais servi de ces *Archives* pour les débats des Assemblées. Le récit de ces séances qu'on y trouve est fait sans méthode, sans critique, sans indication de sources. On ne sait ce que c'est. » Bien que des réserves doivent être faites sur la qualité du compte rendu, la reproduction des débats constitue un matériau riche et irremplaçable, surpassant largement le *Moniteur* que, curieusement, Aulard accepte sans restriction.

Nous nous servons également, bien entendu, des *Œuvres de Robespierre*, parues en dix volumes [28], en confrontant généralement le texte, et les variantes reproduites, avec les recueils des *Archives* ou du *Moniteur ;* il y a, en effet, des erreurs pour certains discours importants. L'édition par Jean Poperen [29] n'est que très occasionnellement citée, bien qu'elle soit d'accès plus facile pour le lecteur : nous évitons, de façon générale, de multiplier les références pour un même texte, du moment que sa correction est établie.

Les discours ou manuscrits de Saint-Just sont cités d'après les éditions, relativement complètes, dues à A. Soboul [30] ou A. Liénard [31]. D'autres références, quand nécessaire, proviennent des recueils parlementaires.

Le report détaillé aux *Œuvres* de Condorcet sera donné : l'importance de cette pensée, citée et critiquée par les Jacobins, a déjà été signalée [32].

Enfin, nous utilisons divers libelles, articles ou mémoires consultés dans des bibliothèques, avec indication de la cote.

Il faut signaler qu'on trouvera souvent dans le corps du texte, en fin de citation, les références aux *Archives parlementaires*, au *Moniteur* et aux *Œuvres* de Robespierre, afin d'alléger les renvois en note.

Au total, le corpus étudié groupe plusieurs milliers de pages, dont ne sont cités que les extraits les plus frappants ou les plus significatifs : il fallait laisser parler, par lui-même, le discours jacobin, tout en épargnant au lecteur la prolixité dont il est coutumier, comme chez tous les grands orateurs de la Révolution. Peut-être regrettera-t-on avec nous que l'éloquence parlementaire actuelle paraisse si pauvre, en comparaison, dans la forme et le contenu !

Paris, le 13 juin 1988

REMERCIEMENTS

C'est au fur et à mesure de l'étude des documents que je serai amené à mentionner les personnalités ou les amis qui m'ont aimablement fait connaître certains d'entre eux. Parmi les personnes qui ont encouragé ce travail sur le jacobinisme, je dois dès maintenant remercier Mme Christiane Ménasseyre, M. Georges Laforest et M. Alain Lancelot : sans l'aide institutionnelle que, chacun pour sa part, ils m'ont apportée, ce livre n'aurait pu être mené à bonne fin. J'exprime également ma gratitude à Mme Odile Rudelle qui n'a cessé de me prodiguer conseils et critiques amicales ; sa générosité personnelle m'a redonné confiance dans les moments de découragement.

Le projet de l'approche de la politique moderne à travers l'exemple jacobin est profondément redevable aux travaux et aux séminaires de M. François Furet qui, depuis six ans, a encouragé cette entreprise. Bien entendu, il ne doit pas être tenu pour responsable des développements ou des interprétations donnés dans cet ouvrage.

La liste des personnes envers qui je suis redevable serait trop longue ; qu'il me soit permis de nommer M. Georges Lavau qui, encourageant les rapprochements entre philosophie et science politique, a dirigé ma thèse ; également M. Jean Leca, dont les séminaires accueillants ont stimulé ma réflexion. De même, Mme Évelyne Pisier pour l'histoire des idées politiques, M. Serge Berstein chez les historiens, MM. François Tricaud et Jean-Marie Beyssade en philosophie, m'ont confirmé dans l'idée que l'interdisciplinarité est à la fois possible et féconde. Au C.E.V.I.P.O.F. (Centre d'Étude de la Vie Politique Française), où je ne compte que des amis, je remercie particulièrement les deux directeurs successifs, M. Lancelot, Mme Annick Percheron.

Je ne saurais dire combien ce livre doit à la vigilance et à l'affection de mon épouse, à qui je le dédie.

Table chronologique
des principaux événements
évoqués

1789

Février-mai Élections aux États généraux et mise au point des cahiers de doléances.

30 avril Fondation à Versailles du Club breton.

5 mai Ouverture des États généraux.

CONSTITUANTE *17 juin* Les « Communes » s'instituent
(9 juillet) en « Assemblée nationale ».

20 juin Serment du Jeu de Paume.

26 août Adoption de la Déclaration des droits de l'homme et du citoyen.

10 septembre Échec du projet des Monarchiens en faveur des deux Chambres.

5 et 6 octobre Louis XVI contraint de venir à Paris, avec l'Assemblée, sous la pression d'une grande manifestation populaire.

Fin octobre Installation à Paris de la Société des Amis de la Constitution.

1790

Création de divers clubs et de sociétés populaires, dont le Club des Cordeliers.

14 juillet Fête de la Fédération au Champ-de-Mars.

1791

Juin Les Jacobins possèdent 450 filiales en France.

	21 juin	Fuite de Louis XVI à Varennes.
	17 juillet	Fusillade du Champ-de-Mars ; provoque la scission du Club des Feuillants, et de 45 filiales des Jacobins.
	Août	Controverses sur la « révision » du projet de Constitution. Constitution.
	Loi des 3-14 septembre	
	30 septembre	La Constituante se sépare sur la formule : « Le terme de la Révolution est arrivé. » Robespierre et Pétion acclamés par des milliers de Parisiens.
LÉGISLATIVE	*1ᵉʳ octobre*	Ouverture de la Législative.
	Hiver	Commencement du débat entre Robespierre et Brissot (majoritaire aux Jacobins) sur l'opportunité de déclarer la guerre.
	1792 Mars	Ministère « jacobin », c'est-à-dire exercé par les amis de Brissot.
	20 avril	La Législative vote la déclaration de guerre à l'unanimité sauf 7 voix : succès girondin.
	Juin-juillet	Déroute militaire et menaces de La Fayette peu combattu par les Girondins.
	5 août	« Arrêté » de la section de Mauconseil apporté à l'Assemblée.
	10 août	Insurrection envahissant l'Assemblée (qui va abréger de ce fait son mandat d'un an).
	2-5 septembre	Massacres dans les prisons.
CONVENTION	*21-22 septembre*	Réunion de la Convention, abolition de la royauté, proclamation de la République.
	1793 21 janvier	Exécution de Louis XVI.
	9 mars	Création d'un Tribunal révolutionnaire, sous la pression d'une

		manifestation de la Commune de Paris.
	Printemps	Échecs militaires, trahison de Dumouriez, soulèvements en Vendée.
	24 avril	Saint-Just répond violemment au projet constitutionnel de Condorcet.
	29 mai	« Déclaration des droits » de la Gironde.
	31 mai-2 juin	La Garde nationale encercle la Convention, qui finit par voter la mise en arrestation (sur liste de Marat) de 29 députés du camp girondin.
	10-24 juin	Élaboration de la Constitution et de la Déclaration montagnardes.
	Été	Multiplication des régions en insurrection.
	10 août	Grande fête de l'Indivisibilité, avec montée à Paris des délégués de toutes les sections.
	29 août	Toulon livré aux Anglais.
	5 septembre	A la suite d'une manifestation, la Convention « met la Terreur à l'ordre du jour » et fixe le « maximum des prix ».
	5 octobre	Adoption du calendrier révolutionnaire.
AN II DE LA RÉPUBLIQUE UNE ET INDIVISIBLE	*19 vendémiaire (10 octobre)*	Saint-Just fait décréter que le gouvernement est « révolutionnaire jusqu'à la paix ».
	14 frimaire (4 décembre)	Décret Billaud-Varenne sur l'organisation du gouvernement révolutionnaire.
	Courant décembre	Circulaires du Comité de salut public (voir la troisième partie).
	1794	
	23-24 ventôse (13-14 mars)	Arrestation de Hébert et de ses amis.
	10 germinal (30 mars)	Arrestation de Danton (exécuté six jours après).

18 floréal *(7 mai)*	Discours de Robespierre en l'honneur de l'Être suprême, dont la fête a lieu le 20 prairial (8 juin).
26 floréal *(15 mai)*	Couthon appelle à l'interdiction des « sociétés sectionnaires », car « elles ne s'accordent pas avec l'unité de gouvernement, d'action et d'opinion dont la République a besoin ».
22 prairial *(10 juin)*	Loi accélérant la justice révolutionnaire, votée sur les instances de Couthon et Robespierre.
8 messidor *(26 juin)*	Victoire militaire à Fleurus.
8 thermidor *(26 juillet)*	Dernier discours fleuve de Robespierre, se heurtant à l'alliance des modérés et des (derniers) hébertistes.
9 thermidor *(27 juillet)*	Arrestation des robespierristes, suivie de leur exécution le lendemain.

Chronologie des Assemblées
— Constituante : Juin 1789-30 septembre 1791.
— Législative : 1er octobre 1791-20 septembre 1792.
— Convention : 21 septembre 1792-26 octobre 1795.
Fermeture du Club des Jacobins : décret de la Convention du 22 brumaire an II (12 novembre 1794).

Les Jacobins dans le processus de la Révolution (1789-1794) : invention d'une organisation révolutionnaire

« *En prononçant dernièrement un arrêt de mort contre toutes les corporations [...] vous en avez oublié une, la plus puissante, la plus étonnante du moins que présente l'histoire de toutes les sociétés politiques. Il n'est personne, à ce portrait, qui n'aperçoive déjà la congrégation des 800 sociétés populaires, dont le chef-lieu est à Paris. Toutes ces sociétés animées d'un même esprit, affiliées entre elles, unies par un pacte fédératif, présentant toutes une même organisation, et se réunissant toutes à une société-mère [...] présentent sinon un gouvernement dans l'État, du moins une effrayante corporation qui peut perdre l'État.* »

G. Delfau, Législative, 25 juin 1792.

La Révolution française dans ses six premières années ne saurait se réduire à sa seule composante jacobine ; pourtant, elle en porte l'empreinte à un point tel que ses adversaires les plus résolus ont pratiqué l'assimilation : pour eux la Révolution était l'œuvre et le jouet des Jacobins. De façon symétrique et inverse — c'est-à-dire chez les admirateurs de Robespierre, historiens du XIXe ou du XXe siècle — on retrouve l'identification : le jacobinisme aurait accompli la « vérité » du processus révolutionnaire, en libérant les potentialités populaires, au maximum de ce dont le processus était porteur en ce temps.

Mais avant même ces débats, au cœur des événements de la Révolution, le jacobinisme attire l'attention (et les passions) des contemporains ; ainsi, dans les deux ou trois premières années, et alors que le club traverse des épreuves, parfois très graves (juillet 1791 : fusillade du Champ-de-Mars), il est dénoncé chez les royalistes comme l'incarnation du mal révolutionnaire ; ou encore, du côté des modérés et de la bourgeoisie constituante, comme ce qui pourrait détruire l'ordre constitutionnel nouveau mis en place.

Le fait intéressant dans ces critiques, c'est qu'elles sont antérieures à la « République jacobine », instaurée par la dictature de la Convention et du gouvernement révolutionnaire (automne 1793). Il paraît donc nécessaire de déterminer les *facteurs* qui ont pu, à l'intérieur du cours de la Révolution, provoquer très tôt ces inquiétudes ou ces attaques. Lorsque s'expriment de tels griefs, qu'est-il dit de vrai sur la vision et le mode de comportement jacobins ? Et, réciproquement, s'il se confirme que la vision et le comportement jacobins furent relativement originaux, quelle fut leur influence sur le devenir de la Révolution durant les six premières années ?

De fait, un modéré comme Le Chapelier fait preuve, en octobre 1791, d'une hostilité qui est en partie clairvoyante lorsqu'il lance cet avertissement qui vise au premier chef la Société des Jacobins : « Si les sociétés pouvaient avoir quelque empire, si elles pouvaient disposer de la réputation d'un homme, si corporativement formées, elles avaient d'un bout à l'autre de la France des ramifications, et des agents de leur puissance, les Sociétés seraient les seuls hommes libres, ou plutôt la licence de quelques affiliés détruirait la liberté publique. »

Venant de quelqu'un qui avait lui-même participé à la naissance du club, l'avertissement n'était pas gratuit, et il donna lieu à un débat mouvementé dans les derniers jours de la Constituante [1].

La Société des Jacobins, considérée par des historiens comme issue des sociétés de pensée d'Ancien Régime [2], a attiré l'attention des contemporains par l'originalité de son organisation et des comportements qu'elle encourageait, car ces deux aspects du jacobinisme entraient en conflit avec les normes écrites ou informelles reconnues par l'élite dirigeante au début de la Révolution. Le regroupement collectif mais sélectif, l'action concertée, la formation d'un pôle de surveillance vis-à-vis des pouvoirs institués, la structure pyramidale (depuis la société-mère jusqu'aux filiales de province), etc., tous ces traits ont été observés par les contemporains, et controversés. Ils constituent de plus, pour le citoyen d'aujourd'hui, les éléments préfigurateurs de ce que nous appelons le *parti* politique — lequel ne reçut cependant pas droit de cité durant la Révolution.

Il faut d'ailleurs constater que le constitutionnalisme français attendit jusqu'à 1958 pour admettre — c'est-à-dire en fait entériner — l'existence des partis politiques. Selon le titre Ier, art. 4 de la Constitution de 1958, « les partis et groupements politiques concourent à l'expression du suffrage. Ils se forment et exercent leur activité librement. Ils doivent respecter les principes de la souveraineté nationale et de la démocratie [3] ». La dernière phrase de cet article suffit à rappeler la méfiance dont le général de Gaulle et ses associés entouraient les partis —

périodiquement soupçonnés depuis 1789 d'affaiblir la souveraineté de la nation en se substituant à cette dernière, et détenant de fait, sous la IVe République, un pouvoir décisif.

Le présent chapitre envisage donc d'examiner à grands traits le déroulement des événements entre 89 et 94 à travers la formation d'un ancêtre des partis, et à travers la *résistance* de la France révolutionnaire à ce phénomène. Car cette résistance, ou plus exactement cette inhibition, fut par sa mollesse et ses ambiguïtés *ce qui permit* aux Jacobins d'assurer la prise sur le mouvement populaire, d'appuyer le passage à la République, et enfin d'établir la monopolisation montagnarde du pouvoir.

Paradoxe donc, qu'une opposition serve de tremplin aux forces qu'elle tente d'arrêter ! Mais cela n'est pas aussi déroutant qu'il semblerait à première vue. Le phénomène d'organisation qui avait été désapprouvé explicitement et officiellement put prendre d'autant plus d'efficacité qu'il savait utiliser certaines apparences, tout en répondant à un besoin réel et bien analysé à l'intérieur du nouveau système politique, où le pouvoir devenait désormais objet de compétition.

Tandis que chez les Jacobins la stratégie s'est constituée au cœur du malaise que la Constituante éprouvait devant les clubs, et en ménageant des décalages habiles entre le discours et les pratiques, une association comme les Cordeliers, ou le Cercle social (plusieurs milliers d'adhérents) ne sut pas forger les instruments permettant de s'adapter et de tirer parti de la situation.

Grâce notamment au recueil réuni par Aulard à partir du Journal des Jacobins [4], il est possible d'établir un certain nombre de confrontations entre la vie interne du club et les événements de l'ensemble de la Révolution, tout en faisant appel à d'autres sources et en comparant avec les travaux des historiens. Plus qu'une histoire du jacobinisme à l'intérieur de la Révolution, le présent chapitre voudrait donner les moyens d'une enquête sur les principaux *accélérateurs* de la conquête du pouvoir, tels qu'ils furent exploités dans les pratiques et les discours du mouvement jacobin : une fois restitué le cadre chronologique — qui est indispensable pour comprendre la structure et l'évolution du groupe — on verra apparaître les grandes controverses de la période, par lesquelles le jacobinisme se fortifia ou, tout au contraire, s'enferma dans des contradictions croissantes. Il appartiendra aux deux parties suivantes de reprendre et d'approfondir, sous un angle cette fois plus théorique, les grandes questions du statut de l'individu, de la nature de la souveraineté, de la valeur de la représentation — soit les principaux points d'appui de la conquête jacobine.

Sur le devenir global du club, une première schématisation générale peut être donnée : telle qu'elle se représente à elle-même, la Société se conçoit d'abord comme la réunion des citoyens les plus conscients, puis comme le peuple lui-même (auquel elle s'identifie après le 10 août 1792), et enfin comme les seuls vrais « représentants » du peuple, dignes en cela de diriger l'État. Ainsi définie schématiquement, cette conscience collective de la Société n'implique pas pour autant que le personnel qui la compose est resté le même durant toute cette période. Au contraire, le recrutement a changé, particulièrement sous l'effet du « scrutin épuratoire » — l'un des mécanismes essentiels de ce club qui fonctionne par clivages, suivis de la reconstitution d'unanimité moyennant l'expulsion. Mais si le personnel change, il se perpétue une certaine constante de l'esprit jacobin, et qui reste à déterminer. Le courant radical qui en fut le vecteur, très minoritaire au début, procéda par adaptations successives vis-à-vis de la conjoncture, en écartant à chaque étape la couche la plus modérée : il n'y a jamais de retour en arrière durant ces années, mais, comme dans toute la Révolution (faut-il dire dans toute révolution ?), une radicalisation croissante.

C'est cette attitude de radicalité qui est véritablement représentative de l'esprit jacobin et qui a accompagné de bout en bout — mais avec un bonheur inégal — l'existence de la société ; même si ce ne sont pas toujours les mêmes hommes qui défendirent cette attitude, soit que le personnel ait changé, soit que les individus aient évolué.

Dans la mesure où la vie du club est inséparable du processus révolutionnaire, qui sera ici retracé sous cet angle de vue, il est légitime de distinguer trois périodes correspondant aux Assemblées successives : le temps des commencements et des difficultés (entre mai 1789 et l'automne 1791), celui de la lutte contre l'hégémonie girondine (jusqu'à la fin de la Législative, imposée par le 10 août), enfin, celui de l'accession au pouvoir (par l'élimination de la Gironde) et de sa monopolisation dans le gouvernement révolutionnaire. C'est à travers ces trois phases d'inégale durée, où la coupure décisive est en fait le 2 juin 1793 [5], que le club issu en principe de la société civile, en vint à se confondre avec l'appareil d'État. Il accomplit ainsi un parcours qui n'était certainement pas écrit d'avance — sauf à croire en quelque Destin —, mais qui a trouvé dans la structure, les règles et les pratiques du groupe ses conditions internes favorables. C'est ce parcours qu'il s'agit maintenant de considérer, avant de revenir sur les accélérateurs, tant internes qu'externes, de la conquête du pouvoir.

CHAPITRE PREMIER

Sous la Constituante :
les commencements de la Société
et ses difficultés

UNE ORGANISATION ORIGINALE

Sur l'origine première de la Société, les recherches historiques ont montré que le Club breton ouvert à Versailles et qui tint sa première réunion le 30 avril 1789 fut l'ancêtre de la Société des Amis de la Constitution. Face au refus de la noblesse et du haut clergé de Bretagne de siéger aux États généraux, les représentants du tiers état de cette province, bientôt rejoints par d'autres, se réunirent pour faire triompher un certain nombre de revendications : obtenir que le vote eût lieu par tête et non par ordre, lutter contre les prétentions des privilégiés, créer un regroupement de « patriotes » (comme on dit alors) sur une base nationale, et briser par là le particularisme provincial. Ensuite, lorsque la marche populaire des 5 et 6 octobre 1789 força le roi à quitter Versailles pour venir habiter Paris, suivi en cela par l'Assemblée nationale, les membres du club firent de même et s'installèrent dans une salle du couvent, tenu par des dominicains, de la rue Saint-Honoré. Le nom de « Jacobins » ou de « Jacobites » (allusion au siège principal des dominicains, rue Saint-Jacques) fut d'abord une épithète donnée par les adversaires qui voulaient railler la discipline et l'orthodoxie que l'on disait régner dans cette association.

Pourtant, si l'on consulte les listes d'affiliation des premiers temps, c'est plutôt la *diversité* qui paraît être le lot de la Société des Amis de la Constitution : on y trouve des figures de premier plan de la Constituante comme Le Chapelier (d'ailleurs membre fondateur du Club breton), l'abbé Sieyès et Mirabeau, des

nobles libéraux comme le duc d'Aiguillon ou le vicomte de
Noailles, des personnalités prestigieuses comme La Fayette, des
esprits de tendance démocratique (Robespierre, Brissot, Collot
d'Herbois), les « triumvirs » qui vont former la gauche de
l'Assemblée (Duport, Barnave, les frères Lameth), etc.[6].

Mais on peut se faire une idée plus précise de l'esprit de la
Société en consultant le règlement intérieur, rédigé par Barnave[7].

Clubistes ou députés ? Une première ambiguïté

En principe, l'adhésion aux Jacobins requiert l'appui apporté
à la Constitution (dont le texte définitif fut voté par l'Assemblée
constituante le 3 septembre 1791), la volonté de défendre les
droits de l'homme (dont la Déclaration est fixée le 26 août 1789)
et le souci d'éclairer le peuple pour lui faire connaître ses droits.
Paraphrasant le *Contrat social* de Rousseau, une Adresse de la
Société aux filiales explique : « De lui-même le peuple veut
toujours le bien, mais il ne le voit pas toujours : il faut le guider,
éclairer son jugement, le garantir de la séduction des volontés
particulières » (*Aulard*, I, 323 ; 10 octobre 1790). De son côté,
Rousseau avait écrit :

« Il s'ensuit de ce qui précède que la volonté générale est
toujours droite et tend toujours à l'utilité publique : mais il ne
s'ensuit pas que les délibérations du peuple aient toujours la
même rectitude. On veut toujours son bien, mais on le voit pas
toujours : jamais on ne corrompt le peuple, mais souvent on le
trompe, et c'est alors seulement qu'il paraît vouloir ce qui est
mal » (*Contrat*, II, 3)[8].

Dans le préambule de leur règlement, les Jacobins définissent
ainsi le but des diverses sociétés locales appelées à entrer en
relation avec le club de Paris : « Destinées à répandre la vérité, à
défendre la liberté, la Constitution, leurs moyens seront aussi
purs que l'objet qu'elles se proposent ; la publicité sera le garant
de toutes leurs démarches. Écrire et parler ouvertement,
professer leurs principes sans détour, avouer leurs travaux, leurs
vues, leurs espérances, ce sera la marche franche par laquelle
elles travailleront à obtenir l'estime publique, qui seule peut
faire leur force et leur utilité. » Conformément à ces principes, il

y eut dès la mi-août 1790 un total de 152 sociétés de province affiliées aux Jacobins de Paris ; la croissance connut ensuite une progression rapide, notamment au moment de la crise créée par la fuite du roi à Varennes (450 filiales en juin 1791)[9].

Un point dans le préambule du règlement signale un caractère très particulier, qui empêche la Société de constituer un simple lieu de rencontre et de discussion. Elle a pris en effet l'habitude de grouper presque uniquement des *députés de l'Assemblée,* en vue de préparer les débats qui auront lieu ensuite dans l'enceinte législative : « À la douceur de s'entretenir et de s'épancher avec des hommes qui professent les mêmes sentiments et qui sont liés par les mêmes devoirs, s'unissait l'avantage de porter dans l'Assemblée nationale des esprits préparés par la discussion et prémunis contre toute espèce de surprise. »

Cette limitation dans le recrutement de la Société tendait donc à lui faire jouer le rôle d'une antichambre parlementaire ; « établie auprès de l'Assemblée nationale », selon son expression, visant à « discuter d'avance les questions » qui y seront examinées (art. Ier du règlement), la Société ne se borna pas à « transmettre [...] l'esprit des décrets » pour les populariser, mais entendit influer, en amont, sur leur rédaction. On constate d'ailleurs, à lire le recueil d'Aulard pour toute la période 1789-1794, que nombre de réunions ont effectivement servi à la préparation de textes législatifs[10].

De la spécialisation dans le recrutement et de la finalité énoncée ci-dessus, il résulte que ce n'est pas un simple citoyen qui pouvait venir s'exprimer dans les séances, mais un représentant de la nation (du moins en ce qui concerne la société-mère de Paris). Pourtant, ce n'est pas au titre de député qu'il prend la parole, mais bien en tant que citoyen éclairé — faute de quoi le club sortirait de son rôle de sociabilité pour entrer en concurrence avec l'Assemblée. Telle est bien la critique qui fut très vite adressée aux Jacobins, alors que pourtant l'exemple des clubs anglais (réunissant eux aussi des députés) pouvait plaider en leur faveur. Une gêne apparut parmi les adhérents devant la double critique qu'on leur faisait : leur société était accusée d'exercer un rôle officieux d'institution, et de contrevenir au principe des clubs, en voie de multiplication à partir de 1790 : la libre et simple conversation entre individus-citoyens.

Cette gêne se voit par exemple le 29 mai 1790 lorsqu'un

intervenant, Jean-Simon Loyseau, relève qu'on s'adresse aux sociétaires « comme s'ils étaient l'Assemblée nationale », et cela bien qu'on ait commencé à recevoir des non-députés. Il poursuit : « Malgré cette admission, on a conservé l'habitude de ne parler qu'aux membres de l'Assemblée nationale [11]. » Si l'on déclara que c'était en tant que citoyen, et non en tant que député — lors même qu'il détenait cette fonction — que le clubiste était fondé à prendre la parole, la distinction se révéla souvent par la suite fictive et même fallacieuse : elle permit aux députés jacobins de venir soumettre les décisions des Assemblées à la « volonté du peuple » et d'exporter en retour le label de civisme donné par la Société au sein de l'enceinte législative.

L'ambiguïté est présente dès les premières années de la Révolution, mais c'est dans la troisième période, après le 10 août 1792, qu'elle répondit véritablement à une tactique mise en œuvre pour faire pression sur la Convention. C'est ainsi que le frère de Robespierre vint rue Saint-Honoré le 5 avril 1793 pour exprimer l'urgence d'une démonstration sur l'Assemblée, à l'encontre de ses collègues girondins qui y siégeaient : « Il faut que tous les bons citoyens se réunissent dans leurs sections [...] et qu'ils viennent à la barre de la Convention nous forcer de mettre en état d'arrestation les députés infidèles » (*Aulard*, IV, 125).

Dans ce type de formulation les Jacobins sont, stylistique-ment, deux fois présents : ils constituent à la fois les « bons citoyens » (membres par ailleurs des 48 sections de Paris), auxquels l'orateur s'adresse, et le « nous » qu'il s'agit de « forcer ». Mais ce « nous » recouvre lui-même les Jacobins-citoyens et les Jacobins-députés, dont Augustin Robespierre est un exemple. Qui plus est, à cette époque, Jacobins et Monta-gnards se représentaient comme la partie saine de la Convention (selon leur expression) ; d'où la suite d'équivalences : Jacobins = peuple = Conventionnels véritables.

Au moment de la Constituante, cette tendance est peu développée, en dépit de l'appellation de « faction » que les adversaires de la Société ne manquent pas de lui adresser, y compris chez ceux qui en étaient membres et l'ont quittée [12]. Mais le club fonctionne déjà comme un *mécanisme de pouvoir*, et non comme un lieu parmi d'autres pour « la douceur de s'entretenir et s'épancher », selon les formules du règlement intérieur. Il condense les trois registres, qui ne sont pas nécessairement représentés dans chaque membre, mais permettent d'intervenir dans des lieux distincts : la qualité de simple individu-citoyen, la qualité de citoyen-jacobin s'exprimant dans une réunion publique (comme l'assemblée de section), la qualité de Jacobin-député membre de l'Assemblée.

C'est effectivement le rôle de *substitut de l'Assemblée* que joue la Société pour Robespierre, le 21 juin 1791, lors de la fuite de Louis XVI. Le président de l'Assemblée nationale avait déclaré que « le roi et une partie de sa famille ont été enlevés cette nuit par les ennemis de la chose publique ». Devant cette fiction qui ne trompait personne (Louis XVI avait laissé un message fort clair), l'Incorruptible — l'appellation date de ce moment — est venu s'épancher devant les Jacobins ; il leur dit que « l'Assemblée nationale trahit les intérêts de la nation » (*Œuvres*, VII, 521). Et devant ces oreilles qu'il sait favorables, il s'emporte contre les députés :

« Je sais qu'en accusant [...] ainsi la presque universalité de mes confrères [...] d'être contre-révolutionnaires, les uns par ignorance, les autres par terreur, d'autres par un ressentiment, par un orgueil blessé, d'autres par une confiance aveugle, beaucoup parce qu'ils sont corrompus, je soulève contre moi tous les amours-propres, j'aiguise mille poignards, et je me dévoue à toutes les haines. » Il conclut : « Je viens de faire le procès à toute l'Assemblée nationale, je lui défie de faire le mien. »

Robespierre obtient alors ce qu'il attendait : déclarant qu'il est prêt à mourir — thème qu'il développera fréquemment dans les moments de crise —, il voit 800 membres du club se lever, l'entourer et jurer de mourir avec lui [13]. De nouveau, le 16 juillet de la même année, il en appelle des députés corrompus à la vertu jacobine, seule fidèle aux intérêts du peuple.

Depuis le matin il y avait une grande réunion de foule au Champ-de-Mars pour signer une pétition protestant contre la fiction selon laquelle Louis XVI était innocent et avait été enlevé contre son gré : il s'agissait d'obtenir l'abdication du roi. Là encore Robespierre renonce à parler devant l'Assemblée, qu'il voue à un mépris presque général : « Lorsque la majorité des représentants du peuple sont corrompus, gangrenés, il ne faut rien attendre d'eux pour le salut de la nation » (*Œuvres*, VII,

587). D'après le *Mercure universel* (mais le compte rendu est peut-être tendancieux), il aurait même appelé les sociétaires présents « vrais représentants du peuple », par opposition à ceux qui n'en portaient que le titre.

Dans cette crise particulièrement grave (le lendemain ce fut la fusillade sur la foule rassemblée au Champ-de-Mars), la Société des Jacobins accuse une radicalisation qui provoque la scission des modérés. Ceux-ci fondent alors le Club des Feuillants, ainsi désigné par référence au couvent dans les locaux duquel ils se transportent. C'est la quasi-totalité des *députés* de la Constituante, membres de la Société, qui la quittent. Ils avaient, derrière La Fayette et Barnave, voté le 15 juillet un décret qui innocentait le roi et le rétablissait dans le pouvoir exécutif.

Au total, dans ces deux moments de l'été 1791 on peut observer une première esquisse du rôle que jouera ensuite à plusieurs reprises la Société des Jacobins vis-à-vis des pouvoirs gouvernementaux : étant par ses adhérents à la fois à l'intérieur et à l'extérieur des institutions, elle agit comme un centre de propositions, une force de pression qui peut devenir un lieu de recours et de diffusion de mots d'ordre à l'égard du peuple.

Libre discussion ou mécanismes d'encadrement ?

Sous l'étiquette moqueuse de « Jacobins », les adversaires entendaient également stigmatiser les pressions exercées dans le Club sur les opinions de ses membres : le grand principe nouveau de la *libre discussion* entre citoyens était, disait-on, opprimé par la structure de « corporation » que la société avait adoptée.

Le terme de corporation est particulièrement infamant pour l'époque : il désigne, au même titre qu' « aristocrate » ou « privilégié », un type de vie et d'organisation aboli par les principes de 89. Selon ces derniers, il n'existe plus que des individus disposant librement d'eux-mêmes dans leur pensée, leurs activités, leur propriété et leur travail. Le terme de « corporation » ou, pour une part, celui de « faction » sert donc à désigner le danger mille fois dénoncé par le parti patriote : le retour de l'Ancien Régime (expression elle-même forgée à cette époque), la soumission de la liberté individuelle à des obligations et à des corps qui lui imposent un destin tout tracé. D'après l'article 11 de la Déclaration de l'été 1789, « la libre communication des pensées et des opinions est un des droits les plus précieux de l'homme ». Les clubs et sociétés populaires pouvaient donc s'autoriser de ce droit nouveau, la liberté de communication. Il est vrai que l'article cité s'appliquait, comme le montre son contexte, à la presse plutôt qu'aux associations. Le droit d'association n'est pas, en effet, énoncé parmi les droits de l'homme [14].

Cependant, le droit d'association fera tout de même une entrée, quoique discrète, dans la Constitution de 1791 : « La Constitution garantit [...] comme droits naturels et civils : [...] La liberté aux citoyens de s'assembler paisiblement et sans armes, en satisfaisant aux lois de police. » Si les pamphlets antijacobins de cette période, dont certains sont rédigés avec talent [15], font un portrait-charge de la discipline jacobine, il faut cependant reconnaître qu'un certain nombre d'aspects dans la Société tendaient à ce résultat.

Tout d'abord, la recherche d'un « esprit prémuni contre toute espèce de surprise », ainsi que s'exprime le règlement, risquait de conduire à la règle de l'unanimisme — ou, à certains moments, de solidifier des clivages massifs — et, à partir de là, d'importer dans l'enceinte parlementaire une ligne de conduite préformée. Telle était d'ailleurs, selon le témoignage de Louis-Philippe dans ses *Mémoires*, la tendance déjà visible au sein du Club breton, souche originaire des Jacobins [16].

Le règlement intérieur, comme s'il voulait repousser d'avance cette critique, spécifie dans son article 14 : « On discutera dans la Société tout ce qui peut intéresser la liberté, l'ordre public et la Constitution, suivant l'esprit et les principes qui ont été annoncés dans le préambule ; mais les discussions qui y auront lieu ne gêneront aucunement la liberté d'opinion de ses membres dans l'Assemblée nationale. »

En affirmant que la liberté d'opinion des députés en tant que députés restait entière, les Jacobins paraissaient, là encore, reprendre l'exemple des clubs anglais. En réalité, dans la mesure où la Société fonctionna très vite comme un *censeur* de l'Assemblée, la fiction de la liberté de pensée des Jacobins-députés ne dura guère. Alors qu'en Angleterre les observateurs de l'époque décrivaient une influence allant *de haut en bas*, du Parlement aux clubs, le processus fut inverse en France, notamment de par les liens que les Jacobins les plus militants tissèrent avec le personnel des sections de Paris. Le modèle anglais, proposé par le philosophe Bentham aux Français, n'était pas séparable d'une autre histoire et d'une autre mentalité collective. L'auteur anglais écrivait notamment : « L'ordre même qui règne dans les discussions d'une assemblée politique forme, par imitation, l'esprit national. Cet esprit se reproduit jusque dans les clubs, dans les groupes, dans les assemblées inférieures, où le peuple se plaît à retrouver la régularité dont il a pris l'idée dans son grand modèle [17]. » La réalité française où, depuis le 14 juillet et le 5 octobre 1789, c'est le « peuple » — en tant que foule rassemblée — qui cherche à imposer le « modèle » aux Assemblées, et non l'inverse, contribua à discréditer l'essai de Bentham proposé ingénument (avec l'appui de Mirabeau) au bureau de la Constituante pour qu'elle se mît à l'heure anglaise...

Non seulement la pratique jacobine de l'adoption de décisions collectives s'écartait du système des clubs anglais, mais elle était aussi opposable à la pensée de Jean-Jacques Rousseau — point qui vaut la peine d'être souligné puisque le patronage de l'auteur du *Contrat social* fut revendiqué par les Jacobins dès le début. C'est le 11 décembre 1791 que, pour bien attester de cet hommage, le club décida de placer le buste de Rousseau dans la salle de réunion (à côté de ceux de Mirabeau et d'Helvétius), ce qui fut exécuté à la date du 29 janvier 1792 [18].

Il faut rappeler que Rousseau avait quant à lui sévèrement limité le rôle des clubs à la façon anglaise (dans son essai sur *Le Gouvernement de Pologne*), et qu'il condamnait dans le *Contrat* toute « association partielle » au sein du peuple souverain, ou toute « brigue », comme il disait encore. Ces « brigues », ces « sociétés particulières » qui se détachaient de la « grande société » du peuple [19], auraient pour résultat de déformer l'expression de la *volonté générale* rousseauiste, en faisant passer pour l'intérêt commun et pour le bien public des intérêts particuliers coalisés :

« Très souvent il se fait une scission secrète, une confédération tacite, qui pour des vues particulières fait éluder la disposition naturelle de l'assemblée. Alors le corps social se divise réellement en d'autres dont les membres prennent une volonté générale, bonne et juste à l'égard de ces nouveaux corps, injuste et mauvaise à l'égard du tout dont chacun d'eux se démembre [20]. »

Considérée comme disciplinée dans son fonctionnement, la Société des Jacobins apparaît bien comme l'un de ces « nouveaux corps » dont parlait Rousseau, faisant triompher « des vues particulières ». Cette infidélité des sociétaires à la pensée de Rousseau (on en trouvera nombre d'autres exemples) provient de ce que le théoricien s'en tenait strictement au *postulat atomiste* du XVIIIe siècle, selon lequel chaque individu doit opiner et décider dans la solitude de sa conscience ; alors que les Jacobins mettent en œuvre les prémices de ce type d'organisation qu'on appellera, à partir du siècle suivant, le « parti » politique.

Il est vrai cependant que Rousseau faisait sa part à une information nécessaire des citoyens avant qu'ils délibèrent, et en ce sens les Jacobins auraient pu se recommander de cette nécessité d'éclairer le peuple. Ils le font parfois. La formulation suivante du *Contrat social* résume à la fois ce qui pouvait les rapprocher de Rousseau et ce qui les en écarte :

« Si, *quand le peuple suffisamment informé* délibère, les citoyens n'avaient aucune communication entre eux, du grand nombre des petites différences résulterait toujours la volonté générale, et la délibération serait toujours bonne » (*Contrat*, II, 3 — formule soulignée par nous).

À l'époque de la Révolution, les adversaires des Jacobins, employant le terme de « corporation » ou de « faction , pouvaient donc retourner Rousseau contre ses disciples prétendus, du fait du postulat atomiste qui organisait la vision de l'individu-citoyen et rendait de ce fait illicite la discipline rigoureuse instaurée par le club.

D'autres éléments allaient aussi dans le sens de la création d'une orthodoxie : c'est le cas au premier chef du fameux *scrutin épuratoire* qui semble dater, en tant que règle systématique, de l'époque de la scission des Feuillants (juillet 1791). La menace d'exclure, dans la société-mère et dans les filiales, tous ceux qui ne donnaient pas satisfaction au comité d'épuration constitué *ad hoc* a pesé comme une contrainte évidente sur la liberté de discussion.

D'après l'article 6 du règlement, le scrutin épuratoire ne devait sanctionner que ceux qui s'écarteraient du respect de la

Constitution et de la Déclaration des droits : « Lorsqu'un membre de la Société sera convaincu d'avoir manifesté soit verbalement, soit par écrit, et à plus forte raison par ses actions, des principes évidemment contraires à la Constitution et aux droits des hommes, en un mot à l'esprit de la Société, il sera, suivant la gravité des circonstances, réprimandé par le président, ou exclu de la Société, après un jugement rendu à la majorité des voix. »

En réalité les jugements furent rendus par des comités restreints défenseurs de la ligne politique du moment, et annoncés ensuite en assemblée ; de plus, ce mode d'épuration fut appliqué à propos de tous les thèmes qui pouvaient diviser gravement le club. En fonction des enjeux du moment, il opéra comme un instrument de rejet des minorités. Au moment de la montée au pouvoir, en juin 1793, l'épuration fonctionna à plein, traduisant ainsi par la pratique ce qui était devenu la *logique* organisatrice du discours jacobin : la dichotomie entre « le peuple » et « les ennemis du peuple ». Il est vrai que vis-à-vis des Girondins (second groupe après les Feuillants à être rejeté), l'exclusion mit un temps relativement long à aboutir. Elle ne fut réalisée que dans la troisième phase de la période étudiée par ce livre, c'est-à-dire après le 10 août 1792. Cela revient-il à dire, pour autant, que le grand débat qui a divisé la Société (sur les raisons de déclarer ou non la guerre aux princes étrangers) a pu se mener ouvertement ? En fait, tout était suspendu aux rapports de force du moment, mais non à un esprit nouveau de tolérance chez les Jacobins : dans ce débat, la Gironde a très largement la majorité jusqu'en avril 1792 (où la guerre est déclarée), et elle tient le comité de correspondance, moyen capital pour influer sur l'opinion des filiales. En revanche, les amis de Brissot, partisans de la guerre, ne peuvent expulser Robespierre qui s'oppose à eux sur cette question : l'Incorruptible est devenu trop prestigieux ; il a notamment été porté en triomphe par la foule le jour de la clôture de la Constituante (le 30 septembre 1791). Les positions de Robespierre, d'esprit très démocratique, son grand discours d'avril sur le refus des conditions censitaires d'éligibilité[21], expliquent l'impunité dont il jouit aux Jacobins, alors même qu'il y traverse une phase difficile.

Outre l'exigence de discipline de vote et le scrutin épuratoire, la Société avait encore un moyen de veiller à l'uniformité la plus grande possible : la sélection qu'elle a pratiquée dans son recrutement lors même qu'elle commençait à s'ouvrir aux non-députés.

Deux modalités aident à sélectionner les candidats à l'adhésion. Il s'agit d'abord des conditions d'entrée financières, qui correspondaient d'ailleurs à la faveur que la majorité des Jacobins montrèrent au début pour le suffrage censitaire, malgré l'opposition de quelqu'un comme Robespierre [22]. Sur ce moyen de filtrage vis-à-vis des adhérents potentiels, Aulard cite l'enquête faite par Louis Blanc : « Indépendamment des frais de réception fixés à 12 livres, chaque membre avait à payer annuellement 24 livres, aux époques des 1er janvier, 1er avril, 1er juillet et 1er octobre, le tout pour faire face non seulement aux dépenses intérieures, mais encore à l'impression des circulaires ou à la publication des pamphlets que les circonstances pouvaient rendre nécessaires. Qui ne payait pas se voyait exclu » (*Aulard*, intr., t. I, p. XXXIII).

La seconde modalité de sélection consistait dans le parrainage, obligatoire pour entrer dans la Société. Il y avait d'ailleurs un « comité de présentation et de vérification » des adhésions. Le règlement de 1790 stipulait dans son article 2 que les candidats étaient présentés par deux sociétaires, s'ils étaient députés ou suppléants de députés ; au cas où ils ne l'étaient pas, ils devaient recevoir l'approbation de cinq adhérents. Mais l'admission restait encore provisoire : « Leur nom restera inscrit pendant deux séances, sur un tableau destiné à cet usage, avec les noms du membre qui les présente et de ceux qui les appuient. Pendant le même temps, chacun pourra faire des objections contre eux, ensuite leur admission sera jugée à la majorité des voix. »

Très méticuleux sur ces modalités, le règlement ajoute, à l'article 3 : « Les personnes sur l'admission desquelles il aura été prononcé par un ajournement ne pourront être proposées de nouveau avant l'intervalle d'un mois, à moins que l'ajournement ne soit proposé à jour fixe. » Dans la pratique, la condition du parrainage signifiait non seulement qu'on n'admettait que des gens sûrs (à une époque où l'obsession du « complot » était vive), mais que ceux qui se portaient garants engageaient leur reponsabilité vis-à-vis des « frères et amis », comme on disait ;

lors de la lutte contre la Gironde, et ensuite pendant les scrutins épuratoires de la Terreur, ceux qui étaient exclus emportaient souvent dans leur départ les adhérents compromis avec eux.

L'élimination s'est généralement accomplie sans fracas, car ceux qui avaient politiquement perdu la partie se faisaient rares aux séances ; or, l'article 5 du règlement précisait que l'absence « pendant un mois, sans motifs légitimes » entraînait l'exclusion.

Au total, le club, dans ses commencements, fut bien une organisation originale, qui ne pouvait éviter d'apparaître, pour l'époque, étrange et suspecte : la place stratégique occupée par rapport à l'Assemblée, la sélection du recrutement, les diverses pressions organisées sur ses membres, le goût du secret, etc., attirèrent cette dénomination de « Jacobins » qui, comme le note Robespierre un peu plus tard (février 1792), « fait naître sur-le-champ l'idée de corporation et même de faction ».

L'évolution d'ensemble : crise et régénérescence de l'organisation jacobine

Ce style général ne s'est renforcé que progressivement, de pair avec l'élimination des membres les plus modérés. En mai 1791, un intéressant document intitulé *Réflexion sur le Club des Jacobins* [23] estime encore que la *diversité* continue à caractériser le club, bien que celui-ci recèle, selon les formules de l'auteur, des « calomniateurs », des « factieux » et des « fanatiques ». Mais globalement, l'esprit général permet d'unir des personnalités diverses : « Dans une assemblée non politique et non délibérante, il est essentiel que chacun ait le droit d'énoncer ses sentiments sans crainte et sans détour ; et que tel puisse avouer qu'il est républicain, tel autre qu'il aime la Constitution telle qu'elle a été décrétée, un troisième qu'il est aristocrate. Quoique ce mot doive écorcher les oreilles d'un patriote, il faut s'accoutumer à l'entendre et à le pardonner, comme il faut qu'un catholique voie un homme et un citoyen dans un protestant, dans un juif, dans un mahométan. »

Il faut cependant remarquer que, le 24 janvier de cette même année 1791, les sociétaires avaient fait le serment de dénonciation des « ennemis de la chose publique », qui fut répercuté dans une lettre-circulaire (*Aulard*, II, 28-29). Le procès-verbal de séance parlait du « serment de défendre, de leur fortune et de leur sang, tout citoyen qui aurait le courage de se dévouer à la dénonciation des traîtres à la patrie et des conspirateurs contre la liberté ». Le serment eut du retentissement dans la presse de l'époque ; ainsi, le même mois, parut un pamphlet intitulé : « Mille et unième dénonciation faite à la tribune des Jacobins. » Et deux mois plus tard un autre libelle déclare : « La soif de la délation est si brûlante chez les Jacobites qu'ils s'accusent eux-mêmes » (*Aulard*, II, 269). On verra néanmoins que le terme de « délation » ou de « dénonciation » recouvre une ambiguïté dans la vision de toute l'époque : s'y mêlent inextricablement la critique politique et la mise en cause personnelle. De cela, le jacobinisme n'était que partiellement responsable.

En considérant l'évolution suivie par la Société, la scission des Feuillants se révèle décisive : ceux-ci avaient tenté de refonder le club sur des bases plus modérées. Emportant avec eux la liste des sociétés de province, Barnave, La Fayette et leurs amis entraînèrent 45 d'entre elles. Le noyau plus radical, restant rue Saint-Honoré, autour de Pétion, Robespierre et Roederer, eut l'habileté de plaider auprès des scissionistes en faveur de la réunification, ce qui était le vœu majoritaire des filiales ; on estime que 150 d'entre elles réclamaient l'union. Dans une adresse d'août 1791, le noyau restant expliqua qu'il ne pouvait être tenu pour responsable de la pétition du Champ-de-Mars (pourtant rédigée par Brissot et Laclos[24]), car la Société des Jacobins avait demandé son retrait aussitôt que la décision de l'Assemblée nationale, en faveur du roi, avait été connue.

Ainsi, ni rebelles ni sectaires dans l'image qu'ils présentaient d'eux-mêmes, les amis de Robespierre et de Brissot surent remonter la pente après la dure épreuve de l'été 1791, et ils réussirent à regagner nombre de filiales, tout en s'ouvrant maintenant aux sociétés populaires favorables au suffrage universel. Dans le tableau rétrospectif qu'il a tracé de cette période, Barnave estime que l'occasion fut à ce moment définitivement perdue de maintenir la dynamique révolutionnaire sous direction modérée : « Dans les premiers quinze jours, la société des Feuillants reçut l'adhésion de quatre cents sociétés départementales, et celle des Jacobins n'en avait pas douze qui prissent son parti. Si ce début avait été suivi avec quelque soin, [...] si la

correspondance des Feuillants eût été active et instructive, [...]
il est possible qu'ils fussent devenus le centre du parti révolutionnaire, qu'ils eussent donné, pendant les premiers temps, un
grand appui à la Constitution, et qu'ils eussent été un des grands
obstacles à une seconde révolution. »

La seconde révolution dont parle Barnave fut celle du 10 août
1792 où les Jacobins rencontrèrent effectivement la souveraineté
populaire en marche, sous sa forme insurrectionnelle — ce qui
constitua pour eux un tournant décisif.

Sur le plan des élections à la Législative, les Jacobins eurent la
satisfaction inattendue de voir, dès le 4 octobre, 95 députés
demander à être admis chez eux ; le processus continua les jours
suivants, jusqu'à atteindre à peu près 130 députés, les Feuillants
de leur côté en revendiquaient autour de 160. La lutte contre le
« feuillantisme » allait occuper toute la durée de la Législative,
exacerbée par les menaces que faisait peser La Fayette à la tête
des troupes.

La réorganisation de la Société jacobine sous la Constituante
est donc d'une grande importance pour le cours de la Révolution, comme l'a écrit Barnave. Mais alors que ce dernier, dans
ses *Mémoires*, met l'accent sur les qualités de libellistes et de
journalistes des sociétaires, cet aspect doit être rattaché à l'*esprit
de discipline* du groupe, qui explique sa force propagandiste
lorsqu'il recourt aux écrits. Le club se réorganise au tournant du
mois de septembre 1791 : à ses trois comités (de présentation, de
correspondance et d'administration), il ajoute un comité des
rapports, un comité de surveillance. C'est à propos de ce dernier
que Camille Desmoulins va noter l'importance de la *dénonciation*, prise en main par les Jacobins en tant que pratique
civique [25]. La Société accentue également sa force d'intervention
propre comme porte-voix de la « volonté populaire » : dans une
adresse aux filiales, elle appelle à créer partout des « Sociétés
populaires et fraternelles des Amis de la Constitution » afin
d'instruire les campagnes ; il est conseillé de réunir les familles
en mettant chaque rencontre sous direction jacobine.

C'est précisément à ce moment (charnière entre la Constituante et la Législative) que Le Chapelier envisage de donner un
coup de frein vigoureux à l'extension comme au fonctionnement
des clubs et sociétés populaires. Les Jacobins sont les premiers
visés.

UNE ORGANISATION CONTESTÉE :
L'OFFENSIVE CONDUITE PAR LE CHAPELIER

Le rapport d'accusation

Le 29 septembre une figure importante de la Constituante, qui avait participé aux grandes lois rédigées par cette Assemblée, présenta, au nom du Comité de constitution, un *Rapport sur les sociétés populaires*[26]. Le texte ne tendait à rien moins que prohiber l'affiliation et les réseaux de correspondance entre sociétés, la publicité de leurs séances, ainsi que le droit d'avoir un journal relatant leurs débats. Selon la formule du rapporteur, il s'agissait d'empêcher que lesdites sociétés acquièrent « une existence politique ». A la suite de la réplique énergique menée par des Jacobins comme Robespierre et Pétion, le décret voté par la Constituante (et sanctionné ensuite par la Législative) fit machine arrière : il se bornait à interdire les députations (devant la barre de l'Assemblée) et les pétitions *en nom collectif* — où donc une organisation signait comme telle. Il reconnaissait aux associations une « existence publique », et non « politique ». Dès le 12 octobre, les Jacobins décidèrent de rendre publiques leurs séances, ce que le décret n'interdisait pas. Néanmoins, le texte du rapport Le Chapelier fut joint au décret : demi-mesure qui révèle le regret dont les Constituants l'entouraient. Il mérite, à ce titre, un examen, ainsi que pour l'analyse qu'il développe sur le club jacobin.

Le rapport commence par un éloge de la force des clubs, pour dénoncer ensuite, et contradictoirement, cette force : « Nous allons vous entretenir de ces sociétés que l'enthousiasme pour la liberté a formées, auxquelles elle doit son prompt établissement, et qui, dans des temps d'orage, ont produit l'heureux effet de rallier les esprits, de former des centres communs d'opinion, et de faire connaître à la minorité opposante l'énorme majorité qui voulait et la destruction des abus, et le renversement des préjugés et le rétablissement d'une Constitution libre. »

Cet éloge reconnaissait un moteur nouveau inhérent à la politique moderne : l'union qui peut se créer entre les simples individus, la puissance de l'*opinion publique*. De ce fait, les clubs tels que ceux des Jacobins devenaient des « centres communs d'opinion » décuplant par leurs effets ce qu'avaient pu produire autrefois les salons, académies ou sociétés maçonniques. Mais si elle est reconnue pour sa puissance de « ciment » entre les esprits, l'opinion est également redoutée par ceux qui, comme Le Chapelier, cofondateur du Club breton, ont le souci d'arrêter la Révolution : démocratique par excellence, la force de l'opinion peut basculer dans la dynamique révolutionnaire.

Aussi l'orateur poursuit-il en ces termes : « Mais, comme toutes les institutions spontanées que les motifs les plus purs concourent à former et qui bientôt sont écartées de leur but, [...] ces sociétés populaires ont pris une espèce d'existence politique qu'elles ne doivent pas avoir. »

On retrouve dans « cette espèce d'existence politique » le statut de censeur et de groupe de pression — voire de groupe de recours — qu'on a vu les Jacobins adopter vis-à-vis de l'Assemblée. Alors s'instaure une concurrence, le regroupement unificateur des sociétés populaires dispute le monopole de la *représentation du peuple*, voire en nie le principe. Tel est bien le reproche lisible dans des formules suivantes : « Il n'y a de pouvoirs que ceux constitués par la volonté du peuple exprimée par ses représentants : il n'y a d'autorité que celle déléguée par lui ; il ne peut y avoir d'action que celle déléguée par lui ; il ne peut y avoir d'action que celle de ses mandataires revêtus de fonctions publiques. »

Aussi retrouve-t-on finalement le terme de la condamnation suprême : la « corporation ». « C'est pour conserver ce principe dans toute sa pureté que, d'un bout de l'empire[27] à l'autre, la Constitution a fait disparaître toutes les corporations et qu'elle n'a plus reconnu que le corps social et des individus. » Il faut donc entendre que là où il n'y a que des « individus », les sociétés — et surtout les Amis de la Constitution, explicitement nommés — créent des entités artificielles, des corps intermédiaires qui séparent les citoyens de leurs représentants. De plus, l'organisation jacobine ordonne pyramidalement ces corps entre la province et Paris : elle capitalise par là, aux yeux de Le Chapelier, une délégation de pouvoirs.

La tactique suivie par le rapporteur consiste donc à prétendre qu'une telle structure revient en arrière, *rétablit l'Ancien*

Régime : les clubistes ne peuvent s'organiser de la sorte « sans s'assimiler aux corporations détruites, sans en former une bien plus dangereuse que les anciennes » ; alors, « à l'aide de bizarres et corporatives affiliations, il s'établit une espèce de privilège exclusif de patriotisme, qui produit des accusations contre les individus non sectaires et des haines contre les sociétés non affiliées [28] ».

Quand la « corporation » absorbe le libre jugement individuel, non seulement elle acquiert une force en dehors des institutions légales, mais elle se tourne contre les individus isolés, « non sectaires », tout en délivrant aux siens un... privilège nouveau — un brevet de patriotisme.

Retour aux corporations, retour aux privilèges : l'accusation est hyperbolique, mais elle produit des effets importants sur l'esprit général de la Révolution, qui ne plaisante pas avec ces thèmes. Dans cette accusation, Le Chapelier ne fait que transposer, en l'appliquant aux clubs, le principe au nom duquel il avait fait interdire précédemment par l'Assemblée les *coalitions ouvrières,* elles-mêmes accusées de reproduire les corporations dans l'ordre économique ; dans sa célèbre loi du 14 juin 1791, il proclamait : « Il n'y a plus de corporations dans l'État ; il n'y a plus que l'intérêt particulier de chaque individu et l'intérêt général. [...] Il faut donc remonter au principe que c'est aux conventions libres, d'individu à individu, à fixer la journée pour chaque ouvrier » (A.P., XXVII, 210).

De même donc que l'*homo œconomicus* abstrait était censé se substituer à toute appartenance de classe, en matière politique les « corps » n'ont plus lieu d'être, car, selon le postulat atomiste en vigueur, chacun doit opiner par soi seul. Mais, cette fois, il y a une certaine contradiction à reconnaître que les groupements organisés ont pu accélérer la dynamique des grandes journées révolutionnaires, et à demander leur disparition ; ou cela revient à supposer que les embryons du parti politique sont par nature factieux. Ce présupposé restera vivace dans la culture politique française, puisque, comme il a été signalé plus haut, la légalisation des partis sera très tardive. Il y a eu des forces collectives mais il ne devrait plus y en avoir : telle est la formulation, sonnant en grande partie comme un aveu d'impuissance, donnée par l'opinion modérée à la fin de la Constituante. L'Assemblée se sépare d'ailleurs en déclarant que « le terme de la Révolution est arrivé » ; aveu d'échec en réalité, comme on le voit ensuite, puisque chaque groupe dirigeant jusqu'à Bonaparte [29] reprendra la même formule d'exorcisme.

De la même façon, le rapport Le Chapelier énumère les raisons d'en finir : « Tout le monde a juré la Constitution, tout le monde appelle l'ordre et la paix publique, tout le monde veut que la Révolution soit terminée. [...] Le temps des destructions est passé ; il ne reste plus d'abus à renverser, de préjugés à combattre ; il faut désormais embellir cet édifice dont la liberté et l'égalité sont les pierres angulaires. »

D'ailleurs, pourquoi ces regroupements se produisent-ils ? C'est que, explique l'orateur, des leaders d'opinion tentent d'établir leur pouvoir personnel, contre la loi et la législature en place : ces hommes ne se font recevoir dans les sociétés « que pour acquérir une sorte d'existence, [...] n'y parlent que pour préparer leurs intrigues et pour usurper une célébrité scandaleuse qui favorise leurs propos ».

En dernière analyse, les « corporations » nouvelles ne seraient que le fait d'individualités ambitieuses, et leur existence serait tournée contre les autres individus « non sectaires » ; le seul *corps* légitime et pur est le corps législatif qui poursuit, lui, l'intérêt public, au lieu de stratégies personnelles.

Les conséquences

Le rapport Le Chapelier est frappant à la fois par la justesse de certaines analyses et par les impasses qu'il est en train d'instituer, à son insu, au détriment de la couche modérée qui a conduit le premier temps de la Révolution.

Dans son hostilité, le texte met au jour la logique selon laquelle un fonctionnement d'organisation visant à créer une *unité* idéologique et politique peut en venir à opprimer la diversité d'idées entre les adhérents. La Société des Jacobins est un bon exemple dès l'été 1791, et l'expérience se retrouvera dans la suite de la politique moderne où l'on sait ce que peut signifier la « discipline de parti ».

De même, Le Chapelier a compris le péril qui guette les individus non affiliés à ce parti, et surtout ceux qui le quittent. Les sociétés, comme il dit, « peuvent disposer de la réputation d'un homme »; lui-même d'ailleurs en saura quelque chose lorsque durant la Terreur (pluviôse an II), il va écrire à Robespierre pour l'assurer de son ralliement à la République et pour se proposer comme espion en Angleterre [30]. A l'époque, Robespierre, devenu maître des Jacobins, pouvait « disposer de la réputation d'un homme »; et de fait, Le Chapelier finit sur l'échafaud, sa lettre ayant été transmise au Comité de salut public.

D'un autre côté, dans les antithèses rigides qu'elle construit, dans les revirements qu'elle montre, l'opinion modérée donne des éléments pouvant faciliter sa chute. Ne voulant pas reconnaître la vie associative inhérente à la citoyenneté moderne [31], la majorité des constituants ne fait que renforcer les Jacobins, les Cordeliers, le Cercle social et les autres sociétés d'esprit démocratique. Leur refusant « l'existence politique », ces députés voudraient restreindre le débat public à l'enceinte parlementaire et à la presse, en réduisant finalement les réunions à des conversations privées. C'est encore Le Chapelier qui le dit clairement : « Les sociétés, les réunions paisibles de citoyens, les clubs sont inaperçus dans l'État. Sortent-ils de la situation privée où les place la Constitution ? Ils s'élèvent contre elle, ils la détruisent au lieu de la défendre. »

Il était assez irréaliste de vouloir que les clubs restent « inaperçus » dans l'État, alors qu'ils répondaient à une demande très perceptible. La conséquence fut que les Jacobins, devant s'accommoder de la légalité, surent la tourner, et puisèrent une partie de leur force dans cette semi-clandestinité à laquelle on les a voués — jusqu'au moment du gouvernement révolutionnaire de l'an II où ils devinrent des rouages de l'État.

Quelqu'un comme Robespierre comprend aussitôt quel parti peut être tiré de ces interdictions, si on sait faire preuve d'habileté. Dès le 5 octobre, il explique, en séance des Jacobins, qu'il n'y a pas de péril [32]; tout d'abord, le texte de Le Chapelier, au lieu de constituer une « instruction » jointe au décret et servant à l'expliciter, n'est devenu qu'un simple rapport :

« Lorsqu'on y réfléchit, il est même avantageux pour les sociétés que le rapporteur ait présenté son travail sous la forme d'une instruction, et que l'Assemblée ait rejeté cette forme, parce qu'il en résulte évidemment que l'Assemblée n'a voulu revêtir d'aucun caractère légal les idées qu'il contient. Ainsi le décret reste seul et isolé. Quelle espèce de changement apporte-t-il dans l'existence des sociétés patriotiques ? Nous disons avec confiance qu'il n'en apporte aucun qui puisse répondre aux vues de leurs ennemis. »

Robespierre va en effet s'attacher à montrer que les Jacobins ne sont pas concernés par les actes que le décret de l'Assemblée prohibe. Le texte du décret disait : « L'Assemblée nationale, considérant que nulle société, club, association de citoyens ne peuvent avoir, sous aucune forme, une existence politique, ni exercer aucune action sur les actes des pouvoirs constitués et des autorités légales [33] ; que, sous aucun prétexte, ils ne peuvent paraître sous un nom collectif, soit pour former des pétitions ou des députations pour assister à des cérémonies publiques, soit pour tout autre objet, décrète ce qui suit, etc. »

Voici la réponse : « Les pétitions en nom collectif étaient déjà prohibées par un article de la Constitution ; ainsi, rien de nouveau à cet égard [34]. Quant aux actes qui n'appartiennent qu'à des assemblées politiques, les sociétés savent bien qu'elles ne doivent pas se les permettre ; elles n'ont jamais réclamé, et elles ne réclament point une existence politique ; elles se bornent à avoir une existence morale et publique. [...] Leurs plaintes, leurs alarmes, les observations qu'elles croiront utiles à la chose publique, elles les feront toujours entendre : ce ne seront point les sociétés qui parleront, ce seront les citoyens qui les composent. »

L'argumentation est d'une prudence toute tactique : les sociétés gardent une existence « morale et publique », et en cela elles ne deviennent pas « inaperçues », comme le souhaitait le rapporteur. Cependant, lorsqu'elles se manifesteront, ce ne sera pas en tant que sociétés, car ces dernières ne parleront pas, « ce seront les citoyens qui les composent ». Si on réunit bout à bout ces deux affirmations de Robespierre, on voit qu'il y a une contradiction — qui est précisément celle de la Révolution tout entière dans ses premiers temps : elle consiste à s'appuyer sur des forces collectives, qui ne sont fortes que parce qu'elles sont collectives, et à leur refuser par ailleurs les moyens légaux d'exister pleinement [35].

En voulant anémier la dimension révolutionnaire, les modérés d'abord mutilent la dimension démocratique, ensuite donnent aux Jacobins des occasions d'exacerber la dimension révolutionnaire. Saisiront-ils cette occasion ? A l'automne 1791 la guerre n'existe pas encore, le roi n'est pas véritablement tombé malgré l'aventure de Varennes, les équipes d'hommes jeunes qui vont fournir les députés de la Législative commencent seulement à apparaître. C'est ensuite que l'emballement va se produire, pour conduire au grand tournant du 10 Août. Alors sonne l'heure des « vrais Jacobins », succédant aux « brissotins » d'abord hégémoniques dans la Société.

CHAPITRE II

Sous la Législative : la lutte pour l'hégémonie dans le club, pour la légitimité populaire dans le pays

La période de la Législative est largement commandée par la question de la guerre. Le débat sur les raisons de la déclarer se déroule presque entièrement au sein du club des Jacobins et il est gagné par les amis de Brissot contre les isolés comme Robespierre ou Billaud-Varenne. L'Assemblée, où l'emporte également la Gironde, vote la déclaration de guerre « au roi de Bohême et de Hongrie » le 20 avril 1792, à l'unanimité moins 7 voix. Mais cette victoire va se tourner contre ses bénéficiaires : les échecs militaires, le caractère brouillon et indécis des amis de Brissot et de Vergniaud devant les menaces du général La Fayette (qui veut ramener les armées à l'intérieur en les tournant contre la gauche), ouvrent la voie à l'insurrection du 10 août.

Les débats à l'intérieur du club montrent que les radicaux ont sinon conduit l'insurrection du 10, du moins aidé à son mûrissement. Par ce conflit politique un camp nouveau s'est constitué : on l'appelle la Montagne (il siège sur les bancs les plus élevés), il a sa base d'appui aux Jacobins, il possède son adversaire désormais désigné, la « Gironde ». Ce camp nouveau, défenseur des idées avancées, apparaît comme l'allié naturel de la souveraineté populaire. Ainsi, l'alliance entre le jacobinisme « vrai » et le Peuple souverain constitue l'acquis *symbolique* primordial de cette bataille de onze mois.

On suivra donc l'enchaînement des étapes et des facteurs selon lesquels le mot imprudent de Brissot : « Le peuple est là ! » se réalise effectivement mais à front renversé : au profit du camp plus radical [36].

L'ENJEU DE LA DÉCLARATION DE GUERRE :
LA VICTOIRE DES « BRISSOTINS »

Composition et divergences dans le Club

Au début de la Législative il semble que la Société entre dans une période faste ; c'est d'abord vrai pour son extension dans « l'empire » (comme on disait), puisque plus de 500 sociétés nouvelles ont demandé l'affiliation dès septembre (*Aulard*, III, 137). On envisage (comme signalé plus haut) de grandes mesures de propagande auprès des campagnes ; pour ce faire, un concours a été ouvert en vue de la rédaction d'un almanach édifiant. C'est Collot d'Herbois qui emporte le prix, avec l'*Almanach du père Gérard* (*Aulard*, III, 223 ; 23 octobre). Les Jacobins ne craignent pas, dès lors, de se désigner eux-mêmes comme les nouveaux missionnaires d'un ordre laïque, devant porter partout la bonne parole : « Comment s'est établie la religion chrétienne ? Par les missions des apôtres de l'Évangile. Comment pouvons-nous établir solidement la constitution ? Par la mission des apôtres de la liberté et de l'égalité » (adresse aux filiales du 27 février 1792).

En cela il s'agit d'ouvrir la voie aux enseignants qui, à leur tour, instruiront le peuple français, illettré dans son immense majorité : les Jacobins seront « les précurseurs des maîtres qu'enverra un jour l'Assemblée nationale pour la nouvelle éducation politique ». Car l'instruction doit s'accompagner de l'*éducation* du citoyen pour enseigner la loi fondamentale « qui est, suivant Rousseau, la plus importante de toutes. Elle se grave, dit-il, ni sur le marbre, ni sur l'airain, mais dans le cœur des citoyens ; c'est elle qui fait la véritable Constitution de l'État. C'est elle, nous ajouterons, qui divise et détruit les factions toujours créées par des intérêts particuliers, et qui établit le règne de la volonté générale, toujours d'accord avec l'intérêt public ».

Précurseur de ce qui deviendra l'idéal républicain du XIXe siècle, le club rejoint en même temps la volonté profonde de la Révolution en matière d'instruction publique (et dont seule la Convention trouvera le temps de jeter les bases)[37].

Pour ce qui concerne maintenant la participation au pouvoir, la période paraît également favorable : à Paris un membre des Jacobins est élu maire. Il s'agit de Jérôme Pétion, alors ami de Robespierre, avec qui il a refait le club après la scission des Feuillants. Le mois suivant (décembre 1791), c'est Manuel, patronné par le club pour les élections à la Législative (où il échoue) qui devient procureur-syndic de la Commune de Paris. Lui aussi est un ardent démocrate ; il déclarera plus tard à propos du jugement de Louis XVI : « Un roi qui meurt n'est pas un homme en moins. »

Mais surtout, outre son score honorable aux élections législatives, la Société va promouvoir ses membres aux ministères : Louis XVI — rétabli dans ses fonctions de chef de l'exécutif — renvoie, en mars, les Feuillants et appelle Roland à l'Intérieur, Clavière aux Finances, Servan à la Guerre, et Dumouriez aux Affaires étrangères. La cristallisation des haines va se réaliser sur ce ministère « jacobin » en place jusqu'au 13 juin : il faut mettre des guillemets à l'appellation du cabinet, ainsi désigné dans les journaux, car tous sont des amis de Brissot et des partisans de la guerre.

Le succès du groupe jacobin, au-delà des apparences, a pour réalité une division qui devient patente durant le long débat sur la déclaration de guerre. Si la polémique s'étire entre décembre et avril, elle ne cesse ensuite de se ranimer devant les quatre mois de déroute militaire qui suivent l'ouverture des opérations. Division telle que Robespierre prétend le 27 mai qu'il n'existe plus de Société des Jacobins véritable. Fidèle à l'esprit d'orthodoxie et d'unité qui le caractérise, l'Incorruptible estime qu'il ne peut y avoir deux lignes concurrentes :

« Il y a une majorité généreuse qui est animée de l'esprit du peuple tout entier ; il y a une minorité qui intrigue, pour qui cette Société est un moyen de parvenir, qui remplit les Comités [du club] et divulgue nos secrets à la Cour. [...] Or, lorsque la Société des Amis de la Constitution est ainsi partagée en deux parties, dont l'une propage les principes constitutionnels et l'autre détruit l'esprit public, il n'existe plus de Société. Ainsi composée, elle n'est plus le soutien de la Constitution. Divisée, que peut-elle faire pour la chose publique ? Si quelqu'un pense le contraire, qu'il se lève, et je vais lui répondre » (*Aulard*, III, 615).

L'orateur sait très bien que la Société existe et agit ; mais le véritable problème est que, depuis les passes d'armes avec Brissot, il a perdu le contrôle du Comité de correspondance, lequel ne retrace pas les débats avec équilibre mais donne l'avantage au courant belliciste, de fait majoritaire. Robespierre, tentant d'inverser le rapport des forces, accuse le courant qui a soutenu la guerre de travailler pour les *intérêts particuliers* de ses membres — accusation la plus grave pour l'idéologie révolutionnaire :

« Lorsque je vois des membres des comités parvenir tout à coup à des emplois lucratifs, je ne vois plus en eux que des ambitieux qui ne cherchent qu'à se séparer du peuple. Eh bien, qu'est-il arrivé ? Des membres qui composaient le Comité de correspondance, il en est à peine six qui n'aient pas échappé aux places, et le patriotisme payé m'est toujours suspect. »

L'orateur termine en annonçant qu'il faudra bientôt vider le conflit : « Au moment où l'on voit qu'une foule de sociétés ont perdu l'esprit patriotique, il faut que vous suspendiez les affiliations comme vous avez arrêté les présentations. Bientôt vous vous occuperez des moyens de purger la Société entière. » En cette période il est d'ailleurs en train de regagner du terrain, comme le montre le fait qu'il obtient la suspension des affiliations (décision reconduite jusqu'au 17 juin).

Le clivage entre l'esprit girondin et l'esprit jacobin, mais sous une forme encore superficielle, se perçoit dans cette polémique : d'un côté, un certain appétit à occuper les places et une impatience d'étendre les conquêtes de 89 au-delà des frontières, de l'autre le mépris affiché pour le « patriotisme payé », le refus d'un lyrisme qui oublierait la force de l'ennemi intérieur. Il est caractéristique aussi que la Société envoie aux filiales, avec ses louanges, le texte de Condorcet *Ce que c'est qu'un cultivateur et un artisan français*[38]. Le philosophe engagé dans la Révolution y fait l'éloge du travail, de l'épargne, et explique — contre tout bouleversement violent — que les « citoyens passifs » doivent attendre du progrès de la société qu'elle s'ouvre à des principes plus démocratiques[39]. Le 25 avril, Brissot fait devant les Jacobins un panégyrique de Condorcet, car le courant girondin est fier d'avoir avec lui un esprit éminent, qui a connu les Encyclopédistes. Et il s'adresse en ces termes à Robespierre : « Qui êtes-vous pour avoir ce droit [de l'attaquer] ? Qu'avez-vous fait ? Où sont vos travaux, vos écrits ? Pouvez-vous citer, comme lui, tant d'assauts livrés pendant trente ans, avec Voltaire et d'Alembert, au trône, à la superstition, au fanatisme parlementaire et ministériel ? [...] Vous déchirez Condorcet, lorsque sa vie révolutionnaire n'est qu'une suite de sacrifices pour le peuple : philosophe, il s'est fait politique ; académicien, il s'est fait journaliste ; noble, il s'est fait Jacobin ; placé par la Cour dans un poste éminent, il l'a quitté pour le peuple, il a consacré au peuple ses travaux et ses veilles, il a ruiné sa santé pour le peuple » (*Aulard*, III, 529).

Face à la sympathie des amis de Brissot pour les Lumières, la richesse et le pouvoir, Robespierre met en avant l'austérité, la vertu et la véritable fidélité au peuple qu'aurait montrée Rousseau ; deux jours après le discours de Brissot, c'est une réponse en termes tout aussi véhéments : « Si les académiciens et les géomètres que M. Brissot nous propose pour modèles, ont combattu et ridiculisé les prêtres, ils n'ont pas moins courtisé les grands et adoré les rois dont ils ont tiré un assez bon parti ; et qui ne sait avec quel acharnement ils ont persécuté la vertu et le génie de la liberté dans la personne de ce Jean-Jacques dont j'aperçois ici l'image sacrée, de ce vrai philosophe qui seul à mon avis, entre tous les hommes célèbres de ce temps-là mérita ces honneurs publics prostitués depuis par l'intrigue à des charlatans politiques et à de misérables héros [40]. »

Il s'agit donc d'établir que seuls les amis de Rousseau aiment le peuple : « Je suis peuple moi-même », et non le tribun ou le défenseur du peuple, s'écrie Robespierre dans ce même discours. C'était désigner l'enjeu principal dans le conflit avec la Gironde jusqu'au 2 juin 1793 : l'appropriation de la *légitimité populaire*, contre d'autres porte-parole dans les clubs et contre ceux, parmi les députés, qui pouvaient prétendre représenter cette légitimité. D'ailleurs c'est le principe même de la représentation du peuple (et par une nouvelle référence à Rousseau) qui va être remis en doute, comme on le verra ci-dessous [41].

Il faut remarquer que la formule de Robespierre : « Je suis peuple moi-même » s'accompagne d'une connotation *sociale* qu'il a toujours attachée au terme de peuple [42]. On pouvait entendre en effet ce mot comme désignant le sujet de la souveraineté (à peu près le *populus* romain), ou comme celui s'appliquant aux plus pauvres, à ceux qui n'étaient pas des privilégiés avant 1789 (au sens de la *plebs* romaine). Robespierre accepte l'ambivalence du terme (soulignée dès l'été 1789 dans une séance mémorable de la Constituante), et il en tire profit : il est socialement l'ami des pauvres et politiquement le défenseur de la souveraineté populaire. Le rousseauisme permettra ensuite d'affirmer, à l'époque de la lutte au sein de la Convention, que seuls les Jacobins, voire le parti de la Montagne, sont les défenseurs des pauvres. Pour le moment, au printemps 1792, ce n'est encore que suggéré. Il faut d'ailleurs signaler dès maintenant que Brissot entérinera avec fracas le clivage social que suggérait Robespierre [43] ; en mars 1793, il écrit que la « plèbe » à la romaine constitue la menace du jour :

« Aujourd'hui que la tyrannie est à bas, que le trône est dissous, qu'est-ce qui nous menace d'insurrection ? Ce n'est pas le peuple, *populus,* il s'insurgerait contre lui-même ; c'est le *plebs,* qui, pauvre et envieux des richesses, veut les enlever aux propriétaires, soit par des séditions, soit par des lois qu'il veut dicter aux représentants de tout le peuple [44]. »

Le duel Robespierre-Brissot sur la guerre

Si l'on en vient maintenant aux raisons *politiques* du conflit, dans la période de la Législative, elles sont plus profondes : le choc entre le discours qui se recommande des Lumières et celui qui invoque le rousseauisme n'est qu'un moyen commode pour schématiser le concurrent — en train de devenir l'ennemi. La divergence plus fondamentale, d'ordre politique, concerne les visées et les conséquences attachées à l'entrée de la France en guerre.

C'est dans ses deux principaux discours aux Jacobins, du 16 et du 30 décembre, que Brissot apparaît comme le partisan numéro un de la guerre [45]. Il s'agit, contre l'Autriche, d'étendre les principes révolutionnaires afin de mieux asseoir *en France même* leur portée. La tactique envisagée par Brissot consiste à couper l'ennemi intérieur des ressources que lui apportent les princes étrangers : « Voulez-vous détruire d'un seul coup aristocrates, mécontents, prêtres réfractaires ? Détruisez Coblentz. Coblentz détruit, tout est tranquille au-dehors, tout est tranquille au-dedans. »

En fait, les propos vont plus loin : avançant un thème qui aura une fortune considérable sous la Terreur (et dont Brissot subira le choc en retour!), il décrit la guerre comme le laboratoire pour un *peuple nouveau* : « À un peuple qui a conquis sa liberté, après douze siècles d'esclavage, il faut la guerre pour la consolider ; il la faut pour l'éprouver ; il la faut pour faire voir qu'il en est digne ; il la faut pour le purger des vices du despostime ; il la faut pour faire disparaître de son sein les hommes qui pourraient encore le corrompre. » À en croire l'orateur, l'exemple de la nation américaine prêcherait en ce sens : « Les Américains ont passé par le creuset de la guerre. » La perspective ici développée est en réalité tout autre que celle des « insurgents » américains et Brissot ne pouvait l'ignorer, tant par ses voyages aux États-Unis que par ses liens avec le Nouveau Monde.

Il convient d'y insister, car le fait est peu connu, l'orateur de la Gironde tient le 16 décembre 1791 le discours que systémati-seront deux ans plus tard les apologistes de la Terreur : « La guerre de la liberté [opposée à celle de la conquête] est une guerre sacrée, une guerre commandée par le ciel ; et comme le ciel elle purifie les âmes. C'est au milieu des terreurs de la guerre libre que l'égoïsme disparaît, que le péril commun réunit toutes les âmes [...]. Au sortir des combats, c'est une nation régénérée, neuve, morale ; tels vous avez vu les Américains : sept ans de guerre ont valu pour eux un siècle de moralité. » École de désintéressement à l'encontre de l'égoïsme néfaste, la guerre est aussi école de l'égalité : « La guerre seule peut égaliser les têtes et régénérer les âmes. »

Comment ne pas rapprocher ces propos de ceux, fréquents chez Billaud-Varenne — par exemple dans son grand discours du 1er floréal an II (20 avril 1794)[46] : « La guerre, qui paraissait devoir consommer notre ruine, est pourtant ce qui nous a sauvés. La guerre en enflammant tous les esprits, en agrandis-sant tous les cœurs, en inspirant, comme passion dominante, la gloire de sauver la patrie, a rendu le peuple constamment éveillé sur ses dangers, sans cesse exaspéré contre les forfaits de la monarchie et du fanatisme. » Comme chez Brissot, la guerre constitue ici une refonte morale, elle tend à créer le « caractère national » (expression de Billaud) que le gouvernement révolu-tionnaire recherche ; et, comme chez le Girondin, elle a le mérite de mettre l'exécutif au pied du mur. Au peuple « exaspéré contre les forfaits de la monarchie » répond en écho la célèbre formule qu'avait employée Brissot : « Je l'avouerais, messieurs, je n'ai qu'une crainte, c'est que nous ne soyons pas trahis... Nous avons besoin de grandes trahisons » (discours du 30 décembre).

Outre la « croisade de la liberté universelle », outre le test imposé au chef de l'exécutif, la guerre avait également chez Brissot une visée économique : « Enfin, n'y a-t-il pas un commerce au milieu des guerres ? [...] Le commerce ou s'ouvre un nouveau cours ou continue son ancienne direction. »

Il faut cependant signaler que les « brissotins » ne furent pas les seuls initiateurs de la guerre ; comme l'ont signalé F. Furet et D. Richet[47], c'est tout le courant d'esprit démocratique en France qui s'enflamma pour elle. Significatif à ce point de vue est le discours de Roederer aux Jacobins, le 18 décembre 1791, peut-être le plus lyrique qui ait été prononcé. L'orateur devient pourtant très vite, dès cette période, l'un des modérés qui tentent de freiner le processus révolutionnaire. Roederer[48] développe lui aussi le thème de l'*ennemi intérieur* qu'il faudrait amener à se démasquer : « Nous sommes en guerre ; car les révoltés du dehors sont sous les armes, sont organisés en légions. [...] Nous sommes en guerre : car qu'est-ce que nos prêtres révoltés, qu'est-ce que nos clubs antipatriotiques, sinon des sections déguisées de l'armée de Coblentz ? » Dans son élan oratoire, Roederer est encore plus véhément pour annoncer les trahisons futures. Ce n'est pas le roi seulement qui sera soumis à l'épreuve, mais véritablement chaque citoyen : la dénonciation jacobine de l' « ennemi du peuple » est entièrement préformée dans ce discours.

« Jamais, dit l'orateur, vous ne parviendrez, dans l'état présent des choses, à distinguer les amis des ennemis de la Constitution par des signes non équivoques, à priver les uns de la Constitution, à en faire jouir les autres. Il n'y a qu'un moyen de les signaler ; c'est de sonner l'attaque. [...] Alors ceux qui restent à l'écart sont nos ennemis ; ceux qui hésitent sont nos ennemis [...]. Chaque parole, chaque mouvement, le silence même, seront l'indice certain des sentiments de chaque individu, et le mettront à sa place. »

Devant ce lyrisme au service de la croisade rěvolutionnaire, Robespierre est très réticent. Il l'est d'abord par jugement des intentions : pour lui, on l'a vu, les thèses des brissotins concordent avec leur aspiration aux places[49], elles rejoignent aussi le parti de la Cour qui, par calcul, se rallie au projet de déclaration[50]. Il est réticent également du fait de l'analyse, opposée, qu'il mène sur les conséquences prévisibles : au lieu d'éveiller le peuple, le conflit va le détourner de la vigilance nécessaire. Il ne sert donc à rien de dire, comme Brissot le fait : « Le peuple est là. » A cette formule l'Incorruptible rétorque : « Le peuple est là ; mais vous, représentants, n'y êtes-vous pas aussi ? Et qu'y faites-vous si, au lieu de prévoir et de découvrir les projets de ses oppresseurs, vous ne savez que l'abandonner au droit terrible de l'insurrection ? »

D'ailleurs il y a contradiction chez Brissot entre la thèse selon laquelle le peuple va accroître son degré de conscience et l'*obéissance* à laquelle l'orateur l'appelle par ailleurs — lorsqu'il déclare que les défiances « empêchent le peuple de croire aux démonstrations du pouvoir exécutif, attiédissent son attachement, relâchent sa soumission ».

Il prétend que « la défiance est un état affreux ». Tout au contraire, avait dit Robespierre, elle est « la gardienne des droits du peuple » (discours du 11 décembre). Il y revient encore longuement le 2 janvier : « La défiance est un état affreux ! Est-ce là le langage d'un homme libre qui croit que la liberté ne peut être achetée à trop haut prix ? Elle empêche les deux pouvoirs d'agir de concert ! Est-ce encore vous qui parlez ici ? Quoi ! c'est la défiance du peuple qui empêche le pouvoir exécutif de marcher ; et ce n'est pas sa volonté propre ? etc. »

Ce n'est pas que Robespierre soit contre le *principe* de cette croisade pour la libération des nations, mais il en juge le moment particulièrement mal choisi : « J'espère bien aussi que le temps et des circonstances heureuses amèneront un jour cette grande révolution, surtout si vous ne faites point avorter la nôtre, à force d'imprudence et d'enthousiasme » (18 décembre). Pour le moment, la France a un roi qui se sert de son droit de veto pour bloquer les décisions importantes (décret sur les prêtres réfractaires, décret sur les émigrés), une armée où, sur 9 000 officiers, environ 6 000, issus de la noblesse, ont déserté, où les conflits se multiplient avec ceux qui sont restés — comme dans le cas des Suisses du régiment de Châteauvieux. Il convient donc de se préparer, au lieu de prendre l'offensive : « Il ne faut point déclarer la guerre *actuellement*. Il faut avant tout faire fabriquer partout des armes sans relâche : il faut armer les gardes nationales ; il faut armer le peuple, ne fût-ce que de piques. »

La résistance déployée par Robespierre n'est donc ni de principe ni abstraite : il s'agit d'une analyse réaliste et qui, surtout, redoute pour le moyen terme l'apparition d'un général empochant les conquêtes de la Révolution. L'avertissement est redit avec force le 20 avril, alors que l'Assemblée a voté dans le sens girondin : ce plan sert La Fayette depuis le début ; aussi faut-il au moins destituer ce dernier sans retard.

On ne peut que constater combien la prévision s'est accomplie, d'abord à travers La Fayette, ensuite, on le verra, chez Dumouriez, et finalement dans la personne de Bonaparte — cette fois avec succès. C'est le 16 juin 1792 que La Fayette confirme ses intentions, en envoyant un message menaçant à la Législative ; dès lors, jusqu'au 10 août, la question au sein de l'Assemblée est de savoir si le général factieux sera mis en accusation. Les amis de Brissot tergiversent, et perdent leur crédit au sein du club. Le 8 juillet, Collot d'Herbois échoue à obtenir la mise en accusation. Un mois plus tard, jour pour jour, lorsque Brissot se montre enfin décidé à parler en ce sens, l'accusation est de nouveau rejetée. Cette bataille prolongée va laisser des traces : les Jacobins font imprimer la liste nominative des députés qui ont voté pour ou contre la mesure. À l'heure des comptes, le procès des sympathies entre la Gironde et le parti feuillant pourra être instruit sur cette base.

LA CONTRE-OFFENSIVE JACOBINE :
L'ÉVEIL DE LA SOUVERAINETÉ DIRECTE DU PEUPLE

A l'intérieur du club, si Robespierre a perdu sur la question de la guerre, il a vu cependant se reformer autour de lui le courant radical qui, à partir de juin, commence à envisager la nécessité d'un appel au peuple, à l'encontre de l'Assemblée enfermée dans ses hésitations. Ce n'est cependant que le 29 juillet que l'Incorruptible se ralliera au programme d'abord

énoncé par d'autres que lui : déchéance du roi, instauration du
suffrage universel mettant fin aux filtres censitaires, élection
d'une Convention pour refaire la Constitution de 1791. Sa
prudence de tacticien lui inspire en effet de la réserve vis-à-vis
de ceux qui veulent tourner les brissotins en passant à l'autre
extrême : le désordre à l'intérieur serait aussi dangereux que les
défaites sur le plan militaire. Mais entre juin et août l'idée de
l'appel au peuple n'en fait pas moins son chemin au sein du
club ; défendant pour le moment la Constitution (titre même de
son journal) et polémiquant avec La Fayette, Robespierre attend
que les circonstances deviennent assez favorables pour renverser
tous les adversaires à la fois. Il faut maintenant examiner
l'évolution détaillée de ce processus.

L'encouragement des Jacobins à un mouvement populaire

La nouvelle perspective est résumée le 28 juin par Collot, en
pointe aux Jacobins : « Tant que [le roi] affectera des discours
conformes à cette Constitution et qu'il se contentera d'agir en
sens contraire, nous ne pouvons rien : le peuple, seul souverain,
peut seul agir et nous intimer sa volonté » (*Aulard*, IV, 51). Ce
jour-là, ajoute Chabot, « le côté gauche, sans doute, se lèvera et
dira au peuple : " Sauve-toi, car tes représentants ne peuvent te
sauver. " »

Si en effet le roi a mis son veto sur des décrets de l'Assemblée,
il est resté en cela à l'intérieur des prérogatives que lui donnait la
Constitution. Et quand, le 20 juin, une manifestation est venue
aux Tuileries, Louis XVI a accepté de coiffer le bonnet phrygien
et de crier : « Vive la nation ! » De leur côté, Pétion, maire de
Paris, et les amis de Brissot ont su tirer parti de cette
manifestation afin que les ponts ne soient pas coupés avec la
Cour.

De ce fait, une alliance provisoire s'est refaite entre Robespierre et Brissot : l'ennemi principal, avant le roi, c'est La
Fayette. Mais avec la montée de province des *fédérés* (venus dans
la capitale pour la célébration du 14 juillet), les données vont
changer. Ces nouveaux venus commencent à *représenter le
peuple*, en forces, et matériellement présent.

Ce sont précisément les revendications apparues chez les

fédérés que Robespierre va reprendre à la fin juillet, mais que Billaud-Varenne popularise dans le club dès le 15 de ce mois, et sous leur forme la plus avancée. Il demande la déportation du roi, que le peuple nomme à toutes les administrations des personnes sûres, et enfin, qu'une Convention soit élue par tous, citoyens passifs compris. Le lendemain, Tallien déclare : « Au moment où l'Assemblée nationale le voudra, le peuple se lèvera tout entier, et les despotes disparaîtront » (*Aulard*, IV, 109).

En accord avec les sections parisiennes, le club se met alors à agir comme la caisse de résonance de cette invocation à la souveraineté du peuple, et, en même temps, recevant les fédérés dans ses réunions, il entend matérialiser la présence visible du souverain. Un fédéré de la Drôme résume bien l'état d'esprit qui s'installe, et qui accroît la distance avec les Girondins :

« Le peuple seul peut sauver la France ; mais où trouver le peuple ? Sera-ce dans les assemblées primaires ? Les Autrichiens seraient aux portes avant qu'elles fussent assemblées. Il faut donc trouver cette représentation momentanée dans les fédérés, qui, forts de leur conscience, resteront en otage près du Corps législatif jusqu'à ce que leur vœu soit légalisé par l'assentiment de leurs communes respectives » (IV, 110).

Ainsi est apparu le grand thème qui noue l'alliance de la tendance montagnarde chez les députés avec la dynamique révolutionnaire, et dont la concentration des fédérés à Paris a fourni le catalyseur décisif. À la fois les fédérés sont le peuple lui-même réuni dans Paris et s'exprimant aux Jacobins, et ils constituent par rapport à toute la France une « représentation momentanée » pouvant, provisoirement, faire acte de souveraineté. L'idée domine, les jours suivants, au sein de la Société ; ainsi Manuel le 18 juillet : « Je voudrais donc que le peuple des 83 départements, *représenté par les députés qu'ils nous ont envoyés*[51], réunis avec les citoyens de Paris, fissent une assemblée, grande, majestueuse, au Champ-de-Mars, pour délibérer une fois sur ses vrais intérêts. »

Les nouveaux « députés » expriment donc les vrais intérêts dont la Législative semble avoir perdu la préoccupation. Un « représentant du Calvados » (comme dit le *Journal des Jacobins*) compare la réunion des sociétaires aux assemblées festoyantes des Germains, joyeuses et ouvertes, par opposition au palais royal fermé à double tour. Pour les fédérés, et chez les Jacobins, le peuple souverain n'est décidément pas une entité abstraite : il est devenu visible et incarné, et il tient le discours jacobin.

Tandis que le danger aux frontières grandit, et que de ce fait l'Assemblée se décide le 25 juillet à décréter la permanence des sections[52], la nécessité de *préparer l'insurrection* se fait jour. Simon ne craint pas de le déclarer ouvertement en séance, et il se fait rabrouer pour cet excès de franchise. Il semble que les Jacobins participèrent à un Directoire secret, en coordination avec le personnel des sections et de la Commune, sans que ce point historique ait été parfaitement éclairci[53].

Bien que la prudence imposât de ne pas dévoiler en séance publique les projets en cours, divers appels à l'insurrection apparaissent dans les comptes rendus. Ainsi Merlin (de Thionville ?), le 5 août : « Plus d'adresses, plus de pétitions ; il faut que les Français s'appuient sur leurs armes, leurs canons, et qu'ils fassent la loi. » Et, dans le même sens, Goupilleau, le 8 août, réclame « une insurrection générale » (IV, 187). Durant la journée même du 10, les grandes figures du club, dont Robespierre, veillent à être présentes en séance, et à tirer toutes les conséquences du mouvement qui se déroule pendant ce temps aux Tuileries et dans la rue[54]. Les chefs historiques du jacobinisme ont soin par là de ne pas laisser la Société apparaître comme un organe insurrectionnel — la répression qui avait suivi la fusillade du Champ-de-Mars ayant suffisamment instruit, un an auparavant, en la matière.

La remise en question de la représentation institutionnelle

Une question mérite approfondissement, dans ce processus qui aboutit à ce que la Législative abrège son mandat d'un an pour laisser place à une Convention investie de « pouvoirs illimités » (selon l'expression décrétée). Quel était exactement le statut reconnu à l'Assemblée, dans les derniers mois, et du point de vue des Jacobins favorables au mouvement ?

Il semblerait au premier abord que le principe même du gouvernement représentatif (conquête de 1789) ne soit pas remis en question : la lutte est menée sous la pression des périls externes, contre la passivité complice des Feuillants, ainsi que pour réagir aux atermoiements des Girondins. C'est dans cet esprit que le 27 juillet Desfieux instruit devant les Jacobins le procès du personnel parlementaire en place :

« Il y a dans l'Assemblée tout au plus quarante-cinq à quarante-six personnes sur lesquelles on puisse compter. Or, je vous le demande, quand sur sept cents personnes il s'en trouve à peine quarante-six de pures, ne faut-il pas refaire une telle Assemblée, et la refaire non par le moyen des électeurs, mais par les assemblées primaires directement ? » (IV, 151).

Ce que Desfieux paraît donc demander c'est l'entrée en vigueur du suffrage universel direct, qui permettrait de renouveler les députés, tout en supprimant l'échelon de second degré (assemblées d'électeurs) établi par le système constitutionnel de 1791. Mais dans cette intervention, il y a davantage. L'idée d'une « partie saine » dans l'Assemblée et qui pourrait se substituer à bon droit à toute l'Assemblée, n'était pas nouvelle chez les Jacobins les plus avancés — elle deviendra aussi une composante importante de l'esprit du gouvernement révolutionnaire [55].

La tendance devait ici être signalée, sans qu'elle soit pour le moment ni très explicite ni massive — dans la mesure où le maintien d'un *équilibre* supposé entre souveraineté du peuple et représentation avait été une nécessité politique sous la Constituante, contre les défenseurs de la monarchie. Cet équilibre préservait encore toutes les ambiguïtés.

Pour l'heure, dans l'été 1792, il s'agit de mettre fin à la Constitution qui avait maintenu le roi, en avait fait à la fois un « représentant » (c'est son titre), à côté des députés, et le chef de l'exécutif. Tel est le sens de la députation organisée par la section de Mauconseil, à la barre de la Législative, le 5 août : elle affirme qu'elle est l'expression de la *volonté du peuple*, que cette dernière n'admet plus la présence du roi, et que l'Assemblée doit s'incliner devant cette décision :

« Considérant [...] qu'on ne peut reconnaître la Constitution comme l'expression de la volonté générale [...] que les pouvoirs institués n'ont de force que par l'opinion, et qu'alors la manifestation de cette opinion est un devoir rigoureux et sacré de tous les citoyens, [la section] déclare en conséquence [...] qu'elle ne reconnaît plus Louis XVI pour roi des Français » (*Moniteur*, XIII, 327).

Ce texte, que Mauconseil présente comme un « arrêté »

intérieur de la section, ne provoqua la protestation que de deux sections sur les quarante-huit : celle de l'Arsenal et celle de Le Pelletier où militait Brissot[56]. En fin de compte, c'est le principe représentatif que Mauconseil contredisait par cette invocation de la « volonté générale » et de l' « opinion », même si elle n'en faisait pas une doctrine générale. Plus précisément, elle se donnait le droit de refuser la Constitution en parlant au nom du peuple tout entier dans son pouvoir constituant. Il faut relever que Lhuillier, ami de Robespierre, était très influent dans cette section ; de plus, l'arrêté est signé par Lechenard et Bergot qui, écrit Mortimer-Terneaux, « firent partie de la Commune de Paris pendant la Terreur et périrent avec Robespierre, le 10 thermidor »[57].

Si l'on se tourne maintenant vers le grand discours de Robespierre aux Jacobins le 29 juillet, il se confirme que l'importance attachée à la souveraineté du peuple constitue davantage qu'une appréciation de circonstance : c'est une critique en règle de ce que l'orateur appelle « le despotisme représentatif ». Pour la seconde fois, le corps législatif est accusé de trahison par un Jacobin éminent : on se souvient qu'il avait déjà formulé ce jugement lors de la fuite du roi[58].

Robespierre le 29 juillet : une reformulation de la souveraineté inaliénable du peuple

Le discours de Robespierre ensuite intitulé *Des maux et des ressources de l'État*[59] marie des considérations de type conjoncturel à des aspects plus doctrinaux.

Si l'on s'en tenait aux critiques à court terme, il ne s'agit que de remplacer les députés en fonction. « Qu'ils sont coupables ceux qui ont si longtemps trompé la nation, en prêchant la confiance, tantôt dans le pouvoir exécutif, tantôt dans les généraux, tantôt dans l'Assemblée nationale ! » Les propos visent clairement Brissot, tandis que ceux qui suivent concernent sans doute les modérés du type Barnave :

« Qu'ils sont inaptes ou pervers, ceux qui ont osé poser en principe que le seul moyen de sauver l'État était de s'abandonner sans examen au patriotisme et aux lumières des membres de la législature actuelle ! » D'ailleurs ceux-ci se sont contredits

eux-mêmes [60] puisqu'en décrétant le 11 juillet : « La patrie est
en danger », ils lançaient un appel vers les simples citoyens :
« L'Assemblée nationale, en déclarant les dangers de la patrie,
qu'elle n'a point prévenus, a déclaré sa propre impuissance. Elle
a appelé la nation elle-même à son secours. [...] Écoutez les
membres désintéressés et intègres de cette législature : ils vous
crient tous à la tribune et partout, avec le ton du désespoir, que
la nation doit pourvoir elle-même à son salut au défaut de ses
représentants. »

De ce point de vue, l'intervention de la nation, quoiqu'elle
soit de type extraordinaire, ne devrait conduire qu'à une
substitution de personnel : « Les intrigants voudraient confondre la représentation nationale avec la personne des représentants qui paraissent dans tel[le] période ; [...] mais désormais la
représentation nationale est immortelle, impérissable, les représentants sont passagers. » En fait, ces développements visaient à
introduire la demande du jour : faire élire par le peuple une
Convention nationale. « Il s'agit d'opter entre les membres de la
législature actuelle et la liberté. » Robespierre voudrait même
que les actuels députés ne soient pas rééligibles, point qu'il avait
obtenu sous la Constituante.

Une fois cette exigence introduite, le discours fait apparaître
des considérations d'une autre nature : l'orateur explique qu'il
est temps que le peuple ait davantage de *pouvoir*, et qu'en cela le
principe représentatif lui-même fait problème ; du moins il le
suggère.

Tout d'abord, la volonté générale — notion clé du discours
révolutionnaire — ne doit être cherchée que dans le peuple, et
non dans ses représentants : « Et où chercherez-vous donc
l'amour de la patrie et la volonté générale si ce n'est dans le
peuple lui-même ? Où trouverez-vous l'orgueil, l'intrigue, la
corruption, si ce n'est dans les corporations puissantes qui
substituent leur volonté particulière à la volonté générale, et qui
sont toujours tentées d'abuser de leur autorité contre ceux qui la
leur ont confiée ? »

Par rapport à « cette classe laborieuse et magnanime [61] que la
première législature a dépouillée du droit de cité », les représentants forment l'une des « corporations puissantes » mises en
accusation. L'explicitation définitive est donnée un peu plus
loin, sous le vocable de despotisme représentatif : « La source

de tous nos maux, c'est l'indépendance absolue où les représentants se sont mis eux-mêmes à l'égard de la nation sans l'avoir
consultée. Ils ont reconnu la souveraineté de la nation, et ils
l'ont anéantie. Ils n'étaient, de leur aveu même, que les
mandataires du peuple, et ils se sont faits souverains, c'est-à-dire
despotes. Car le despotisme n'est autre chose que l'usurpation
du pouvoir souverain. »

C'est donc l'*indépendance* du représentant par rapport au
représenté qui est ici mise en question[62]. S'agit-il encore de
considérations relatives au moment présent, à l'usage des
Girondins et des Feuillants ? Pour une part oui, mais le propos
est en même temps plus général, comme le confirme la
confrontation avec un texte juste antérieur destiné à définir ce
qu'est la loi : « Les chances de l'erreur sont bien plus nombreuses encore lorsque le peuple délègue l'exercice du pouvoir
législatif à un petit nombre d'individus ; c'est-à-dire lorsque
c'est seulement par fiction que la loi est l'expression de la
volonté générale[63]. » Dans cette situation, Robespierre ne voit
de contrepoids possible que dans la liberté de la presse : sinon
« l'ombre même de la souveraineté disparaît, il ne reste plus que
la plus cruelle, la plus indestructible de toutes les tyrannies :
c'est alors qu'il est au moins difficile de contester la vérité de
l'anathème foudroyant de Jean-Jacques Rousseau contre le
gouvernement représentatif absolu ».

Despotisme représentatif, gouvernement représentatif absolu
— ces formules indiquent que l'Incorruptible énonce une idée
qu'il estime fondamentale, et dans le discours du 29 juillet il
prétend s'élever à la hauteur d'une loi générale de l'ordre
politique : « Il s'ensuit que le peuple est opprimé toutes les fois
que ses mandataires sont absolument indépendants de lui. »

N'est-ce pas cependant le propre d'un élu que d'avoir carte
blanche pour décider et pour agir, et donc d'être absolument
indépendant ? Le problème va traverser toute la Révolution, et
au-delà.

Il faut donc comprendre que soit la Représentation est
illégitime — puisque le Représentant acquiert une « indépendance absolue » — soit qu'une nouvelle *forme* de représentation,
à trouver, assurerait la *dépendance* des mandataires envers le
peuple souverain.

C'est cette dernière perspective que suggère Robespierre, en proposant, notamment, des mesures telles que « les assemblées primaires puissent porter leur jugement sur la conduite de leurs représentants ; ou qu'elles puissent au moins révoquer, suivant les règles qui seront établies, ceux qui auront abusé de leur confiance ». Un tel principe de mise en tutelle des députés est en fait très obscur dans sa définition comme dans ses modalités pratiques ; il sera cependant le thème maintes fois repris par la suite chez les orateurs jacobins. Il vise à refermer l'incompatibilité, qu'avait déclarée Rousseau, entre la souveraineté (du peuple) et la représentation — faute de quoi le peuple aliénait sa souveraineté.

Le problème de l'inaliénabilité de souveraineté n'est pas découvert par le mouvement du 10 août [64], mais il est porté à une intensité névralgique. Devenu à ce moment un levier pour la marche des Montagnards vers le pouvoir, le problème va être légué aux Girondins, qui devront rédiger la nouvelle Constitution, puis aux Montagnards, en charge à leur tour de définir, et d'apprivoiser le Sphinx.

L'intervention de Robespierre du 29 juillet condense donc des idées présentes dans le mouvement démocratique, des revendications portées à Paris par les fédérés, des thèmes efficaces pour contester les pouvoirs en place sous les deux premières législatures : comme souvent chez lui dans les grands moments, cette intervention incarne, sous sa forme la plus intellectualisée, la coalescence du jacobinisme avec l'idéologie populaire. Et au-delà de ses habiletés tactiques, elle reflète l'un des grands dilemmes que la Révolution a rencontrés et n'a pu véritablement résoudre.

L'évolution de la Société des Jacobins :
perspective d'ensemble

Entre le 1ᵉʳ octobre 1791 (date d'ouverture de la Législative) et le 10 août 1792 (qui interrompt le mandat de l'Assemblée, laissée simplement en survie jusqu'au 20 septembre), la Société des Jacobins a accompli une évolution capitale. Elle a abrité en son sein des courants radicaux : significative à ce point de vue est l'importance prise par le « trio cordelier » (Chabot, Basire, Merlin de Thionville) qui, à l'Assemblée, siège sur les bancs de l'extrême gauche. Mais en même temps le club a servi de tremplin à un groupe que ses adversaires vont unifier sous l'étiquette de Girondins. Ainsi, le face à face tragique des deux courants qui vont se disputer l'hégémonie dans la Convention a pris sa naissance dans le local de la rue Saint-Honoré. Ce fait traduit l'importance nationale qu'a prise le club — une importance qui va au-delà des échos de la lutte interne à l'organisation ; comme on l'a vu, l'espoir, l'invocation, puis l'appui à la dynamique populaire furent un facteur déterminant. Au terme du processus de juin à août, la gauche jacobine a rencontré l'Histoire, selon, en quelque sorte, un 17 juillet à l'envers. Au lieu que le maire de Paris et le général de la Garde nationale (La Fayette à l'époque) fassent tirer sur les manifestants et ouvrent par là un processus d'affaiblissement des sociétés populaires, on voit cette fois les manifestants envahir les Tuileries, résister à l'affrontement armé et soutenir une Commune insurrectionnelle formée des cadres du mouvement.

Ces manifestants qui ont été préparés politiquement et militairement, car l'insurrection n'est pas spontanée[65], deviennent le Peuple Insurgé, le grand acteur collectif de l'événement. C'est bien le sens de la déclaration de Huguenin, porte-parole de la Commune, devant la Législative : « Le peuple qui nous envoie vers vous nous a chargés de vous déclarer qu'ils vous investissait de nouveau de sa confiance. »

Relation à trois pôles (le Peuple, nous, vous), dans laquelle le pouvoir de l'Assemblée ne tient qu'au bon vouloir du premier terme : relation de fusion affirmée entre le « nous » des cadres du mouvement et l'Acteur collectif du mouvement. Relation de séparation, enfin, entre « vous », députés ou plutôt mandataires[66], et le Peuple. Huguenin continue ainsi : « Mais il nous a chargés en même temps de vous déclarer qu'il ne pourrait reconnaître pour juge des mesures extraordinaires auxquelles la nécessité et la résistance à l'oppression l'ont porté, que le peuple français, votre souverain et le nôtre, réuni dans des assemblées primaires » (A.P., XLVII, 641-642).

Quelle majesté dans le propos ! Le peuple, qui a envoyé ses porte-parole, déclare que le seul juge des événements habilité... est le peuple. Parlant ainsi de lui-même à la troisième personne (par la bouche de Huguenin), le Peuple fait proprement une *entrée souveraine* dans son parlement. Ainsi se marque l'ambiguïté d'une substitution qui met explicitement le peuple à la place du roi (en tant que souverain d'Ancien Régime), et implicitement les représentés à la place des représentants : la Convention va hériter de cette vision.

Dans l'instauration de cette ambiguïté, le discours jacobin a tenu une place majeure, comme on peut le constater dans les sections, dans la Commune de Paris, dans le club lui-même ; et d'ailleurs il y a circulation du même personnel : des membres actifs des Jacobins apparaissent parmi les commissaires des 47 sections (sur 48) députés le 9 août à l'Hôtel de Ville ; soit Legendre, Fabre d'Églantine, Lhuillier, Hassenfratz, Collot d'Herbois, Léonard Bourdon, Tallien, etc.

Réuni le 12 août, le club date le procès-verbal de la dernière séance « du 10 août, 1er jour de la liberté reconquise », puis il entend Anthoine faire un exposé. Habitant avec Robespierre chez le menuisier Duplay, membre écouté de la Société, François-Paul-Nicolas Anthoine est entré aux Tuileries en tête et le pistolet à la main ; il fait partie du petit nombre de Jacobins dont la participation directe est vraiment attestée.

Que dit Anthoine à ses frères et amis ? Il reprend les propos de Huguenin : « Nous avons pris une seconde Bastille » ; « le peuple a repris sa souveraineté » ; « il ne reste plus aucune autorité que celle des assemblées primaires ; l'Assemblée nationale elle-même ne continue à exercer quelque autorité qu'à raison de la confiance que lui accorde le peuple » (*Aulard*, IV, 196).

Au total, le club a su éveiller et canaliser ce peuple dont il s'est fait ensuite la caisse de résonance. Par rapport à la légalité existante, il a eu soin, en même temps, de rester vigilant. Rien ne l'atteste mieux que la séance du 18 juin, sur laquelle il vaut la peine de revenir. Deux jours auparavant l'Assemblée avait reçu la lettre de La Fayette où celui-ci s'attaquait explicitement aux Jacobins :

« Pouvez-vous vous dissimuler que la faction jacobite a causé tous nos désordres ? [...] Organisée comme un empire à part dans la métropole et dans les associations qui lui sont affi-liées, elle usurpe tous les pouvoirs[67]. [...] Quelle conformité de langage entre les factieux que l'aristocratie avoue et les factieux qui dirigent ces associations ! Tous prêchent l'indiscipline, détestent la Garde nationale » (*Moniteur*, XII, 692).

Devant ces propos, les sociétaires délibèrent pour organiser la riposte. Robespierre intervient pour expliquer qu'il faut soutenir l'Assemblée, ce qui constitue une première précaution. Puis Fabre d'Églantine demande qu'une section prenne l'initiative d'un « comité central », tandis que l'Assemblée engagerait le peuple « à soutenir les armes à la main sa Constitution ». Ainsi l'action serait-elle légalisée puisque l'appel viendrait des députés. Mais cette initiative paraît à la fois maladroite et insuffisante à Danton qui demande que les Jacobins fassent le tour des réunions de sections : « Si nous n'allons pas dans nos sections nous n'aurons rien fait, car on ne manquera pas de dire que nous ne sommes ici qu'une poignée de factieux. [...] Nous sommes bien sociétés politiques par le fait, mais non par le droit. Je demande qu'on invite les sections à s'assembler par un arrêté officiel » (*Aulard*, IV, 14).

Mais là encore on renchérit sur le respect des procédures légales : Chabot suggère qu' « il ne faut pas faire afficher un arrêté, mais seulement une invitation ». C'est cette dernière modalité qui est finalement retenue, avec le ralliement de Danton.

On voit donc comment, devant une menace qui les vise au premier chef, les Jacobins ont eu soin de se couvrir de tous les côtés : l'appel au peuple est le levier décisif, mais il est exercé sur des points d'appui qui devraient lui ôter son caractère révolutionnaire et illégal — lequel n'apparaît qu'au dernier moment, pour devenir le fait du Souverain lui-même, supérieur à toute légalité établie.

Durant toute cette période de la Législative, le club a eu soin de ne pas apparaître comme une institution officielle : lorsque Robespierre prononce son discours du 10 février sur la guerre, on revient sur la décision prise de l'envoyer à chaque section. C'était en effet traiter d'organisme à organisme ; pour l'éviter, on remettra le discours « à un membre de chaque section » (*Aulard*, III, 373). *A fortiori*, l'usage de moyens violents ne doit jamais être déclaré comme tel : Saint-Huruge, qui se flatte d'user du bâton, avait demandé qu'on aille briser « à coups de nerfs de bœuf » « cinquante sociétés aristocratiques ». Il est immédiatement rabroué (10 mai).

La seule modalité que la Société continue de revendiquer c'est son rôle de préparation des décrets de l'Assemblée : Couthon — dont c'est, semble-t-il, la première apparition — demande en octobre que les Jacobins viennent à la Législative « nous entourer de leur présence, lors de nos séances », car, continue-t-il, « nous avons à l'Assemblée nationale beaucoup de patriotisme, mais fort peu de lumière » (III, 170).

Ainsi les Jacobins entendent-ils rester, tour à tour comme citoyens ou comme députés, la partie la plus éclairée du peuple. C'est dans le même esprit qu'Albitte fait voter que le travail de la Société consiste à « discuter et éclaircir les questions qui doivent se discuter à l'Assemblée nationale » (10 mai).

Et Robespierre lui-même, qui va remettre en question la valeur des députés le 29 juillet, a freiné en juin toute précipitation en ce sens : « Le peuple et la nation existent, l'Assemblée nationale existe. Il ne m'appartient pas de parler de la nation lorsque nous avons encore une Assemblée représentative ; et il n'appartient pas aux députés qui la composent de venir provoquer l'indignation de la Société » (IV, 694). Le « député » ainsi rabroué était Merlin de Thionville : entre l'Incorruptible et le bouillant Cordelier la divergence n'est pas sur les principes ; tous deux n'ont aucune illusion, non plus, sur le sentiment de la majorité du corps législatif. Le seul souci de Robespierre est de capitaliser le maximum de forces pour que le Peuple ne fasse la décision qu'en toute certitude.

Il arrive cependant que la Société dépasse les barrières que maintiennent ses membres les plus vigilants : lorsque le bureau du club échappe visiblement aux Girondins (avec Merlin, Chabot, Audouin, Collot), il est décidé qu'on dressera la liste de tous les étrangers présents à Paris et qu'on l'enverra à l'Assemblée ; on commence aussi à discuter de l'organisation de « visites domiciliaires ». Et même, on en vient à nommer des *commissaires* qui acquerront un rôle quasi officiel. Bien que Robespierre ait fait repousser une première fois cette initiative, il ne peut l'empêcher le 21 mai.

Ces diverses tendances vont se développer après le 10 août où, forts de leur consécration par le suffrage, les Jacobins vont exister de plus en plus comme un groupe de pression, et une institution parallèle pour, finalement, intégrer l'appareil d'État après le 2 juin.

CHAPITRE III

Sous la Convention. Le club comme appareil de la conquête du pouvoir et de sa monopolisation

LA LUTTE FINALE CONTRE LA GIRONDE :
GENÈSE DU 2 JUIN 1793

La réunion de la Convention le 21 septembre 1792 et la proclamation de la République le lendemain ouvrent une ère nouvelle consacrée par le terme de « seconde révolution ». Mais que recouvre ce terme ? S'agit-il d'un acquis désormais stabilisé ou du point de départ de nouvelles luttes ?

C'est la seconde voie qui, visiblement, l'emporte dès le déroulement des élections (concomitantes à Paris avec le massacre dans les prisons), et ainsi que le montrent les premières séances de la Convention. Girondins et Montagnards ont pu encore, pour certains, se faire élire sous l'étiquette jacobine [68], le clivage s'aggrave cependant très vite. Dès le 23 septembre la Gironde attaque les dirigeants qui se sont alliés à la Commune insurrectionnelle — laquelle a été en conflit incessant avec la Législative durant août et septembre. On trouve dans cette Commune Danton, Marat, Robespierre, par là cibles des attaques. Barbaroux et Rebecqui, ayant d'abord rallié les fédérés marseillais au mouvement parisien, dénoncent maintenant « le parti de Robespierre », accusé de préparer la dictature depuis la veille du 10 août. Un mois plus tard, c'est Louvet qui reprend l'accusation : « Robespierre je t'accuse d'avoir évidemment marché au suprême pouvoir. » Et Brissot, dans ses publications (il dirige notamment Le patriote français), parle du « parti désorganisateur ».

Que répond Robespierre ? « L'esprit de La Fayette vit encore au milieu de nous ; ôtez le mot de *république*, je ne vois rien de changé » (28 octobre, aux Jacobins) ; de même, dans le premier numéro de son nouveau journal, les *Lettres à ses commettants* : « Il n'existe plus que deux partis dans la République, celui des bons et des mauvais citoyens ; c'est-à-dire celui du peuple français et celui des hommes ambitieux et cupides » (19 octobre).

La « seconde révolution » n'est donc pas un résultat qui réconcilierait les républicains ; au contraire, elle va constituer le point de départ d'une lutte acharnée qui se conclut le 2 juin par l'arrestation de vingt-neuf députés et deux ministres du courant qu'on appelle maintenant girondin. Dans ce processus de nature dramatique — entre forces également attachées à la République —, la Société des Jacobins joue de nouveau un rôle important, et même plus grand qu'auparavant.

Il est d'ailleurs remarquable de constater comment un certain nombre de facteurs *répètent* l'évolution qu'on a vue plus haut entre octobre 1791 et le 10 août[69]. Ce n'est plus La Fayette, mais un autre général, Dumouriez, qui se tient à un niveau inférieur à ce que requièrent ses fonctions et les dangers du moment — jusqu'à, finalement, trahir et déserter chez l'ennemi. Le 3 avril la Convention doit déclarer Dumouriez traître à la patrie et mis hors la loi. C'est une victoire pour les Jacobins qui ont peu à peu exclu du club les membres de la Gironde, et ont mené campagne en rappelant sans cesse les liens qui unirent Dumouriez à ce courant[70]. Et de même que le 10 août résulte, pour une part, de la collusion supposée entre La Fayette et les amis de Brissot, l'appel à la « grande lessive » au sein de l'Assemblée se formule et se prépare chez les Jacobins, tout en étant finalement exécutée par d'autres : les sections, les membres de la Commune, des organes insurrectionnels, le Peuple dans sa colère.

D'ailleurs, le parallèle entre La Fayette et Dumouriez est tracé, de façon très appuyée, par une circulaire du club à ses filiales en date du 26 mars : « Brissot est le *La Fayette* civil, renforcé par les trois Girondins[71]. Dumouriez est le *La Fayette* militaire, beaucoup plus dangereux que n'a été celui-ci, parce qu'il a incomparablement plus de moyens » (*Aulard*, V, 106). Cette circulaire fait également un historique des événements —

exercice d'écriture de l'histoire fort apprécié des Jacobins — en associant les deux grands crimes qui seront reprochés aux Girondins jusqu'à leur procès et leur exécution : ils ont pactisé avec la monarchie dans la période du 10 août (en faisant donner un gouverneur au fils de Louis XVI), et ils auraient voulu créer une *république fédéraliste*. Pour faire bonne mesure la circulaire condense les deux accusations :

« La faction n'avait pu, d'emblée, tenter de conserver le trône au tyran, ni même à son fils ; mais elle ménageait à ce dernier, dans l'avenir, la *royauté par le fédéralisme*[72], gouvernement monstrueux qui lui aurait redonné la puissance : aussi les députés purs à la Convention se sont empressés de faire déclarer la République *une et indivisible*[73]. »

La circulaire de mars se terminait par un appel qui trace d'avance le programme accompli par les journées des 31 mai et 2 juin : « Que la nation se lève, que les départements se lèvent et fassent justice de Brissot, Gensonné, Vergniaud, Guadet, du général Dumouriez, de tous les autres généraux conspirateurs, de Clavière et Beurnonville [ministres girondins], des cinq administrateurs généraux des postes, et de tous les autres fonctionnaires publics traîtres à la patrie ! »

Le projet ayant été ainsi énoncé, c'est au début d'avril que s'accomplit le tournant décisif au sein des Jacobins : le 1er de ce mois, Danton se retourne publiquement contre les Girondins ; deux jours après, Robespierre lance son grand réquisitoire où il demande la mise en accusation de Brissot. La tension était d'ailleurs devenue telle que, de leur côté, les députés de la Gironde ont fait lever par la Convention l'immunité parlementaire (1er avril) — mesure dont ils vont devenir les victimes au lieu d'en être les bénéficiaires.

On suivra, entre avril et juin, le développement de la perspective insurrectionnelle dans le Club ; les documents montrent que, comme précédemment, Robespierre commence par soutenir la respectabilité de l'Assemblée, avant de remettre en question le *gouvernement représentatif* dans son discours du 10 mai. Ce dernier, et plus encore celui du 26 mai, constituent l'exact équivalent de celui qu'il avait prononcé le 29 juillet pour la souveraineté du peuple, contre le « despotisme représentatif ».

De ce que l'histoire semble ainsi se répéter il faut sans doute déduire que, à circonstances comparables, les Jacobins suivent une logique analogue : mise de l'adversaire au pied du mur lorsque croît le danger alimenté à l'extérieur par la guerre, appel à la souveraineté directe du peuple. Le point nouveau est que la Société agrandit davantage ses attributions *de facto*, de façon à appuyer la Montagne et rééquilibrer l'Assemblée autour de ce pôle, sans avoir à recourir au moyen (coûteux et risqué) du retour aux urnes.

L'idée de « rappeler les députés infidèles » :
le Club écho, puis instigateur de la revendication

Lorsque la Convention se réunit le 21 septembre, « la Société arrête à l'unanimité qu'elle prendra à l'avenir le titre de Société des Jacobins, amis de la Liberté et de l'Égalité ». Ce qui était une dénomination injurieuse devient donc un titre de fierté comme celui de Montagnards, et en opposition avec celui de Girondins [74]. Ces derniers sont progressivement exclus de la Société. Brissot est rayé des listes le 12 octobre pour avoir écrit qu'il y avait dans la Convention un parti désorganisateur (*Aulard*, IV, 378). Puis, le 26 novembre, c'est le tour de Roland, Louvet, Lanthenas et Girey-Dupré (écrivant dans le *Patriote français*) : « Il faut, dit un membre, que tous les Lundis la Société fasse une pareille purgation. » Le 11 janvier Desfieux fait observer qu' « il y a plus de trois mois que les Girondistes, Brissotins, Rolandistes, Buzotistes et complices, n'ont renouvelé leur carte : donc ils ne sont plus Jacobins » (IV, 669).

Mais il restait le cas de Pétion, longtemps ami de Robespierre, et qui ne s'est rapproché du courant girondin qu'après le 10 août : Monestier le fait radier le 27 février (V, 48). Enfin, le 1er mars on discute d'un « mode de scrutin épuratoire pour chasser les restes impurs de la faction brissotine » : il est décidé que tout « appelant » est réputé exclu ; ce terme désignait les députés qui s'étaient prononcés pour un appel du jugement de Louis XVI auprès des assemblées primaires.

En fait, l'épuration ne fut pas suffisante puisque, quelque temps après, on décida de procéder comme lors de la scission des Feuillants : le comité de présentation constitue un comité de seize membres devant former « le noyau du scrutin épuratoire ».

Trois motifs circonstanciels ont relancé la pratique de l'épuration. Le premier tient aux difficultés d'acheminement que la Société éprouve pour sa correspondance : la Gironde, en la personne du ministre Roland, tient l'administration des postes et organise même un bureau de propagande. Les Jacobins finissent par créer à leurs frais un service de courriers spéciaux, qui assurent ainsi l'unité d'information et de décision. Le second enjeu réside dans l'usage de la *souveraineté populaire* que les Girondins tentent de ravir à leurs adversaires : Guadet a en effet demandé le 9 décembre, à la Convention, que les assemblées primaires soient convoquées pour juger de la conduite des députés !

Cette initiative, brandissant ce qui est aux yeux des Jacobins l'arme suprême, provoque leur colère. Renchérissant en machiavélisme, Basire pense cependant que c'est un défi à accepter : « Il résulte du discours de Guadet une vérité, c'est que le peuple peut rappeler ses mandataires : alors il sera possible que Guadet saute et sa faction. Il me semble voir des Autrichiens venir nous attaquer avec de la grosse artillerie ; nous les avons mis en fuite, et nous avons pris leur artillerie » (IV, 566-567).

Si la proposition de Guadet n'eut pas de suite, il est vrai qu'elle se redoubla dans le long débat de décembre à janvier sur l'appel au peuple du jugement de Louis XVI. La Convention pouvait-elle être à la fois un jury d'instruction, d'accusation et de jugement ? La Gironde perdit la partie, et le roi fut exécuté le 21 janvier. Lorsque Gensonné reprit l'idée de Guadet le 29 avril, ce fut sans plus de succès.

Le troisième motif d'affrontement, qui fut décisif, porta de nouveau sur l'appel à la souveraineté du peuple. Retournant contre les Girondins leur idée, la société jacobine de Marseille (qui avait pour affiliées les 24 sections de la ville) envoie une circulaire à celle de Paris :

« Citoyens nos frères, nous vous faisons passer une circulaire, que nous adressons à toutes les sociétés affiliées, et qui a pour objet le rappel de tous les membres de la Convention qui ont voté pour l'appel au peuple. Nous insistons sur la nécessité de faire retirer la faction brissotine et girondiste » (V, 36).

Cette proposition divise le club parisien. Si certains trouvent qu'elle est conforme à la surveillance que les électeurs doivent exercer sur les « mandataires », d'autres voient là une menace trop grave pour l'avenir du principe représentatif. Celui-ci peut être violé lorsque le peuple entre en insurrection et reprend le pouvoir constituant (cas du 10 août), mais la situation d'exception ne doit pas devenir une règle.

Comme le dit Jeanbon Saint-André, « la mesure proposée est une vraie mesure de fédéralisme, car les députés sont les représentants de la nation entière et non de leur département seul[75] » ; or Marseille visait avant tout Barbaroux et ses amis phocéens.

À partir de cette proposition de la fin février, la Société des Jacobins mena un débat ininterrompu. Les membres les plus avancés comme Hébert, mais aussi Desfieux, Garnier, Bentabole, demandent de nouveau le rappel des Girondins le 10 mars. On a vu plus haut que dans sa circulaire du 26 le club de Paris semble se rallier aux motions, de plus en plus nombreuses, qui lui parviennent des filiales : « Que la nation se lève, que les départements se lèvent, etc. » Robespierre, selon sa pratique habituelle, freine encore le mouvement en des termes balancés. Le 13 mars il a déclaré : « J'ai poussé la confiance jusqu'à vous dire que la Convention serait toujours le boulevard de la liberté[76]. Je ne viens point démentir cette assertion, mais je viens vous dire que la Convention est égarée » (V, 87-88). Seize jours après, il s'écrie : « Il faut que le peuple sauve la Convention, et la Convention sauvera le peuple à son tour. » Cependant, il ne s'agit point de toucher à l'inviolabilité des députés, mais seulement les démasquer de façon publique.

C'est en avril que la dynamique se met véritablement en route : Danton qui a déclaré ouvertement la guerre aux Girondins, vient le 2 aux Jacobins et déclare qu' « il faut éclairer les départements afin de pouvoir chasser de la Convention tous les intrigants. Il propose d'écrire à ce sujet aux sociétés affiliées », ce qui est fait aussitôt. Le lendemain, Robespierre réclame des députés qu'ils mettent Brissot en accusation. Enfin, le 5, tandis que le frère de Robespierre demande que les Jacobins, allant dans les sections, forcent la Convention à « mettre en état d'arrestation les députés infidèles », une circulaire de la Société répercute la consigne :

« Que les départements, les districts, les municipalités, que toutes les sociétés populaires, s'unissent et s'accordent à réclamer auprès de la Convention, à y envoyer, à y faire pleuvoir des pétitions qui manifestent le vœu formel du rappel instant de tous les membres infidèles qui ont trahi leur devoir en ne voulant pas la mort du tyran, et surtout contre ceux qui ont égaré un si grand nombre de leurs collègues » (V, 127).

Cette circulaire était signée par le président du moment, Marat, ce qui lui valut d'être décrété d'accusation, sur la demande de Guadet. Mais la contre-offensive de la Gironde n'eut pas d'effets : acquitté par le Tribunal révolutionnaire créé le 9 mars, Marat rentre en triomphe à la Convention et dans le Club. Aussi la revendication reprend-elle de plus belle ; la coordination entre les Jacobins, la Commune de Paris et les sections devient évidente : conformément à l'appel qu'avait lancé le frère de Robespierre, 35 sections présentent à l'Assemblée une pétition (15 avril) dans laquelle elles demandent l'arrestation de 22 députés de la Gironde[77]. A son tour le club relance cette pétition par une circulaire : « Hâtez-vous donc de faire disparaître de la Convention nationale quelques monstres qui l'agitent » (*Aulard*, V, 148).

Il apparaît ainsi clairement que deux mois à l'avance[78], le processus qui devait aboutir aux événements du 31 mai et du 2 juin a été conçu, du moins dans ses grandes lignes, au sein de la Société des Jacobins : celle-ci, d'abord réticente, commence par enregistrer les demandes qui lui parviennent de la province, les adopte lorsque Dumouriez est mis en accusation, et les répercute ensuite vers les lieux ou organismes dans lesquels s'exprime la Volonté du Peuple. Il serait fastidieux de recenser les divers appels à l'insurrection lancés à la tribune des Jacobins durant le mois de mai. Tout au plus convient-il de relever que, par une ironie de l'histoire, la section de Mauconseil, devenue après le 10 août Bon-Conseil, se singularise en défendant cette fois la Convention !

Reçue par l'Assemblée, la section dénonce le règne des minorités, « l'anarchie », le « despotisme populaire » (A.P., LXIV, 153-154, 5 mai)[79]. Malgré l'opposition de Marat, la majorité présente à la Convention fait décréter l'insertion au *Bulletin* de cette manifestation de soutien. Dès le lendemain, aux Jacobins, un membre « se plaint que la section de Bon-Conseil soit remplie de malveillants », et la Commune de Paris fait arrêter les pétitionnaires.

On peut également noter que parmi le personnel du *Comité*

insurrectionnel de l'Évêché appelé le 27 aux Jacobins à se réunir le lendemain [80], se retrouvent des membres actifs de la Société, déjà présents dans les délégations envoyées le 10 août 1792 à l'Hôtel de Ville ; c'est le cas pour Hassenfratz, qui revient ensuite rendre compte de la réunion aux Jacobins [81].

De même, pour poursuivre les parallèles, la ligne de conduite tenue par Robespierre dans les derniers jours précédant l'épreuve de force, reproduit celle qu'il avait manifestée à la fin de juillet 1792 : il met son autorité dans la balance, en faveur de la souveraineté du peuple contre ses représentants. « Je vous disais que le peuple doit se reposer sur sa force, mais quand le peuple est opprimé, quand il ne lui reste plus que lui-même, celui-là est un lâche qui ne lui dirait pas de se lever. [...] Ce moment est arrivé : nos ennemis oppriment ouvertement les patriotes. » Il s'agit là encore que le peuple trouve une forme de *conciliation* entre la souveraineté qu'il détient et le pouvoir qu'exercent les députés : « Je ne connais pour un peuple que deux manières d'exister : ou bien qu'il gouverne lui-même, ou qu'il confie ce soin à des mandataires. Nous, députés républicains, nous voulons établir le gouvernement du peuple, par ses mandataires, avec la responsabilité [82]. »

Le terme de mandataires et l'idée de responsabilité évoquent — comme auparavant la critique de « l'indépendance absolue » des députés — une perspective qui reste à trouver : celle où le peuple aurait une représentation véritable — et pour le moment de nature fort obscure. Robespierre lance enfin l'appel resté célèbre [83] :

« J'invite le peuple à se mettre dans la Convention nationale en insurrection contre tous les députés corrompus. Je déclare qu'ayant reçu du peuple le droit de défendre ses droits, je regarde comme mon oppresseur celui qui m'interrompt, ou qui me refuse la parole, et je déclare que moi seul je me mets en insurrection contre le président et contre tous les membres qui siègent dans la Convention » (*Œuvres*, IX, 527 ; non reproduit par Aulard).

Comme au 21 juin et au 16 juillet 1791, ou comme le 29 juillet 1792, ce discours tenu contre l'Assemblée est prononcé au milieu des Jacobins qui incarnent dans le visible ce Peuple au nom duquel parle l'orateur. Ce dernier entend unir sous l'égide du Peuple les trois registres présents dans la Société : celui du citoyen, celui du Jacobin, celui du député. La différence est cette fois que pendant les événements, les chefs jacobins sont présents à la Convention [84]. Lorsque, le 31 mai, une pétition de la Commune et des 48 sections est portée à l'Assemblée, c'est maintenant au sein de cette dernière que Robespierre s'exprime, et désigne l'adversaire : « Ma conclusion c'est le décret d'accusation contre tous les complices de Dumouriez et contre tous ceux qui ont été désignés par les pétitionnaires » (*Œuvres*, IX, 541).

Finalement, le 2 juin, Marat dresse la liste des députés girondins mis en arrestation chez eux (29 au total), auxquels s'ajoutent les ministres Clavière et Lebrun. Effrayés pour les uns, partie prenante pour les autres, et après de multiples péripéties, les députés ont fini par céder à la démonstration en armes, commandée par Hanriot, qui entourait l'Assemblée. On estime que, attirée sur place le 31 par l'appel du Comité de l'Évêché, la foule des manifestants finit par concentrer 80 000 personnes le 2 juin [85].

L'insurrection et le coup de force, encore controversés dans le détail de leur préparation et du déroulement [86], ressortent en dernière analyse comme une victoire du courant montagnard et jacobin à l'intérieur de la grande question posée depuis 1789 : stabilisation de la Révolution ou radicalisation ?

De même que Le Chapelier, à la fin de la Constituante, voulait arrêter la Révolution en donnant un coup de frein aux sociétés populaires — mais en avouant qu'elles l'ont d'abord impulsée —, un démocrate comme Pétion recule devant le tournant instauré par le 10 août ; il redoute l'intervention de la souveraineté directe du peuple, et répète la même contradiction qui fut celle des amis de Le Chapelier. Lui qui, en effet, avait soutenu cette souveraineté dès la Constituante [87], déclare, en décembre 1792, à propos du peuple : « Loin de favoriser sa tendance à l'insurrection, comme il a pu être utile de le faire quand nous avions la tyrannie à abattre, il faut la comprimer, attendu qu'elle ne pourrait qu'être funeste à la liberté. »

On trouve sur ce point des considérations analogues chez Brissot. Mais entre cette volonté de stabilisation, ou de « comprimer » comme dit Pétion, et l'envie de tourner à leur profit la souveraineté populaire, les Girondins, dans cette période, n'ont pas clairement choisi. La force de la Société des Jacobins fut de choisir assez vite, de comprendre l'aspiration qui s'exprimait à partir de plusieurs provinces, et de la canaliser au profit de Paris.

La ligne politique générale ayant été retracée, il faut examiner les aspects nouveaux dans le fonctionnement du club.

Moyens et obstacles dans la formation d'une avant-garde

Durant les neuf mois qui constituent cette montée vers le pouvoir, le décalage s'accroît entre les pratiques effectives du club et le discours qu'il tient vis-à-vis de ses adversaires et par rapport à la légalité. Se présentant comme une simple réunion d'individus discutant fraternellement, il renforce en fait son unité idéologique et d'organisation ; tentant de peser sur la Convention, il renforce les traits le rapprochant du parti politique moderne, tout en assumant des fonctions qui sont celles d'une institution parallèle, semi-officieuse. À partir du printemps 1793, c'est une véritable conduite d'avant-garde qui se fait jour.

Dans le discours qu'ils tiennent sur eux-mêmes, les sociétaires se présentent tantôt comme de simples individus, tantôt il leur faut admettre qu'ils constituent les citoyens les plus vertueux et les plus conscients ; finalement, ils sont le Peuple lui-même exerçant sa colère sur les mauvais représentants.

Les éléments de structuration du parti politique

Le 23 septembre, tandis que la Convention a commencé ses séances, Deperret demande, chez les Jacobins, que l'on dresse la liste des députés qui se sont fait inscrire au Club. Le *Journal des Jacobins* poursuit ainsi : « Cet appel aux députés à la Convention fait désirer à quelques-uns que tous ceux d'entre eux qui sont présents se lèvent ; cette proposition est acceptée, et, au moment où elle s'exécute, la moitié de l'assemblée paraît être remplie par eux. Les applaudissements redoublés des citoyens des tribunes sont un témoignage non équivoque de l'opinion du peuple sur ce point, et les lettres de la correspondance sont d'accord avec les applaudissements des tribunes » (*Aulard*, IV, 324).

Le décor est donc planté : les députés qui viennent aux séances sont les bons députés, les assistants qui sont dans les tribunes représentent « l'opinion du peuple », tout comme les lettres envoyées par la province. Prise en tenaille entre le club et les mouvements populaires de Paris, la Convention est sous surveillance, c'est-à-dire, en fait, le courant girondin dans la Convention, ainsi que la Plaine, enjeu du combat qui commence. Chez les députés il y a, selon Collot d'Herbois, trois catégories à distinguer :

« Nous avons, il est vrai, reconnu la République à l'unanimité ; mais, parmi les membres qui ont voté pour cette République, il est facile de distinguer trois classes. Les uns ont reconnu la République avec enthousiasme, ceux-là sont les vrais Jacobins ; d'autres l'ont reconnue par obéissance pour la majorité, d'autres enfin par devoir. Ces différentes nuances disparaîtront et se fondront en une seule. Si tous ceux qui les composaient viennent ici, si nos séances sont nombreuses, vous les forcerez bientôt tous à se montrer au ton de l'esprit général » (IV, 324-325).

On peut se demander comment l'ensemble de la Convention pourrait venir au club, puisque la polémique avec la Gironde a repris depuis le 10 août : c'est qu'il s'agit de « forcer » les députés, comme le dit Collot. Le terme revient d'ailleurs plusieurs fois chez lui, et, après avoir été repris par Chabot[89], il suscite quelques jours après une altercation : « Chabot justifie cette expression en démontrant que s'il est vrai que les Jacobins de Paris n'ont pas le droit de forcer la Convention de faire telle ou telle chose, les Jacobins de tout l'empire, c'est-à-dire tous les bons citoyens, ont incontestablement ce droit » (IV, 329).

C'est donc en tant que bons citoyens — voire l'ensemble de *tous* les bons citoyens — que les sociétaires peuvent légitimer les pressions qu'ils exercent sur l'Assemblée (en particulier pour la rédaction rapide d'une Constitution). Mais certains députés ne l'entendent pas de cette oreille, ainsi Levasseur :

« Je veux l'indépendance, mais l'indépendance tout entière.

— *Une voix :* j'observe à l'opinant qu'il parle en souverain.

— Non, je ne parle pas ici comme souverain, mais comme portion du souverain, car ici je ne suis pas représentant du peuple, mais citoyen. »

C'est une confusion extrême qui se montre dans cet échange : Levasseur veut l'indépendance du député, mais... il se présente comme simple citoyen. C'était appeler à une distinction des rôles que la Société efface complètement dans cette période. De son côté, Chabot veut que le « citoyen », parce que Jacobin, agisse sur la Convention, c'est-à-dire à la fois sur l'institution représentative, mais aussi sur une part de la Société. Si la Convention représente le peuple, la Société des Jacobins représente en son sein, parce qu'elle les *contient*, les bons Conventionnels.

Cette identification à l'institution représentative étant illégitime, elle se heurte maintes fois à des rappels à l'ordre qui signalent le décalage entre les discours et les conduites. Tel est le cas, par exemple, de la motion d'ordre faite par Basire en novembre : « La Société n'est pas réunie pour délibérer, ni pour faire des déclarations au peuple, mais pour discuter paisiblement des questions qui doivent se traiter à la Convention nationale » (IV, 477-478).

Siégeant pourtant à l'époque parmi les députés les plus radicaux, Basire entend rappeler que la Convention est censée rester le seul interlocuteur authentique du peuple ; mais de fait, le club « délibère », et il envoie maintes adresses au peuple[90].

Si le club renforce son unité et forme une « corporation » à côté de la Convention, il fait également preuve, par rapport aux autres organisations, d'un esprit d'exclusivité : dans la même séance où Collot a distingué trois classes de députés, il s'emporte contre ceux « qui se disent Jacobins et qui font des réunions particulières hors des Jacobins. Que vont-ils chercher ailleurs ces patriotes ? N'est-ce pas ici la serre chaude qui a fait germer cette plante républicaine qui étend ses rameaux bienfaisants sur l'empire français ? N'est-ce pas ici, et ici seulement, qu'il faut la cultiver ? » Les amis de Vergniaud sont visés, dont certains, élus comme Jacobins, se rencontrent dans le Club de la Réunion.

La décision est prise le 23 septembre « qu'aucun membre qui fréquenterait des sociétés particulières, telles que la Réunion, ne puisse être admis parmi les Jacobins ». Il est caractéristique que les autres clubs soient désignés sous le terme de « sociétés particulières » : seuls les Jacobins constituent la *Société générale* du peuple français[91], seuls ils se haussent à l'esprit universaliste qui caractérise — ou devrait caractériser — la Convention. Plus les sociétaires resserrent leur cohésion, et forment un corps particulier vis-à-vis de l'État, plus est ressenti le besoin d'affirmer l'identité de ce corps avec la volonté générale. Les Jacobins détournent ainsi la critique qui continue de leur être faite ; ils renvoient à leurs adversaires (aux « sociétés particulières ») la formule de Rousseau avec laquelle on tente de les mettre en contradiction : « Il importe [...] qu'il n'y ait pas de société partielle dans l'État, et que chaque citoyen n'opine que d'après lui. »

Agir de l'extérieur sur la Convention dans un esprit universaliste, c'est, pour le club, prouver qu'il n'est pas une « société partielle », ou « particulière », mais l'écho de la volonté du peuple : il se pose en médiation entre le peuple et l'Assemblée[92]. Mais à résoudre ainsi la contradiction entre le particulier et l'universel, les Jacobins en font apparaître une autre. Car la *discipline* nécessaire pour exercer ce rôle de médiateur et de censeur[93] fait que les sociétaires parlent d'une seule voix. Or, la passion de l'Unité fait encore ressortir davantage l'aspect, tant critiqué, de « corporation » ou de « faction ». C'est pourquoi certains adhérents vont jusqu'à avouer l'insoutenable vérité ; ainsi Robert, en novembre, qui revendique le qualificatif de faction :

« Citoyens, on parle tous les jours de la faction des Jacobins, de la puissance des Jacobins, du despotisme des Jacobins. Ah ! sans doute, les Jacobins forment une faction, sans doute ils sont une puissance, sans doute ils exercent un despotisme ; mais cette faction, c'est la faction du peuple qui a préparé, qui a fait la révolution du 10 août ; mais cette puissance, c'est encore la puissance du peuple, qui veut maintenir son ouvrage ; mais ce despotisme, c'est celui de la raison publique, qui ne permettra jamais à une poignée d'ambitieux, d'intrigants mal déguisés, de jouir exclusivement des bienfaits d'une révolution qui, par cela qu'elle était hardie, ne fut pas, ne put pas être leur ouvrage » (IV, 526-527).

On entend, dans de tels propos, la reconnaissance qu'il y a de bonnes factions ! quoi qu'en dise le postulat dominant (du citoyen solitaire qui n'opinerait que par lui-même).

Enfin, cette recherche d'unité — incontestablement efficace pour l'action — ne pouvait que se fortifier par l'usage de l'*épuration*, dont on a vu plus haut qu'elle frappe successivement les chefs girondins. Mais il est à noter qu'à la différence de la période précédente, dans les débats rapportés par les rédacteurs du Journal, aucune reconnaissance de divisions politiques n'apparaît. Quand des discussions ont lieu par rapport au ministre Roland, dirigeant un bureau de propagande, ou par rapport aux articles de Brissot, elles paraissent ne pas mettre en question les assistants eux-mêmes : c'est sur d'autres, ailleurs, que l'on discute. En cela la Société intériorise et fortifie — et reflète par son Journal — l'image d'elle-même qu'elle recherche, bien que cette image continue à susciter gêne et dénégations.

Le passage à l'avant-garde du peuple

Unité d'opinion, discipline de vote et de comportement, adresses au peuple..., un certain nombre de traits préfigurateurs du parti politique sont donc apparus, ou se sont renforcés, dans cette période. Mais, étant donné le poids des tabous, il s'agit pour les sociétaires de réformer le vocabulaire qui rendrait trop explicite cette évolution. À cette fin, il est décidé de ne plus parler d' « affiliation », car c'est « injurieux à l'égalité républicaine » : en fait le nouveau titre de « société fraternisante », adopté en septembre pour désigner une filiale, laisse vite la place à l'ancienne dénomination ; car « affiliation » disait mieux, et plus clairement, la réalité d'une organisation mue par un Centre.

En mars 1793 une circulaire rationalise le mode de fonctionnement du groupe jacobin : « Adresse à tous les membres des Sociétés des amis de la liberté et de l'égalité qui fraternisent avec la Société centrale, séante aux ci-devant Jacobins de la rue Saint-Honoré, à Paris » (*Aulard*, V, 57). En premier lieu, une *carte*, renouvelée par trimestre, est donnée à chaque membre : « Tous les Jacobins des diverses sections de la grande famille pourront se visiter les uns les autres et jouir de leurs droits d'entrée dans toutes les sociétés qui fraternisent avec la nôtre. » Un jeu de signatures permettra la vérification, de façon à refouler les éléments douteux.

De plus, un « journal logotachygraphique, qui rendra mot à mot ce qui aura été dit dans chacune des séances », est envisagé[94]. Une cotisation trimestrielle financera la circulation de tous les écrits entre le centre et les filiales.

En même temps, d'autres éléments entraînent ce parti en voie de formation vers des aspects qui s'apparentent à ce qu'on appellerait aujourd'hui une avant-garde préparant la conquête du pouvoir. En premier lieu, il faut mentionner la *dénonciation*, auparavant approuvée, mais qui devient plus systématique. Et, d'instance de dénonciation des mauvais citoyens, le groupe se trouve poussé à devenir un organe d'*arbitrage* entre les litiges que la dénonciation suscite. C'est, par exemple, le cas lorsque Quénard, membre du club, entre en conflit avec la section du Temple[95].

D'autre part, la Société est sollicitée pour aider à la constitution de textes édifiants, ou inversement, pour la destruction de mauvais écrits. Le premier cas apparaît lorsque le général Wimpffen vient demander que les Jacobins l'aident à rédiger un historique de la bataille de Thionville. Jeanbon Saint-André s'emporte contre cette mentalité nouvelle : « Vous n'êtes pas une autorité constituée, et par conséquent vous ne pouvez donner aucun caractère d'authenticité à l'ouvrage d'un général d'armée. Votre conduite serait dangereuse. [...] Vous êtes ici pour instruire : instruisez et ne gouvernez pas. Laissez aux intrigants le soin de dominer ; mais vous, fidèles aux principes, ne cherchez point une autorité qui ne peut vous appartenir » (IV, 511). La solution de compromis, proposée par le frère de Robespierre, consiste à agir comme demandé, mais pas en nom collectif : Wimpffen « demande seulement de lui indiquer quatre amis, quatre frères, pour coter et parapher ses mémoires et en faire ensuite le dépôt aux archives. » La Société applaudit cette suggestion : les Jacobins n'agiront qu'à titre individuel.

Deux jours après (le 25 novembre), c'est cette fois un rôle de censeur plus affirmé que les sociétaires se donnent, en exécutant un... autodafé — si l'on peut reprendre ce terme qu'emploie Chabot pour protester : « Si cette action ne me paraissait pas dictée par un excès de patriotisme, je ne balancerais pas à la comparer à un des actes détestables de l'inquisition espagnole. Sommes-nous donc à Salamanque, ou aux Jacobins de Paris, puisqu'on se permet de brûler ce qu'un homme a écrit ? Que sont devenus ces principes de la liberté illimitée de la presse ? »

Mais Chabot est désavoué, la Société se reconnaît le pouvoir de détruire les « écrits liberticides » — pouvoir dont elle usera encore par la suite[96].

Enfin, la question (déjà rencontrée) des adresses au peuple se pose à plusieurs reprises. Les Jacobins sentent bien qu'elle est d'importance, puisque cela revient — pour cette époque — à adopter une démarche et à se donner une tribune réservées au Corps législatif. Le 12 mars, Varlet qui est à la fois aux Cordeliers et aux Jacobins, vient demander qu'on rédige un *appel à l'insurrection*. Dufourny parvient à endiguer l'initiative : « Quand il serait nécessaire de s'insurger, notre Société ne doit prendre aucune part à l'insurrection. Il serait peut-être indifférent que ce mouvement éclatât dans un autre club, mais notre Société ne doit jamais se compromettre » (V, 86). Il pourrait donc sembler qu'en cette étape les Jacobins préfèrent laisser les soulèvements risqués aux « sociétés particulières », à « un autre club », comme dit Dufourny. Pourtant le pas venait d'être franchi, l'idée de faire directement pression sur la Convention gagnant nombre de partisans : le 8 mars, journée où la Commune obtient par députation et pétition la création d'un Tribunal révolutionnaire, un membre de la Société propose une délégation propre des Jacobins. Elle irait porter, entre autres revendications, la demande de destitution du président de la Convention (Gensonné).

Vainement, Collot d'Herbois tente de s'interposer, et appelle au respect de la légalité en vigueur : « J'observe que la Société ne peut faire d'acte collectif ; elle ne peut qu'inviter les citoyens à faire une pétition : tout arrêté contraire nous rendrait répréhensibles. Il y a des lois qui défendent la mesure que l'on a proposée. » Desfieux relance alors le moyen suggéré précédemment par Augustin Robespierre : il obtient une « approbation unanime » en invitant les pétitionnaires à se réunir dans un local voisin. Ainsi la Société des Jacobins peut-elle signer un texte où elle n'apparaît pas comme telle. Poussée par sa logique d'organisation, se concevant comme la partie avancée du peuple, elle mène le jeu de ces « factions » qu'elle-même a tellement dénoncées.

Comme on a pu le voir à travers l'évolution générale des événements, le printemps 1793 va maintenant constituer une nouvelle étape dans la formation et la pratique de l'avant-garde. Diverses digues sautent devant les urgences : multiplication des difficultés intérieures (soulèvements en Vendée), motions hostiles de certaines provinces, devant la Convention, contre les

Montagnards, situation critique à l'extérieur (notamment pour l'entrée de l'armée de Dumouriez en Belgique). Le club s'engage alors un peu plus comme groupe de pression sur l'Assemblée, comme centre de mobilisation — et même, comme relais pour les tâches auxquelles le pouvoir d'État est jugé défaillant. Il suffira d'en considérer quelques exemples significatifs [97].

Le premier facteur de cette évolution réside dans une pratique inverse et symétrique de la dénonciation, soit les recommandations que les Jacobins peuvent fournir pour les *emplois* à pourvoir. A cette époque commence l'usage des « certificats de civisme ». La Société sait qu'elle n'a pas pouvoir d'en donner, mais la tentation apparaît, du fait de l'investiture qu'elle s'attribue dans son rôle de censeur officieux. Ainsi, le 23 décembre, Dufourny avait fait repousser la proposition de délivrer un certificat à Guiraut, qui rend des services au Club. Ce dernier était candidat à la place d'officier municipal : une députation de la section du Contrat-Social, qui envisage de voter pour lui, vient demander à la tribune si le club se porte garant de son adhérent. « Nous sommes chargés de vous demander si le citoyen Guiraut est réellement digne de nos suffrages. » Une réponse positive est donnée, mais sans aller jusqu'à accorder, comme certains le souhaitaient, un certificat de civisme.

C'est au mois d'avril que le club commence vraiment à tenir le rôle d'une institution : le ministre de la Guerre Bouchotte lui écrit pour signaler qu' « il a remplacé un commissaire-ordonnateur dénoncé par la Société : il envoie le tableau de tous les officiers des armées, afin que les membres de la Société puissent donner leur opinion sur eux » (V, 137). Cette fonction, encore consultative, d'épuration, préfigure ce qui deviendra la pratique régulière sous le gouvernement révolutionnaire [98].

L'institution parallèle au pouvoir d'État se constate également dans la question des *commissaires* jacobins. En octobre, Danton avait fait instituer un « Comité auxiliaire de Constitution », qui devait inspirer et surveiller celui présent dans la Convention — lequel aboutira au projet lu le 15 février par Condorcet [99]. De même, il est proposé en mars de créer un « Comité de salut public » qui doublerait celui institué par la Convention [100]. Mais ce comité est repoussé par Thuriot et surtout par Legendre — ami de Danton, et qui siège... dans le Comité officiel : « Si vous organisez un Comité de salut public, on dira que c'est un Comité d'insurrection. [...] Je déclare, moi, que je commencerais à suspecter cette Société, s'il y avait un comité secret. Il faut tout dire à cette tribune, et ne nous plaindre que de ce que nous n'ayons pas un organe assez fort pour nous faire entendre de toute la République » (V, 195).

En dehors de ces deux cas significatifs, le débat sur des commissaires créés *ad hoc* ne cesse de réapparaître. Tallien avait fait repousser durant l'hiver la proposition d'inspecteurs jacobins pour vérifier le travail des collaborateurs de Lavoisier en matière d'armement : « Nous ne sommes pas une autorité constituée ; nous formons une société d'hommes libres qui cherchent à s'instruire mutuellement et à instruire leurs frères, et nous n'avons pas le droit de nommer des commissaires : ce serait un acte collectif, et ces actes sont spécialement interdits par les lois aux sociétés patriotiques » (IV, 548). Ultérieurement, sur ce point comme sur les autres, les Jacobins vont passer aux « actes collectifs » dont avait parlé Tallien. Lorsque le frère de Robespierre propose de doubler par des sociétaires les députés-commissaires de la Convention envoyés en province (levée militaire), il obtient gain de cause, après un premier refus. On voit même la Société mander à Lyon trois de ses membres pour contrôler des représentants en mission officiels... eux-mêmes jacobins (V, 135 ; 15 avril).

Il se confirme donc que malgré les rappels à l'ordre et la gêne souvent exprimée, le club s'est constitué dans cette période en un groupe qui unit des traits relevant tantôt du parti moderne, tantôt de l'avant-garde substituée au pouvoir d'État. Ce dernier aspect se renforce encore pour ce qui concerne la diffusion des informations et des mots d'ordre, et enfin, la mobilisation proprement dite.

De ce point de vue, il est intéressant de constater que Thuriot (futur président de la Convention le 27 juin) est le même qui, s'opposant à un Comité de salut public parallèle, voudrait des moyens de mobilisation massifs. Le débat qui est engagé semble porter sur le caractère public ou clandestin qu'il faut donner à la mobilisation. Pour Thuriot, comme pour beaucoup de Cordeliers familiers des sections, c'est la *permanence* qui constitue le grand symbole de la levée du peuple, et donc de ses chefs : « Je demande que la Société se déclare permanente. Les patriotes ne doivent point se séparer quand la patrie est en danger ; pour que tout se rallie, pour que tout tende au même but, il faut absolument qu'il y ait un point central. Je sais que votre présence est nécessaire dans les sections, mais nos membres peuvent être divergents d'opinion par là seul qu'il n'y a pas de rapprochement, et que l'on n'a pu approfondir la cause et le but de telle ou telle opinion. Établissez la permanence de vos séances : il en résultera que le système général se développera dans toutes les sections de Paris » (V, 194 ; 17 mai).

Cette proposition visait donc à faire des Jacobins le « point central », ou le comité central des sections de Paris. En fait, c'est une tactique plus discrète qui l'emporta, comme on l'a vu, par l'envoi de délégués au Comité de l'Évêché, en convergence avec l'initiative de la section de la Cité : cette dernière avait lancé le 28 mai un appel à toutes les sections. Dufourny, Dobsen[101], Hassenfratz ressortent comme les Jacobins les plus en pointe dans ces réunions entre le 28 et le 30 mai.

« Vice omnium » : une minorité qui vaut pour l'ensemble

Si l'on compare l'ensemble de cette évolution avec ce qu'avait montré la période de la Législative, on peut dire que dans la conscience jacobine s'est installée la suite d'équivalences qui fonde l'esprit avant-gardiste : « Jacobins = peuple = Conventionnels véritables. »

De façon plus précise, prévaut une logique selon laquelle c'est la *partie avancée* de chacun de ces groupements qui soutient la chaîne d'identifications : les Jacobins purgés de l'aile girondine équivalent à la partie consciente du peuple, laquelle trouve dans la Montagne sa représentation véritable[102]. Soit : « Jacobins épurés = partie avancée du peuple = partie pure de la Convention. »

On constate en effet la tendance chez les intervenants du club à s'adresser à leurs camarades en ces termes : « Fraction du peuple, peuple vous-mêmes. » C'est, par exemple, le cas de Robert, dans le même discours où il reconnaît que les sociétaires sont une faction, mais la bonne faction, celle qui a fait le 10 Août. De la même façon, dans son *Discours sur l'influence de la calomnie sur la Révolution*, Robespierre ne craint pas de déclarer : « Comme la vérité a aussi sa puissance et ses soldats, la petite phalange des Jacobins et des défenseurs de la vérité le harcelait [La Fayette] dans sa marche, avec assez de succès » (*Œuvres*, IX, 49 ; 28 octobre).

Il y a donc une « phalange des Jacobins » qui, du sein du peuple, agit comme un corps organisé, comme des « soldats » de la Vérité : comme une armée du peuple. À cette minorité avancée présente dans le peuple, correspond la minorité saine au sein de la Convention. C'est pourquoi le frère de Robespierre (le 5 avril), puis Albitte le 10 du même mois appellent à une *conjonction* des deux groupes : seule cette conjonction peut engendrer l'image fidèle du peuple, c'est-à-dire qu'il soit vraiment « représenté ».

On a vu que le premier orateur avait déclaré : « Il faut que tous les bons citoyens se réunissent dans leurs sections, qu'ils y dirigent l'opinion publique d'une manière plus utile qu'ils n'ont fait jusqu'à présent, et qu'ils viennent à la barre de la Convention nous forcer de mettre en état d'arrestation les députés infidèles » (V, 125). Le « nous » désigne l'identification entre les Jacobins et ceux parmi les députés qui ne sont pas « infidèles » au peuple.

Albitte va être encore plus clair en ce sens : « Qu'on vienne *nous demander*[103] la condamnation à mort de tout ce qui porte le nom d'Égalité [le duc d'Orléans, général de l'armée française] ; qu'on vienne *nous demander*[103] qu'il soit permis de tuer tout émigré que l'on rencontrera dans Paris. [...] Alors la cause de la liberté triomphera, et les Montagnards se rallieront pour faire punir les traîtres. L'Assemblée est dans tous les bons patriotes, et quand il n'y aurait que dix bons députés dans la Convention, la Convention serait complète » (V, 132).

La formulation est extrême, elle va cependant se retrouver à diverses reprises : si le « nous » se réduisait à dix députés, cela suffirait encore, en tant que « partie saine », à former l'Assemblée. D'ailleurs, les vrais représentants ne sont pas nécessairement des députés, puisque, en renversant audacieusement les propos habituels, Albitte affirme que « l'Assemblée est dans tous les bons patriotes ». Il faut entendre que le Peuple est dans les Jacobins, que la Convention authentique est, encore, dans les Jacobins.

On comprend dès lors que l'Unité du peuple que le club tente de promouvoir (par exclusion de ceux qui divergent) ne s'envisage pas en termes quantitatifs mais *qualitatifs* : peu importe le nombre, c'est la vertu qui confère le droit de parler au nom de tous. L'Unité qu'assure l'avant-garde est celle d'un principe, d'une ligne, et en ce sens d'une orthodoxie.

L'entrée des Jacobins dans la terreur et le gouvernement révolutionnaire

Dans une circulaire qu'elle adresse aux « citoyens des départements » (V, 235-241) et rédigée par Desmoulins, la Société fait l'éloge du mouvement insurrectionnel qui vient de se dérouler. Est-ce bien le Peuple qui fut l'acteur de ce grand événement ? telle est la question à résoudre. Desmoulins écrit que ce sont les « citoyens de Paris, stipulant pour leurs frères des départements », dont ils attendent maintenant — après cette stipulation pour autrui — une ratification. « Paris conservera aux détenus leur inviolabilité, il ne veut point s'arroger plus que sa portion de pouvoir, et il attend avec respect le jugement des autres départements et du souverain. »

Il s'agissait par là de ménager les susceptibilités qu'avaient tellement avivées les Girondins depuis le mois de septembre dernier. Au reste, explique l'auteur, cet acte est entièrement légitime : « Paris n'a pu soutenir plus longtemps le spectacle de tant de perfidie et de scélératesse. Il vient de faire ce qu'il n'est aucune ville patriote qui n'eût fait à sa place ; il vient de se lever tout entier une troisième fois, trop tard sans doute pour la gloire des hommes du 10 août et du 14 juillet. »

Le 2 Juin est donc dans la lignée des deux grandes journées qui ont donné un saut qualitatif à la Révolution. Il s'inscrit dans la continuité d'une nécessité morale et historique : « Si vous aviez été témoins comme nous de tant d'indignités et de perfidies, il y a longtemps que vous auriez fait l'insurrection ! » En fait, la ratification ainsi demandée aux citoyens des départements est purement diplomatique ; depuis mars, la Vendée est en insurrection, au moment même du 2 Juin, les Montagnards ont été renversés à Lyon, selon un scénario inverse de celui de Paris ; de plus, certains des chefs girondins assignés à résidence vont s'enfuir et soulever les provinces. Au mois de juillet, les deux tiers des départements sont en révolte : des assemblées primaires sont convoquées ; elles instituent des Commissions de salut public ou des Comités départementaux de salut public, pour préparer une action contre Paris. Au degré extrême, la résistance par les armes devint le fait de cinq régions : Normandie, Bretagne et Vendée, Bordeaux et la Gironde, Marseille et Toulon, les Cévennes et le Vivarais, Lyon et la Franche-Comté [104].

Face au refus d'admettre le coup de force du 2 juin, mais devant également les interrogations exprimées en régions loyalistes, la Convention usa d'abord de la modalité légaliste : la Constitution montagnarde discutée — il faut plutôt dire bâclée — entre le 10 et le 24 juin devait prouver que la souveraineté du peuple était définitivement reconnue.

Mais si le texte constitutionnel envisageait de soumettre toutes les *lois* (distinguées des décrets) à la ratification populaire, la mesure était rendue fictive par une procédure complexe. Les Jacobins et les Montagnards (inséparables à ce moment) se sentent déjà obligés de reculer sur l'application des principes qu'ils ont proclamés. Le dernier jour de la discussion de l'acte constitutionnel, Couthon opère une rétractation décisive quant à une idée essentielle inscrite dans le projet : sous le nom de « censure du peuple contre ses députés », il s'agissait de donner aux assemblées primaires le pouvoir de juger les mandataires qu'elles avaient élus [105].

Cette disposition avait été jadis exposée par Robespierre, et elle aurait institutionnalisé la demande du club de Marseille qui, on s'en souvient, avait déclenché la revendication de « rappel des députés infidèles ». Le remède attendu d'une telle mesure aurait été de dispenser le peuple du recours, tragique et coûteux, à l'insurrection. Et d'ailleurs, issu du 2 Juin, le pouvoir montagnard souhaitait en éviter le renouvellement, qui eût pu, cette fois, se produire à son encontre !

Mais le remède se révélait illusoire, comme certains députés le firent remarquer en séance : n'était-ce pas donner la part belle aux assemblées primaires gagnées par la Gironde ? Couthon fit donc abandonner l'idée, sous le motif qu' « une majorité corrompue pourrait avoir corrompu l'opinion publique » ; et que, dans ces conditions, « une section du peuple n'a pas le droit de priver la nation entière d'un représentant qu'elle estime ». L'argumentation n'est guère claire, car qu'est-ce que « la nation entière » si l'on en retire la « majorité » et l' « opinion publique » ? Elle dénote, en tout cas, le virage qu'est en train d'amorcer le discours jacobin, qui ne peut plus rester le *discours d'opposition* antérieur : la souveraineté directe du peuple doit être mise en veilleuse, au profit de la représentation du peuple incarnée par la Convention épurée. Et la légalité constitutionnelle doit même céder la place à une politique nouvelle, pour faire face à la guerre civile qui menace, ainsi qu'à la guerre extérieure qui n'a pas cessé. La *Terreur* et le *gouvernement révolutionnaire* sont les deux appellations qui vont définir, dans la transition de juillet à octobre, le nouveau cours politique.

D'ailleurs, au sein du club jacobin, deux interventions ont préfiguré dès le mois de juin, la nouvelle tendance. Le 9 de ce mois, alors qu'on allait inaugurer la discussion de la Constitution, Billaud-Varenne prend la parole pour des mesures de salut public : « Citoyens, voulez-vous sincèrement la liberté ? Voulez-vous terminer cette lutte entre l'aristocratie et le patriotisme ? Suspendez l'exercice du droit de citoyen envers tous les hommes antisociaux qui méprisent ou qui usurpent ce droit » (V, 243).

Il est clair que les « antisociaux » désignent non seulement les nobles (dont Billaud demande l'expulsion du corps des officiers) mais les défenseurs du « fédéralisme », les Girondins. C'est contre eux que sera déclenchée prioritairement la Terreur[106]. Et, dans le même sens, le 23 juin, Jeanbon Saint-André lance un thème qui aura une grande fortune : « Nous avons des moyens de régénération, il faut les employer ; les uns appartiennent à la Société, d'autres à la Convention nationale » (V, 271).

La notion de régénération n'est pas nouvelle, car, dès les États généraux, on trouve la formule : « Régénérer le royaume » ; mais il s'agit maintenant d'un contenu différent : puisque l'opinion publique est corrompue, selon l'expression de Couthon, et que les thèmes de la Gironde rencontrent un écho indéniable, il s'agit de refaire l'opinion publique, d'épurer les fonctionnaires — mais aussi de créer un *peuple nouveau* et un *homme nouveau*. C'est au printemps 1794 que ce dernier projet devient clairement formulé et systématiquement énoncé comme objectif du gouvernement révolutionnaire. On le trouve, par exemple, dans le plan d'éducation nationale de Michel Lepelletier (lu à la Convention par Robespierre), ou dans le grand discours de Billaud-Varenne *Sur la théorie du gouvernement*

*démocratique... sur la nécessité d'inspirer l'amour des vertus civiles
par des fêtes publiques et des institutions morales.* Billaud renouait
(comme il a déjà été signalé) avec l'inspiration amorcée par
Brissot sur la valeur roborative de la guerre ; mais, allant plus
loin que Brissot n'aurait osé le faire, il en vient à un projet de
régénération du peuple par l'État : « Il faut, pour ainsi dire,
recréer le peuple qu'on veut rendre à la liberté, puisqu'il faut
détruire d'anciens préjugés, changer d'antiques habitudes,
perfectionner des affections dépravées, restreindre des besoins
superflus, extirper des vices invétérés. Il faut donc une action
forte, une impulsion véhémente, propres à développer les vertus
civiques, et à comprimer les passions de la cupidité, de l'intrigue
et de l'ambition. »

D'abord lancés dans la conquête du pouvoir sous le thème de
la défense de la souveraineté du peuple, les Jacobins se
trouvèrent amenés, après le 2 juin 1793, à une suite de révisions
et d'innovations adoptées par tâtonnements successifs — sous le
poids de ce que Saint-Just a appelé, dans une formule célèbre,
« la force des choses ». L'essai constitutionnel, puis l'entrée
dans la Terreur ne résultent pas d'un plan préétabli ; ce qui ne
veut pas dire pour autant qu'ils n'utiliseraient pas des précondi-
tions antérieures, et repérables par l'observateur ; mais dans la
conscience des protagonistes, il s'agit de tentatives de riposte à la
situation ouverte par le coup de force, et à la lutte désormais
totale entre le camp montagnard et le camp « fédéraliste ».

On verra que le 10 août 1793, jour de la fête de l'Unité et de
l'Indivisibilité, opéra comme le vecteur d'une prise de conscience : la possibilité rendue évidente de recréer l'Unité du
peuple — mais, finalement, en recréant le peuple, pour
surmonter les obstacles apparus. De même que la venue des
fédérés à Paris avait engendré la possibilité du 10 août 1792, un
an après, jour pour jour, les Jacobins ont le sentiment de
rencontrer le Peuple *hic et nunc* présent : des délégués des
assemblées primaires ont été envoyés de toute la France ; ils sont
tous d'esprit montagnard ardent. Les documents montrent que
c'est à ce moment que l'idée, et la formule même, « mettre la
Terreur à l'ordre du jour », apparaît : elles ne naissent pas de la
manifestation du 5 septembre organisée par la Commune, et
devant la Convention, ainsi qu'on l'a longtemps dit. C'est au

sein de la Société des Jacobins, en août 1793, que l'idée se formule, et qu'elle chemine à partir de là.

La perspective nouvelle, issue des Jacobins et répondant à la mentalité jacobine, est en même temps vécue comme une réponse, imprévue, aux circonstances. C'est seulement après coup que les têtes les plus théoriciennes, comme Robespierre ou Billaud-Varenne, tentent de rationaliser la politique ainsi engagée, pour montrer qu'elle répond à la vision *morale* que le jacobinisme radical avait défendue dans les premiers temps. À ce moment, Robespierre peut affirmer : « La terreur n'est autre chose que la justice prompte, sévère, inflexible ; elle est donc une émanation de la vertu ; elle est moins un principe particulier qu'une conséquence du principe général de la démocratie appliquée aux plus pressants besoins de la patrie [107]. »

Sans doute dans cette justification de la politique terroriste, le jacobinisme formule sa vérité intime, mais il ne fait que la découvrir, et il s'en étonne presque. Robespierre le confesse, au début du même discours : « Jusqu'au moment même où je parle, il faut convenir que nous avons été plutôt guidés, dans des circonstances si orageuses, par l'amour du bien et par le sentiment des besoins de la Patrie, que par une théorie exacte et des règles précises de conduite, que nous n'avions pas même le loisir de tracer. Il est temps de marquer nettement le but de la révolution, et le terme où nous voulons arriver. »

De même, quelques mois auparavant, il avait prévenu qu'aucune doctrine n'avait inspiré le nouveau cours des choses : « La théorie du gouvernement révolutionnaire est aussi neuve que la révolution qui l'a amenée. Il ne faut pas la chercher dans les livres des écrivains politiques, qui n'ont point prévu cette révolution [108]. » Lui qui n'avait cessé sous la Constituante de faire de Rousseau le précurseur, parfois le prophète, de la Révolution [109], il insiste maintenant sur l'innovation enfantée par la pratique.

Il faut rendre acte à Robespierre de la vérité partielle de cette observation — même si, comme on pourra le constater, le gouvernement révolutionnaire est, pour une part, l'*héritier* d'une culture politique, d'une tradition absolutiste, dont la reprise ne pouvait être facilement décelée par l'œil des protagonistes [110].

Tout semble montrer que la Terreur et le gouvernement révolutionnaire sont vécus par les acteurs du moment comme l'effet de cette « force des choses » qui, dans son caractère énigmatique, fit douter Saint-Just. Il convient donc de retracer les étapes par lesquelles passe la *conscience* jacobine : il reviendra aux chapitres suivants (Part. II et III) d'en rechercher, plus avant ou plus profondément, les conditions de possibilité.

La genèse de la politique de Terreur (juin-octobre 1793)

Le thème de la « centralité » :
recherche d'une nouvelle forme de représentation

Durant les cinq mois qui voient apparaître la nouvelle conception et qui se concluent par le caractère révolutionnaire du gouvernement jusqu'à l'établissement de la paix (rapport Saint-Just du 10 octobre), un thème polarise les débats : la « *centralité* » nécessaire, ou la Convention comme « centre unique de volontés ». Critiqué par les amis d'Hébert et, en partie, par les dantonistes, le mot d'ordre est imposé aux Jacobins par Robespierre. Ce dernier juge que la conquête du pouvoir ouverte par le 2 juin peut se maintenir si elle prend appui sur une centralisation vigoureuse.

Le problème est dès lors de savoir comment un renforcement du pouvoir d'État peut se concilier avec l'autonomie et les initiatives de la « volonté du peuple ». En contradiction apparente avec les thèses qu'il soutenait peu auparavant, l'Incorruptible explique le 14 juin, devant les Jacobins, que la fameuse « défiance » vis-à-vis des délégués du peuple n'est plus à l'ordre du jour : « Le peuple doit défendre la partie pure de la Convention, dans un moment où elle a encore des obstacles à vaincre. Le peuple ne doit pas écouter ceux qui veulent lui inspirer une défiance universelle. Il faut un point de ralliement et l'on doit sentir que quelques faiblesses, qu'un défaut de perfection qui n'est point accordé à l'humanité, ne doivent pas être un motif pour calomnier indistinctement tous les représentants de la nation » (*Œuvres*, IX, 560).

En termes clairs : la Représentation est maintenant en accord avec la volonté du peuple, à partir du moment où la Gironde a été éliminée. Mais de plus, « la partie pure de la Convention » n'est en phase avec le peuple que pour autant que Paris constitue le lieu où s'exerce cette représentation régénérée : le « point de ralliement » que prône Robespierre est tout autant politique que géographique et, en dernière analyse, symbolique. Paris doit véritablement devenir la « capitale » — c'est-à-dire la tête — de la nation, comme la Convention représente le cerveau du corps politique. L'orateur continue en effet en ces termes : « Dans une tourmente politique, dans une tempête révolutionnaire, il faut un point de ralliement. Le peuple en masse ne peut se gouverner : ce point de ralliement doit être Paris ; c'est là qu'il faut amener les contre-révolutionnaires pour les faire tomber sous le glaive de la loi. »

Il est frappant de constater combien cette valorisation d'un « centre », sur les plans politique, administratif et symbolique, contient la matrice qui va nourrir l'imaginaire du gouvernement révolutionnaire. En décembre, dix circulaires du Comité de salut public développeront sur un ton lyrique la comparaison de la Convention et de ses organes avec un Colosse dont la tête vivifie les mouvements partant vers la périphérie, trie les informations, envoie les impulsions, contrôle les réponses en retour.

Par ce schéma centralisateur et par la métaphore organiciste de l'Hercule révolutionnaire, Robespierre et Billaud-Varenne ont rendu possibles la conception et la légitimation de la Terreur. Cette dernière va en effet consister dans une *nouvelle forme de représentation du peuple*. Représentation qui s'exerce à distance des gouvernés, puisque c'est la Convention qui donne l'impulsion (à travers le Comité de salut public) ; mais représentation qui fait aussi corps avec eux puisqu'elle répond à leur demande, qu'elle exerce la « vengeance nationale » (selon l'expression fréquemment employée), qu'elle traduit dans le cerveau du colosse les nécessités vécues par les cellules de l'organisme.

Et d'ailleurs, si l'on résume les controverses qui se déroulent au sein de la Société des Jacobins durant l'été 1793, on constate que la politique terroriste se formule comme la réponse à deux impératifs en sens opposé mais complémentaires : commander au peuple la voie de son salut, répondre à l'appel que le peuple formule. D'un côté la Convention sera la « tête » qui impulse, de l'autre elle est le « bras » qui exécute la vengeance du peuple : « Le bras du peuple est levé » déclare Robespierre le

5 septembre, lorsque la Convention, envahie par les manifestants, met la Terreur à l'ordre du jour.

En détaillant davantage les deux versants de la nouvelle conception, le premier aspect semble nier l'initiative que le peuple devrait avoir, mais le second corrige cette impression, puisqu'il s'agit de répondre à une demande venant d'en bas. Selon le premier aspect, la Convention semble sortir de sa fonction représentative : elle prend des initiatives tout à fait nouvelles par rapport à son mandat primitif[111] ; de plus, elle refuse l'application de la Constitution de l'an I qu'elle vient de faire ratifier par référendum, et n'accepte pas le retour aux urnes. D'où la dénonciation exercée par les courants hébertistes et cordeliers qui veulent à la fois le développement de la Terreur et une constitutionnalisation du gouvernement.

En se plaçant maintenant au second point de vue, la Convention *représente* la volonté du peuple (même si on évite au début d'employer le terme) : elle exécute les tâches que le peuple est supposé demander, comme l'accélération du Tribunal révolutionnaire, l'épuration, l'écrasement des révoltes.

Enfin, dans la mesure où ces tâches frappent prioritairement les Girondins (qu'ils soient en prison ou en fuite), la politique terroriste représente le peuple contre le fédéralisme. « Représenter contre » signifie une opération *chimique* d'extraction du peuple « véritable », corps pur dégagé des scories : la formulation est usitée chez les Jacobins — complémentairement à la métaphore du Colosse révolutionnaire. En pratique, il s'agit de l'action d'épuration dont le 2 juin vient de montrer le modèle ; mais au lieu que l'épuration frappe en priorité des membres de l'Assemblée[112], elle porte sur tout ce qui « gangrène » (comme on dit aussi) le corps de la nation.

Les débats entre juin et octobre montrent que la Terreur est ressentie comme un moyen *politique* de traiter l'opposition, ceux qui ont remis en question l'Unité primordiale valorisée par le discours jacobin. C'est pourquoi les historiens défenseurs du robespierrisme (principalement au XIXᵉ siècle) n'ont que partiellement raison en disant que la Terreur ne fut pas, dans l'esprit des Jacobins, un mode de gouvernement ; ainsi Louis Blanc : « La Terreur ne naquit donc pas dans le cerveau de quelques individus, elle ne fut donc pas l'œuvre de tels ou tels Jacobins ;

[...] la dictature, dont le terrorisme ne fut que le côté sanglant, fut voulue, acceptée, mise en œuvre pendant la Révolution comme un moyen passager et désespéré de défense nationale ; mais comme doctrine de gouvernement, jamais [113] ! »

Il est exact que, selon le discours même des protagonistes, ce n'est pas un mode de gouvernement — dans la mesure où on souligne son caractère nouveau, et exorbitant de toute légalité. Mais c'est cependant un mode politique d'action, selon une logique de la *guerre* transposée en politique, et dont la légalité consiste à rétablir une Unité que le « fédéralisme » a fait voler en éclats. La République avait été proclamée une et indivisible en septembre 1792 ; cette indivisibilité n'ayant pas été, en pratique, obtenue par les voies légales et constitutionnelles, le jacobinisme entend l'asseoir par une coaction qui retranche du peuple ses ennemis. Et si la Convention « représente le peuple » par l'organisation de cette politique coactive, il est très vite affirmé, comme on le verra, que c'est le peuple lui-même qui doit prendre en main l'épuration et l'élimination. A travers ses Comités de surveillance, ses Comités révolutionnaires et ses Sociétés populaires, le peuple français est appelé à *s'épurer lui-même ;* en cela le gouvernement conçu par Billaud-Varenne (décembre) se voudra décentralisateur.

Si ce but est atteint, le peuple s'auto-gouvernera autant qu'il est représenté : le jacobinisme découvre progressivement, pendant la mise en route de la Terreur, l'espoir de réconcilier cette fois les deux grands principes en conflit — celui de l'exercice direct de la souveraineté, celui de la représentation dans l'appareil d'État. On rencontre ici le point de passage, dans l'imaginaire jacobin, par lequel l'imprévu rejoint l'inespéré.

Œuvre en partie de circonstance, la nouvelle politique concrétise cependant l'exigence opiniâtre d'Unité, qui ne peut se réaliser que par l'élimination des divergences. C'est d'ailleurs pourquoi, après coup, le gouvernement d'exception finira par être assimilé à la démocratie elle-même. En cela Louis Blanc a tort une seconde fois : il suffit de comparer deux grands discours de Billaud-Varenne à la Convention, l'un dans l'étape ici étudiée, l'autre durant le printemps 1794.

Le premier texte constitue un rapport sur « un mode de gouvernement *provisoire* et révolutionnaire » (28 brumaire an II, 18 novembre 1793), alors que le second est intitulé (*cf. supra*)

Sur la théorie du gouvernement démocratique (1ᵉʳ floréal an II, 20 avril 1794). Et on a vu que Robespierre a suivi la même évolution : la Terreur n'est pas étrangère, selon ses propos, à la démocratie. D'ailleurs, qu'est-ce qui, au printemps 1794, caractérise pour Billaud-Varenne la démocratie ou la République (qu'il ne distingue pas) ? « La République est la fusion de toutes les volontés, de tous les intérêts, de tous les talents, de tous les efforts, pour que chacun trouve dans cet ensemble de ressources communes une portion de biens égale à sa mise. » Le terme magique et fascinant pour le jacobinisme radical, est prononcé : « fusion ».

Permettant de réaliser cette fusion par expulsion, la Terreur n'est même plus, finalement, un acte de vengeance contre les éléments qui se séparent du Tout ; elle devient *créatrice* d'une nouvelle nature : il faut, dit Billaud-Varenne, « créer un caractère national qui identifie de plus en plus le peuple à sa Constitution ». Le gouvernement d'exception est, maintenant, crédité d'une Constitution : le naturel surgit de l'artificiel, le permanent du temporaire.

Août 1793 : le laboratoire jacobin de la nouvelle politique

Pour en venir au déroulement chronologique, il est bien connu que ce fut la manifestation du 5 septembre sur la Convention qui imposa de « mettre la Terreur à l'ordre du jour », en même temps d'ailleurs que le maximum sur le prix des subsistances. Les historiens ont souligné que cette double décision fut *imposée* à la Montagne par la Commune de Paris et la sans-culotterie. Pourtant, là encore, il faut remettre en doute l'extériorité ainsi affirmée entre « représentants » et « mouvement populaire ». Les mots d'ordre du 5 septembre étaient en réalité apparus précédemment aux Jacobins ; ils y gagnèrent du terrain sous l'effet de la grande fête du 10 août qui constitue l'événement décisif de cette période. La venue des fédérés à Paris, l'action de leur porte-parole Royer [114], très actif à ce moment aux Jacobins, jouent le rôle de catalyseur.

En effet, le texte de l'Adresse de toutes les sections de France, lu à la fête de l'Indivisibilité, exprime sans fard la volonté d'hégémonie totale (au profit des Jacobins), expressément identifiée à l'Unité imposée par la centralisation : « Paris n'est plus dans la République, mais la République entière est dans Paris : nous n'avons tous ici qu'un sentiment ; toutes nos âmes sont confondues, et la liberté triomphante ne promène plus ses regards que sur des Jacobins, des frères et des amis » (*Moniteur*, XVII, 374). La capitale devient donc la partie prééminente qui incorpore en elle le peuple (« Paris n'est plus dans la République, mais la République entière est dans Paris »), et par là le reflète, ou le *représente* à l'état condensé et purifié : « Toutes nos âmes sont confondues. »

Texte religieux par ses réminiscences (car il évoque la communion des âmes), mais également expressif de la passion jacobine d'unité lorsque cette dernière atteint un paroxysme rhétorique et matériellement organisé comme dans cette fête de l'Unité et de l'Indivisibilité conçue par David[115]. A ce stade, l'ennemi du peuple, l'hydre fédéraliste, est déjà vaincu d'avance, mais les modérés eux-mêmes n'ont plus de raison d'exister ; l'Adresse ne craint pas d'affirmer : « Le Marais n'est plus ; nous ne formons ici qu'une énorme et terrible Montagne. »

Ce texte a d'abord été prononcé le 8 août, par Royer, devant la Convention en liesse (A.P., LXX, 518-519), comme suite à une première délégation des provinciaux venus, la veille, rencontrer les députés. Et, là encore, Royer avait exalté l'unité fusionnelle :

« Citoyens représentants,

« Vous voyez à votre barre une grande masse d'envoyés de tous les départements de la République, réunis à leurs frères de Paris. [...] Ce sont des amis, ce sont des républicains, ce sont des enfants de la même patrie qui viennent s'identifier avec les représentants du souverain. Oui, législateurs, nous venons nous identifier avec vous. [...] Nos sentiments sont aussi purs que la liberté qui nous inspire ; nous ne voulons point élever ici une puissance rivale de la vôtre, nous vivrons au milieu de vous comme des frères et des amis.

« Nous vous annonçons qu'au sortir de cette enceinte, nous allons nous rendre au lieu des séances de la Société des Jacobins. Là, nous confondrons de nouveau tous nos sentiments, toutes nos âmes dans un faisceau d'unité dont le nom seul sera l'effroi des tyrans » (A.P., LXX, 435).

On voit que, outre le symbole unitaire, Royer tient à marquer que la venue à Paris et la réunion aux Jacobins ne joueront pas *contre l'Assemblée,* mais, au contraire, prouveront « l'identification » (comme il dit) du souverain et des représentants ; la délégation du 7 août devant la Convention se veut un 10 août 1792 à l'envers, par cette communion entre l'Assemblée et les Jacobins. Le compte rendu donné par les journaux insistait encore sur ce point : « Tous les membres de la Convention, tous les citoyens présents ne forment plus qu'une famille, qui s'abandonne tout entière aux doux sentiments de la fraternité et à l'espoir d'écraser les tyrans et leurs satellites. » Quant à l'Adresse du 10, lue le 9, Robespierre dira qu'elle est un « manifeste de la liberté, de l'égalité et de la vertu » qu'il fallait proclamer à la face de l'Europe ; ce qui fut décrété (A.P., LXX, 519).

C'est dans les jours qui suivent cette manifestation que la Terreur apparaît au sein de la Société des Jacobins — comme projet de *réalisation effective* de l'Indivisibilité du corps politique, sous direction de la Montagne. Finalement, le 30 de ce mois, le club vote la motion présentée par Royer : « Qu'on place le terreur à l'ordre du jour ! C'est le seul moyen de donner l'éveil au peuple et de le forcer à se sauver lui-même » (*Aulard,* V, 383-384).

Mais cette dernière formulation reconnaissait crûment que le peuple n'avait pas l'initiative qu'il devrait avoir : il fallait l'éveiller, le « forcer à se sauver lui-même ». L'initiative reviendra aux Jacobins, à travers la Convention, et par le moyen de la journée du 5 septembre. Dans le même sens, Danton énonçait un instant avant Royer la nécessité que l'impulsion vienne d'en haut : d'après le *Journal de la Montagne*[116], il « déclare au peuple que la Convention fera avec lui une troisième révolution, s'il le faut, pour terminer enfin cette régénération de laquelle il attend son bonheur, retardé jusqu'à présent par les monstres qui l'ont trahi » (*ibid.*).

L'intervalle de temps du 10 au 30 août voit donc l'apparition d'un mot d'ordre qui va s'imposer aux sommets de l'État, et conduire ensuite à la refonte de ce dernier ; mais cette évolution va également faire émerger un problème que le jacobinisme doit gérer ; dans quelle mesure le peuple qui est « forcé » (comme dit

Royer) à la Terreur, est-il en même temps susceptible de « se sauver lui-même » ? Ou, en d'autres termes, en quoi la Convention qui dirige ce nouveau cours peut-elle être dite traduire la volonté du peuple ? On va suivre le cheminement de cette question, dont nul plus que Robespierre n'a ressenti l'acuité.

À la Convention, le programme terroriste semble avoir été énoncé pour la première fois le 12 août, précisément par Robespierre prenant la parole après Royer :

« Que le glaive de la loi, planant avec une rapidité terrible sur la tête des conspirateurs, frappe de terreur les complices ! Que le peuple lève enfin sa tête triomphante, et les tyrans ne sont plus ! Il faut donc stimuler le zèle du Tribunal révolutionnaire ; il faut lui ordonner de juger les coupables qui lui sont dénoncés, 24 heures après la remise des preuves ; il faut plus, c'est multiplier son action ; car nous sommes infestés des agents de l'Angleterre ; il faut que nous soyons contre eux aussi terribles qu'ils sont perfides et barbares. A Toulon, chaque heure voit tomber sous la hache des tyrans la tête d'un héros du patriotisme. [...] Que les scélérats, en tombant sous le glaive de la loi, apaisent les mânes de tant d'innocentes victimes ! Que ces grands exemples anéantissent les séditions par la terreur qu'ils inspireront à tous les ennemis de la patrie ! » (*Œuvres*, X, 67).

Dans ce premier moment de formulation, la Terreur est conçue comme une réponse aux soulèvements de Toulon (et de Marseille), ainsi que comme un moyen de régler rapidement le cas du général Custine : il s'agit à la fois de la loi du talion (rendre le mal pour le mal) et d'un moyen d'intimidation vis-à-vis des révoltes à venir. Au lendemain de la fête de l'Indivisibilité, Robespierre entend frapper à la fois, et par les mêmes moyens, trois types d'ennemis : dans les départements, à l'extérieur, et tout ce qui se rattache à l'esprit girondin.

Il faut remarquer que vis-à-vis de cette dernière catégorie d'adversaires, l'Incorruptible avait d'abord temporisé. Ainsi dans sa déclaration du 10 juin : « Nos ennemis intérieurs ne sont pas moins dangereux par les intelligences qu'ils ont avec les despotes étrangers. On prétend que les députés éloignés de la Convention se sont répandus dans les départements, où ils secouent les brandons de la guerre civile. On prétend que des bataillons s'avancent sur Paris. *Sans examiner si ces bruits sont fondés ou non* [117], je proposerai de déjouer tous les complots en éclairant l'opinion publique » (*Aulard,* V, 247). Mais, depuis ce temps, l'insurrection est avérée : la punition doit dès lors frapper tous les adversaires, sur un plan égal, par le châtiment suprême. L'Adresse du 10 août restait encore ambiguë quant au sort à réserver à la Gironde : « Périssent les libellistes infâmes qui ont calomnié Paris ! La mort seule peut expier un forfait aussi grand. Mais non ; ils vivront pour endurer le supplice de l'égalité, et, témoins de notre bonheur, ils seront livrés à d'éternels remords. »

Fortement marquée par le langage religieux, l'Adresse semblait considérer que les méchants se punissent eux-mêmes ; dans le discours de Robespierre à la Convention, un pas a été franchi : l'Unité du peuple doit se réaliser par la punition et l'expulsion des parties gangrenées. Le 15 août, devant les Jacobins, Robespierre reprend sa proposition et obtient d'être l'auteur d'une pétition en ce sens : « Il faut que ce tribunal soit composé de dix personnes qui s'occupent seulement à rechercher le délit et appliquer la peine ; il est inutile d'accumuler des jurés et des juges. Puisqu'il n'existe qu'une seule sorte de délit à ce tribunal, celui de la haute trahison, et qu'il n'y a qu'une seule peine qui est la mort, il est ridicule que des hommes soient occupés à chercher la peine qu'il faut appliquer à tel délit, puisqu'il n'en est qu'une et qu'elle est applicable *ipso facto* » (*Œuvres,* X, 80).

Cependant, ces mesures radicales suscitaient des objections au sein de la Société : le 30, on fait remarquer que la Commission populaire de Bordeaux, toute « fédéraliste » qu'elle soit, a été établie par la souveraineté du peuple. Robespierre doit donc intervenir pour expliquer que la Terreur ne frappera pas le peuple mais les autorités rebelles ainsi constituées. Argumentation périlleuse ! car, ou bien on admettait que les Girondins faisaient partie du peuple, et alors ces Commissions ont une légitimité, ou bien on le nie — mais « le peuple » invoqué par le discours n'occupe qu'une position de spectateur entre la Convention et les autorités locales.

Voici le compte rendu donné par les Jacobins [118] : Robespierre « consacre ce principe que le peuple est bon partout ; ainsi à Bordeaux, à Lyon, à Marseille, on ne doit accuser que les autorités instituées des malheurs qui y sont arrivés et de la nécessité où nous nous sommes trouvés de faire bombarder une de ces villes. [...] Le peuple a besoin de vengeance, et la loi ne peut pas lui en refuser une si légitime » (*Œuvres*, X, 86).

On voit que l'orateur tente de corriger le caractère imposé de la nouvelle politique, puisque cette dernière accomplit un *besoin de vengeance* ressenti à Lyon, Bordeaux et Marseille. Le trait coactif de la Terreur finira donc par être reconnu comme découlant de la volonté même du peuple. Ainsi l'Incorruptible se montre-t-il plus habile que Royer ou Danton qui, le même jour (*cf. supra*), avouent qu'il s'agit de mettre en éveil et de forcer les habitants de ces régions. Il était cependant difficile de soutenir que l'épuration physique ne s'appliquait qu'à des aristocrates, ou gens ne faisant pas partie du peuple[119] : la réalité de la guerre civile devenait un phénomène peu niable. On le voit bien, par exemple, dans l'acte d'accusation rédigé contre Brissot et ses amis en prison.

C'est la Société des Jacobins elle-même qui s'occupe de cette rédaction : deux commissions successives ont été formées dans ce but, la seconde étant constituée le 15 septembre. Une première lecture de l'acte d'accusation est faite le 2 octobre, le texte est achevé le 11 : il y est dit que Brissot est responsable « des *guerres civiles* qui ont éclaté à Lyon, Marseille et de la trahison qui a livré Toulon aux Anglais » (*Moniteur*, XVIII, 58)[120].

Si les accusateurs devaient reconnaître qu'il y avait une guerre civile entre Français et que donc la Terreur formait la continuation militaire d'un conflit politique, ils s'emploient néanmoins à affirmer que le ressort de cette guerre est du côté de l'occupant étranger. Le cas de Toulon ou bien de la jonction faite avec les Espagnols confortent cette thèse. Les vrais Français ne sont pas là où se tiennent les factions et les conspirateurs, mais dans le Peuple « bon partout », un et indivisible dans son essence de Peuple. Déjà, à propos de la Vendée, Collot d'Herbois avait expliqué qu'il fallait revoir la portée de la notion clé du jacobinisme : « Nous avons dans l'intérieur nos plus dangereux ennemis. [...] On nous a dit que le peuple était la totalité des Français, et moi j'entends par peuple la totalité des bons citoyens, sans y comprendre ceux qui conspirent contre le peuple » (A.P., LXIV, 549 ; 11 mai 1793).

À partir du printemps 1794, le prolongement de cette

conception va se trouver dans la théorie du « masque » que porteraient les envoyés de l'étranger, et dans la pratique de l'épuration imposée comme *auto-épuration* aux sociétés populaires.

Le problème de la reconduction de la Convention

Dans la Société des Jacobins, les commencements de la Terreur et les débats qu'elle suscite durant l'été 1793 constituent le point de départ de clivages qui ne vont cesser de grandir ; Hébert, Danton, les personnalités appartenant aux Cordeliers, commencent à se séparer de la ligne robespierriste — pour finir par tomber (mars 1794) parce qu'ils constituent dans le club, après l'élimination de la Gironde, un ferment de contradiction.

Chez Hébert, le bien-fondé de la Terreur ne fait pas l'objet de contestations : au contraire, elle est maintes fois réclamée ; ainsi le 25 août, où il demande (devant le club) que la Convention institue « la formation d'un tribunal révolutionnaire dans chaque ville, avec le couteau de la loi à côté » (*Aulard*, V, 367). Mais, comme l'indiquent ces derniers propos, Hébert voudrait une *décentralisation* de la justice révolutionnaire, accompagnée, au niveau national, d'un amoindrissement des pouvoirs dévolus à l'exécutif et au Comité de salut public. En limitant ainsi les fondements de ce qui allait devenir le gouvernement révolutionnaire, Hébert voulait s'assurer que la politique répressive ne se payerait pas par une restriction de la souveraineté du peuple : il se confirme par là que la souveraineté constitue l'enjeu du sens qui sera donné à la Terreur.

En contestant la marge d'action grandissante du Comité, Hébert s'attaquait à des Jacobins de premier plan qui siégeaient en son sein : Robespierre, Couthon, Saint-Just, Billaud-Varenne, Collot d'Herbois, Jeanbon Saint-André — auxquels il faut ajouter Hérault de Séchelles et Barère [121]. Auparavant, face aux projets constitutionnels de Condorcet et de la Gironde, tous ces hommes s'étaient montrés hostiles au renforcement du pouvoir exécutif, soupçonné de créer une résurgence de la monarchie [122]. Mais maintenant les options s'inversent, et Hébert et ses amis se verront reprocher, jusqu'à leur chute, d'avoir demandé « l'organisation du Conseil exécutif », c'est-à-dire en fait sa soumission à la Constitution, et l'application de cette dernière.

La demande d'appliquer la Constitution avait d'ailleurs une autre conséquence : la Convention, ayant exercé le pouvoir constituant, devait disparaître, pour laisser la place à une assemblée nouvelle, élue selon ses modalités définies (suffrage universel et direct). C'est du côté de Danton et de ses proches qu'apparaît cette revendication, dès le 10 Août, c'est-à-dire dès le moment du référendum [123] et de l'adoption solennelle de la Constitution.

Ainsi, la fête de l'Indivisibilité, qui impulse l'initiative de la Terreur, ouvre au même moment une grave divergence entre Jacobins — ou plutôt entre Montagnards. Le lendemain, Delacroix (de l'Eure-et-Loir), ami de Danton, a réussi à faire rendre par la Convention un décret de préparation des élections. Robespierre va aux Jacobins, pour trouver des oreilles favorables, selon la tactique de pression sur les Assemblées maintes fois utilisée précédemment. Il explique qu'il importe absolument de maintenir la Convention qui a été « régénérée » le 2 Juin : « Je déclare que rien ne peut sauver la République, si la proposition qui a été faite ce matin est adoptée : c'est que la Convention se sépare et qu'on lui substitue une Assemblée législative. (*Non ! non !* s'écrie toute l'assemblée...) Je n'ai aucune raison pour éterniser la législature actuelle ; tous ceux qui me connaissent savent que je ne désire que rentrer dans la classe de simple citoyen. [...] Mais la proposition insidieuse qu'on vous a faite ne tend qu'à substituer aux membres épurés de la Convention actuelle les envoyés de Pitt et de Cobourg » (*Aulard*, V, 343).

Les propositions des dantonistes et des hébertistes se rejoignent donc, selon Robespierre [124], dans une commune erreur qui est de dissocier la mise en route de la Terreur et la lutte contre la Gironde. Si en effet on utilise la première comme l'instrument de la seconde, il paraît logique de ne pas donner en même temps aux Girondins le bénéfice du moyen électoral. Et c'est selon le même raisonnement que le lendemain (12 août) l'Incorruptible appelle la Convention, comme on l'a vu, à impulser de façon résolue la politique de Terreur.

Quant à la négation de la souveraineté populaire que pouvait représenter cette autoperpétuation de l'Assemblée, Robespierre en a conscience, et tente, là aussi, de donner la repartie aux contradicteurs. Le même jour où il adjure les Jacobins de l'appuyer à l'encontre du décret de convocation électorale, il déclare : « Le peuple se sauvera lui-même. Il faut que la Convention appelle autour d'elle tout le peuple français ; il faut qu'elle réunisse tous nos frères des départements ; il faut que nous fassions un feu roulant sur nos ennemis extérieurs ; il faut écraser tous ceux du dedans » (*Aulard*, V, 342-343). Ce discours tente d'implanter dans les esprits une *identification* qu'il faudra réinventer à chaque crise jusqu'au 9 Thermidor : d'un côté la thèse selon laquelle « le peuple se sauvera lui-même », de l'autre l'image de la Convention comme centre de ralliement de « tout le peuple français ». La Terreur, la centralisation, la perpétuation de la Convention forment pour Robespierre trois éléments d'un seul et même mariage, celui du Peuple et des Représentants.

Comme on le devine, il y a du côté de Danton et d'Hébert beaucoup de méfiance envers cette identification : seul le *discours* robespierriste se présente comme la garantie que l'Assemblée (sortie de son mandat et lancée dans une politique d'exception) est assimilable à la conduite par laquelle le peuple « se sauve lui-même ». En bref, la Terreur ne serait assurée d'être populaire que si elle avait les moyens de la décentralisation — notamment en s'appuyant sur les Comités révolutionnaires, les Comités de surveillance, les sociétés populaires [125]. Une proposition précise, venant de Danton mais aussi de Royer, était d'abord d'organiser la levée en masse, et en second lieu d'investir les *délégués des assemblées primaires* du pouvoir local de recenser les armes, de recruter les hommes, et même de placer les suspects en état d'arrestation. Robespierre freine à plusieurs reprises ces revendications, tout en se ralliant à la levée en masse qui est décrétée le 23 août. Ce même jour la Convention élit Paré au ministère de l'Intérieur, en repoussant la candidature d'Hébert.

Ce dernier, dépité de son échec, reprend l'idée du retour nécessaire à la Constitution. C'est pourquoi Robespierre doit de nouveau organiser le contre-feu : le danger principal, rappelle-t-il, est dans la Gironde ; de ce fait, le légalisme est hors de saison : « Il serait dangereux de changer la Convention ; celle qui lui succéderait serait à coup sûr de deux partis. Les hommes qu'on expulsa avec tant de peine s'y porteraient avec plus de force que jamais, et peut-être un 31 mai ne suffirait-il pas pour les chasser une seconde fois » (*Aulard*, V, 372). La guerre d'escarmouches se poursuivra (notamment le 18 septembre, où les Cordeliers portent une pétition à la Convention). Mais la ligne robespierriste l'emporte : le principe de centralisation de la Terreur, qui mène à l'incorporation du peuple à l'Assemblée moyennant une pyramide d'organes de pouvoir, a l'avantage de conférer la direction du mouvement aux Jacobins de Paris. Ce système appelait finalement une nouvelle légalité, dont le principe est obtenu par Saint-Just le 10 octobre : « Le gouvernement provisoire de la France sera révolutionnaire jusqu'à la paix » (*Moniteur*, XVIII, 110). Et la ratification décisive est apportée par le décret Billaud-Varenne du 14 frimaire (4 décembre) : « La Convention nationale est le centre unique de l'impulsion du gouvernement » (*ibid.*, 610).

Les structures et l'esprit du gouvernement révolutionnaire

Se voulant à la fois une institution neuve et pourtant représentative de la souveraineté populaire, le gouvernement révolutionnaire doit combiner une centralisation sans précédent [126], avec l'appel à une épuration qui, quoique ordonnée d'en haut et contrôlée par les représentants en mission, sera une *autoépuration* pratiquée à chaque degré par les organes de pouvoir. Il convient donc d'examiner séparément les deux aspects : tous deux expriment l'idéal jacobin selon lequel la hiérarchie intériorisée doit se sublimer en une révolutionnarisation qui s'opère dans chaque conscience. Comme l'expliquent Fouché et Collot d'Herbois, envoyés en mission à Lyon : « Pour être vraiment républicain, il faut que chaque citoyen éprouve et opère en lui-même une révolution égale à celle qui a changé la face de la France [127]. »

Le primat du Centre

Dès juillet, la Convention a donné de grands pouvoirs à ses membres envoyés dans les provinces ; ceux-ci d'abord appelés « commissaires de la Convention », vont devenir ensuite les « représentants en mission », qu'ils soient délégués auprès des armées ou au côté des administrateurs. Le 17 juillet, un décret dit de leurs arrêtés qu'ils constituent des « lois provisoires [128] », formule reprise ensuite plusieurs fois par le Comité de salut public. Un autre décret du 17 frimaire (7 décembre) décide que les Comités révolutionnaires et les Comités de surveillance sont « autorisés à faire exécuter provisoirement les mesures de sécurité qu'ils auront arrêtées » (*Moniteur*, XVIII, 616). Et, lorsque des représentants en mission sont sur place, ils statuent en 24 heures « sur la légitimité des mesures ».

Cependant ces actions sont toutes soumises au contrôle des deux grands Comités (de salut public et de sûreté générale), ainsi que l'établit le décret Billaud-Varenne, qui organise proprement la structure d'ensemble et dont il faut maintenant résumer les grandes lignes.

Le texte supprime ce qui restait de l'édifice apporté par la Constitution de 1791 : les procureurs-syndics élus dans les *districts,* les procureurs et leurs substituts dans les *communes* sont remplacés par des « agents nationaux » dont la Convention dresse la liste. La hiérarchie va de la commune au district jusqu'au gouvernement central : le renforcement du pouvoir des districts était une constante de l'esprit jacobin ; il signifie en effet la mise en veilleuse des institutions de *département,* accusées de fédéralisme. Le département ne s'occupe plus que des contributions, des routes et des canaux : rien de ce qui regarde les mesures de salut public. Le conseil général de département (avec son président et son procureur-syndic) est supprimé.

Ce qui caractérise ce gouvernement c'est la *rapidité* dans la circulation et l'exécution des lois, comme le spécifie le décret dû à Saint-Just (10 octobre) et le confirme celui que fait voter Billaud le 14 frimaire. Les circulaires d'application du second texte donnent 24 heures pour la promulgation des lois et 3 jours pour leur exécution [129]. Un *Bulletin des lois* a été spécialement créé à cet effet. Cette rapidité est facilitée par le fait qu'aucun *regroupement* n'existe, qui puisse s'interposer entre la vie communale et le gouvernement, pour délibérer ou pour interpréter les lois. Par exemple, les Comités révolutionnaires ne sauraient avoir entre eux de congrès, de réunions centrales, pas plus que les sociétés populaires : « Le corps politique, comme le corps humain, devient un monstre s'il a plusieurs têtes : la seule, qui doit régler tous ses mouvements, est la Convention » (circulaire du Comité).

Outre la rapidité, la seconde caractéristique réside dans l'immense pouvoir donné au Comité de salut public : « Le Conseil exécutif provisoire, les ministres, les généraux, les corps constitués sont placés sous la surveillance du Comité de salut public, qui en rendra compte tous les huit jours à la Convention » (décret du 10 octobre). Les généraux sont nommés par la Convention, sur présentation du Comité (alors qu'ils provenaient auparavant des choix du Conseil exécutif, c'est-à-dire des ministres). De plus, le Comité destitue les fonctionnaires, il dirige la diplomatie (décret du 14 frimaire). Finalement, il *nomme* les fonctionnaires qu'il serait amené à destituer (décret du 23 ventôse).

Mais il est constamment rappelé que le Comité (ainsi que son jumeau, et parfois rival, celui de sûreté générale [130]) n'a autant de pouvoir que dans la mesure où il reste l'*émanation de la Convention* qui peut à tout instant en changer la composition : ce principe qui a fait dire à des historiens qu'il s'agissait là d'une « dictature d'assemblée » [131] est destiné à répondre à la grande objection que font les opposants, l'aliénation de la souveraineté du peuple.

L'autoépuration vertueuse comme garantie d'un autogouvernement du peuple

A peine la Terreur et le gouvernement jacobin se mettent-ils en place que commence le conflit avec les revendications de démocratie directe exprimées par la sans-culotterie. On le voit notamment dans le problème des « sociétés sectionnaires » qui se forment dès septembre pour tourner le décret Danton (adopté le 9 de ce mois) supprimant la *permanence* des assemblées générales dans les sections.

Montagnards et Jacobins qui, contre la Gironde, avaient tellement valorisé l'exercice direct de la souveraineté du peuple, se voient maintenant conduits à la mise au pas des sections. Il s'agit d'empêcher le retour de la démarche mise en œuvre dans les grandes journées comme le 10 Août ou le 2 Juin : on a vu les précautions en ce sens prises par Royer, lors de la députation du 7 août 1793 devant la Convention. Utilisé une dernière fois le

5 septembre (pour mettre la Terreur à l'ordre du jour), le mécanisme jouera néanmoins encore, en se combinant avec les revendications des Enragés, des hébertistes ou des dantonistes. Mais, ne recevant plus l'appui des Jacobins, il est discrédité, accusé désormais de servir les factions. Aussi, au 9 Thermidor, lorsque la Commune tentera de le faire jouer au profit des amis de Robespierre, très peu de sections répondront à l'appel.

Quant aux sociétés populaires, il importait que dans l'arsenal législatif du gouvernement révolutionnaire leur droit à l'existence soit reconnu, pourvu que cela ne se confonde pas avec un « fédéralisme » de sections — c'est-à-dire, en l'occurrence, une implantation par quartiers. Le décret du 14 juin, repris par celui du 25 juillet, affirme pour la première fois dans l'histoire de la Révolution, ce droit à l'existence :

« Toute autorité, tout individu qui se permettrait, sous quelque prétexte que ce soit, de porter obstacle à la réunion ou d'employer quelque moyen pour dissoudre les sociétés populaires, sera poursuivis comme coupable d'attentats contre la liberté, et puni comme tels » (A.P., LXIX, 479). La punition était de dix ans de fers pour les fonctionnaires, cinq ans pour les particuliers. Cependant, comme l'indiquait le texte lu par Bar, rapporteur du décret, l'activité des sociétés populaires se restreignait à « conférer sur l'intérêt public, l'action du gouvernement, la conduite des citoyens, et délibérer pour l'exécution du droit de pétition ». Il faut entendre qu'*à la différence du Club jacobin*, les sociétés populaires n'étaient en rien des organes de délibération qui auraient pu par là participer à l'élaboration de la ligne gouvernementale. On a vu aussi que les tâches de détection et d'arrestation des suspects relèvent d'organes fondés spécialement à cette fin : les Comités de surveillance (créés le 21 mars 1793 pour contrôler les étrangers), devenus progressivement « Comités révolutionnaires ».

En outre, les sociétés populaires étaient régulièrement visitées par les représentants en mission, qui s'assuraient de leur loyalisme et pouvaient les casser en faisant appel à la « minorité pure » (selon l'expression employée) : le décret du 25 juillet devenait donc très théorique. Une circulaire d'application pour le décret Billaud-Varenne faisait devoir aux représentants d'organiser partout l'épuration « en convoquant le peuple en sociétés populaires ». Cette formule même montre que le discours du gouvernement révolutionnaire tentait de faire admettre que les sociétés sont le lieu d'expression par excellence de l'opinion publique : « Sentinelles vigilantes, tenant en quelque sorte l'avant-garde de l'opinion, elles ont sonné l'alarme de tous les dangers et sur tous les traîtres [132]. » De façon contradictoire, sans doute révélatrice d'une gêne, le Comité de salut public les appelle à la fois à faire preuve d'initiative et à ne jamais entraver la marche de la Convention : « Les sociétés populaires doivent être les arsenaux de l'opinion publique, mais la Convention seule lui donne la direction qu'elle doit avoir, lui marque le but où elle doit frapper. » Ainsi l'opinion publique ne peut-elle se manifester qu'en tant qu'elle parle de façon jacobine.

Au total, la Convention se montre aussi inquiète devant les sociétés que l'avaient été les deux Assemblées précédentes : « Elles *ne sont pas une autorité constituée, sans doute* [133], mais elles ont en quelque sorte l'initiative de l'opinion publique. Leur pouvoir, si des intrigants l'usurpaient, n'en deviendrait-il pas dangereux pour la liberté ? » Toute la différence avec la Constituante et la Législative c'est que, cette fois, la tension entre Assemblée et sociétés exprime un conflit des Jacobins avec les « factions » implantées dans les sociétés : il y va du monopole que détient la coalition unissant (pour le moment) les amis de Robespierre et ceux de Billaud-Varenne. En défendant l'Assemblée, les Jacobins se défendent eux-mêmes.

C'est pourquoi le recours du Comité de salut public dans la même circulaire où il les appelle « avant-garde de l'opinion », consiste à convaincre les sociétés de s'épurer par elles-mêmes : « Après avoir repoussé tous ces éléments hétérogènes, vous serez vous-mêmes ; vous formerez un noyau aussi pur que brillant, aussi solide que serré, et semblable au diamant débarrassé de la croûte qu'avait formée sur sa surface un limon amassé. »

Ce langage moral et religieux consonne avec le discours du printemps 1794, où il est question de dépouiller le vieil homme pour engendrer un peuple nouveau. Par ce retour à une *nature* perdue, le peuple, bon par nature, se trouvera en harmonie avec son gouvernement.

Dans les sociétés populaires, le Peuple s'épure lui-même : quand le Comité leur dit : « vous serez vous-mêmes », il faut entendre que le Peuple (re)deviendra lui-même, alors qu'il avait été corrompu par des siècles de monarchie, et égaré par les Girondins. Lorsque le Peuple redeviendra lui-même, il ne pourra que s'identifier à ses représentants : « Sociétés populaires, dit la circulaire, les représentants du peuple formeront avec vous une chaîne indissoluble. » Ce discours est maintenant au futur — temps où la Révolution pourra peut-être s'arrêter, car enfin l'Unité dans les gouvernés et l'Unité avec les gouvernants sera fondée ?

Le texte se conclut sur une vision lyrique qui paraphrase l'annonce du Jugement dernier : « Alors les représentants du peuple appelleront dans votre enceinte au tribunal de l'opinion tous les fonctionnaires publics. Le grand livre de leur action sera feuilleté : vous sonnerez leur jugement ; l'abîme s'ouvrira sous les pieds des méchants, et des rayons lumineux pareront le front des justes. L'édifice de la Révolution arrivera bientôt à son achèvement. »

Telle sera la récompense des sociétés populaires, si elles marchent dans la voie que leur trace la Convention. Il est clair que la notion de souveraineté populaire a changé entièrement de contenu [134] ; elle n'est ni le droit d'exercer le pouvoir constituant, ni celui de faire les lois moyennant une délégation temporaire et contrôlée, ni enfin le pouvoir référendaire de ratifier les lois proposées ; elle réside dans la *souveraineté morale* par laquelle peuvent s'identifier à bon droit aux gouvernés les Jacobins au pouvoir. Cette souveraineté ne passe plus par le mandat électoral, mais par la postulation d'une communauté de nature, d'une égalité et d'une identité éthiques. Entre peuple et pouvoir, la vertu est la garantie de la transparence, mais la Terreur en est la sanction [135].

De cette identification entre la Convention, le Comité de salut public et le peuple moyennant une même souveraineté de la Morale, on peut retenir la formulation donnée par Collot d'Herbois aux Jacobins, le 23 germinal : « La Convention, qui a été créée par le peuple, et le peuple lui-même ne font qu'un. Dans une représentation comme la nôtre, on ne voit qu'union, fraternité, énergie [...] il n'est pas possible d'imaginer un gouvernement plus central et plus fort, quoique amovible à l'heure et à la minute ; [...] dans celui-ci on oublie ses amis, ses parents, ses intérêts les plus chers, pour ne voir que la patrie, pour n'envisager que le bonheur du peuple » (*Aulard*, VI, 67-68).

Cinq jours après, Collot reprend la même idée, sur le thème cette fois de l'égalité : « Il est temps que l'on oublie qu'il y a eu des chefs. La République est un vaste atelier où il n'y a aucun chef : nous en sommes tous les ouvriers. »

Les luttes au sein du Club jacobin :
l'emballement de l'épuration de l'été 1793 à l'été 1794

Dans l'évolution interne du club durant cette période, trois questions polarisent les débats et la succession des conflits : la définition du rapport entre la Société et le pouvoir révolutionnaire, le statut des sociétés sectionnaires qui tentent de préserver leur autonomie, le choc des factions. Ces trois questions sont étroitement imbriquées ; pourtant, la position de tel courant ou de tel individu sur l'une d'entre elles n'apparaît pas toujours cohérente avec les choix faits par ailleurs. Il faut ici prendre en compte le poids de la « machine » (décrite par Augustin Cochin [136]), devenu tel que les courants maintiennent difficilement une cohésion, que les individus, craignant pour leur propre vie, en viennent à se retourner contre le parti minoritaire auquel ils étaient alliés. On le voit par exemple chez Hébert, qui feint d'adopter les positions de Robespierre au fur et à mesure que la dénonciation s'approche de lui — ce qui n'empêche pas son élimination. De même, une figure relativement importante depuis 1789 comme Legendre en vient à accabler Danton, son ami de toujours, lorsque tombe celui que Robespierre appelle « une idole pourrie depuis longtemps ». Le mécanisme épurateur fonctionne de façon ininterrompue, conduisant à exclure nombre de sociétaires pour qui c'est souvent le stade préparatoire à l'emprisonnement, sinon à la guillotine.

Il s'agit bien d'une « machine » dans la mesure où personne, à proprement parler, n'est le maître du jeu — et Robespierre qui en tire généralement les bénéfices finit lui-même par être frappé. Il est vrai que c'est à la Convention, et non au club, que l'assaut est donné, mais les Jacobins ne font guère d'efforts pour le défendre — comme le confirme ensuite la soumission faite par eux devant Tallien présidant la Convention, le 11 thermidor, et comme le confirment encore les réunions suivantes.

Cependant, les grands leaders comme Robespierre, Couthon et Collot d'Herbois, très souvent présents en réunion dans cette période, savent remonter, chaque fois que nécessaire, le *ressort* de ce mécanisme (qui fortifie le « corps » en expulsant des éléments) : ils relancent la logique dichotomique selon laquelle deux camps et deux lignes sont, sous des masques divers, perpétuellement en lutte. A la limite, peu importe qui sera frappé, pourvu que le partage s'opère, que les fameux « principes » soient saufs, que des « ennemis du peuple » soient désignés.

Cette perspective, ce n'est pas un hasard, concorde avec ce qui a été vu plus haut sur la pérennisation du gouvernement du temps d'exception : là encore, ce qui ne devait être qu'un moyen et pour un temps, se prend lui-même pour fin. Si, selon le mot de Vergniaud souvent repris par d'autres, la Révolution est ce nouveau Saturne qui dévore ses enfants, cela tient à la logique dichotomique — il faudrait dire à la polémologie — qui est au cœur du discours et de la vision des Jacobins.

Devant une telle structure politique et intellectuelle, ce fut la faiblesse du Club des Cordeliers que d'entrer dans le même jeu, d'en accepter les prémisses. Les Cordeliers sont diversifiés puisqu'on y trouve à la fois Hébert et ses amis Vincent, Ronsin, Momoro, Chaumette — partisans d'une démagogie extrême auprès des sans-culottes —, et Danton ou Desmoulins qui détestent Hébert et prônent l' « indulgence » contre l'emballement de la Terreur. Se laissant à la fois séduire et intimider par les Jacobins (avec qui ils ont souvent la double affiliation), les Cordeliers se font décimer en deux temps successifs : la première vague est arrêtée le 23 ventôse, la seconde les 9-10 germinal ; toutes deux, grosses de divers amalgames, finissent sur l'échafaud. Décapité, le club cordelier n'est plus qu'une ombre impuissante, d'autant plus que, parallèlement, les Jacobins ont réussi à comprimer les sociétés sectionnaires.

Il faut donc examiner les effets et les étapes du principe épurateur devenu tout-puissant, pour en venir ensuite à la question de l'apport des Jacobins à l'approvisionnement des institutions révolutionnaires. Entre ces deux aspects, le statut des sociétés populaires et la lutte contre les sociétés sectionnaires constituent la médiation évidente.

Théorie et pratique de l'épuration permanente

Avec l'entrée du jacobinisme dans l'appareil d'État, le principe épuratoire en vigueur dans la grande Société est étendu à l'ensemble des organismes centraux et locaux. L'étroitesse des liens entre le club et l'État est bien marquée par le fait que la *Gazette nationale ou le Moniteur universel* rend compte (depuis le 8 septembre) des séances aux Jacobins — alors qu'il constituait avant tout un organe des débats et décrets de la Convention.

L'épuration étant utile à la Société, elle sera utile à l'État ; pour cela, elle doit marcher avec la dénonciation. Le 9 brumaire (30 octobre), Maribon-Montaut, président le club, explique qu'aucune limitation n'est opposable à la dénonciation : « Quand il s'agit de la patrie, il n'est ni frères, ni sœurs, ni père, ni mère ; les Jacobins immolent tout à leur pays » (*Aulard*, V, 490) [137]. Mais, trois mois plus tard, Maribon-Montaut... est dénoncé par Robespierre dans le rapport sur la faction Fabre d'Églantine [138] ; la dénonciation et l'épuration sont des armes à double tranchant : qui tente de les employer à son profit, peut s'en trouver irrémédiablement blessé. Mais qui ne s'en sert pas risque l'accusation de modérantisme.

Quels sont les arguments en faveur du couple épuration-dénonciation ? L'art de Robespierre est de rationaliser en quasi-doctrine la lutte qu'il doit mener sur deux fronts. D'une part, il combat Hébert et ses amis qui entretiennent le mécontentement et les revendications *sociales* des sans-culottes ; sur sa droite par ailleurs, il entre en conflit de plus en plus ouvert avec son ancien ami C. Desmoulins qui, en frimaire, commence à publier le *Vieux Cordelier* où il plaide pour l'indulgence. À l'intérieur du discours robespierriste, cette situation inspire deux nouvelles catégories : les « ultra-révolutionnaires » et les « citra-révolutionnaires ». La thèse est que la Révolution *semble* voir s'opposer ces deux factions, mais qu'en réalité elles sont d'accord entre elles, et qu'elles émanent de l'étranger : hébertistes et dantonistes constituent « le parti de l'étranger ». Dans une remarquable intervention devant les Jacobins, le 19 nivôse (8 janvier 1794), Robespierre compare la Révolution à un théâtre, où les hommes politiquement et moralement corrompus ne cessent de se succéder, sous des masques renouvelés. Changent les mas-

ques, le Mal reste lui permanent, et identique à lui-même :
« Citoyens, vous seriez bien aveugles si, dans tout ce conflit
[...] vous ne voyiez que la querelle de quelques particuliers et
des haines privées. L'œil observateur d'un patriote éclairé
soulève cette enveloppe légère, écarte tous les moyens, et
considère la chose sous son véritable point de vue. [...] Quelques
meneurs adroits font mouvoir la machine, et se taisent, cachés
dans les coulisses. Au fond, c'est la même faction que celle de la
Gironde, seulement les acteurs sont changés, mais ce sont
toujours les mêmes acteurs avec un masque différent. La même
scène, la même action théâtrale subsistent toujours. [...] deux
espèces de faction sont dirigées par le parti étranger » (*Œuvres*,
X, 312-313 ; non reproduit par Aulard).

Si la scène, si le scénario, si les intérêts en jeu sont toujours les
mêmes depuis la Gironde — et même avant —, le rôle de la
« purge » est de démasquer, de renvoyer au passé *et à l'identique*
ce qui paraissait neuf et différent. Dans le registre moral et quasi
religieux dont on a déjà vu des exemples, les Jacobins désignent
l'épuration comme une alchimie, ou une transmutation, par
laquelle doit passer la conscience de chaque individu, pour
ressortir plus pure — ou pour être dénoncée comme corrompue
et simulatrice. D'où l'image maintes fois employée dans le
compte rendu des débats : il y est dit que le peintre David,
Dubois-Crancé, Léonard Bourdon et d'autres « sortirent purs
du creuset des épreuves », tandis que Jean-Marie d'Aoust, ex-
marquis, reste marqué par la « tache originelle » (22 frimaire).
De même, Collot d'Herbois le 1er nivôse, puis le 11 Monge,
Henriot, etc., « sortent purs du creuset ».

Cette refonte morale impose des souffrances qui marquent
l'endurance du vrai patriote. Labourreau, le seul membre de la
fournée hébertiste à avoir été relaxé par le Tribunal révolutionnaire, fait l'éloge des épreuves (faut-il dire du martyre ?) : « Je
sais que le patriote doit souffrir pour son pays, et je regrette de
n'avoir pas souffert davantage, quand je songe que mes frères,
qui combattent sur les frontières les ennemis de l'extérieur,
souffrent encore plus que je n'ai souffert. Si j'avais pu me
refroidir, ce serait ici que je viendrais prendre de nouvelles
forces » (*Aulard*, VI, 17) [139].

Si les Jacobins ont établi en octobre un « Comité de défenseurs officieux » pour les patriotes qui auraient été injustement

dénoncés, ils ont par ailleurs décidé le 6 frimaire (26 novembre) de faire passer tous leurs membres sans exception au scrutin épuratoire. À cette fin, un Comité préparatoire est institué (Hébert, Robespierre, Dufourny, Maribon-Montaut y sont), qui est lui-même immédiatement soumis à la critique publique, en séance, du club.

En fait, le Comité ne fait que préparer l'ordre de passage des membres (avec pièces et témoins nécessaires) — membres qui doivent devenir des « Jacobins épurés » selon l'expression désormais canonique. Chaque séance (sauf quelques exceptions) est consacrée à faire monter à la tribune les sociétaires, qui doivent se justifier de toute critique que quelqu'un peut être amené à leur faire. Dans certains cas, des enquêtes sont ouvertes et la décision remise à plus tard. Nombre de fois des membres sont exclus en séance — parfois conduits au Comité de sûreté générale. Mais le processus est interminable, étant donné les effectifs du club de Paris [140], et, le 9 thermidor, l'opération était loin d'être achevée. On examinera plus loin dans quelle mesure cette épuration à la tribune concernait aussi les filiales, ou bien des organismes révolutionnaires.

Parmi les raisons de l'exclusion, la lutte contre le fédéralisme, la vie privée, la profession, la nationalité jouèrent un rôle : il est décidé, le 22 frimaire, d'éliminer « tous les nobles, prêtres, banquiers et étrangers ». Outre le cas des prêtres (pour qui Robespierre obtint un sursis), celui des nobles continuait à susciter des discussions : alors que le ci-devant marquis d'Antonnelle — qui a été juré du Tribunal révolutionnaire — est exclu, le frère de Michel Lepelletier, lui-même d'origine aristocratique, continue un temps de siéger aux Jacobins [141]. Finalement, on décida, le 13 pluviôse, de ne faire aucune exception, et Félix Lepelletier rendit sa carte avec émotion.

Outre les cas individuels, sur le plan des « factions » l'exclusion frappa d'abord les Jacobins compromis dans l'affaire de la Compagnie des Indes (Chabot, Basire, Philippeaux, Fabre d'Églantine...), puis ceux qui, également cordeliers, s'étaient installés dans les bureaux du ministère de la Guerre (Hébert, Vincent, Ronsin), et enfin l'autre tendance, alliée à Danton. Couthon et Robespierre firent alors porter l'effort vers les *représentants en mission* qui s'étaient livrés à la corruption et au massacre — au grand dam de Billaud-Varenne qui craignait de les voir se liguer entre eux.

Robespierre réussit, le 26 messidor, à faire exclure Fouché, et créa par là, comme Billaud l'avait prévu, les conditions de sa propre chute, treize jours après. L'étroitesse des liens Club-gouvernement était devenue trop forte : en éliminant au sein des Jacobins, on disqualifiait des personnages importants du gouvernement. Couthon eut beau affirmer, le 6 thermidor, qu'il n'y avait plus que « cinq ou six scélérats » au sein de la Convention, la Plaine, que Robespierre avait su jusque-là rallier à la Montagne, avait pris peur. On disait en effet que la loi du 22 prairial, supprimant témoins, jurés et preuves matérielles pour la comparution devant le Tribunal révolutionnaire, avait anéanti l'immunité *parlementaire* [142].

Si la mentalité épuratrice découlait de l'exigence d'Unité caractéristique des Jacobins, cette *réduction à l'homogène* [143] posait pourtant un grave problème sur le plan de la tactique politique. Comment en effet les Jacobins au pouvoir arrivaient-ils à concilier leur idéal d'unanimisme avec la réalité des clivages qui passaient entre la Montagne et la Plaine ? Le propre de la ligne robespierriste fut de rallier cette dernière à la défense nationale, à l'unité du territoire et du pouvoir contre l'insurrection « fédéraliste », ainsi qu'à la préservation des biens nationaux récemment acquis. Mais, à partir du moment où chaque député put se croire visé, ceux que les hébertistes appelaient « les crapauds du Marais » n'avaient plus de raison de laisser se dérouler la politique de Terreur.

L'ambiguïté robespierriste fut de ménager l'exigence unanimiste, de temporiser encore avec elle, sans se donner contre ses périls des garde-fous suffisants. À partir de germinal, l'Incorruptible est lui-même dépassé par le principe épuratoire, qu'il a si puissamment favorisé. A-t-il perçu le danger qu'il courait ? Il est intéressant, sous cet angle, de retracer le débat qui avait affleuré aux Jacobins : convenait-il d'admettre maintenant une *opposition*, qui ne serait pas assimilable aux ennemis du peuple ? Ou bien toute divergence manifestée devait-elle se traduire par l'antagonisme et la montée aux extrêmes ?

Le 21 brumaire (11 novembre), Chabot, ami de Danton, affirme « la nécessité qu'il existât un parti d'opposition dans l'Assemblée », car « la Terreur avait fait passer du côté de la

Montagne tous les députés du côté droit » ; Chabot se déclarait prêt à former « lui seul un côté droit, pour sauver la République » (*Aulard*, V, 506). Refusant une telle perspective, qui aurait légalisé l'opposition, Dufourny obtient des Jacobins qu'ils se joignent à une pétition présentée à la Convention « au nom de toutes les sociétés populaires ». Il s'agit notamment de « préserver toute résurrection du côté droit et de toute formation de parti ». Le 26 brumaire, Dufourny revient encore à la charge : un parti d'opposition peut exister en Angleterre parce qu'il faut balancer « l'intérêt ministériel », c'est-à-dire les députés achetés par le roi. Mais en France « l'unité de la République exige qu'il n'y en ait point. La discussion est nécessaire sans doute, mais elle ne doit avoir lieu que quant au mode d'opérer le bien public. Existe-t-il un parti d'opposition, existe-t-il un côté droit aux Jacobins et dans les autres sociétés populaires ? » (*Aulard*, V, 518).

On reconnaît ici le présupposé majoritairement partagé par l'idéologie révolutionnaire : le « bien public » (ou l' « intérêt général ») existe de façon objective, et il est simple, clair, indivis. La discussion ne *crée* donc pas une approche ou une esquisse du bien public : elle le constate tel quel dans son intégralité et tel qu'il doit s'imposer à tous avec nécessité. Comme dans les organisations religieuses qui pratiquaient cette conception, la minorité doit littéralement se dissoudre devant la décision majoritaire [144], elle doit se rallier, avec joie et empressement, à la Vérité. Un tel dogmatisme nie en fait le propre de la *délibération démocratique,* qui implique de poser toute décision comme fragile et révocable.

Confondant la pression que fait peser la politique terroriste avec le caractère du dialogue propre à la démocratie, le dogmatisme jacobin fait passer la première pour le second. Dans ce débat où d'aucuns nient le droit au débat, Robespierre montre d'abord une certaine intelligence politique : à la limite, soutenir que la Convention n'a plus de côté droit c'est se lier les mains devant la faction hébertiste et la ligne dantoniste. À l'époque où Robespierre s'exprime ainsi (on est en novembre), il sait très bien que les luttes vont redoubler au sein même de la Montagne. Aussi s'insurge-t-il contre la société populaire de Montbard (Côte-d'Or) qui vient d'écrire que la Convention est une comme la République : il la fait rayer des filiales (*Aulard*, V, 523). L'attitude adoptée consiste donc à dire et à afficher qu'il existe un côté droit. Mais pour Robespierre, il y a deux droites différentes : celle qui est dangereuse (Danton) et celle qui ne l'est pas (les ralliés du Marais). Tout le problème, ressenti à la fois par Robespierre et par Billaud-Varenne [145] durant ces mois de tension et de rebondissements violents, s'énonce ainsi : obtenir l'assentiment de la Plaine, tout en l'obligeant à se taire !

Cette préoccupation explique en partie la politique de mesures sociales prises par Saint-Just (décrets de Ventôse) : par la taxation, le maximum des prix, la distribution même de certains biens, il s'agissait de convaincre les modérés que mieux valait appuyer les Montagnards, et lâcher des concessions — plutôt que de voir Hébert conduire un mouvement sans-culotte qui frapperait de plein fouet la Convention.

Habile pour un temps, la tactique robespierriste est cependant contradictoire, et elle ne peut rassurer durablement : au lieu de combattre la revendication d'unanimité (type Dufourny), elle laisse entendre que l'Unité sera un jour établie, c'est-à-dire que les modérés seront mangés à leur tour. Lorsque, le 23 prairial, Fouché préside les Jacobins et que Robespierre l'attaque en déclarant : « Il existe encore deux partis dans la République », le mot « encore » retentit comme un véritable signal d'alarme.

Laisser sentir qu'il existe une « bonne » droite pour autant que celle-ci se tait, c'était en fin de compte la pousser à s'allier avec celle qui était condamnée dès qu'elle parlait. Le dernier discours, celui du 8 thermidor, est rempli d'hésitations révélatrices : tantôt Robespierre dit que la Convention est pure, tantôt il parle d'un complot monté en son sein et relayé par les deux grands Comités. Enfin, comme les historiens l'ont signalé, et ainsi que Saint-Just le constate avec tristesse, l'Incorruptible commet l'erreur suprême de ne nommer personne.

On peut estimer, en fin de compte, que la défaillance robespierriste ne tient pas qu'à des raisons de lassitude : elle confirme que la passion de l'Unité et l'élimination violente des divergences sont aussi unies que l'avers et le revers d'une médaille ; en d'autres termes, une opposition seulement tolérée dans son existence est une opposition en sursis. Une logique manichéenne ne peut, même si elle s'en défend, laisser place à un « centre ».

Le conflit avec les « sociétés sectionnaires » et les « nouvelles sociétés populaires »

Sur cette question, le lecteur pourra se reporter au livre d'Albert Soboul, qui fait autorité[146]. On se bornera ici à l'évolution générale. Le point de départ se trouve dans le décret du 9 septembre, voté sur proposition de Danton : les assemblées de section seront réduites à deux par semaine, et les citoyens pauvres assistant à ces réunions recevront quarante sous, pour compensation du temps pris sur leur travail ; de plus, les assemblées devaient se clore à vingt-deux heures. Outre la rémunération, qui fut jugée insultante par les sections[147], le décret donnait l'impression de reprendre à la souveraineté du peuple ce que lui avait reconnu la Législative le 25 juillet 1792 : la permanence des assemblées générales.

Le 17 septembre, une pétition rédigée par Varlet apostrophe les députés : « Voulez-vous fermer l'œil du peuple, attiédir sa surveillance ? Et dans quelle occasion ? Quand les dangers de la patrie l'obligent à remettre entre vos mains un pouvoir immense qui exige une surveillance active » (Soboul, p. 187). Ce texte — qui entraîna l'arrestation de Varlet — montre la conscience qu'avaient les militants sans-culottes de l'incompatibilité, prévisible, entre la centralisation impulsant la Terreur et les droits de la souveraineté populaire : le « pouvoir immense » qui s'annonçait allait s'exercer au nom du peuple, mais à sa place.

À partir de ce moment commence une série de controverses et d'affrontements dont les comptes rendus des Jacobins portent la marque, parfois quotidienne. Le but visé par les sociétaires, dans leur adhésion au décret du 9 septembre, était d'empêcher que les *modérés*, et les sympathisants de la Gironde, ne s'emparent de la direction des assemblées générales grâce à des loisirs et des revenus qui leur donnaient les moyens d'aller quotidiennement aux réunions. Il était aussi, sans doute, d'attirer une partie du personnel des sections aux réunions du club, ainsi que l'avoue devant la Convention Rousseville, président d'une section : « N'ayant que deux assemblées par semaine, nous pourrons assister aux séances des Jacobins que nous étions forcés d'abandonner » (A.P., LXXXIV, 593 et Soboul, p. 189). Rousseville servait en fait d'espion aux autorités, et en l'occurrence il dévoilait avec quelque naïveté le calcul de ses amis.

Durant l'automne, la parade trouvée par les sections fut la suivante : les militants sans-culottes « se réunirent en *assemblées populaires* les jours où ils ne pouvaient le faire en assemblée générale de section. Leur recrutement et leur action se limitant à une section, leurs adversaires les dénommèrent *sectionnaires,* non sans l'arrière-pensée de les discréditer en créant une confusion avec les mouvements sectionnaires des villes révoltées contre la Convention » (Soboul, pp. 191-192).

Le terme de « fédéralisme » étant l'étiquette diabolisante appliquée depuis le 2 juin (et en fait avant) à tout ce qui s'opposait à la ligne montagnarde, le mouvement sectionnaire fut donc accusé de créer un fédéralisme de quartiers, de briser l'unité du peuple. C'est sous ce thème que, peu de temps avant sa chute, Robespierre appuie un rapport de Barère contre les « banquets sectionnaires ». Ceux-ci avaient pour raison alléguée de fêter la victoire de Fleurus, mais Robespierre les soupçonnait de détendre le ressort révolutionnaire, d'appeler à la fin de la Terreur. Il explique donc à la Convention que ces festivités n'ont rien à voir avec les vraies fêtes *populaires,* en exemple desquelles il cite celle en l'honneur de l'Être suprême qu'il avait présidée : « Il [le peuple] était grand et sublime le jour de la fête de l'Être suprême : le crime n'osait alors se montrer. [...] Mais si nous les divisons par tables, ce n'est plus le peuple, ce ne sont que des coteries, des mélanges de patriotes et d'aristocrates » (*Aulard,* VI, 224). Curieuse formulation où la séparation des tables exprimerait le fédéralisme qui divise !

Autre phénomène découlant de la résistance au décret du 9 septembre : les « sociétés sectionnaires » qui se fondaient sous des noms divers, se trouvèrent parfois plus d'une par section, et la lutte fit rage pour savoir qui l'emporterait, qui représenterait la « vraie » société populaire attachée à telle section [148].

Les Jacobins s'attaquèrent à ces sociétés nouvellement formées parce qu'elles tentaient visiblement d'échapper à leur contrôle, parce qu'elles étaient (d'après l'étude de Soboul) d'un recrutement populaire beaucoup plus affirmé, et enfin du fait de leur méfiance envers le gouvernement révolutionnaire. Certaines d'entre elles, en effet, se montraient réceptives aux campagnes contre la Terreur menées par les Enragés qui

animaient activement les sections, tels Jacques Roux et
Leclerc [149]. De façon générale, la distinction ne fut pas toujours
aisée entre les sociétés sectionnaires et les *sociétés populaires*
récemment créées. En principe, les Jacobins refusaient les
premières, et admettaient les secondes sous réserve d'épuration
préalable. Mais la tentation de contrôler *toutes* les sociétés
populaires de France apparut assez vite, comme en témoigne le
débat du 11 brumaire (1er novembre) : « Sentex demande que
l'on invite, par une circulaire, toutes les sociétés populaires à
faire passer à la Société-mère la liste nominative de tous les
membres qui les composent. " Nous avons ici, dit-il, des
patriotes de tous les départements ; ils connaîtront ces membres ; nous ferons ici scrutin épuratoire de toutes les sociétés
de la République, et nous écarterons les intrigants " » (*Aulard*,
V, 491).

Boissel fit repousser cette proposition « qui prêterait à la
calomnie et ferait croire que la Société de Paris voudrait exercer
une espèce de juridiction sur les sociétés des autres départements [149bis] ». On vota donc que « les sociétés populaires des
départements seront invitées à s'épurer elles-mêmes avec soin ».
Si l'on retrouve le vœu qui deviendra celui du gouvernement
révolutionnaire (le Peuple doit s'épurer lui-même), il fut
souvent contredit par la suite, lorsque les Jacobins tentèrent
d'étendre leur hégémonie. Sans prétendre remplacer ici les
études locales qui seront nécessaires, on peut considérer comme
significative la trajectoire suivie par les Cordeliers.

Ceux-ci ont en effet le choix entre la fusion ou la répression.
Le 17 ventôse, une délégation des Jacobins, conduite par Collot,
vient leur reprocher leur conduite : ils ont osé voiler la
Déclaration des droits de l'homme et parler d' « insurrection » [150] ! Or il ne peut y avoir désormais d'insurrection du
peuple souverain contre la Convention montagnarde ; « ce n'est
plus comme au 31 mai », observe Collot [151]. Quand il revient
rendre compte de sa mission le 18 ventôse, Collot d'Herbois
exprime parfaitement la volonté d'absorption manifestée par la
Société : « Quand on vous a dit qu'il y avait deux Sociétés,
on vous a trompés ; il n'y en a qu'une [152], parce que là où il y
a unité de principes, il y a unité de Société. » Les Cordeliers
avaient fait amende honorable, dévoilé la Déclaration des
droits, donné un fragment du crêpe aux « frères Jacobins ».

Mais leurs dirigeants seront éliminés quinze jours plus tard.

Chose remarquable, la réduction à ce qu'il faut appeler le parti unique semble effectivement avoir été conçue chez les Jacobins, si l'on en juge d'après un projet de décret retrouvé dans les papiers du Comité de salut public : premièrement, il était envisagé que toute société nouvelle dût s'affilier aux Jacobins « pour maintenir l'unité de la République » ; deuxièmement, « pour conserver l'unité dans chaque grande ville, il ne [pourrait] s'y former de nouvelles sociétés qu'en correspondance avec la société première affiliée à celle de Paris et comme en formant une section [153] ».

Soboul estime que ce décret aurait annulé les dispositions de l'article 7 de la Déclaration des droits montagnarde, soit le « droit de s'assembler paisiblement ». En fait, la contradiction que croit voir l'historien n'est pas sensible pour les Jacobins. Le caractère *paisible* du rassemblement marche de pair, pour eux, avec son esprit discipliné, unifié — ou, si l'on veut, orthodoxe. D'ailleurs, dans la période où Dufourny bataille contre la possibilité de légaliser un « côté droit » dans la Convention, le club rappelle que toute société nouvelle doit s'affilier aux Jacobins si elle est vraiment patriote ; et il obtient du gouvernement l'interdiction d'un club central des sociétés populaires, qui s'était constitué. Seule la Société des Amis de la Liberté et de l'Égalité devait former ce club central.

Le problème des nouvelles sociétés se confondit donc de plus en plus avec celui des sociétés créées dans le cadre des sections, comme on le voit dès la première intervention violente de Robespierre le 19 brumaire (9 novembre) : « Dans une société populaire il ne faut point de patriotes du 10 août, il en faut encore moins du 31 mai. Et aujourd'hui tous les royalistes sont républicains, tous les brissotins sont montagnards. [...] Je demande que chaque société populaire s'épure avec le plus grand soin, et que les Jacobins n'accordent leur affiliation ou leur correspondance qu'à celles qui auront subi rigoureusement cette épreuve » (*Aulard*, V, 504).

La seconde grande intervention de Robespierre sur les sociétés sectionnaires aboutit à ce qu'aucune affiliation ne soit accordée pour celles créées après le 31 mai 1793 : « Non, le peuple n'est pas là ; c'est l'Autriche, c'est la Prusse qui y sont » (6 nivôse/26 décembre). L'offensive définitive fut menée en floréal et prairial : le 23 floréal, il est décidé que désormais les citoyens doivent *opter* entre les Jacobins et les sociétés section-naires. Trois jours après, Couthon et Collot d'Herbois relancent l'offensive, plaidant qu' « il n'y aura plus unité d'opinion » si les sociétés sectionnaires ou soi-disant populaires continuent à vivre, alors que « les Jacobins sont forts par l'opinion » (*ibid.*, VI, 127) [154]. Mais cette unité d'opinion est en même temps celle dont le gouvernement a besoin : la centralisation dans un cas s'accompagne de celle imprimée à « l'esprit public » dans l'autre. « Il n'y a donc pas à balancer, s'écrie Collot, sur la destruction des sociétés sectionnaires. »

En attendant, le comité de correspondance des Jacobins est chargé de dresser « la liste des sociétés populaires formées avant le 10 août [1792], qui n'ont pas cessé d'entretenir avec les Jacobins une communication républicaine ». Subissant toutes sortes de pressions, les sociétés sectionnaires acceptent, pour certaines d'entre elles, de se dissoudre, et viennent en faire l'annonce aux Jacobins et à la Convention [155].

L'osmose du club et du gouvernement

Le nouvel aspect apparu dans cette période réside dans les rapports que la Société des Jacobins entretient avec l'établisse-ment, puis le développement du pouvoir révolutionnaire ; cet aspect est évidemment et directement lié au fonctionnement du principe épuratoire dans la Société, ainsi qu'à l'hégémonie qu'elle a étendue sur les organisations rivales. Le club fournit le personnel politique et administratif, il soutient la grande idée du gouvernement révolutionnaire (la Centralité nécessaire), il gal-vanise les participants de l'*effort de guerre* — lesquels viennent « se retremper » (selon l'expression employée) à l'énergie des Jacobins.

On constate cependant que la gauche est partagée sur la participation explicite des sociétaires aux tâches gouvernemen-tales. Le même Dufourny qui fait repousser la reconnaissance d'un « parti d'opposition », ne veut pas, pour autant, que le club fonctionne comme un appendice du gouvernement ou comme le sas de l'entrée au pouvoir. En septembre il avait laissé choisir les membres des tribunaux révolutionnaires parmi les

Jacobins, et organiser l'épuration de l'armée révolutionnaire [156]. Mais en novembre il s'insurge contre l'entrée des sociétaires dans le gouvernement, notamment pour organiser le *comité de censure* au ministère de l'Intérieur ; il rappelle que du temps des Girondins, la confusion entre le ministère et le club leur a été suffisamment reprochée. Sa conclusion est ferme : « Je soutiens que vous devez agir séparément de toute administration, et être *vous* » (*Aulard*, V, 493). Encore marquée, à cette époque, par la présence des Cordeliers, dont Dufourny est l'un des fondateurs, la Société donne raison à ce dernier.

Mais l'interpénétration devenait trop évidente pour que cette fiction pût tenir : le même mois de novembre, le Comité de salut public « demande à la Société de lui désigner des hommes propres à remplir les fonctions publiques » (V, 523). Et la discussion reprend de plus belle lorsque le Comité réclame cette fois un *agent national* pour la Moselle : étant donné l'importance de cette fonction depuis le décret Billaud-Varenne (*cf. supra*), la Société devenait explicitement un vivier de l'appareil d'État. La Chevardière monte à l'attaque : « Restons Jacobins, et ne soyons point ministres ! Notre Société est une Société d'opinions, et ne peut jamais devenir un corps populaire, qui donne des hommes aux autorités constituées » (V, 647). Il est relayé par Dufourny qui affirme que les sociétés populaires ne peuvent à la fois censurer les autorités et exercer le pouvoir : « On sent assez ce qui résulterait de cette confusion de pouvoirs, de cet accaparement de droits. »

Au mois de mars 1794, le coup de filet lancé sur les hébertistes ranime le débat, car il s'agit de savoir si les fonctionnaires publics, particulièrement en matière d'approvisionnement, sont loyaux : « Couthon prend la parole pour rendre compte de ce qui s'est passé aujourd'hui à la Convention. Il annonce que les preuves arrivent en foule au Comité de salut public sur l'existence de la conjuration qui a été dévoilée ces jours derniers [157]. Il fait part que le projet des conspirateurs était d'amener l'abondance dans Paris après la réussite de leur complot, afin de faire croire au peuple que ses malheurs venaient de la mauvaise administration du Comité de salut public et des autorités constituées qui ont le plus mérité la confiance du peuple » (V, 692).

Léonard Bourdon qui représente maintenant l'extrême

gauche dans le club, intervient aussitôt après pour réclamer la mainmise explicite du club sur toute l'administration : « Je n'ai pas besoin de faire observer l'inconvénient qu'il y aurait à laisser dans les fonctions publiques des hommes indignes de les remplir ; je demande que les membres [du club] se procurent dans les sections la liste de tous les fonctionnaires, même de ceux du département et de la municipalité, afin que la Société les passe au scrutin épuratoire, comme s'ils étaient membres. Il est de l'intérêt général que les Jacobins remplissent la carrière de sentinelles du peuple. [...] Je demande donc qu'à la prochaine séance on présente la liste des individus employés dans les fonctions publiques, afin que nous sachions quels sont ces hommes, si leur patriotisme a été bien prononcé depuis la prise de la Bastille. »

Dans cette proposition qui se veut d'une extrême démocratie, au sens où le peuple, par « ses » Jacobins, par ses « sentinelles », nettoierait l'appareil d'État, Robespierre voit un grand danger. Il connaît les amis de Bourdon [158] et déteste leur démagogie, qui continue l'hébertisme et menace le gouvernement révolutionnaire sous couleur de le « purifier » : ce n'est pas le club qui maîtriserait ce processus, ce sont les sociétés de la tendance de Bourdon. L'opposition exprimée par Robespierre n'est donc pas de type *doctrinal* (séparation de la société civile et de l'État), mais affaire de circonstance : « Confier aux sociétés populaires le soin d'épurer les fonctionnaires publics, ce serait vouloir que les places fussent réservées exclusivement aux membres de ces sociétés ; ce serait inviter les ambitieux à dénoncer les fonctionnaires et à les faire destituer pour prendre ensuite leur place. Vous ne verriez alors la tribune occupée que par des intrigants qui vous entretiendraient continuellement de leurs projets ambitieux. Cette proposition tend aussi à la ruine du gouvernement ; car vous le mettriez dans l'impossibilité d'exercer une surveillance active sur les fonctionnaires publics. » Et après avoir audacieusement comparé le projet Bourdon au « système de Pitt et du parlement d'Angleterre », Robespierre lançait cet avertissement fort clair : « Je ne m'étonne pas de la proposition qui vous est faite aujourd'hui, et qui a été présentée assez souvent. Je ne m'en étonne pas, parce qu'au pied de l'échafaud, où l'on punit les fripons, d'autres fripons osent encore commettre des crimes. »

L'osmose entre le club, les administrations, le pouvoir central faisait donc, au sein même du club, l'enjeu d'une lutte acharnée : le pouvoir n'est plus globalement « Jacobin », mais occupé par un courant qui frappe tantôt à droite et tantôt à gauche. Pour preuve que ce courant ne se prononce pas d'après un principe invariable, on peut observer que Robespierre va, en germinal, attaquer Dufourny — alors que ce dernier avait combattu, comme Robespierre, la confusion des sociétés et de l'appareil de l'État. Mais maintenant, l'Incorruptible lui reproche d'avoir voulu « exclure du sein de la Société les fonctionnaires publics » — entendons, d'avoir tenté de maintenir les Jacobins à distance du gouvernement révolutionnaire.

Qu'est-ce qui, en l'occurrence, oppose les deux protagonistes ? Il s'agit ce jour-là de l'exécution de Danton (16 germinal), de la mouvance duquel relevait Dufourny. Aussi est-ce un acte global d'accusation contre ce dernier que dresse Robespierre : « Il fréquentait, il n'y a pas longtemps, le Comité de sûreté générale ; jadis c'était le Comité de salut public. Il assistait à toutes les délibérations, il ne pouvait pas manquer à une séance, *c'est une preuve de son zèle excessif pour le bien public* [159] ! Il avait pour prétexte sa qualité de président au département de Paris. Il y avait une telle application dans ses assiduités que je lui dis : " Vous assistez trop régulièrement à nos délibérations ; il me semble que votre premier devoir serait de faire mettre en arrestation tous les aristocrates qui nous entourent " » (VI, 49). De plus, si Dufourny faisait bien partie du Comité d'insurrection du 31 mai 1793 [160], Robespierre prétend qu'il a tenté de freiner le mouvement. Décision est prise par les Jacobins de conduire l'accusé au Comité de sûreté générale.

L'écrasement de ces obstacles, par la ligne robespierriste, confirme donc que la lutte contre les factions et la question des relations avec le gouvernement n'ont constitué qu'un seul et même processus : une monopolisation du pouvoir, par la Société, qui tendait à devenir le parti dirigeant. Une division des tâches se faisait jour : formellement distinct des Comités et de la Convention, le club incarnait l'*opinion publique*, tandis que les sociétés populaires constituaient le peuple appelé à s'épurer lui-même.

A travers la différence des conjonctures, on constate que, depuis les premières années de la Révolution, l'ambiguïté des réponses données à la question « Qui sont les Jacobins ? » n'a cessé de se perpétuer. Tantôt parlant pour les simples citoyens, tantôt pour les représentants du peuple, le club vit selon une structure tournée entièrement vers l'exercice du pouvoir, et qui ne peut jamais se reconnaître comme telle. Au moment où se dégagent les traits d'un parti d'avant-garde avant la lettre, l'explicitation ne peut non plus être donnée ; enfin, lorsque la confusion des rôles entre le club et le gouvernement est en voie de réalisation, elle se heurte à de nouvelles contradictions. Pourtant, elle aurait dû combler l'*exigence* qui sous-tendait la vision jacobine : l'identification résolutoire du Peuple et du Pouvoir, la réconciliation du Souverain et des organes représentatifs. Mais, lorsqu'elle est vérifiée par les faits, cette identification s'avère parasitée par le clivage entre les factions au sein même des Jacobins.

En fait, la *question* des relations entre l'État et l'organisation jacobine n'a jamais pu être traitée explicitement et pour elle-même — ni dans le débat constitutionnel de juin 1793, ce qui se conçoit, ni dans les discussions autour du gouvernement révolutionnaire ; en l'an II trop d'enjeux pèsent sur elle : les sociétés populaires, les sociétés sectionnaires, la conception de la Terreur et de sa prolongation, la désaffection des sans-culottes sous le poids de la crise économique, etc. Le malaise est donc général, et l'atmosphère empoisonnée : tantôt prédomine le diagnostic selon lequel la Société perd son autonomie si elle se met à gouverner, tantôt on estime qu'elle reste en dessous des tâches révolutionnaires.

On le voit par exemple en octobre, lorsque Collot d'Herbois (membre du Comité de salut public) vient recruter vingt-quatre commissaires pour Lyon, et vingt pour Bordeaux, afin d'y « former l'esprit public ». Un membre se plaint, quelques jours après, que l'on puisse appeler ces recrues des corps d'élite : il n'y a plus de « corps » dans la République (V, 481) [161].

De même, en floréal, le débat renaît quand Jullien (de Paris), commissaire du Comité de salut public, vient proposer une Adresse des Jacobins à porter à la Convention, en faveur du culte de l'Être suprême. « Qui parle ? » demande-t-on. Comme on s'en doute, pour Robespierre il n'y a là aucune difficulté :

« Ce n'est point ici un commissaire du Comité de salut public, c'est un citoyen. [...] Les sentiments qui ont été manifestés dans l'adresse n'étaient-ils pas déjà dans vos cœurs ? (*Oui, oui ! s'écrient tous les membres*)... C'est donc vous qui avez parlé dans cette adresse ; ces sentiments ne vous ont été suggérés par personne » (VI, 133).

Le sentiment du cœur, expression de la nature, est ce qui garantit l'identité de la Société avec le pouvoir, tout comme on avait vu que la *souveraineté* (dans le peuple comme dans l'Assemblée) était, en définitive, une souveraineté morale. Cette structure idéologique n'est pas propre au clan robespierriste, on la voit encore se manifester après le 9 Thermidor — car elle est au cœur de la dictature révolutionnaire, elle donne le sens attaché à la Terreur par les protagonistes ; Collot déclare le 10 thermidor : « Nous ne devons faire qu'une famille. [...] Les Jacobins c'est la Convention ! La Convention c'est le Peuple ! Et la Société est éternelle comme la Liberté ! » (VI, 300).

C'est avec la fin de la Terreur, puis la dissolution du club le 22 brumaire an II (12 novembre 1794), que la pyramide des équivalences perdit son évidence : l'identification du Souverain et des Représentants devait chercher d'autres moyens de réalisation. Elle aboutit finalement à la formule impériale. Le ralliement de nombre de Jacobins à l'Empire ne fut pas seulement une forme de résignation au nouveau cours des choses : ils y trouvaient la reviviscence d'un État structuré et centralisé, vers lequel inclinait leur sentiment ; au XIXe siècle, dans une polémique célèbre, Jules Ferry a souligné ce trait de façon incisive [162].

DEUXIÈME PARTIE

L'individu
dans le discours jacobin

« *L'État, en tant qu'agrégat de nombreux individus, n'est pas une unité substantielle en soi et pour soi (...), mais on part d'atomes de volonté, et chaque volonté est immédiatement représentée comme absolue.* »

Hegel, sur la Révolution française

L'évolution retracée dans la partie précédente a fait plusieurs fois apparaître l'importance du thème de l'Unité dans les conceptions et le devenir de la Société des Jacobins. L'unité est d'abord et avant tout celle du Peuple, clé d'un certain nombre d'autres questions, comme la valeur et l'existence de l'individu pour les Jacobins, la souveraineté du peuple, la représentation (légitime ou non) qui peut être donnée de ce dernier. Il faut donc partir de l'Unité du Peuple, ou si l'on préfère, du Peuple-Un, pour comprendre les échos que ce discours a pu éveiller dans son époque, et l'ascension réalisée par la Société. Qu'est-ce au juste que ce peuple ?

Il s'agit d'une *entité*, plus idéale que concrètement désignable, plus morale que politique. Le peuple jacobin n'est pas la « nation » au sens de la majorité modérée de l'Assemblée constituante — et notamment pas au sens de Sieyès pour qui la nation finit par signifier ce qui *résulte* de la représentation exercée par les experts de la chose politique, dans un dispositif d'ensemble dont fait partie le roi.

En général, le terme de nation évoquait une tradition historique : il pouvait suggérer la division des trois ordres en vigueur au moment des États généraux. Trop attachée au territoire, à l'histoire, à la diversité sociale et culturelle, la « nation », quoique présente dans le discours jacobin, est assez vite minorée au profit du « peuple » — qui devient le terme prédominant à partir du 10 Août. Le peuple, c'est un *individu collectif*, le Sujet historique de la Révolution, qui, par son individualisation, possède une unité propre qu'il faut cependant préserver — ou rétablir — contre tout ce qui la menace.

Ainsi l' « unité du peuple » joue à la fois sur le registre politique (où elle signifie l'interdiction de diviser et d'aliéner la souveraineté), et sur le registre symbolique où elle permet de mettre en scène l'Acteur qui intervient dans telle grande journée — comme le 14 Juillet, le 10 Août, le 2 Juin. Entité idéale convoquée par le discours, le Peuple-Un peut aussi bien s'attribuer à un rassemblement concrètement visible *hic et nunc*, qu'être réputé absent dans telle autre manifestation sensible. Par exemple, le 2 Juin est l'acte du peuple contre les députés girondins, mais pour ce qui est des sociétés sectionnaires « le peuple n'y est pas », selon l'expression de Robespierre. C'est Pitt, c'est Coblentz qui y sont.

Peuple abstrait (discours) et peuple concret (présence matérielle) ne se rencontrent donc qu'à travers l'acte de parole qui légitime ou illégitime telle situation à la manière jacobine[1].

De plus, l'unité du peuple ne se conçoit pas en termes quantitatifs, même si les Jacobins sont obligés de reconnaître que le souverain est constitué de la somme des citoyens ; le primat de l'idée morale fait que l'unité est, ou peut devenir, de type *qualitatif*, quasiment spirituelle. Pour qu'on puisse dire qu'ils « sont » le peuple, peu importe le nombre de ceux qui agissent : une fraction des citoyens peut, par sa vertu, s'égaler au peuple tout entier. Et, à la limite, un homme tout seul. Dans le langage des logiciens, le peuple jacobin, parce qu'il est individualisé, a une unité *intensive* indépendante de sa composition extensive. On voit qu'il signifie finalement le Bien comme principe et, éventuellement, l'Homme de bien comme type idéal.

Tels sont donc les caractères qui, à titre de tendance générale, se dégagent de la multiplicité des discours et des écrits où apparaît le peuple jacobin : un Sujet moral collectif mais indivisé et indivisible, doté d'une volonté qui constitue sur le plan moral et psychologique la traduction de ce qu'on appelle la souveraineté. À partir d'une telle vision, où prédomine effectivement l'idée d'Unité, la ligne d'action et le discours des Jacobins purent *infléchir* de façon originale diverses questions, obscures et controversées, que ne cesse de rencontrer l'idéologie révolutionnaire.

Cependant, en reprenant et en infléchissant ces questions

pour tenter d'en faire des points d'appui, le discours ne peut éviter d'engendrer de nouveaux paradoxes chez les Jacobins eux-mêmes : entre les « principes » jacobins et le réel surgissent d'autres contradictions, qu'il faut assumer, rationaliser ou voiler. C'est le cas pour ce qui concerne les domaines de la souveraineté et de la représentation.

Lorsqu'il donne son appui à la « souveraineté indivisible » du peuple (reconnue par tous à partir d'un certain moment), le mouvement jacobin encourage en fait des *expressions partielles* de ladite souveraineté : ses adversaires ne se font pas faute de lui en faire reproche. Mais, on l'a vu, dans l'idéologie jacobine, la partie peut remplacer le tout, et donc une section du peuple le peuple. De même pour ce qui concerne le thème effrayant de « l'aliénation de la souveraineté du peuple » : dans son discours d'opposition (de 1789 à juin 1793) le courant radical des Jacobins se prête à la contestation de la représentation, qui est accusée (en termes repris de Rousseau) d'enlever au peuple l'exercice effectif de sa souveraineté. Cependant, comme la représentation est ce mécanisme qui peut *engendrer* par en haut l'Unité du peuple que dément la guerre civile, les Jacobins au pouvoir en viennent à admettre la représentation — pour en chercher ensuite le substitut dans la Terreur et le gouvernement révolutionnaire.

C'est donc un ensemble de contradictions que génère ce discours en faveur de l'Unité du Peuple, à partir du moment où s'appuyant sur des points litigieux pour tous, il tente d'en déplacer les enjeux à son profit. L'étude des controverses concernant souveraineté et représentation fait l'objet de la troisième partie ; auparavant, il convient d'aborder le premier domaine, directement lié à la formation du parti jacobin et relevant des prémisses mêmes de l'esprit de 1789 : il s'agit de ce que toute l'époque appelle « l'individu », soit l'homme libéré de toutes ses attaches traditionnelles et pourtant pris dans des relations de subordination et de tension vis-à-vis de la souveraineté collective.

Unité élémentaire de l'ordre politique, indispensable à ce titre, mais incriminé en tant que source d' « intérêts particuliers », l'individu de la politique moderne jouit d'un statut ambigu. Dans sa recherche d'une communauté égalitaire et vertueuse, le jacobinisme déplacera les tensions, et les aggravera au profit des droits du peuple, du « salut public », à l'encontre de l'individualisme qui sépare.

Ce que toute la Révolution appelle « individu » en constitue — à travers diverses confusions — l'une des pierres d'achoppement, ce en quoi elle a donné prise à la Terreur, et même, a légué à la vie politique française des difficultés durables.

CHAPITRE PREMIER

L'individu comme unité numérique ou comme citoyen vertueux

> « *Ce qu'on appelle union dans un corps politique est une chose très équivoque. La vraie est une union d'harmonie qui fait que toutes les* parties, *quelque opposées qu'elles nous paraissent, concourent au bien général de la société, comme les dissonances, dans la musique, concourent à l'accord total.* »
>
> Montesquieu

L'ÉTAT DE LA QUESTION CHEZ LES MODÉRÉS

Le système politique nouveau tel que le fonde la Révolution en France peut être dit d'esprit démocratique ou républicain dès les premiers jours au sens où il fait appel à un citoyen qui est source de jugement, et de contrôle, sur les gouvernants choisis par lui. Faisant en cela écho à la philosophie politique moderne, la Révolution décide que la communauté et l'ordre constitutionnel des temps nouveaux seront une élaboration consciente des hommes. Mais cela supposait que les Français soient effectivement conscients de leurs droits et de leurs devoirs : qu'ils se sachent *citoyens*.

De plus, l'ordre politique nouveau n'existe que pour assurer le *bonheur* des hommes dans leur existence d'hommes, et notamment dans leur vie privée. Ils jouiront de la liberté de pensée, de la libre disposition de leurs forces et de leurs capitaux, leurs propriétés seront protégées, ils mèneront une existence paisible à l'abri de toute contrainte ou curiosité étrangère.

À partir de ce programme qui est celui du tiers état et de la noblesse éclairée à la veille des États généraux, deux problèmes se posent : comment, à partir des hommes, faire des citoyens ? Comment articuler l'activité civique tournée vers la chose publique et la recherche du bonheur privé propre à chacun ? Centrales dans l'idéologie et le processus même de la Révolution, ces questions ne reçurent pas de réponse définitive et satisfaisante ; elles ne vont cesser d'alimenter les controverses sur « l'individu ». La relation entre l'homme et le citoyen fait l'objet de la Déclaration des droits, achevée en août 1789 ; mais cette dernière est remise en question pendant la phase d'hégémonie girondine, pour aboutir à un second texte proclamé en mai 1793. Le 2 juin, consacrant la victoire montagnarde, donne lieu à une troisième Déclaration, dont l'article premier proclame : « Le but de la société est le bonheur commun. » Cette évolution du *droit naturel* révolutionnaire où le « bonheur commun » finit par se subordonner le bonheur privé des particuliers, devra être retracée. Sa compréhension demande l'étude préalable de l'infléchissement apporté par le jacobinisme à la conception de la citoyenneté.

La première question était donc celle de la transformation de l'homme naturel en un citoyen apte à considérer l'intérêt général de la société. D'où la lancinante exigence d'une éducation, que l'on estime nécessaire pour réduire l'écart entre les mœurs héritées et les lois nouvelles, pour engendrer un « citoyen » — sans que cette notion soit parfaitement éclaircie. L'instruction suffira-t-elle à cette fin dès lors qu'elle aidera les hommes à former leur jugement propre ? Ou bien faut-il ajouter des moyens de socialisation qui soient créateurs d'une conscience civique ? À vrai dire, ce débat ne devient public qu'assez tard, lorsque Condorcet distingue, en avril 1792, ce qui relève de l'instruction (par l'école) et ce qui constitue l'éducation (à la fois par la famille et par des modalités de formation au débat politique).

Les Jacobins qui se veulent des éducateurs du peuple (et, comme ils disent souvent, des « missionnaires ») refusent très tôt la distinction [2], et ils valorisent en l'an II les projets spartiates de Lepelletier ou encore de Gabriel Bouquier (décret de la Convention du 29 frimaire). Le grand discours de Robespierre *Sur les rapports des idées religieuses et morales avec les principes républicains* confie à l'État, et au culte de l'Être suprême, la tâche de moraliser toute la société.

On a dit que cette tentative ultime du printemps 94 pour recoudre la séparation entre le public et le privé, et entre l'homme et le citoyen, était la négation même de la vision première de 1789. Il est vrai qu'elle découle du refus, caractéristique des Jacobins, de laisser libre cours à l'*individualisme* engendré par la société de marché, individualisme que tous les efforts d'un Sieyès, par exemple, visaient à protéger[3]. Mais il faut bien constater que dans les commencements de la Révolution l'idée de la citoyenneté reste pénétrée d'ambiguïtés dans les textes qui l'évoquent — car elle est plus une machine tournée contre l'inégalité d'Ancien Régime qu'une philosophie fondatrice du nouvel ordre social.

On voit, par exemple, dans le manifeste de Sieyès *Qu'est-ce que le tiers état ?*[4], l'amorce d'une distinction entre le public et le privé, mais elle est en même temps grevée, voire menacée par le primat de l'intérêt général sur tout intérêt particulier. De là le terme d' « individu » qui recouvre à la fois l'homme dans sa particularité et sa vie privée, ou le citoyen soucieux de la chose publique. Dans l'esprit de Sieyès cette obscurité n'avait, comme on le verra, rien de redoutable, mais en fait, elle donnait prise au soupçon sur quiconque s'opposerait à la « volonté générale » — ou ce qui sera tenu pour la volonté générale.

Obéissant à des finalités quasiment opposées, la doctrine de Sieyès et l'idéologie jacobine ont pour point commun de naître d'un même malaise, d'une même question non résolue : comment composer un bien public à partir d'intérêts en concurrence ? Pour mener la comparaison, il vaut la peine d'examiner quelques développements présents dans le libelle de Sieyès.

Le manifeste de Sieyès contre l'existence des ordres

Le postulat atomiste

Au point de départ, il faut rappeler que Sieyès, quoique issu du clergé, mène la lutte contre la séparation des trois ordres, synonyme de l'existence des privilèges. Il ne saurait y avoir plus longtemps en France des privilégiés et des non-privilégiés (le tiers état), il n'y a plus que des « individus » libres et égaux qui à eux tous forment le seul *corps* légitime, celui de la Nation. Comme l'écrit Sieyès : « Qu'est-ce que la volonté d'une nation ? C'est le résultat des volontés individuelles, comme la nation est l'assemblage des individus » (p. 85).

Ainsi que l'indique le terme assemblage, il s'agit ici d'une vue additive et quantitative de la Nation. L'individu constitue une unité numérique, de type atomique. Un tel critère répond à la fin visée par l'auteur, qui consiste, selon son expression même, dans la « neutralisation » des ordres privilégiés. L'individu est donc ce qui, par son apparition soudaine, dissout la société de corps de l'Ancien Régime : « Il est impossible de dire quelle place deux corps privilégiés doivent occuper dans l'ordre social : c'est demander quelle place l'on veut assigner dans le corps d'un malade, à l'humeur maligne qui le mine et le tourmente. Il faut la *neutraliser* » (p. 93).

Le critère numérique se révèle effectivement approprié pour faire s'évanouir la différence *qualitative* que supposait la notion de privilège : il opère une homogénéisation, ou réduction à l'identique. Il est cependant paradoxal d'employer le terme d'individu pour des hommes réduits à l'identité abstraite la plus pauvre : ici apparaît une première obscurité du texte de Sieyès qui, pour asseoir l'égalité, pourrait ouvrir la voie à un *égalitarisme* sévère.

La Nation apparaît donc sous un visage nouveau : « Où prendre la nation ? Où elle est ; dans les quarante mille paroisses qui embrassent tout le territoire, tous les habitants, et tous les tributaires de la chose publique ; c'est là sans doute la nation » (p. 72). Au lieu de l'opération complexe du *contrat* de chacun avec tous par lequel on engendre chez Rousseau le souverain, Sieyès présente les choses sur le mode de l'évidence empirique : il suffit de recenser numériquement par tête d'habitant pour voir apparaître la volonté souveraine. Mais c'est supposer que chaque homme, du seul fait de sa naissance sur le territoire, est par là un citoyen, et qu'il se connaît comme tel.

On peut d'ailleurs remarquer que le publiciste reprenait sans complications supplémentaires la novation que le pouvoir royal introduit dans son règlement pour les élections aux États généraux : toute personne inscrite au rôle de l'impôt (capitation) pouvait, en théorie, participer à l'élection ; comme l'a montré François Furet, cette disposition entrait en contradiction avec l'ancien principe, par ailleurs maintenu, du vote et de la délibération par ordres[5]. Ainsi la monarchie, adoptant le suffrage universel opposait, elle-même, le vote par « individus » à la représentation par « corps ».

Pourtant Sieyès semble penser que le citoyen est plus qu'un simple individu naturel puisqu'il oppose, à propos des privilégiés, « vingt-six millions de citoyens » à « deux à trois cent mille individus » ; mais il ne dit pas en quoi le citoyen aurait une attitude spécifique, une conscience qui le distingue. Ou plutôt, l'*égalité*, et sa revendication, suffit à faire le citoyen : « Le privilégié ne serait représentable que par sa qualité de citoyen ; mais en lui cette qualité est détruite, il est hors du civisme, il est ennemi des droits communs » (p. 89).

Il est grave que la qualité de citoyen ne soit pas définie (ou ne le soit que par la négative : le non-privilégié), car, comme on le verra plus loin, il peut y avoir... de mauvais citoyens. Le mauvais citoyen serait-il un individu trop individualiste ? Pourtant l'égalité n'empêche pas cette attitude, elle lui donne même des moyens favorables. Il semble donc y avoir une contradiction latente ; et de fait, son cheminement peut être restitué.

Une part privée à protéger

Dans d'autres passages Sieyès semble vouloir établir une distinction, devenue nécessaire, entre le citoyen et le simple individu. En effet, le propre des citoyens est qu'ils sont tous identifiables par leurs droits communs, comme on l'a vu, alors que les individus se distinguent en ce qu'ils ont une part qui leur est propre, et que la loi doit protéger.

Voici la métaphore par laquelle l'auteur annonce la séparation et l'articulation des deux domaines : « Je me figure la loi au centre d'un globe immense ; tous les citoyens sans exception, sont à la même distance sur la circonférence et n'y occupent que des places égales ; tous dépendent également de la loi, tous lui offrent leur liberté et leur propriété à protéger ; et c'est ce que j'appelle les *droits communs* des citoyens, par où ils se ressemblent tous » (p. 88). Si les citoyens « se ressemblent tous », cela ne veut pas dire pour autant qu'ils soient égaux et interchangea-

bles dans tous les domaines ; et bien au contraire, la loi
« n'empêche point que chacun, suivant ses facultés naturelles et
acquises, suivant des hasards plus ou moins favorables, n'enfle
sa propriété de tout ce que le sort prospère, ou un travail plus
fécond, pourra y ajouter, et ne puisse s'élever, dans sa place
légale, le bonheur le plus conforme à ses goûts et le plus digne
d'envie ».

Ainsi l'égalité des droits n'est pas égalitariste, puisqu'elle
ménage une place au hasard, aux facultés, au travail et aux
goûts. Si la séparation des domaines est affirmée, au profit de la
part privée, il faut cependant noter que la nature même du
civisme reste à contenu assez pauvre : le statut de citoyen
équivaut à une propriété (on *a* des droits), il n'implique pas une
conscience, une activité ou une volonté qui aille au-delà.

Nombre et justice : une équivoque

Mais voici que le principe même de la séparation entre la face
publique et la face privée va être remis en question par Sieyès ; il
explique en effet que la volonté commune des citoyens résulte de
la somme des *intérêts* des individus, parmi lesquels certains sont
condamnables !

Un tel processus est à la fois obscur et, eu égard au reste de
l'argumentation, contradictoire. Obscur : l'intérêt général peut-
il être la somme des intérêts particuliers ? Contradictoire : si le
critère retenu est arithmétique et non en termes de valeur,
pourquoi certains intérêts seraient-ils disqualifiés ? Voici le
passage célèbre où se concentrent les difficultés :

« Remarquons dans le cœur des hommes trois espèces d'intérêts : 1° — celui par lequel ils se ressemblent ; il donne la juste
étendue de l'intérêt commun ; 2° — celui par lequel un individu
s'allie à quelques autres seulement ; c'est l'intérêt de corps ; et
enfin, 3° — celui par lequel chacun s'isole, ne songeant qu'à soi ;
c'est l'intérêt personnel » (p. 86).

Il est clair que pour l'auteur le premier intérêt est le bon, celui
que l'on doit obtenir lors de la réunion des États généraux : il
l'appelle « l'objet de la volonté de tous, et celui de l'assemblée
commune ». Sont condamnés le dernier, qui est l'intérêt
personnel (celui d'un *individu* agissant de façon isolée), et le
second ou « intérêt de corps » ; ce dernier associe quelques

« individus », qu'on peut aussi appeler mauvais citoyens. Sieyès ajoute que l'intérêt personnel (mais que sont les autres ?) est peu dangereux, car il va mener à une annulation réciproque : « sa diversité est son remède ». En revanche, le grand péril réside dans l'intérêt de corps : « Celui-ci permet de se concerter, de se liguer ; par lui se combinent les projets dangereux pour la communauté ; par lui se forment les ennemis publics les plus redoutables. »

On voit donc le publiciste hésiter entre une logique en termes d'intérêts (conforme au critère numérique de départ), et une argumentation axée sur les notions de juste et d'injuste. Il faut comprendre que l'intérêt général se construit à partir de la somme des intérêts individuels *qui se ressemblent* et, à cause de cela, ne restent pas des intérêts personnels ; les intérêts qui divergent de cette somme, et qui diffèrent entre eux, sont mauvais. La question est de savoir pourquoi sont bons les intérêts qui se ressemblent.

Il y a là une confusion, ou la possibilité d'une confusion entre la justice et la puissance du nombre — comme si ce qu'une majorité veut était nécessairement juste. Car c'est bien en termes de justice que parle aussi Sieyès : il s'agit de mesurer « la juste étendue de l'intérêt commun ». En fait, pour que cette juste étendue soit réellement appréciable, il eût fallu *fonder* la qualité civique et définir ce qui caractérise la justice pour un citoyen. Ou alors, le nombre faisant la force, il ne s'agit plus de justice, mais de droit du plus fort : Rousseau avait suffisamment insisté sur la différence.

Cette obscurité pèse lourdement sur l'écrit de Sieyès, car elle rend la majorité du moment (forte de son poids numérique) arbitre de la désignation du juste et de l'injuste ; c'est-à-dire aussi : maîtresse de décider, éventuellement, la *disqualification* des minorités. On voit le risque grave que contient cette conception : l'auteur met en marche une machine de guerre contre les privilèges, mais davantage en termes de nombre qu'en termes de justice. De ce fait, son argumentation pourrait se voir tournée contre tous les « citoyens » qui, accusés de défendre un intérêt propre, ne seraient plus que des « individus » — qu'on dénonce comme parties séparées du corps social.

C'étaient les ordres d'Ancien Régime auxquels s'attaquait Sieyès, pour protéger le libre exercice des droits individuels jusque dans le domaine du privé, mais la cible pouvait être déplacée du fait de l'ambiguïté de l'idée d'intérêts et également de l'étroitesse attachée à la citoyenneté.

Un libéralisme problématique

On ne peut, bien entendu, dire que Sieyès soit « la cause » du cours que prit ensuite la Révolution, car il ne fait que rassembler des idées très répandues au moment de 1789, et qui sont grosses d'ambiguïtés. L'écrit doit être ici considéré à titre de témoignage sur l'époque et sur les éléments avancés du tiers état : il annonce, en cela, la possibilité d'un face à face entre la souveraineté de la Nation et l'opinion qui diffère, celle de l'individu isolé ; il annonce aussi le risque d'une tension, entre la volonté commune portée par les représentants et divers regroupements (« factions », « corporations ») accusés de rassembler des individualités ambitieuses.

Lecteur d'Adam Smith et des autres philosophes économistes de l'école écossaise, Sieyès est attaché au libéralisme, mais il est frappant de constater à quel point son écrit pouvait autoriser des malentendus : fort par sa radicalité à l'encontre de l'Ancien Régime, il ne saurait fournir une philosophie, ou à tout le moins une théorie du libéralisme politique.

En effet, comparée aux doctrines anglo-saxonnes, et notamment au *Fédéraliste* (la Bible des fondateurs de la République américaine), l'opposition entre intérêts et intérêts chez Sieyès ne signifie nullement un jeu de *balance* : il ne s'agit pas que la diversité des opinions, des intérêts régionaux, des sectes religieuses, des options socio-économiques se fasse contrepoids, tout en recevant un filtrage à travers un « corps choisi de représentants »[6] ; dans le texte du publiciste français il est question d'une ségrégation entre les bons et les mauvais intérêts, elle-même surdéterminée par la lutte *politique* contre les « ennemis publics ».

D'ailleurs, le libéralisme, qu'il soit de type américain ou selon sa variante française sous la Restauration, suppose une *diversité* sociale explicitement déclarée et assumée. Dans cette vision, c'est parce que les situations et les motivations des groupes divergent que le gouvernement représentatif n'exerce qu'un pouvoir limité : la puissance du nombre rencontre l'obligation de composer. Au contraire, dans le manifeste de Sieyès la condamnation de l'intérêt particularisé, mais aussi des regroupements « partiels », constitue la conséquence directe du postulat atomiste dans sa finalité égalisatrice : les associations dans la société civile sont rendues impossibles. Les modèles géométriques ou mécanistes qui guident Sieyès sont révélateurs : « Jamais, écrit-il, on ne comprendra le mécanisme social, si l'on ne prend pas le parti d'analyser une société comme une machine ordinaire, d'en considérer séparément chaque partie, et de les rejoindre ensuite en esprit. » Chez Hobbes, l'inspiration absolutiste ne parle pas autrement[7].

Malgré ses intentions libérales (protection de la société civile, liberté donnée au privé), cette démarche engendre l'Unité absolue de la « volonté générale » — que cette unité soit réelle, ou qu'elle soit fictive, et dans ce cas imposée à la société. Alors, du fait de la puissance qu'incarne la volonté unitaire portée par les représentants de la nation, cette dernière pourrait en venir à lever les barrières qu'elle s'est données à elle-même ; les représentants sont la Nation elle-même, et « la nation existe avant tout, elle est l'origine de tout. Sa volonté est toujours légale, elle est la loi elle-même » (p. 67).

Il est vrai que, conscients du risque engendré par la nouvelle souveraineté, les Constituants furent d'emblée soucieux d'énoncer des « droits de l'homme et du citoyen » qui, faisant face à la volonté générale, et à la loi « expression de la volonté générale[8] », limiteraient leur pouvoir. Sieyès lui-même rédigea deux projets successifs de Déclaration. Mais on constate, en étudiant ces textes, que l'indépendance des droits individuels par rapport à la volonté générale reste théorique — puisque c'est cette volonté qui énonce les droits une première fois, et spécifie ensuite leur étendue par voie législative ou réglementaire ! Comme le confirment encore les débats les plus récents en France, l'autolimitation de souveraineté reste avant tout un vœu, si on la compare à la démarche typiquement américaine du contrôle de constitutionnalité[8bis].

Pour en revenir à Sieyès, visiblement il ne prévoyait pas l'emballement qui pourrait résulter de la puissance ainsi conférée aux représentants de la nation ; tout au contraire, il y voyait une *garantie* de vie paisible pour chacun : « Sans doute chaque particulier se propose en outre [de la volonté commune] des fins particulières. Il se dit : à l'abri de la sécurité commune, je pourrai me livrer tranquillement à mes projets personnels, je suivrai ma félicité comme je l'entendrai, assuré de ne rencontrer de bornes légales, que celles que la société me prescrira pour l'intérêt commun » (p. 85). En fait, le spectacle de la Révolution révéla cruellement que « ce que la société me prescrira pour l'intérêt commun » risque de devenir fort étendu — voire sans limites — dès lors qu'on remet à la société, c'est-à-dire ici au *pouvoir d'État*, la capacité de trancher souverainement entre bons et mauvais intérêts. Le conflit entre l' « intérêt commun » et les « fins particulières » (pour reprendre les formules du texte précédent), fut un thème central de la rhétorique révolutionnaire, particulièrement systématisé dans la doctrine jacobine du salut public ; son dernier avatar consista dans l'opposition entre « République indivisible » et « fédéralisme ».

Pourtant, que la politique moderne fonde son édifice sur *l'individu* n'impliquait pas automatiquement l'interdiction de regroupements au sein de la société, si l'on en croit la méditation de Tocqueville sur l'exemple américain : « L'habitant des États-Unis apprend dès sa naissance qu'il faut s'appuyer sur soi-même pour lutter contre les maux et les embarras de la vie ; [...] Un embarras survient sur la voie publique, le passage est interrompu, la circulation arrêtée ; les voisins s'établissent aussitôt en corps délibérant[9] ; de cette assemblée improvisée sortira un pouvoir exécutif qui remédiera au mal, avant que l'idée d'une autorité préexistante à celle des intéressés se soit présentée à l'imagination de personne[10]. »

À travers diverses observations sur la sociabilité américaine, Tocqueville montre que le fait de « s'appuyer sur soi-même » n'exclut pas outre-Atlantique, mais appelle au contraire le débat des opinions, le regroupement des intérêts, la formation des partis ou la constitution de ligues spontanées contre les maux sociaux (comme l'alcoolisme, selon un autre exemple donné par l'auteur). Ainsi l'indépendance de vie et de jugement de l'individu (ou du « particulier ») par rapport au pouvoir politique peut-elle aller de pair avec l'apprentissage au quotidien de la citoyenneté. Ou, en d'autres termes, l' « intérêt particulier » n'est pas ce qui s'oppose à un intérêt général dont tout le séparerait, mais ce qui se monnaye en regroupements forcés de s'entendre. Cette conception américaine, empreinte d'utilitarisme, Tocqueville l'appelle « la doctrine de l'intérêt bien entendu ».

Dans la mesure où elle reflète un esprit général au commencement de la Révolution, on peut dire que l'analyse de Sieyès se déplace à l'intérieur d'une contradiction majeure : contre les ordres d'Ancien Régime, appel est fait à l'individu, considéré comme simple unité atomique ; mais contre cet individu pris cette fois en tant qu'intérêt particulier, le publiciste fait appel à l'Unité de souveraineté, ou Volonté générale. De cette contradiction l'évanescence de l'idée de *citoyen* constitue le prix à payer.

La citoyenneté, en effet, n'est pas, et ne peut être, une activité vivante, la conscience de certains droits et de certains devoirs pour une œuvre commune à réaliser. Elle se résout à la possession d'un « droit égal », attribut rigide et étroitement circonscrit — que Marx critiquera dans les pages célèbres de la *Question juive*.

Sur ce point, l'intervention du moralisme jacobin va être décisive : sachant d'une part se constituer en « corps » tout en se défendant de le faire, et en dénonçant ceux qui le feraient, les Jacobins ont en outre estimé que la citoyenneté nouvelle ne pouvait se passer de l'exigence morale. Ce dernier point demande de prolonger la comparaison avec Sieyès.

Entre « vertu » et « intérêt » : une croisée des chemins

Bien qu'il ait lu et commenté Rousseau [11], Sieyès s'en sépare nettement, comme on l'a déjà constaté. Non seulement il rejette comme trop métaphysique la démarche du Contrat, mais il n'a que mépris pour le problème que Rousseau n'avait cessé de poser : à quelles conditions l'homme peut-il rester libre en obéissant aux lois ? La solution pour Rousseau réside dans un processus d'autocréation du citoyen (et de dénaturation envers l' « homme »), selon l'engagement que ce citoyen prend, quand il veut la loi, de ne vouloir que le bien de tous.

La conviction de prononcer aussi pour soi s'il prononce pour tous constitue véritablement la conscience civique rousseauiste ; elle supposait fondamentalement la présence en chacun d'une exigence de *vertu*, dans laquelle s'opère la synthèse de l'individuel et de l'universel. Sous l'idée de vertu il ne s'agissait donc pas d'obéissance à la majorité, encore moins à des représentants parlant pour la nation — mais de l'obéissance à la loi, qui est bonne et juste lorsque, partant de tous, elle s'applique à tous.

Tel est le véritable sens de la souveraineté populaire chez Rousseau, objet souvent de contresens : elle consiste, en réponse à l'exigence de vertu, dans l'obéissance à la loi, elle-même émanée du plus profond de chaque conscience. Devant la question topique de la philosophie politique : « À qui faut-il légitimement obéir ? », Rousseau peut répondre qu'il ne s'agit pas d'obéir à quelqu'un (royauté) ou à une majorité (système électoral), ni même à des hommes, mais à la loi — c'est-à-dire à soi-même en tant que conscience raisonnable consultant la raison « dans le silence des passions ». Comme on le constate, l'unité élémentaire du corps politique n'est pas ici « l'individu », au sens que ce terme prend sous la Révolution, mais le sujet moral.

Dans son écrit, Sieyès exprime sans ambages le refus de fonder la citoyenneté sur un tel engagement moral, qui lui paraît pur et vain volontarisme : « Ce serait bien mal connaître les hommes que de lier la destinée des sociétés à des efforts de vertu. Il faut que dans la décadence même des mœurs publiques, lorsque l'égoïsme paraît gouverner toutes les âmes, il faut, dis-je, que même dans ces longs intervalles, l'assemblée d'une nation soit tellement constituée, que les intérêts particuliers y restent isolés et que le vœu de la pluralité y soit toujours conforme au bien général » (p. 86).

Mais dans ce refus de se confier à « des efforts de vertu », le publiciste reproduit les ambiguïtés qu'on a déjà rencontrées : il suppose que le vœu de la pluralité, à travers l'assemblée de la nation, produira nécessairement le « bien général ». C'est dans la même page qu'il distingue trois types d'intérêt, pour en condamner deux sur trois. Et l'ensemble du passage se conclut sur l'invitation à ne pas s'étonner que « l'ordre social exige avec tant de rigueur de ne point laisser les simples citoyens se disposer en corporations ». Là encore, le refus de l'appel à la vertu ne s'accompagne pas — comme il serait logique dans une vision libérale comptant avec les passions et les intérêts — de l'acceptation de *tous* les intérêts ; au contraire, ce refus se conjoint à des « exigences » faites « avec rigueur ».

C'est donc bien la même ambiguïté qui se poursuit, visiblement liée au poids que la lutte contre les privilèges fait peser sur l'histoire et sur les mentalités françaises. Pour accepter le jeu des intérêts dans la société moderne, il faut lever l'hypothèque (venue de Rousseau) du citoyen vertueux, et pourtant tous les intérêts ne sont pas acceptables. Dans ce non-dit [12] sur le critère qui opèrera la distinction entre les intérêts, le jacobinisme va venir se loger — en faisant, lui, appel à l'idée de vertu, mise au service de la nouvelle souveraineté, et à l'encontre des « individus » mauvais. À sa façon, le discours jacobin rationalise et harmonise la perspective de Sieyès, en tranchant les ambiguïtés.

Dès lors, en joignant l'exaltation du citoyen vertueux (une expression devenue pléonasme) à l'unité du Peuple — lui-même conçu comme le détenteur originaire de la vertu —, le jacobinisme peut élargir l'origine du Mal : elle n'est pas seulement chez les aristocrates défenseurs de l'ordre ancien, mais aussi chez tout « individu » qui montre un intérêt personnel au service de l'ambition, ou une appartenance de « faction ». Si donc la catégorie d' « ennemi du peuple » naît de l'esprit général de 1789 (Sieyès en fournit un témoignage parmi d'autres), elle est remaniée dans la perspective d'une souveraineté qui est de nature beaucoup plus morale que quantitative. La « volonté du peuple » devient autre chose que la force du nombre.

Cette souveraineté morale sera, durant le temps du discours d'opposition, celle qui confronte le peuple à ses représentants corrompus ; elle deviendra ensuite celle qui permet d'identifier au peuple la « Convention régénérée », et le gouvernement de salut public.

Multitude et opinion publique : l'analyse de Mirabeau

La seconde grande conséquence du postulat atomiste concerne la perception que les hommes de 1789 ont de l'opinion publique ; celle-ci est devenue « une nouvelle puissance », selon la formule de François Furet et Denis Richet. Elle constitue aussi un facteur de l'ascension du jacobinisme.

La puissance de l'opinion, quoique ressentie à l'époque, est analysée à l'intérieur de cadres inadéquats — ce qui engendre à la fois une idée obscure quant à sa nature exacte, et de l'inquiétude sur ses effets possibles. Il faut rappeler que la révolte nobiliaire des années 1787-1788, la convocation et la préparation des États généraux, et enfin les vicissitudes du ministère Necker vont constituer autant d'accélérateurs de la naissance en France d'une véritable opinion publique — laquelle se trouve en outre vivifiée par le développement foudroyant de la presse [13].

Mais, dans le moment où elle forçait ainsi l'attention, l'opinion ne se laissait pas enfermer dans l'opposition rigide individus/corps qui structure la vision de l'époque. Pour cette dernière, l'opinion aurait acquis un visage rassurant si elle était le fait d'intelligences distinctes, bien identifiables, jugeant chacune par soi-même ; tel n'est pas le cas, puisqu'elle se constate toujours après coup, dans un jugement porté sur une question particulière, selon un contenu qui efface sa source d'émission. Avant la naissance, récente, de nos enquêtes modernes, on ne peut savoir *qui* (quel groupe ou quelle couche) est à l'origine de telle idée, telle représentation partagée par un grand nombre. L'opinion est anonyme, elle est collective ou semi-collective ; or l'idéologie révolutionnaire est à la recherche d'auteurs, de responsables, d'un ou plusieurs « individus » à désigner. D'où le malaise [13bis].

Au moins, par sa nature collective, l'opinion serait-elle identifiable à la *volonté générale* dont parle le discours révolution-naire ? Pas plus, en fait. Alors que la volonté générale est ce qui s'exprime, de façon institutionnelle, chez les représentants rédigeant les lois, l'opinion jaillit de la société même, des lieux de travail et de rencontre, du tract et du journal annoncés à la criée [14]. Mais sur ce point aussi l'infléchissement jacobin tranche les incertitudes : l'opinion publique, ce n'est que la volonté générale, qui est dans le peuple avant de passer chez les « mandataires ». Comme le laisse voir la section de Mauconseil dans son arrêté du 5 août 1792 lu à la barre de la Législative, il n'y a pas de différence à établir entre la volonté du peuple et l'opinion publique. Trouvant ainsi un auteur qui lui donne unité et énergie, l'opinion perdait chez les radicaux cette brume qui la caractérise. Simplement, il s'opère une oscillation entre la thèse de la soumission nécessaire à l'opinion publique, et le projet de la modeler si elle est corrompue — ce qui répète l'évolution déjà signalée, sur les rapports entre souveraineté du peuple et représentation[15].

Si l'on revient au point de départ du procès révolutionnaire, la conjugaison en 1789 du postulat atomiste et de l'essor de l'opinion ouvrit un extraordinaire champ d'innovation et d'improvisation, dans lequel plusieurs logiques entraient en concurrence : l'attitude du roi devait constituer l'une des clés décisives de la compétition. Mirabeau l'avait compris, lorsqu'il proposa ses services à la Cour et écrivit à Louis XVI une suite de lettres remarquables (de 1789 à 1791) sur l'état de la France et les chances nouvelles de la monarchie[16].

Il ne craignait pas, en effet, d'affirmer que le surgissement de l' « individu » moderne détaché des liens traditionnels, pouvait devenir, en ruinant le système des ordres, la base d'une monarchie rénovée ; à partir des mêmes prémisses il suivait une logique assez différente de celle de Sieyès : « J'ai toujours fait remarquer, écrit-il, que l'anéantissement du clergé, des parlements, des pays d'état, de la féodalité, des capitulations des provinces, des privilèges de tout genre est une conquête commune à la nation et au monarque[17]. »

Il fallait donc que Louis XVI prît conscience des possibilités qui s'offraient et sût établir « la coalition la plus étroite entre le prince et le peuple » — selon l'expression que Mirabeau emploie après les journées des 5 et 6 octobre 1789. Loin de considérer que ces événements avaient représenté l'abaissement de la monarchie, il veut que le roi, parlant à chaque citoyen en particulier, tienne le *langage de l'égalité*[18] et rétablisse une popularité qui n'avait pas encore véritablement disparu (comme nombre de témoignages le confirment). Tocqueville connaissait bien cette correspondance, et il a estimé qu'elle confirmait son hypothèse sur la tendance égalitaire mise en œuvre de longue date par la monarchie française. Louis XVI pouvait-il recueillir les fruits de cette tendance ?

Il a devant lui deux perspectives de recomposition du corps de la nation qui, pour le moment, se concurrencent. L'une a trait à l'opinion dans ses *objets* : l'attribution de popularité à tel ou tel ; l'autre, un lieu de formation de l'opinion, les clubs. La première perspective conduisait, selon une autre expression de Mirabeau, à souder « l'indivisibilité du monarque et du peuple », union propice à un pouvoir centralisateur prônant maintenant l'égalité. L'idée a théoriquement la faveur de Louis XVI, qui répète à plusieurs reprises : « Le roi et la nation ne font qu'un. » Le thème de l'indivisibilité pouvait soulever un puissant écho dans la culture politique de la Révolution.

Mais le roi considère que cette visée à la fois symbolique et tactique est incompatible avec la seconde logique qui se met parallèlement en place : la formation de *corps associatifs* dans un espace public où le pouvoir est rendu disputable. C'était condamner l'une des sources de l'opinion alors même qu'on prétendait en devenir l'objet d'élection. Au lieu de chercher un compromis, en établissant une sorte de royauté démocratique (ce « monarque républicain » dont il va être souvent question en France !), Louis XVI va écouter d'autres conseillers et faire porter ses efforts contre les clubs. Et, en s'adressant davantage aux députés qu'à la nation, il ne saisira pas non plus les occasions de cultiver sa popularité. Varennes — deux mois et demi après la mort de Mirabeau — représente la rupture de tout compromis. Dans une lettre à l'Assemblée où il justifie sa fuite, le roi écrit : « Il s'est établi des associations connues sous le nom des Amis de la Constitution, qui offrent des corporations infiniment plus dangereuses que les anciennes ; elles délibèrent sur toutes les parties du gouvernement, exercent une puissance tellement prépondérante que tous les corps, sans excepter l'Assemblée nationale même, ne font rien que par leur ordre [19]. »

De même que Le Chapelier incriminait les clubs comme autant de formations parasitaires, le roi s'insurge contre ces organisations supra-individuelles — en l'occurrence la Société des Jacobins. « Le roi ne veut faire qu'un avec la nation », écrit-il dans cette même lettre, en refusant de reconnaître la présence de la nation dans les groupes qui « délibèrent » hors du gouvernement. Il partageait ainsi avec nombre de ses contemporains la méconnaissance du lien (qui ne pouvait que s'établir) entre naissance de la démocratie représentative et groupes d'opinion préfigurateurs du parti politique [20]. En maintenant les exigences irréalistes du postulat atomiste, qui étouffe la citoyenneté, il concourait en fait, au renforcement, chez les clubistes, de ce qu'il entendait combattre.

Quant au second trait de l'opinion — la capitalisation d'une popularité —, c'est la même absence de sens politique qui se montre chez Louis XVI. En effet, dans sa vingtième note à la Cour (24 août 1790) Mirabeau avait désigné l'un des caractères importants de ce qui deviendra la démocratie moderne : « L'opinion publique a tout détruit : c'est à l'opinion publique à rétablir. On ne peut déterminer l'opinion publique que par des chefs d'opinion ; on ne pourra désormais disposer de la multitude que par la popularité de quelques hommes. »

Mirabeau décrivait une relation entre deux phénomènes qui ne va cesser de gêner jusqu'à nos jours l'esprit républicain : avec la société d'égalité entre tous les individus, l'opinion devient directement un pouvoir (ou, dira Bentham, « un tribunal »), mais, par ce pouvoir, ce sont certains hommes qui s'élèvent au-dessus de l'égalité, car ils sont investis d'une confiance, voire d'une mission ; la mission peut rester officieuse (ce sont les « leaders d'opinion ») comme, aussi bien, se traduire institutionnellement dans les gouvernants portés au pouvoir. La thèse de Mirabeau consiste à soutenir que la souveraineté de la « multitude » (comme il dit), c'est-à-dire le pouvoir du nombre, ne conduit pas à un gouvernement désincarné, mais promeut au contraire certaines individualités. De l'anonymat de l'opinion (point qui ne gêne nullement Mirabeau), peut naître un pouvoir personnalisé et parfaitement constitutionnel. Telle est la seconde face de l'individu de la politique moderne : créateur de ses gouvernants qu'il propulse en pleine lumière, alors que lui, simple fraction du vote, reste dans l'ombre, l'individu peut également émerger de la masse — pour devenir le Représentant de tous.

Dans l'Italie de son temps, Machiavel avait déjà pressenti cette évolution, et Mirabeau regrette amèrement de ne pouvoir lui aussi forger son « prince nouveau » qui, s'élevant à la compréhension du moment, dépouillerait les vieux préjugés. En juillet 1790, il fait reproche à Louis XVI de n'avoir pas su devenir un « général de la Fédération », au lieu de laisser ce rôle à La Fayette : « Il fallait distinguer le général de la Fédération, du monarque, et faire remplir au roi ces deux fonctions. Comme le premier, il serait arrivé à cheval, il aurait parlé lui-même à tous les départements [...] surtout, l'Assemblée nationale devait être spectatrice et non partie dans cette fastidieuse procession. Au moment de l'arrivée de l'Assemblée nationale [...] le général de la Fédération serait devenu roi, monté sur son trône[21]. »

Ayant le sens du symbolique, Mirabeau estimait que gouverner *au nom* de la Nation appelait un individu d'envergure, un esprit ingénieux qui sût porter sur lui cette grande figuration collective. Que le pouvoir ne fût plus « personnel » dans sa légitimité et dans son support n'impliquait pas qu'il devînt entièrement séparable de celui qui l'exerçait : au-delà de l'exercice de la représentation par un corps électif, la recherche d'un « roi de la Révolution » (selon l'expression de François Furet) apparut durant ces années. Bien entendu elle fut sans cesse combattue sous le nom de dictature ou de retour à la monarchie, mais elle l'emporta finalement dans l'Empire napoléonien. Napoléon, ou le peuple devenu roi, comme l'écrivit Guizot[22], constitua la conciliation, pour un temps, entre la souveraineté de la multitude et le pouvoir d'un Individu prééminent. Le *plébiciste* fournit le lien qui devait unir les deux pôles.

Continuant ses leçons données au prince, Mirabeau en vient, en septembre 1790, à conseiller la création d'un journal à grande diffusion et à très bas prix ; son rôle serait d'expliquer au peuple le contenu de la Constitution (en voie d'élaboration), de l'inciter à désirer les dispositions favorables à l'exécutif, de stabiliser en ce sens l'effervescence des esprits : « À l'époque d'une grande révolution, [...] l'opinion publique se forme subitement et presque au hasard. Elle est d'autant moins éclairée qu'elle est plus universelle, d'autant plus dangereuse qu'elle prend le caractère de la volonté générale et de la loi. » La tâche d'un journal favorable à la Cour consistera donc à jouer sur le double caractère de l'opinion publique : son imprévisibilité (puisque chaque individu se sent maintenant autorisé à avoir un avis), sa massivité (puisque un avis peut se propager à une grande vitesse). Il faut tourner l'adhésion émanant du grand nombre vers la volonté générale et la loi, au lieu que cette opinion incontrôlée prenne la place de la volonté générale et dicte la loi aux représentants.

Mirabeau va plus loin encore ; maître en machiavélisme, il conseille de confier le journal à son rival La Fayette pour qu'il... s'en révèle incapable. C'était là une manœuvre devenue depuis bien triviale : un chef d'opinion doit, dans la compétition démocratique, se présenter comme l'*alternative* par rapport à un autre qui vient d'échouer. Être populaire, pour le leader, c'est donner l'impression qu'il peut fournir une issue positive aux espérances collectives frustrées. Ce « jeu » (il faut l'entendre au sens théâtral) appelle, de nouveau, des ressources individuelles, des efforts de personnalisation — dont notre xxᵉ siècle a découvert toute l'efficacité, à travers l'usage des mass media, du marketing et des sondages préélectoraux.

Enfin, prévoyant dès septembre 1790 que La Fayette fera tirer sur le peuple et que « par cela seul, il se blesserait lui-même à mort [23] », Mirabeau conseille à la Cour de ne pas redouter les « émotions populaires » que les concentrations urbaines favorisent : « Paraître cependant les redouter pour avoir le droit de s'en plaindre, et pour donner à M. de La Fayette l'envie de les exciter ou de les tolérer, si cela l'amuse, ou s'il croit, par ce moyen, se rendre plus nécessaire. »

Ainsi s'exprimait Mirabeau dans les premières années de la Révolution, s'entremettant entre l'Assemblée et Louis XVI, entre le pouvoir du nombre et la prééminence en faveur d'un seul, qu'il appelait de ses vœux. En cela il avait parfaitement compris que l'ère des chefs d'opinion s'ouvrait, que le pouvoir des masses unirait — ou pourrait parfois unir — l'anonymat aux figurations les plus sensibles — le spectacle sur la scène devant être ressenti par le public comme son œuvre propre, ce dans quoi il pouvait reconnaître ses aspirations, les y découvrir même, avant de les avoir exprimées. De plus, chaque leader d'opinion mis en lumière sur la scène politique doit, pour fortifier son *image*, anticiper en pensée « ce que l'on dira » au cas où il adopte tel choix ou telle conduite ; il doit aussi anticiper l'anticipation que construit, relativement à lui et à sa popularité éventuelle, le rival : « Donner à M. de La Fayette, l'envie de les exciter ou de les tolérer, [...] s'il croit, par ce moyen, se rendre plus nécessaire. »

C'est à l'intérieur de cette vision d'ensemble, sur l'individu comme nouvelle unité du corps politique et l'opinion en tant que force redoutable, que s'inscrit le discours jacobin, pour tenter d'en remanier les enjeux à son profit. Dans le club et par le club, il s'agissait de favoriser l'opinion, de l'aider à s'organiser, tout en se défendant de vouloir ni la capter ni la fabriquer. C'est par exemple Robespierre qui l'affirme avec force le 8 décembre

1791 : « Il faut que les ennemis apprennent que le public n'est point l'écho de cette Société, mais au contraire qu'elle soit [*sic*] l'écho du public ; qu'ils apprennent qu'elle n'est autre chose qu'une section du public qui n'a de l'énergie que parce que toute la capitale est pénétrée des principes de la Révolution » (*Œuvres*, VIII, 30).

Il s'agit en effet de parler le langage des « principes » : par eux, c'est la Révolution, c'est l'opinion elle-même qui s'exprime au sein de la Société. Pareillement, c'est du point de vue des « principes » que l'individu doit être considéré : placé sous leurs lumières, soit il s'en écarte à titre d'individualité égoïste — et alors il devra être dénoncé — soit il s'y conforme, à titre de bon citoyen. En réalité, individu et opinion ne vont cesser de réengendrer de nouvelles inquiétudes et de nouvelles controverses, jusqu'au sein de la Société elle-même.

LA RÉFÉRENCE JACOBINE AUX PRINCIPES

> *Quelle est la faction à qui j'appartiens ? C'est vous-mêmes. Quelle est cette faction qui depuis le commencement de la Révolution a terrassé les factions (...) ? C'est vous, c'est le peuple, ce sont les principes*
>
> Robespierre (discours 8 thermidor)

> *Heureusement le temps avance. Nous sommes un peu moins imbéciles. La manie des incarnations, inculquée soigneusement par l'éducation chrétienne, le messianisme, passe. Nous comprenons à la longue l'avis qu'Anacharsis Cloots nous a laissé en mourant : " France, guéris des individus "*
>
> Michelet

> *Citoyens, la Révolution est dans le peuple et non point dans la renommée de quelques personnages*
>
> Saint-Just (Rapport contre Danton et ses amis)

Comme Michelet l'avait signalé, mais également A. Cochin, le critère qui, selon les Jacobins, doit éclairer toute délibération, se trouve dans « les principes de la Révolution ». L'historien l'écrit avec ironie : « Ils avaient leurs mots à eux, leurs saints et leurs dévotions, des formules qu'ils répétaient : " Les principes d'abord ! Les principes !... " — " Surtout, il faut des hommes purs ", etc., etc. Vous n'entendiez autre chose, lorsque, vers sept heures du soir, cette foule, à cheveux noirs et gras, en grosses houppelandes du temps, dans une pauvreté calculée, s'en allait dévotement au sermon de Robespierre[24]. »

Quels étaient au juste ces principes tout-puissants ? Il s'agissait des grandes notions, de ce qu'on peut appeler le *code symbolique* organisant le discours global de 89, revu et corrigé en 93 : la liberté, l'égalité, la vertu, l'indivisibilité, la souveraineté du peuple... Dans la fidélité qu'ils affirmaient conserver envers les « principes », les sociétaires exprimaient une brûlante passion de transparence, et, par voie de conséquence, de fusion entre les individus communiant aux principes.

Le terme « communion » n'est pas excessif puisque, dans certains moments critiques de la Révolution, on voit les Jacobins se plaindre que le langage fasse obstacle, déforme la pensée, retarde l'action : « Il ne faut plus de discours, plus de correspondance, déclare Simond le 27 juillet 1792, il nous faut des séances muettes où chacun se devine dans les yeux ce qu'il a à faire [*sic*], et où il ne faille plus s'en rapporter qu'à soi » (*Aulard*, IV, 149). Cette mystique de l'immédiateté et de la fusion conduit évidemment à valoriser le *serment collectif* qui soude le groupe dans l'unanimisme. Dans l'histoire du club, de nombreuses circonstances en renouvellent l'occasion : serment de vivre libres ou de mourir, serment de défendre Robespierre lorsqu'il est attaqué, serment de défendre les patriotes par sa vie et son argent, de pratiquer la dénonciation, etc.

Ou, autre modalité unanimiste, un réquisitoire vibrant doit se traduire par des *actes* à la hauteur de l'intensité passionnelle déclenchée ; c'est le cas lorsque Robespierre s'emporte contre Mirabeau, dont la vénalité vient d'être prouvée *post mortem*, et contre le philosophe Helvétius : « L'enthousiasme que produit ce discours n'attend pas que la Société ait pris une délibération : on se précipite sur les couronnes qui étaient suspendues aux murs de la salle, on se les arrache, on se les dispute, on les brûle, et bientôt elles sont réduites en cendres[25]. L'assemblée se lève et demande qu'à l'instant on descende les bustes de Mirabeau et d'Helvétius. Tandis que chacun les menaçait des yeux, on introduit deux échelles au milieu des applaudissements, on descend Mirabeau et Helvétius. Bientôt ces deux bustes sont brisés, on se précipite dessus, et chacun veut avoir la gloire de les fouler aux pieds.

« La société, après cette cérémonie civique, passe à l'ordre du jour, et, après avoir fait le procès à Mirabeau et à Helvétius de la manière la plus expéditive, on s'occupe des moyens de faire le procès de Louis XVI le plus promptement possible » (*Aulard*, IV, 550-551).

L'interpellation, la vitupération sont donc, tout autant que l'éloge lyrique, des caractères de l'énergie jacobine, dans sa certitude de s'alimenter à la source pure des « principes ». Cependant, quand il faut blâmer ou quand il faut louer, l'initiative ne va pas sans créer une gêne sensible, parce que ce sont des *individus* spécifiés qui sont l'objet du discours. Michelet a également souligné (mais sans l'analyser) ce glissement, que les Jacobins ressentirent, de l'abstraction et de l'universalité des principes aux particularités, aux individus : « L'acharnement aux personnalités, les écarta sans cesse — écrit Michelet — des principes qu'ils posaient. » En effet l'esprit jacobin tient précisément... pour principe que le débat politique a toujours lieu entre de grandes idées, des conceptions qui s'opposent — mais jamais à propos de personnes. D'innombrables fois dans les réunions, la motion d'ordre suivante apparaît : « Je dis que vous devez peu vous occuper des personnes, et beaucoup des choses[26] » ; « un très grand tort des sociétés populaires est de s'occuper des individus ; de là, les intrigants font tous leurs efforts pour empêcher que l'on s'occupe des choses[27]. »

Malgré les appels à ne considérer que « les principes », le glissement s'opère — et il ne peut que s'opérer, dans la mesure où, les Principes s'identifiant au Peuple, il s'agit de défendre les Principes contre leurs ennemis. La défense des principes passe par la « dénonciation » comme l'on dit, notion qui tente de synthétiser la lutte contre un camp et l'incrimination d'individus précis. Mais si le postulat atomiste trouve ainsi sa réalisation dans l'idéologie jacobine (tout complot, mais aussi tout événement, a des responsables), il crée cependant un malaise : dans les nombreuses dénonciations qu'il mène en l'an II au sein du

club [28], Robespierre commence très souvent par déclarer : « Je
n'attaque pas les individus » ; il le répète une dizaine de fois
dans le débat prolongé qui s'instaure autour de Desmoulins et
son *Vieux Cordelier*.

Il ne faut pas voir là seulement une ruse (se défendre contre
l'accusation de rivalité devant l'opinion), ni non plus une pure
clause de style ; il y a une *contradiction*, que le jacobinisme
ressent, entre l'universalisme proclamé et adoré (les principes,
dans le discours) et les résistances du réel (les divergences, les
« factions »). Tel que l'individu-citoyen est conçu, il n'est
qu'une « fraction du souverain », selon l'expression souvent
employée ; à ce titre, il ne devrait pas se manifester comme
distinct de la volonté générale et des principes du code
symbolique au nom duquel chacun peut, et doit, s'exprimer.
L' « individu » ne devrait donc jamais apparaître, mais seulement le Peuple statuant sur tout le Peuple [29].

Si, dans la phase de la Terreur, le discours finit par devenir
une arme prenant l'*individualité* même pour cible (en ce par quoi
elle diffère, et parce qu'elle diffère), il n'estime le faire qu'à son
corps défendant : la faute en est à ceux qui se sont écartés de la
vertu, à tous ceux qui ont assumé un *rôle* qui les place en pleine
lumière ; ils ont travaillé à devenir objets de l'opinion publique.

La contradiction est grande entre l'appel à un citoyen qui doit
faire preuve d'initiative et la répression envers ceux qui se
distinguent, soupçonnés de suivre des « intérêts particuliers [30] ».
Il y a bien là une contradiction, que les Jacobins ne maîtrisent
pas, puisque la même situation apparaît à propos de l'inverse de
la dénonciation : l'*éloge* du héros de l'opinion, tout aussi
générateur de malaise ; à situation inverse, problème inchangé.
Les sociétaires ont peine à admettre que la vénération des
principes conduise à leur *incarnation*, dans le visible, par telle
personnalité prestigieuse ou, plus délicat encore, dans une
grande individualité excentrique comme Marat : ce sont d'abord
ces situations concernant le révolutionnaire « positif » qu'on
abordera, avant d'en venir à l'incrimination de l'individu
« mauvais » et au contexte dans lequel s'organise la dénonciation. Tantôt parce qu'il apparaît par excès de positivité, tantôt
parce qu'il ne se confond pas avec l'unité requise par les
principes, « l'individu » reste une catégorie énigmatique à
l'intérieur du discours des Jacobins.

Une gêne permanente : l'individu aimé de l'opinion

Marat, atypique mais glorieux

Anacharsis Cloots, mais surtout Marat sont la gêne permanente de la Société, car ils prouvent qu'on peut être Jacobin véritable et néanmoins différer des autres, même jusqu'à l'excentricité. Cloots, baron prussien, député à la Convention, est membre du club depuis les origines. Figure haute en couleur, il s'est singularisé par des écrits ou des discours d'une rhétorique boursouflée où il appelle à la « République universelle » par la guerre de libération et où il se présente comme ami des sans-culottes (alors qu'il défendait en 1790 le régime censitaire). Lorsqu'il passe au scrutin épuratoire en décembre 1793, on lui demande dans quel pays il est né ; il répond : « Je suis de la Prusse, département futur de la République française. »

Ce jour-là Robespierre obtient son exclusion, en parlant de lui surtout (et déjà) au passé : « J'accuse Cloots d'avoir augmenté le nombre des partisans du fédéralisme. Ses opinions extravagantes, son obstination à parler d'une République universelle, à inspirer la rage des conquêtes, pouvaient produire le même effet que les déclamations et les écrits séditieux de Brissot et de Lanjuinais. Et comment M. Cloots pouvait-il s'intéresser à l'unité de la République, aux intérêts de la France ? Dédaignant le titre de citoyen français, il ne voulait que celui de citoyen du monde. Eh ! s'il eût été bon Français, eût-il voulu que nous tentassions la conquête de l'univers ?... Eût-il voulu que nous fissions un département français du Monomotapa ? » (*Aulard*, VI, 555-556). Bien que dans cette période Cloots ait été élu président des Jacobins, Robespierre réussit à obtenir l'élimination, en jouant sur la hantise du « parti de l'étranger [qui] domine au milieu des Jacobins ». Prussien et ami de banquiers prussiens (mais surtout compromis dans la déchristianisation qu'abhorre l'Incorruptible), il devenait une victime facile à un moment où, après la grande phase d'ouverture, la Révolution en guerre cessait d'être hospitalière. Sa personnalité, complaisamment entretenue, trahissait l'ambition.

Le cas de Marat s'est révélé plus embarrassant, notamment dans la période du printemps 1793 où il est sous les feux de l'actualité. Rabroué lorsqu'il est présent aux Jacobins [31], critiqué quand il est absent des réunions, Marat ne peut être exclu, car son pouvoir de chef d'opinion, tout gênant qu'il soit, reste précieux. Se présentant comme la victime du parti antipatriote, rappelant toujours la maladie dont il souffre et qui l'oblige à vivre dans l'obscurité, Marat envoie des lettres aux Jacobins avec l'en-tête « de mon souterrain », suivi de la date. Il ne craint pas de parler à la première personne, exhibant sa subjectivité souffrante ; ainsi le 19 avril : « Intrépide défenseur des droits du peuple, apôtre de la liberté depuis quatre ans, je suis encore à trouver quelqu'un qui me tende la main, lorsque je suis sur la brèche. Je vous envoie copie de la lettre que j'ai adressée à la Convention et dont elle a refusé d'entendre la lecture, sous prétexte que je me suis dérobé au fer de mes assassins », etc. (*Aulard*, V, 139).

On devine que Marat a l'art de la mise en scène ; d'ailleurs, au moment même où il fait lire cette missive, il est... aux Jacobins, qu'il préside. Il s'est aussi rendu célèbre par ses dénonciations, dont très tôt il a fait la théorie [32]. Sans que l'on sache si le propos reste en partie métaphorique, il a affirmé depuis les débuts que la Révolution serait terminée le jour où on aurait coupé un certain nombre de têtes. Michelet en a tenu avec horreur la comptabilité : « Pour assurer la tranquillité publique, Marat réclame 600 têtes, puis 10 000, puis 40 000 et enfin 270 000 têtes. »

Ces propos gênent la prudence jacobine, qui y voit l'attitude d'un énergumène plutôt que celle d'un politique. Il fallut donc se résigner, en décembre 1792, à écrire aux filiales pour expliquer la différence qui séparait les thèses de Robespierre et celles de Marat, deux noms que la province avait trop tendance à associer — pour la plus grande joie de l'opposition girondine dénonçant le « parti désorganisateur ». Mais, en prophète inspiré, Marat avait annoncé de longue date que Louis XVI trahirait, que la crise des subsistances serait dure pour le petit peuple, etc. Lorsque le général Dumouriez jette le masque, il s'avère que le discours délirant de l'Ami du peuple rencontre parfois le réel ! Il est donc reçu à la présidence des Jacobins, le 7 avril, « au milieu des applaudissements universels ».

Mais cette attitude n'est-elle pas dangereuse ? Le cortège de triomphe paraît après coup imprudent pour l'image que veulent donner les clubistes d'une société sans chef. Aussi, le lende-main, on décide de supprimer du procès-verbal « le paragraphe qui rapporte que Marat a été conduit sous les applaudissements jusqu'au fauteuil de la présidence ». Il ne faut pas qu'apparaisse cette « dictature d'opinion » dont l'accusation entoure déjà Robespierre [33]. L'enchaînement des événements du printemps 93 va bousculer les réticences : le 19 avril, l'Ami du peuple a été acquitté par le Tribunal révolutionnaire (où la Gironde l'a fait comparaître), puis porté en triomphe jusque dans la Conven-tion. Le club estime qu'il peut donner maintenant libre cours à l'enthousiasme : une adresse aux filiales déclare que « Marat, cette sentinelle vigilante du peuple », cet « Argus infatigable », ce « philosophe formé par le malheur et la méditation », a « une perspicacité qui prévoit les événements avant leur matu-rité ».

Alors, il importe que Marat soit plus qu'un individu à part : il faut l'égaler aux Principes, aux Archétypes du ciel politique de l'idéologie jacobine. Il devient dans ces textes le prototype (et, après sa mort, le martyr) du bon agent politique jacobin, celui qui par son discours tenu sous la dictée du Peuple, sait anticiper sur le réel à venir. Parce qu'il *incarne* les principes, le héros de l'opinion peut être absous de tout motif personnel et intéressé. Il n'est que la bouche de la Vérité.

On voit dans de telles circonstances, par ailleurs peu fré-quentes, le moment de jubilation de la logique, ou plutôt de la passion jacobine : moment de la rencontre entre l'individu et la grande cause — la seconde permettant de typifier le premier, et de lever les censures. En pratique, l'individualité n'est louable que si elle s'efface devant l'Idée, ce que favorise la *mort* du héros. Le culte de Bara et de Viala, enfants de treize ans tués à la guerre en situation de bravoure, le martyre de Chalier à Lyon en fournissent ensuite d'autres exemples. Au contraire, lorsque le héros de l'opinion est en vie, le reproche d'aspirer à la dictature ne tarde pas à apparaître [34]. Après la mort de Marat sous le couteau de Charlotte Corday, Simond crée un incident dans la Société parce qu'il a eu l'imprudence de prédire la venue d'un chef de la Révolution : « Entre Marat et Lepelletier, il doit rester un vide qu'occupera bientôt le grand homme qui doit paraître, qui sauvera son pays et donnera la paix en assurant le bonheur du monde » (V, 325).

Au sein du club, et au moins depuis juin 1791, chacun regarde son voisin avec suspicion, dans la crainte qu'il aspire à être ce grand homme, cet Individu exceptionnel dont la figure se propose avec insistance. Le culte même de Marat[35] créa des divergences au sein des Jacobins et dans l'opinion révolutionnaire. Laveau, rédacteur du *Journal de la Montagne* (reconnu par les Jacobins), semble persifler lorsqu'il écrit : « Fénelon était le Marat de la tyrannie, et Marat le Fénelon de la liberté » (V, 402, note 2).

Robespierre : l'incarnation périlleuse des « principes »

C'est sans doute à l'égard de Robespierre, de son vivant, que l'on constate la gêne la plus caractéristique. Elle s'exprime par exemple chez le jeune Marc-Antoine Jullien, dit Jullien de Paris. Ami et espion personnel de Robespierre[36], le jeune homme remet en question jusqu'à l'appellation d'*Incorruptible*, qui a le tort de paraître avoir non seulement consacré un homme, mais aussi pour toujours. Il explique, dans une lettre à la société populaire de La Rochelle, qu'il y a là une double erreur :

« Point d'engouement, point d'idolâtrie, point d'enthousiasme pour les individus. [...] Ne vous attachez pas aux hommes. » Et Jullien poursuit : « La reconnaissance même du peuple envers un simple citoyen établirait entre lui et le peuple une ligne de démarcation qui ferait disparaître l'égalité. [...] Le mot " Incorruptible " n'est applicable qu'à celui dont la carrière est fermée, à la réputation duquel la mort a mis le véritable sceau. [...] Un homme s'est toujours bien conduit : il est incorrompu » (P. Gascar, *op. cit.*, p. 220).

Pour ce Jacobin vétilleux, tout patriote confirmé est néanmoins susceptible de dévier un jour ou l'autre ; pour lui, comme on dira plus tard, c'est la mort qui tranche et transforme la vie en destin. Il terminait sa lettre par cette éloquente comparaison : « On ne doit pas plus l'appeler " Incorruptible " que le ci-devant évêque de Rome " Infaillible ". »

Du point de vue jacobin, l'individu ne doit donc pas être considéré en lui-même mais par confrontation avec l'Idéal politico-moral de la vertu, dont il convient de penser qu'il reste indigne ; dans le cas où il s'en rendrait digne — comme cela se produit avec Robespierre —, la conscience jacobine croit qu'il y a danger pour les principes eux-mêmes. En floréal, Billaud-Varenne met en garde la Convention contre quelqu'un, un nouveau Périclès, dans lequel les historiens pensent reconnaître Robespierre : « Tout peuple jaloux de sa liberté doit se tenir en garde contre les vertus mêmes des hommes qui occupent des postes éminents [37]. »

Dans cette attitude contradictoire, qui passe de l'appel à la synthèse entre « individu » et « principes », à la déclaration d'antinomie entre les deux termes, on retrouve l'idée souvent exprimée en l'an II : les *épreuves* subies par un patriote sont des tests non de sa perfection, mais de son absence de trop grandes imperfections [38]. L'individu est pour le moment incorrompu, rien ne dit qu'il soit incorruptible. On a vu que dans la Société des Jacobins, sortir pur du « creuset épuratoire », devenait l'indice d'une refonte morale, gagnée éventuellement au prix de certaines souffrances. Collot d'Herbois apostrophe les Corde-liers indociles : « On doit s'estimer trop heureux d'avoir servi de victime » ; Dufourny, en septembre 1793, affirme que pour des gens emprisonnés à tort (les fameux « suspects »), la libération qui s'ensuit vaut « un véritable certificat de civisme » (*Aulard*, V, 416). Il y a une transposition de l'attitude religieuse dans cet éloge de la souffrance que l'on subit pour manifester les Principes, ou pour manifester la distance entre la créature et les Principes. Le bon citoyen est celui qui peut prouver qu'il n'a point péché.

C'est la grandeur de Robespierre que d'avoir parfois exprimé avec intensité, dans les moments où il est porté en triomphe, le sentiment de courir à sa perte par cette réussite même. Incarnateur des principes, « individu » s'élevant au-dessus de l'égalité, idole de l'opinion, il se sent trois fois condamné : comme l'ont remarqué Jaurès et Max Gallo dans leurs études respectives, Robespierre n'a cessé de prophétiser sa propre mort — en gros depuis Varennes.

Cette forme de délectation amère qui le caractérise, trouve sa confirmation dans la situation du 8 thermidor : « Ainsi donc les scélérats nous imposent la loi de trahir le peuple, à peine d'être appelé dictateur. Souscrirons-nous à cette loi ? Non : défendons le peuple, au risque d'en être estimé ; qu'ils courent à l'échafaud par la route du crime, et nous par celle de la vertu » (*Œuvres*, X, 575).

Chez les Jacobins, « être estimé » est ressenti comme un risque : l'accomplissement de cette royauté d'opinion que Mirabeau avait souhaitée. Pourtant toute la tentative de conquête du pouvoir avait évidemment visé à obtenir, et même à monopoliser l'estime si redoutable. Telle est donc la contradiction que le jacobinisme découvre dès lors qu'au règne des intérêts, pour lequel il n'avait que mépris, il voulut substituer un homme nouveau, un citoyen obéissant à la contrainte de la « vertu ». C'est en ce sens que Hegel pouvait écrire que « Robespierre, l'homme qui a pris la vertu au sérieux », périssait par le contrecoup de ce qu'il avait mis en route. C'est d'ailleurs une hésitation assez pathétique que l'Incorruptible exprime dans son dernier discours du 8 thermidor : « Ma raison, non, mon cœur est sur le point de douter de cette République vertueuse dont je m'étais tracé le plan. » A ce moment de crise, la contradiction est inscrite au cœur de l'idéologie jacobine, puisque Saint-Just (pourtant auréolé de la victoire de Fleurus) s'exprima le lendemain dans les mêmes termes : « Le cours des choses a voulu que cette tribune aux harangues fût peut-être la roche Tarpéienne pour celui qui viendrait vous dire que les membres du gouvernement ont quitté la route de la sagesse. »

Le « cours des choses » désigne la trajectoire paradoxale où l'individu, pour accomplir les principes, se sent pris en violation de l'un des principes majeurs : l'égalité. Bien entendu, il ne faut pas négliger le contexte politique, qui est proprement décisif pour la chute des robespierristes : on a pu voir (partie précédente) que c'est par la fin de l'alliance avec la Plaine que ce courant a fragilisé sa position et a perdu l'appui nécessaire pour la politique de Terreur. La conjonction des deux isolements, politique et symbolique, condamnait les leaders « estimés » de ce courant.

L'individu jacobin en tant que modèle positif de la vertu révolutionnaire se trouve donc pris dans une contradiction qui en partie reflète, mais aussi rend absurdes les données idéologiques de 89 : appelé par les Principes, il doit s'efforcer de s'égaler à eux, jusqu'à même les incarner : mais il court alors à sa perte comme individu, littéralement, « trop en vue ». Pour que l'Universel soit, il faudrait donc que l'individu n'apparaisse jamais — car il n'y a pas d'individualité universelle admissible dans le contexte français, ainsi que Hegel et Goethe [39] l'avaient bien vu. Ou, comme l'écrit l'historienne américaine Lynn Hunt, dans une perspective comparatiste : « la France n'eut pas l'équivalent de George Washington, bien qu'il y eût des candidats aspirant ouvertement à ce rôle, et la nouvelle Nation ne reconnut pas de Pères Fondateurs [40]. »

La même contradiction selon laquelle l'individu est à la fois appelé et repoussé se retrouve dans ce que Saint-Just dit de l'opinion. Il condamne cette dernière, pour ses effets de personnalisation, mais en fait l'éloge... à propos de Robespierre.

En effet, il apostrophe avec véhémence les personnages en vue : « Que voulez-vous, vous qui courez les places publiques pour vous faire voir et pour faire dire de vous : " Vois-tu untel qui parle ? Voilà untel qui passe " [41] ? » Mais comme gouverner conduit inévitablement à solliciter l'opinion, le jeune révolutionnaire au pouvoir doit aussi faire l'éloge de la bonne opinion, entendons l'opinion révolutionnaire. Le propre de cette dernière serait qu'elle ne déguise pas, qu'elle constitue la « probité » — terme favori de Saint-Just — opposée à la « dissimulation », et qu'elle démasque ceux qui simulent :

« Que faisaient alors les ennemis de la tyrannie [sous l'Ancien Régime] ? Ils dissimulaient. C'est une chose reconnue que quiconque conspire contre un régime établi doit dissimuler. [...] Nous pouvons convaincre de dissimulation ceux qui font et disent aujourd'hui ce qu'ils ne faisaient pas et ne disaient pas hier. Il y a donc un parti opposé à la liberté, et ce parti est le parti qui dissimule. Ceux qui sont du parti du peuple n'ont plus à dissimuler aujourd'hui ; et cependant celui-là se déguise, qui s'est déclaré le chef d'une opinion [42] et qui, quand ce parti a le dessous, déclame, pour tromper ses juges et le peuple, contre sa propre opinion. Je laisse ce miroir devant les coupables. »

Imitatrice et dissimulatrice, la mauvaise opinion fabrique des célébrités usurpées, car « l'esprit imitatif est le cachet du crime » ; pour exemple, Saint-Just donne une liste de faux Marat, de contrefaçons du grand Individu. Contre cela, l'opinion révolutionnaire qui ne dissimule pas, doit refléter : elle est le « miroir devant les coupables ».

Mais dans la lutte entre les factions, ce thème de la dissimulation au service d'un intérêt individuel a été trop développé par Saint-Just pour qu'il ne lui soit pas renvoyé par rétorsion. La contradiction est trop évidente lorsqu'il tente de défendre Robespierre le dernier jour : « On le constitue en tyran de l'opinion ; il faut que je m'explique là-dessus et que je porte la flamme sur un sophisme qui tendrait à faire proscrire le mérite. Et quel droit exclusif avez-vous sur l'opinion, vous qui trouvez un crime dans l'art de toucher les âmes ? [...] Un tyran de l'opinion ! Qui vous empêche de disputer l'estime de la patrie, vous qui trouvez mauvais qu'on la captive [43] ? »

Après avoir pourchassé les grands orateurs comme Vergniaud, Gensonné ou Danton, Saint-Just et ses amis peuvent difficilement soutenir cet éloge, trop tardif, du droit pour tous à l'éloquence : « La conscience publique est la cité ; elle est la sauvegarde du citoyen ; ceux qui ont su toucher l'opinion ont tous été les ennemis des oppresseurs. [...] Le droit d'intéresser l'opinion publique est un droit naturel, imprescriptible, inaliénable ; et je ne vois d'usurpateurs que parmi ceux qui tendraient à opprimer ce droit. » En fait, le droit dont parle Saint-Just avait été opprimé par les Jacobins sous la justification du salut public. On rencontre donc de nouveau ici une conséquence de la vision réductrice du *citoyen* qui a été analysée au début de ce chapitre : identifié à l'unité numérique du corps du Souverain, le citoyen ne recevait pas les moyens de s'exprimer, de *délibérer* au sein de relations associatives. Déplaçant par la « vertu » le problème présent chez Sieyès, à savoir le passage du privé au public, les Jacobins le retrouvent sous une autre forme : celle du héros de la vertu, ou de l'individu aimé de l'opinion révolutionnaire.

Billaud-Varenne : le danger de l'individualisme pour les mœurs républicaines

Les réflexions les plus poussées sur le conflit entre individualisme et principes républicains ont été données par Billaud-Varenne dans ses *Éléments du républicanisme* dont la première partie est publiée sous forme de prospectus au printemps 1793 [44]. L'intérêt de ce texte réside dans le fondement économique et social qu'il tente de donner au problème : la *propriété* constitue la cause principale de l'inégalité entre les hommes, par altération de l'état naturel premier. Les « conventions politiques », cet artifice qui éloigne de la nature, ne sont que la sanction de la propriété privée et de la division du travail : « Avec la cessation d'une jouissance de toutes protections par *indivis*, est arrivé l'établissement des conventions politiques, dont le but a été de suppléer par des lois prohibitives cette intelligence [naturelle], inaltérable tant que l'envie dépourvue d'aliments ne peut provoquer ni les soupçons, ni les précautions, ni les troubles. »

La propriété privée a commencé lorsque, dans la division du travail naissante, quelqu'un *a voulu se distinguer* de la communauté : « Celui qui est parvenu à travailler le mieux, a bientôt senti un intérêt particulier de pouvoir conserver exclusivement ce que l'œuvre de ses mains lui avait rendu propre. » Tel est donc le premier intérêt particulier, qui remonte très haut dans l'histoire : celui de l'artisan habile, et donc *différent*, vis-à-vis de son œuvre. Ce moment marque la fin de toute égalité : « Dès ce moment est disparue l'égalité morale et physique ; l'égalité morale par un développement diversifié du génie ; l'égalité physique par une étendue variable de possession. »

Qu'il puisse y avoir une diversification, source du « génie », est décrit comme un effet de la nature mais, en quelque sorte, comme effet distordu : cette possibilité de se différencier va dans le même sens que la richesse et le pouvoir social ; elle échoit aux mêmes individus. Alors, « partout [...] l'homme est à une distance infinie de l'homme » — et la conséquence politique sera que la *souveraineté* première est anéantie : « Si l'homme sauvage conserve une égalité parfaite, c'est que la restriction uniforme de ses facultés morales laisse tous les individus sur la même ligne. »

L'idée revient souvent dans ces pages (mais plus souvent suggérée que dite) de l'assimilation qu'il faut nécessairement faire entre *différence* humaine et *inégalité* : toute différence se traduit par de l'inégalité, car ce par quoi les hommes se distinguent est aussitôt exploité par le mode de vie social : ce sont, selon le titre envisagé pour le livre II du traité, les *Résultats d'une civilisation mal combinée*. Le livre III devra montrer que les mesures sur la propriété (dot, héritage, partage proportionné des terres) sont des modalités décidant du régime véritablement républicain.

Le principe de l'ordre social et politique conforme à la nature est établi sur la base d'une contestation des thèses de Rousseau :

« Une question vivement agitée dans tous les siècles et chez tous les peuples, et qui pourtant est restée encore indécise parmi les publicistes et les philosophes, est celle de savoir si l'homme naît pour vivre isolé comme les bêtes féroces, dans les déserts et dans les bois. L'immortel Jean-Jacques soutient l'affirmative et prétend que l'état de sociabilité n'est qu'une convention fortuite et nullement dans la nature. »

Pour renverser la thèse rousseauiste de l'isolement de l'homme à l'état de nature, Billaud-Varenne avance qu'il suffit d'observer castors, abeilles ou fourmis, paradigmes vivants de la tendance naturelle à la sociabilité ; cela est encore plus vrai, poursuit-il, pour les espèces supérieures : « Quiconque même aura étudié attentivement la nature, a dû remarquer que cet esprit de sociabilité existe dans les différentes espèces, à proportion de leur intelligence. » L'auteur en conclut que c'est nécessairement vrai pour l'être humain, et que le nier « serait accuser l'auteur des choses d'une inconséquence formellement démentie par la perfection de l'univers ». C'est donc par son intelligence et selon les plans d'un Dieu architecte ou ingénieur que l'homme est un être de société. Mais, par ailleurs, l'intelligence se trouve relayée par l'*amour-propre,* qui achève de faire de l'être humain le plus éminemment sociable des animaux : l'amour-propre se révèle le thème clé du livre.

Par ce thème, en effet, Billaud-Varenne donne à l'opinion d'autrui sur chacun une importance plus grande que celle que lui avait déjà accordée Rousseau[45]. Il s'agit maintenant du principe explicatif de l'histoire des sociétés humaines, dans leur marche vers l'inégalité. Cette affection fonde finalement le fait, qui semblait premier, de l'appropriation privée : « L'amour-propre, toujours réveillé par les premières liaisons sociales, fait que l'être le plus indépendant, que le sauvage le plus farouche sacrifie lui-même à un sentiment qui est devenu la source de tous les biens et de tous les maux de cette vie. De là cette émulation parmi les hordes les plus barbares et ces premiers éléments des arts mécaniques et grossiers ; de là aussi ces inimitiés irréconciliables entre des peuplades voisines, et ces guerres, dont les résultats font frémir ; de là, enfin, ce passage imperceptible de l'état sauvage à l'état civil, amené par des successions innombrables de siècles : car l'amour-propre est, au moral, ce que la faim est au physique ; l'un constitue le principe de la vie politique, et la seconde, de l'existence animale. »

C'est donc une ambivalence fondamentale qui caractérise ce sentiment « utile et funeste » comme dit encore l'auteur, et à la source de la civilisation, de l'individualisation, de l'inégalisation... Il s'agit dès lors en politique, de tourner l'amour-propre — ou recherche de l'opinion flatteuse sur soi — dans un sens positif ; car ce sentiment des hommes devenus dépravés « les avertit à la fin qu'il faut se rapprocher de la nature pour recouvrer le bonheur ».

Le naturel est donc là, mais déformé et anémié : on peut le retrouver, dans et par l'État républicain. Le naturel, dit encore l'auteur, « a été à la longue altéré, vicié même par les mœurs et les lois dégénérées[46], auxquelles pourtant il sert, dans le principe, et de base et de règle ». Pour fonder les « éléments du républicanisme », il s'agit donc de prendre le contrepied des actuels éléments de l' « État civilisé » : l'individualisme en premier lieu, qui met les différences au service de l'inégalité, doit être combattu.

Dans un passage remarquable, et qu'à ce titre il faut citer en entier, Billaud-Varenne déclare la guerre à l'individualisme moderne : « Dans tout État civilisé, la première nuance que l'on découvre présente deux classes d'hommes bien distinctes : les *citoyens* et les *individus*. Les citoyens sont ceux qui, pénétrés des devoirs sociaux, rapportent tout à l'intérêt public et qui mettent leur bonheur et leur gloire à cimenter la prospérité de leur pays. [...] Les individus, au contraire, sont ceux qui s'isolent, ou plutôt qui savent moins travailler au bien public que calculer leur profit particulier : en un mot, ce sont des êtres qui cherchent à rompre l'équilibre de l'égalité, pour accroître leur bien-être personnel en usurpant celui des autres. L'État finit donc par être peuplé d'individus, dès qu'une fois il existe un ordre de choses qui sépare l'intérêt de gouvernement de celui de la nation. »

Il est rare de trouver chez les Jacobins un texte aussi explicite sur le caractère péjoratif que le terme *individu* finit par prendre, lorsque, opposé à citoyen, il désigne « ceux qui s'isolent ». Ici individualité et individualisme ont fini par se confondre — puisque la différenciation entre les hommes a elle-même marché de pair avec le développement social de l'inégalité. Il ne devrait plus exister que des hommes qui « rapportent tout à l'intérêt public », ce sont eux que Billaud-Varenne accepte d'appeler citoyens.

Par rapport à d'autres variantes dans le discours jacobin, la soumission de l'individu aux Principes (en fait, sa négation) se fait chez Billaud-Varenne au nom de la nature : une nature à la fois perdue et à réinstaurer. Mais dans la mesure où les citoyens chercheront « leur bonheur et leur *gloire* » dans le salut public, et dans la mesure également où l'amour-propre est à utiliser dans ce sens, on peut se demander si la perspective ne mène pas aux antinomies qu'on a vues précédemment à propos du héros de l'opinion. De fait, on sait que Billaud-Varenne met en garde, peu après, contre les hommes trop vertueux : la contradiction se répète ; elle est directement attachée à l'égalitarisme, et à la contrainte à l'uniformité que la souveraineté collective fait peser sur l'homme et le citoyen.

Dans l'alternative que l'on avait vu apparaître à propos de Sieyès, il s'agissait de choisir entre l'individu comme unité numérique ou comme citoyen vertueux, mais également, entre « intérêts » et « vertu ». Le jacobinisme opte pour le second terme, mais au prix de contradictions sans fin. Le citoyen vertueux ne s'envisage que du point de vue des principes de la Révolution, ce qui conduit soit à sa négation, soit à la mise en danger des principes. L'apparition de l'individu finit par s'identifier à l'apparition de l'individualisme : la pratique de la dénonciation, que l'on va maintenant aborder, confirme et accroît le système des contradictions dans lequel se déplace la conception jacobine.

CHAPITRE II

La dénonciation, poursuite de l'individu dans sa différence

« Un homme qui manque des vertus publiques, ne peut avoir les vertus privées. »

Robespierre

« Les avant-gardes révolutionnaires (...) font la chasse, non aux hommes (elles ne pèsent pas l'homme dans sa substance) mais aux symptômes. La vérité adverse leur apparaît comme épidémique. »

Saint-Exupéry

La primauté des « principes » s'identifie dans le discours jacobin à la prééminence, en nature et en excellence, du Peuple : elle légitime de ce fait le goût, déjà présent dans la mentalité révolutionnaire, pour la dénonciation. En effet, la recherche et la dénonciation nominale des ennemis de la Nation ou du Peuple n'a pas été le propre des Jacobins; il s'agit d'une conduite généralisée dès le début de la Révolution, effet de la hantise du *complot,* elle-même fréquente au XVIIIe siècle, comme l'ont montré les historiens. Dès le 31 juillet 1789, on voit la Constituante envisager la création d'un tribunal spécifique pour juger les adversaires de la Révolution[47]. Et un décret de l'Assemblée, en date du 16 septembre 1791, fit devoir de la « dénonciation civique » (selon le titre VI du texte de loi), sous deux cas possibles : l'attentat « soit contre la vie et la liberté d'un autre homme, soit contre la sûreté publique ou individuelle » (A. P., XXX, 698).

Deux jours après (le 18 septembre), fut établie la Haute Cour, apte à juger les « crimes de lèse-nation » — appellation qui signalait combien la volonté de la Nation entendait reprendre la place de l'ancienne majesté royale. Robespierre s'intéressa dès le début à cette initiative, d'abord liée au risque des émeutes populaires créées par les défauts d'approvisionnement ; il entendait diriger cette institution contre les « individus organisés en factions », ainsi qu'il l'expliqua dans le premier grand débat consacré à la Haute Cour : « Les crimes de lèse-nation sont rares quand la constitution de l'État est affermie, parce qu'elle comprime prime de toutes parts, avec la force générale, les individus qui seraient tentés d'être factieux. Il n'y a alors que les hommes publics armés de grands pouvoirs qui puissent ruiner l'édifice de la liberté publique. [...] Mais dans un temps de révolution, [...] le tribunal de surveillance doit scruter plus particulièrement les factions particulières. Il faut que ce tribunal soit composé de personnes amies de la Révolution » (Œuvres, VI, 561 ; 25 octobre 1790).

En même temps, la Société des Jacobins organisait (cf. première partie) la collecte des dénonciations, éventuellement transmises au Comité des recherches de la Constituante. Dans un contexte général de hantise du complot et de recherche des factions, le jacobinisme développa sa vision propre, nourrie de l'exigence de transparence absolue. C'est au nom de cette transparence que l'individualité devint un objet d'examen, scruté avec acuité — alors qu'on disait, en même temps, ne pas en tenir compte, pour le seul profit du débat d'idées.

Le terme de « dénonciation » est lui-même significatif dans la variabilité de ce qu'il peut désigner. Dans les commencements de la Révolution, la dénonciation s'identifie au contrôle des citoyens sur les gouvernants, elle correspond à la notion de « censure » employée par la Constitution de 1791 : « La censure sur les actes des Pouvoirs constitués est permise » (chap. V, art. 17). De ce fait, on « dénonce » les lois dont on est mécontent, quoique votées par le Corps législatif[48]. On dénonce aussi une situation considérée comme génératrice d'injustice. À partir de là, la recherche de responsables mène à dénoncer des individus ou des groupes supposés agir de façon occulte : la dénonciation s'attaque à des intentions qu'il faut démasquer.

C'est cette dernière conception qui a été particulièrement valorisée par les Jacobins. Avec la montée des conflits, ce fut l'individualité elle-même qui se trouva mise en question, en ce qu'elle était supposée manifester un intérêt qui particularise l'individu soupçonné.

La dénonciation confirme à quel point l'idée jacobine de la citoyenneté peut devenir contradictoire : forme d'initiative des citoyens au départ, exercice de leur droit de contrôle sur la puissance publique, la dénonciation devient en juillet 1793 la règle qui plie chacun à un unanimisme sévère, au poids du Peuple comme puissance collective. L'*Essai sur la dénonciation politique,* lu par le Jacobin Étienne Barry le 25 juillet, expliquera et assumera, de façon quelque peu naïve, cette contradiction.

C'est cependant chez Robespierre que l'on trouve les éléments les plus affinés de la pratique et de la justification des dénonciations : on pourra observer comment, selon un ordre chronologique approximatif, la recherche des « intentions » s'est prolongée dans la méthode de la « défiance » (hiver 1791), pour s'organiser ensuite (à partir de 1792) autour du thème du « masque ». À ce dernier stade, le discours robespierriste qui, derrière le citoyen, traque l'homme ou l'individu, voit s'évanouir toute réalité de l'individu — pour rencontrer la perpétuité et la généralisation d'un Mal protéiforme.

La recherche de l' « intention »

Dans une période où le discours, déjà capital en démocratie, revêt une importance décuplée, la crainte du complot risquait de rendre soupçonnable tout individu : depuis les sophistes grecs, on savait que le langage peut permettre à chaque homme de dissimuler son intention effective, de proposer quelque chose pour en dissimuler une autre. Cette mise en garde de principe apparaît particulièrement chez le Robespierre des premières années ; on peut dire qu'il s'est fait, en quelque sorte, une spécialité de la dénonciation des desseins cachés. Le discours robespierriste doit être particulièrement analysé, car il illustre avec force la tension que la Révolution va vivre entre, d'un côté, la nécessité de la compétition des paroles, de l'autre la disqualification de la parole adverse.

C'est ainsi, sous la Constituante, que l'Incorruptible veut, puisque la censure du pouvoir par l'opinion publique est reconnue, que cette même opinion publique puisse imputer aux agents de l'État leurs *motivations cachées*; il s'insurge en août 1791 contre une disposition de la Constitution qui protégerait les fonctionnaires contre la calomnie. Dans le cadre des délits de presse, le rapporteur Thouret avait proposé l'article suivant : « Les calomnies volontaires contre la probité des fonctionnaires publics, et contre la droiture de leurs intentions dans l'exercice de leurs fonctions, pourront être poursuivies ou dénoncées par ceux qui en sont l'objet. »

Robespierre intervint pour refuser toute limitation du droit de presse (il cite en ce sens la Constitution de Virginie), et pour justifier la mise en cause de l'intention des fonctionnaires : « Je dis messieurs, que par la nature des choses, l'intention de faire le mal est ici intimement liée au mal que l'on fait, [...] que c'est une absurdité de dire : vous aurez le droit de dire qu'un fonctionnaire public a commis un acte contraire à ses devoirs, et non le droit de dire que le fonctionnaire public est un traître, un prévaricateur » (*Œuvres*, VII, 655).

C'est donc au titre général de la vigilance des citoyens sur les pouvoirs publics que Robespierre refuse une protection spécifique pour les fonctionnaires [49] : le *glissement* de la critique des autorités constituées à la critique des individus eux-mêmes, si fréquente dans cette période, entrait dans le cadre d'une telle conception. Soit qu'il fallût protéger le citoyen et la presse contre les abus de l'État, soit qu'il fallût découvrir les factions menaçant la nation, le jacobinisme d'opposition a favorisé le glissement. Quelqu'un comme Condorcet ne se trompait pas sur la gravité du phénomène pour la vie démocratique, puisque dès 1790 il écrivait une mise en garde, dans sa *Réponse à l'adresse aux provinces, ou Réflexions sur les écrits publiés contre l'Assemblée nationale*.

Les députés sont-ils d'une moralité contestable ? C'est possible pour certains, estime Condorcet, mais il faut passer outre, car mettre en cause les idées avancées par les hommes politiques en soulignant les défauts personnels de ces hommes, c'est fausser le débat : « Pourquoi juger les opinions par les personnes, quand ce sont les opinions elles-mêmes qu'il est important d'apprécier ? » De plus, dans cette optique il se crée une relation circulaire qui fige le partage entre des « camps » se haïssant entre eux : « Prenez garde enfin que vous ne jugiez les personnes d'après leurs opinions, dans le moment même où vous paraissiez juger les opinions d'après les personnes, que vous ne croyiez tout le mal qu'on dit de Mrs A B C D E F G, précisément parce que leur opinion vous déplaît » (*Œuvres de Condorcet*, IX, 525).

Pourtant Condorcet accepte l'idée que des gens hostiles à la Révolution travaillent en cachette à la miner, mais il estime que la chasse aux intentions personnelles menace à terme les droits des citoyens, au lieu d'en représenter la réalisation. En effet, celui qui parle a une opinion suspecte dès lors que c'est « lui » qui l'a prononcée, « lui » dont on cherche depuis quelque temps à percer au jour les desseins. Par extension, le contenu de cette opinion, non sérieusement examiné en lui-même, sert de critère disqualifiant pour toute personne qui le reprendrait. Ainsi se crée une suite de tabous qui pèse sur la liberté de juger du citoyen, comme le débat politique français l'a maintes fois confirmé par la suite.

C'est également de cette façon que s'est perpétuée la *stéréotypie* du discours jacobin (occupé à défendre et ressasser les bonnes opinions sur la souveraineté du peuple), ainsi que l'agressivité qu'il a montrée envers les opinions désignées comme celles d'un ennemi définitif. Le 10 avril 1793, alors que faisait rage le conflit entre Gironde et Montagne, Condorcet notait avec tristesse : « Une recherche puérile sur les intentions des hommes a remplacé l'examen réfléchi des objets en eux-mêmes » (*ibid.*, XII, 561). Rien ne pouvait être plus grave aux yeux du philosophe, pour qui la liberté et la vitalité du système républicain étaient fonction de la richesse de la vie civique.

La méthode robespierriste de la « défiance »

Lorsque, à partir de décembre 1791, le débat sur la guerre s'installe aux Jacobins, Robespierre laisse entendre qu'il soupçonne Brissot et ses amis de dissimuler quelque chose ; le point d'appui du soupçon réside dans le fait que la Cour est aussi en faveur de la guerre [50]. Qui soutient la même opinion doit avoir le même dessein, tel est l'axiome appelé par la recherche méthodique des intentions.

Lorsque l'Incorruptible fait l'éloge, resté célèbre, de la « défiance », cette dernière qui paraît tournée contre les manœuvres du roi et doit être exercée par le peuple à l'encontre du gouvernement, ressort également comme une menace envers tout rival de l'orateur qui semblerait s'allier à la Cour : « Législateurs patriotes, ne calomniez point la défiance ; laissez propager cette doctrine perfide à ces lâches intrigants qui en ont fait jusqu'ici la sauvegarde de leurs trahisons. [...] Est-ce à Manlius à trouver importuns les cris des oiseaux sacrés qui doivent sauver le Capitole ? La défiance, quoi que vous puissiez dire, est la gardienne des droits du peuple ; elle est au sentiment profond de la liberté ce que la jalousie est à l'amour. »

Robespierre tient visiblement à cette notion, puisqu'il la défend dans trois discours successifs, entre décembre et janvier : la « défiance », au sens où il l'entend, consiste à opposer à l'énoncé explicite de l'adversaire, ce que les linguistes appelleraient l'*énonciation,* soit une part non dite du discours, où se lisent éventuellement les désirs les plus involontaires du locuteur.

On a vu précédemment qu'à la formule de Brissot : « Le peuple est là ! », Robespierre oppose cette question : « Mais vous, représentants, n'y êtes-vous pas aussi ? » Repartie qui lève habilement le voile sur une dimension capitale du discours révolutionnaire, mais aussi démocratique : l'orateur qui *invoque* le peuple laisse entendre son statut propre, son lien privilégié avec ledit « peuple ». Nommer le peuple, réputé source de la légitimité, c'est s'attribuer une caution que l'on tente en même temps de faire reconnaître. De cette démarche oratoire l'orateur jacobin est d'ailleurs, lui aussi, coutumier, mais il s'agit présentement d'en dépouiller Brissot.

Dans ces deux reparties, Robespierre déplace donc le *thème* du débat (faut-il déclarer la guerre ?) vers la personne de l'orateur qu'il combat. Car la question de la guerre enveloppe une autre question qu'il n'a garde d'oublier : le contrôle du club jacobin, depuis que celui-ci a été purgé des Feuillants. En cela, la méthode de la défiance, présentée comme attitude de vigilance du peuple envers les pouvoirs, est aussi, fondamentalement, *ad hominem.* Dénoncer l'intention cachée de qui parle (ses ambitions auprès de la Cour), c'est, pour l'orateur jacobin, parler soi-même pour le peuple, et sous l'inspiration du Peuple symbolique, car c'est rétablir la transparence. Est-ce à dire qu'il n'y a pas une énonciation propre du côté de l'Incorruptible ? Elle n'apparaît qu'à l'examen et se montre moins lorsque le discours robespierriste prend l'initiative de la dénonciation. Robespierre veille à se présenter comme la bouche même du Droit et des Principes — attitude que, comme on le verra, Louvet va à son tour dénoncer !

Pendant ces débats, le 2 janvier 1792, Robespierre a lui-même fort bien résumé le principe qui sous-tend son écoute politique de l'adversaire : « Je me demande qui la propose [cette opinion], comment, dans quelles circonstances, et pourquoi » (*Œuvres*, VIII, 76).

Aussi justifiée que puisse apparaître aujourd'hui la prudence robespierriste devant l'exaltation guerrière du moment, qui coûtera très cher à la Révolution, il faut reconnaître que la « défiance », une fois imitée et généralisée, ne pouvait que stériliser le débat, tant chez les Jacobins que dans l'espace public. Comment accueillir une quelconque vérité, ou même simplement confronter des opinions, si par principe le concurrent est réputé pervers ? Et comment admettre le *droit* à des opinions différentes, lorsque la perception d'une divergence est surdéterminée par l'hypothèse d'une perversion secrète ? La logique jacobine du soupçon ressort comme le corrélat du scrutin épuratoire, et explique pour une part la levée ultérieure du cloisonnement entre le public et le privé.

Louvet contre Robespierre : une défiance en miroir

Pratiquée aux Jacobins, la méthode de la défiance engendra la dénonciation réciproque ; l'une des plus véhémentes fut lancée, au sein de la Convention, en octobre et novembre 1792, par Louvet de Couvrai. Ce jeune homme, auteur avant la Révolution de romans érotiques (*Le Chevalier de Faublas*), s'était rallié tardivement au groupe girondin. L'intérêt de la polémique *ad hominem* menée par Louvet réside en ce que, vis-à-vis de Robespierre, elle fait ce que ce dernier avait fait pour Brissot, mais en grossissant le trait. Louvet tente de montrer que derrière la référence aux Principes et au Peuple, il y a une individualité ambitieuse tenant indûment le discours de l'universel.

Ces critiques mordantes confirment combien une stratégie rhétorique pouvait, à certains moments, tenir la place d'une pratique civique clairement conçue et définie. Dans ces premiers mois de réunion de la Convention, il s'agit proprement de la bataille pour s'approprier le *code symbolique* du second discours révolutionnaire : la relation privilégiée à ce Peuple, dont la souveraineté venait d'être consacrée en août et septembre.

Intervenant d'abord en octobre, Louvet dénonce donc l'énonciation qui guiderait le discours robespierriste : il « ne manquait jamais, après avoir vingt fois attesté la force, la grandeur, la bonté, la souveraineté du peuple, de protester qu'il était peuple aussi…, ruse aussi grossière que coupable, au moyen de laquelle confondant ensemble et l'idole, et les adorateurs, et le prétendu souverain, on parvenait à les rendre, pour ainsi dire, inattaquables ; de sorte que quiconque avait encore assez de courage pour contester au chef adoré, je ne dis pas le moindre de ses mérites, mais seulement la plus absurde ou la plus calomnieuse de ses opinions, était aussitôt poursuivi comme ayant outragé le peuple » (A.P., LIII, 53 ; 29 octobre).

Sur un ton de tribunal, Louvet concluait à la personnalisation du pouvoir que Robespierre avait établie chez les Jacobins, en créant sa « faction », et en le repoussant, lui et nombre de Girondins, du Club : « Je t'accuse de t'être continuellement produit comme un objet d'idolâtrie ; d'avoir souffert que devant toi l'on dît que tu étais le seul homme vertueux de la France, le seul qui pût sauver la patrie, et de l'avoir vingt fois donné à entendre toi-même ! Je t'accuse d'avoir évidemment marché au suprême pouvoir ! »

Là où les amis de Robespierre pensent qu'il y a un danger permanent — l'incarnation des « principes » dans un chef d'opinion qui en devient la victime — Louvet dénonce une stratégie délibérée, passant par la maîtrise du discours légitime : discours au nom du peuple (c'est la référence), contre ses ennemis (c'est la cible). Et selon le modèle même de la « défiance », appris à bonne école, Louvet désigne l'*auteur* du discours, le locuteur et son énonciation.

Le mois suivant, c'est avec beaucoup de verve, et quelques

restes d'un ancien attachement pour Robespierre[51], que Louvet décrit ce dernier en action. Ce même jour (le 5 novembre) l'Incorruptible avait dû lui répondre sur les propos d'octobre ; comme on pouvait s'y attendre, il affirmait n'être que la voix des Principes : « Aux Jacobins, j'exerçais, si on l'en croit, un despotisme d'opinion, qui ne pouvait être regardé que comme l'avant-coureur de la dictature. D'abord je ne sais pas ce que c'est que le despotisme de l'opinion, surtout dans une société d'hommes libres composée vous le dites vous-même, de 1 500 citoyens réputés les plus ardents patriotes, à moins que ce ne soit l'empire naturel des principes. Or, cet empire n'est point personnel à tel homme qui les énonce ; il appartient à la raison universelle, et à tous les hommes qui veulent écouter sa voix » (*ibid.*, LIII, 159).

Il n'y a donc point aux Jacobins de « chef », il n'y a pas d'orthodoxie imposée, seul s'exerce « l'empire naturel des principes ». La repartie est du plus pur style robespierriste. Louvet, qui ne peut prononcer son discours[52], continua à dénoncer le chef de parti : il décrit avec véhémence les mécanismes de pouvoir dans la Société des Jacobins. On doit notamment retenir le passage suivant : « Tu parlais, de quoi ? Contre qui ? Contre la Cour ? Quelquefois ; contre La Fayette ? Assez souvent, mais sans aucune relâche, et sans nulle mesure contre la philosophie et les philosophes, contre le côté gauche de l'Assemblée [législative], contre tous les républicains recommandables par des vertus et des talents. Et tes *compères*, distribués comme je l'ai dit sur tous les points de la salle, commençaient à jouer des mains, et se renvoyaient le signal ; et *ton* peuple, car tu as *ton* peuple comme il avait *son* armée ce La Fayette [...], ton peuple que tu avais tellement accoutumé aux dénonciations violentes [...], ton peuple applaudissait avec transport. »

Le reproche, terrible à l'époque révolutionnaire, était formulé : le discours robespierriste s'approprie la référence suprême au nom de laquelle chacun peut, et doit, s'exprimer, il a « son » peuple à lui ! La prétention à l'universalité est cruellement rabaissée[53]. L'exacerbation de la polémique, entre groupes issus du même club, se recommandant tous deux de la République[54], concourait à obscurcir la séparation entre « débat d'idées » et « conflits de personnes », séparation que tous prétendaient cependant maintenir.

Le droit à la divergence d'opinion :
un aspect raréfié du discours robespierriste

Si .Robespierre apparaît comme l'un des initiateurs les plus énergiques de la pratique de dénonciation, il ne faut pas oublier qu'elle s'alliait chez lui, les premières années, à l'éloge de la presse. L'Incorruptible a défendu sous la Constituante le principe d'une liberté entière de la presse ; à tel point que le 27 août 1789, le *Journal des États généraux* note que, parmi tous les amendements déposés « il n'y a que celui de M. Robespierre qui ait été illimité » (*Œuvres*, VI, 62 ; discussion de la Déclaration des droits). Mais on constate qu'il entend davantage la liberté de presse comme un *droit du peuple* que comme l'expression de la diversité et de la compétition des opinions.

Il y a pourtant un cas isolé, où Robespierre fit un éloge vibrant du droit à la divergence d'opinion ; de façon significative, le *Discours sur la liberté de la presse* prononcé le 11 mai 1791 aux Jacobins, est resté généralement oublié[55]. De façon liminaire, l'orateur déclare : « Après la faculté de penser, celle de communiquer ses pensées avec ses semblables, est l'attribut le plus frappant qui distingue l'homme de la brute. » Et dans des formulations qui rejoignent un thème cher à Condorcet, il magnifie la presse comme donnant « les moyens de s'entretenir avec le genre humain tout entier ». Le point intéressant est que l'Incorruptible insiste sur la *diversité* qui fait l'unité réelle du genre humain : « C'est la nature même qui veut que les pensées de chaque homme soient le résultat de son caractère et de son esprit, et c'est elle qui crée cette prodigieuse diversité des esprits et des caractères. La liberté de publier son opinion ne peut donc être autre chose que la liberté de publier toutes les opinions contraires. »

Dans cet éloge de la diversité entre les esprits, l'orateur n'a aucune peine à rappeler l'importance que l'Ancien Régime avait attachée à la censure des écrits : « Priver un homme des moyens que la nature et l'art ont mis en son pouvoir de communiquer ses sentiments et ses idées, pour empêcher qu'il n'en fasse un mauvais usage [...] tout le monde voit que ce sont là des absurdités du même genre, que cette méthode est tout simplement le secret du despotisme qui, pour rendre les hommes sages et paisibles, ne connaît pas de meilleur moyen que d'en faire des instruments passifs et de vils automates. »

Au passage, Robespierre ne manque pas, non plus, une occasion de critiquer la Constituante pour les limitations qu'elle apporte à la liberté de presse : « Comment osez-vous arrêter ce commerce de la pensée, que chaque homme a le droit d'entretenir avec tous les esprits, avec le genre humain tout entier ? » Et, dans un beau mouvement, il ne craint pas de s'engager pour l'avenir : « Que tous mes concitoyens m'accusent et me punissent comme traître à la patrie, si jamais je vous dénonce aucun libelle. »

L'engagement était imprudent, puisque, comme on le sait, les Jacobins et Robespierre au premier chef, firent détruire des imprimeries, brûler des ouvrages, et l'on vit même l'Incorruptible s'emporter en septembre 1793 contre une pièce de théâtre, faire fermer le Théâtre-Français et mettre les comédiens sous les verrous. Choisissant l'occasion pour créer un exemple, il déclarait : « Il faut que non seulement ce spectacle où l'on ose prêcher avec tant d'impudence la contre-révolution, soit détruit, mais il faut poursuivre tous ceux qui dorénavant se permettront en public un seul propos aristocratique, une seule opinion scélérate » (*Œuvres*, X, 91)[56].

À cette époque, l'argument des circonstances exceptionnelles servit à justifier le démenti que le Jacobin apportait aux libertés illimitées qu'il avait défendues sous la Constituante. Dès le mois d'avril 1793, alors que Buzot demande à son tour la liberté illimitée de presse, Robespierre répond que « les révolutions sont faites pour établir les droits de l'homme », et qu'elles appellent pour cela des mesures révolutionnaires : « Je déclare que les lois faites évidemment pour la Révolution, quoique contraires à l'exercice ou plutôt à la liberté de la presse, sont nécessaires » (A.P., LXIV, 702).

À travers Buzot, c'est l'influente presse girondine qui est visée dans ces propos ; les observations de Buzot « justes en elles-mêmes », reconnaît Robespierre, ont reçu « une fausse application ». Il apparaît ainsi que la bonne application du droit à la divergence d'opinion serait qu'il n'y eût pas d'opinions publiées contraires aux intérêts du Peuple. À deux ans d'intervalle, le

leader jacobin a *inversé* le sens que 89 conférait aux droits de
l'homme : ceux-ci ne manifestent plus le champ d'extension
d'une liberté individuelle que la puissance publique doit respecter ; ils sont soumis à la norme de vertu, et au primat de la
souveraineté du peuple. Les droits de l'homme et ceux du
citoyen sont vidés de toute interprétation *individualiste,* pour
devenir les droits du peuple : on verra que la Déclaration
montagnarde explicite cette conversion de sens.

Étienne Barry : éloge de la dénonciation

Lorsqu'en 1793 la dénonciation est officiellement tenue pour
une preuve de citoyenneté militante, le Jacobin Étienne Barry,
membre de la section Guillaume-Tell, écrit et prononce un *Essai
sur la dénonciation politique* [57].

On sait que les Jacobins avaient fait assez tôt (24 janvier 1791)
le serment, renouvelé par la suite, de « défendre de leur fortune
et de leur vie quiconque dénoncerait les conspirateurs ». Le
texte de Barry a été visiblement écrit sur commande, puisque le
lendemain du jour où le discours a été prononcé (25 juillet
1793), une « Adresse aux Français » lancée par le club de Paris,
appelle à généraliser la dénonciation [58].

L'un des caractères remarquables de l'*Essai* est de légitimer la
dénonciation *anonyme,* en la présentant comme un signe de
civisme : il confirme en cela que la citoyenneté jacobine de l'an
II sera conçue comme une réduction à l'homogène, ou l'uniforme, lui-même assimilé à l'égalité. Le même Barry définit
d'ailleurs ainsi le peuple, dans un écrit légèrement postérieur :
« La collection universelle est tout, et chaque individu n'est
qu'une partie infiniment petite du grand tout. Cette collection
est le PEUPLE entier [59]. » La citoyenneté, dans cette optique,
consiste à ramener à la discipline ceux qui se montrent distants,
qui oublient leur subordination à la « collection universelle ».

Ce cadre général explique l'importance que l'auteur attache à
la dénonciation : « La dénonciation politique [...] est celle par
laquelle, sans être tenu de signer, si on ne veut pas, et sans
responsabilité, on révèle aux autorités constituées les attentats
publics dont on a connaissance. » Cette étonnante association du
civisme à l'absence de responsabilité n'embarrasse pas Barry,

car l'unité d'opinion lui apparaît comme le bien le plus précieux de la société révolutionnaire[60]. Il voit d'ailleurs dans la dénonciation l'avenir même de la Révolution : elle « sera sans doute développée, érigée en principe, et fera partie de l'éducation nationale, parce que la dénonciation est la sauvegarde de la liberté ».

Dans cette dernière formule, Barry reprenait une définition fréquente chez Marat, dont dix jours auparavant Félix Lepelletier avait fait l'éloge, devant les Jacobins : « Marat fut d'autant plus grand qu'il renversa le préjugé le plus enraciné qui ait jamais existé, celui qui couvrait de honte et d'infamie le dénonciateur d'un traître quel qu'il fût. La dénonciation est la mère des vertus comme la surveillance est le plus sûr garant du peuple et de la liberté. » De même, Barry ne manque pas, dans son écrit, de se référer à Marat, donné comme l'exemple de celui qui dénonça avec « mille preuves ».

Cependant, le Jacobin ne pouvait manquer d'avoir à répondre à deux objections qui semblent inévitables : cette activité n'est-elle pas le signe d'un régime de coaction implacable ? Ne risque-t-on pas, également, d'accuser à tort ? Sur le premier point il développe l'argumentation qui devient ensuite un lieu commun du discours de la Terreur : ce qui est un mal sous le régime « despotique », devient un bien lorsque le peuple est au pouvoir par la médiation de ses vrais représentants : « Sous l'ancien régime, le rôle de dénonciateur était vil et abject, parce que dans un gouvernement despotique, ce qu'on appelle l'ordre public, n'est rien autre chose que le maintien et l'extension du despotisme » ; mais « depuis la Révolution tout est changé, et la dénonciation politique, loin d'être un crime en morale, est devenue une vertu et un devoir ». De ce fait, il faut aller plus loin, et dire que le non-dénonciateur devient dénonçable : « Se taire, quand il y va du salut du peuple, c'est se rendre complice de ses ennemis. »

Quant aux risques de dénonciations erronées, Barry explique, comme d'autres Jacobins, qu'il s'agit d'un véritable test épuratoire que le bon citoyen doit accepter : « Si par un hasard infiniment rare, un bon citoyen se trouve courbé sous le poids d'une dénonciation calomnieuse, bientôt sa justification est un triomphe obtenu aux acclamations d'un peuple juste, toujours joyeux de trouver un innocent dans un accusé. » Sade, de son côté, et avec plus de provocation, n'avait pas hésité à assimiler dénonciation et calomnie — car, en dernière analyse, lui aussi y voit un creuset épuratoire[61].

Par le thème des deux violences (celle du despotisme, celle du peuple), et par celui de l'appel à l'épreuve épuratrice, le texte de Barry annonce l'entrée dans la Terreur; la dénonciation en juillet 1793 devra notamment s'appliquer à contrer les Girondins en rébellion. Par l'appel à l'anonymat et par la généralisation du « dénonçable », si l'on peut dire, Barry montre que la prétention à sonder les reins et les cœurs, à examiner l'*individualité* dans ses tréfonds, conduit plus platement à la désindividualisation de l'adversaire, ainsi qu'à celle du « bon » citoyen. La même opération de désindividualisation observable chez le Robespierre de cette période *(cf. infra),* est due en dernière analyse au *manichéisme* moral que développe le jacobinisme : la Révolution est le conflit du Bien et du Mal, ou du Pur et de l'Impur. Dans cette eschatologie rudimentaire, les « individus » ne pèsent plus rien; il n'y a plus que des « symptômes », pour reprendre la citation qui a été donnée en épigraphe de ce chapitre.

La dénonciation et la vision de l'espace public chez les sans-culottes

Recherche d'un individu mauvais qui se tiendrait « derrière » le citoyen, utilisation du moindre symptôme : on considérera que cette caractérisation peut suffire, sans qu'il soit nécessaire d'examiner en détail les faits de dénonciation à partir de l'été 93, et leur utilisation par la justice révolutionnaire. La simple consultation des archives des sections parisiennes[62] confirme que tout peut faire signe, pour dénoncer; d'ailleurs, comme le signale le linguiste F. Brunot, le terme même finit par perdre son sens premier, pour prendre celui, plus banalisé, de *signaler* quelque chose aux autorités[63]. Ce n'est donc plus, dans ce sens, la personnalité et les intérêts de tel ou tel qu'on considère, mais des indices qui doivent être portés à la connaissance du pouvoir révolutionnaire parce qu'il a en charge l'intérêt général. En pratique, un propos tenu dans un cabaret, une remarque concernant le manque de pain, peut être taxé de « propos incivique[64] ». Et parfois la situation prend l'apparence d'un quiproquo courtelinesque. Ainsi, un certain Puiset est « arrêté pour avoir traité de charlatan le général Hanriot dans le moment où il faisait une proclamation[65] ». Car, d'après la dénonciation faite sur-le-champ, « ce dernier [Puiset] se permet de dire en parlant du citoyen vêtu de gris [Hanriot], *Est-ce un chirurgien?* *Est-ce un apothicaire?* ».

Ce genre d'humour (peut-être en fait involontaire?) ne fut pas pardonné au citoyen Puiset; mais la section du Théâtre-Français, à laquelle il avait la chance d'appartenir, se porta garante qu'il n'avait émis qu'une interrogation innocente.

Peu importe, en fin de compte, qui accuse, et peu importe qui est accusé — même si certains ont de meilleurs moyens de s'en sortir : dans l'esprit sans-culotte, lui-même relayé par la conception jacobine, l'essentiel devient *l'activité* en elle-même, qui atteste que le Peuple comme totalité vivante s'épure et se régénère à travers ses unités « infiniment petites » (Barry). Cette activité prend aussi le nom de la « surveillance », ainsi que celle de la « publicité » — deux catégories dont A. Soboul a montré toute l'importance chez les organisations sans-culottes : « La publicité dérive de la conception fraternelle que le sans-culotte se fait des rapports sociaux. Elle manifeste sur le plan politique des conséquences importantes : le patriote n'a pas à cacher ses opinions ni ses actes, d'autant plus qu'il n'a en vue que le bien public. La vie politique se déroule au grand jour, sous les yeux du souverain; les corps administratifs comme les assemblées générales délibèrent en séances publiques, les électeurs votent à voix haute sous le regard des tribunes. On n'agit en secret que si l'on a de mauvais desseins : la dénonciation devient un devoir civique[66]. »

Parmi les nombreux documents qu'il donne à l'appui de cette analyse de l'esprit populaire, Soboul cite notamment une profession de foi rédigée par une section parisienne : « Le patriote n'a rien de personnel, il rapporte tout à la masse commune : les jouissances, les sentiments douloureux, tout est épanché par lui dans le sein de ses frères, et voilà la source de la publicité qui distingue le gouvernement fraternel, c'est-à-dire républicain. »

L'*espace public* au sens sans-culotte est donc un lieu de visibilité permanente, où chacun peut venir prendre la parole sous le regard de tous, et sous la condition que rien ne soit réputé échapper à la sphère de citoyenneté. En l'an II, le citoyen a absorbé l'homme, ainsi que Hegel l'a remarqué[67].

C'est ce cadre général, cette conception populaire de l'espace public qui explique l'oscillation que l'on constate (parmi d'autres) dans ce qui est appelé dénonciation : de la mise en cause la plus personnalisée, à l'acte d'allégeance, pratiquement rituel, envers la collectivité. Du côté du dénonciateur, il peut s'agir du règlement de comptes, comme du souci de servir le bien public. D'où l'étonnement de certains militants sans-culottes, en l'an III, lorsqu'on leur reprochera d'avoir dénoncé avec zèle. C'est le cas du peintre Michel, de la section Bonne-Nouvelle, dont Soboul cite les propos : « Est-ce donc un crime d'avoir révélé et dénoncé des faits vrais et utiles au salut public ? Le désordre, l'anarchie, la confusion existeraient-ils à un tel point que la dénonciation civique serait assimilée à celle dictée par la vengeance ou la cupidité[68] ? »

Il y a deux dénonciations, pour Michel, celle qui est dictée par l'intérêt privé, et celle proprement politique ou civique — qui aurait l'universel pour motif et l'universel pour fin.

Dans la vie du Club jacobin, en 93-94, on retrouve la palette des possibilités qui entrent dans la catégorie de dénonciation : depuis l'*interpellation* à la tribune sur les actes passés, jusqu'à l'attaque envers les mœurs ou les propos. L'activité d'interpellation (qui va donner le scrutin épuratoire permanent, de novembre 1793 à Thermidor), est justifiée en ces termes par Sijas : « Je regrette que Thuriot, parlant à cette tribune, y emploie les mêmes expressions que Brissot et toute sa clique, quand ils étaient inculpés. Dans une assemblée d'hommes libres où on fait des interpellations à un citoyen qui a des torts au moins apparents, je trouve fort extraordinaire qu'on taxe cela de calomnies : c'est le propre d'un républicain d'interpeller, et je demande qu'on n'appelle pas calomnie le membre qui a la noble énergie de découvrir les faits qui sont à sa connaissance » (*Aulard*, V, 443 ; 4 octobre 1793).

Le reproche de calomnie tentait de ruiner la portée politique et civique conférée à la dénonciation, afin de démontrer qu'elle n'était qu'une vengeance d'ordre privé ; mais dans la mesure où la « citoyenneté » devenait sans limites assignées, le passage de l'un à l'autre était incessant. Robespierre, qui avait un réseau de dénonciateurs, s'est souvent plaint de ce qu'il appelait la calomnie : seize jours après l'adresse des Jacobins citée plus haut (pour la généralisation des dénonciations), on voit l'Incorruptible constater avec amertume qu' « un malveillant peut, en un quart d'heure, ruiner la confiance que vous méritez à tant de titres, et vous enlever le fruit de vos travaux » (*Aulard*, V, 297). C'était en fait subir les effets de cette relation en boomerang que l'on peut décrire sur tant de points, pour l'appropriation de la légitimité entre les camps en guerre totale : l'usage de la dénonciation, comme celui de l'épuration, vient frapper en retour le dénonciateur.

L'attaque contre les attitudes, les mœurs, le vêtement constitua donc l'autre extrême de la dénonciation au sein du club — même si les exemples retransmis par le *Journal des Jacobins* sont en quantité réduite, et plutôt allusifs. On peut retenir deux circonstances significatives où la mise en cause des personnes a eu des effets sur la lutte politique au sein de la Société.

En décembre 1792, alors qu'Anthoine jouit d'un certain prestige, parce qu'il est entré aux Tuileries le 10 août parmi les premiers, il est dénoncé par Léonard Bourdon ; il s'agit de l'opposer à Robespierre, en profitant du fait que tous deux vivent chez le menuisier Duplay. Bourdon déclare : « Anthoine, je t'accuse de m'avoir dépeint Robespierre comme le Tartuffe de Molière, pour s'être introduit dans une maison respectable, dans la maison de Duplay, afin d'y vivre aux dépens de la famille. Je t'accuse d'avoir peint Robespierre comme un homme qui ruinait la maison de ce citoyen et rendait la vie dure aux filles et aux fils de Duplay » (*Aulard*, IV, 585).

La parade choisie par Anthoine consistera à rappeler que le combat politique se mène entre des idées et non des personnes, et à suggérer que Bourdon confond « dénonciation » et ragot : « Un très grand tort des sociétés populaires est de s'occuper des individus : de là, les intrigants font tous leurs efforts pour empêcher que l'on s'occupe des choses. »

De même, en octobre 1793, l'ex-capucin Chabot se sent obligé de venir se justifier en matière de moralité : non seulement la femme qu'il épouse est une riche héritière, mais c'est une étrangère — chose très mal vue en ces temps de guerre. Ce qu'il faut bien appeler la « capucinade » de Chabot mérite d'être citée, car l'affaire ne va cesser de rebondir, jusqu'à son expulsion du club et son élimination physique ; à l'été 1794, on

voit encore Robespierre reparler du « riche mariage de Chabot ». Le Jacobin mis sur la sellette explique donc qu'il va se
marier non par amour, mais « pour donner l'exemple de toutes
les vertus ». Il présente ainsi la situation : « On me reproche
d'aimer les femmes : j'ai cru que c'était anéantir la calomnie que
d'en prendre une que la loi m'accorde et que mon cœur réclame
depuis longtemps. Je ne connaissais pas, il y a trois semaines, la
femme que j'épouse. Élevée, comme les femmes de son pays,
dans la plus grande réserve, on l'avait soustraite aux regards des
étrangers. Je n'étais donc pas amoureux d'elle, je ne le suis
encore que de sa vertu, de ses talents, de son esprit et de son
patriotisme ; de son côté, la réputation du mien m'avait ouvert le
chemin de son cœur. J'étais loin de prétendre à elle. Je la
demandai à l'un de ses frères, Junius Frey [...], pour un de mes
parents. " Elle vous est réservée pour vous-même ", me répon-
dit-il » (*Aulard*, V, 447).

Ces propos se passent évidemment de commentaire ; encore
faut-il signaler que Chabot se croit obligé de faire lecture du
contrat de mariage, ce qui ne l'empêche pas d'être attaqué.
Finalement, il est décidé qu'une députation des Jacobins
assistera au mariage et au banquet : la Société bénit, si l'on peut
dire, cette union, qui donnera cependant suite à un feuilleton
tragi-comique.

La pratique de la dénonciation montre donc — par-delà la
confusion des significations qu'on lui attachait — une passion de
la surveillance qui fut partagée par les Jacobins et par les formes
d'organisation populaires. En cela, les militants de l'an II
regroupés en sections, comités révolutionnaires ou sociétés
populaires, se croyaient fidèles au conseil que Rousseau avait
énoncé : « Faire en sorte que tous les citoyens se sentent comme
immédiatement sous les yeux du public, que chacun dépende
absolument de tous » (*Gouvernement de Pologne*). Cette référence
n'était cependant légitime que jusqu'à un certain point, car
Rousseau avait conçu une *théorie* de la citoyenneté et du lien que
la conscience morale de chacun entretenait avec la volonté
générale ; dans la vision jacobine de l'espace public, la « vertu »
assure une coaction implacable de la collectivité, et du pouvoir
révolutionnaire, au point de rendre opaque et énigmatique l'idée
même de citoyenneté démocratique.

Un conflit de nature manichéenne

Avec l'exercice du pouvoir révolutionnaire, la notion de dénonciation a subi de nouveaux apports : elle est associée au thème de *l'individu masqué,* et à celui des *factions* que suscite artificiellement l'ennemi extérieur. Ce sont Saint-Just et Robespierre qui font apparaître la théorie des deux factions, ultra et citra-révolutionnaires : elles paraissent se combattre entre elles, pour freiner en même temps la juste ligne politique, mais elles ne constituent en réalité que la commune émanation des Anglais et des Autrichiens. Alors que dans l'attitude du groupe de Brissot avait été dénoncée la collusion avec la Cour, il s'agit maintenant de dénoncer la main, et le parti, de l'étranger. La désindividualisation de l'adversaire (hébertistes ou Cordeliers) reçoit ainsi une nouvelle extension.

Saint-Just : la lutte contre les masques

Lorsque Saint-Just écrit : « Il n'y a plus que des bonnets rouges portés par l'intrigue », ou lorsqu'il constate que la plupart « brandissent le drapeau rouge contre le drapeau rouge », il éprouve le sentiment poignant que le déguisement a partout envahi l'être vrai. Plus le pouvoir révolutionnaire « démasque », plus les apparences se reforment : le rapport, fait au nom du Comité de salut public, *Sur les factions de l'étranger,* est rempli de formules pessimistes. Le jeune révolutionnaire y écrit notamment : « Tout le monde veut gouverner, personne ne veut être citoyen[69]. »

L'*identification* entre le peuple et le pouvoir, à laquelle appelait le gouvernement révolutionnaire récemment établi, conduisait logiquement à ce que l'on dénonce pour tenter de ne pas être dénoncé, et à gouverner pour ne pas être gouverné. Saint-Just se plaint en fait d'une tendance que la politique jacobine a encouragée : « Où donc est la cité ? Elle est presque usurpée par les fonctionnaires. Dans les assemblées, ils disposent des suffrages et des emplois ; dans les sociétés populaires, de l'opinion. Tous se procurent l'indépendance et le pouvoir le plus absolu, sous prétexte d'agir révolutionnairement, comme si le pouvoir révolutionnaire résidait en eux. »

Et, de même que le système du gouvernement révolutionnaire appelait à supprimer la séparation entre la société civile et l'État, Saint-Just doit constater que l'exigence de la surveillance généralisée incite chacun à entretenir son image dans l'*opinion*. C'est dans ce contexte que Saint-Just rédige le passage cité plus haut, où il critique le désir de paraître sous le regard de l'opinion : « Que voulez-vous, vous qui courez les places publiques pour vous faire voir, et pour faire dire de vous : " Vois-tu untel qui parle ? Voilà untel qui passe ? " Vous voulez quitter le métier de votre père, qui fut peut-être un honnête artisan, dont la médiocrité vous fit patriote, pour devenir un homme influent et insolent dans l'État » (*ibid.*, p. 165).

Devant ce nouveau déploiement des apparences, au lieu d'incriminer les conceptions antérieures qui ont conduit à l'actuel pouvoir, Saint-Just affirme la présence de l'étranger. Le Mal vient du dehors : « C'est l'étranger qui sème ces travers. Et lui aussi est révolutionnaire contre le peuple, contre la vertu républicaine. Il est révolutionnaire dans le sens du crime. Pour vous, vous devez l'être dans le sens de la probité et du législateur. » La « probité », terme favori de Saint-Just, est ce qui devrait rétablir la transparence, faire que l'individu-citoyen se montre en lui-même, et non pour plaire aux autorités. Dans un portrait-type demeuré célèbre, le jeune Jacobin définit l'allure que devrait montrer le véritable citoyen : « Un honnête homme qui s'avance au milieu du peuple avec l'audace et l'air tranquille de la probité, n'a qu'un nom, comme il n'a qu'un cœur. [...] Le simple bon sens, l'énergie de l'âme, la froideur de l'esprit, le feu d'un cœur ardent et pur, l'austérité, le désintéressement, voilà le caractère du patriote ; au contraire, l'étranger a tout travesti » (*ibid.*, p. 159).

Mais le propos répète les contradictions que l'on a déjà rencontrées, dans le cas du « héros de l'opinion » redouté par les Jacobins ; contre les « masques », il faut que l'individu vrai se montre, selon des traits y compris psychologiques et moraux (énergie, désintéressement, etc.) ; mais d'autre part, à l'encontre de toute individualité et de toute liberté d'opinion, ce sont l'universel lui-même, les Principes révolutionnaires, qui doivent apparaître dans cette parousie. Les dirigeants jacobins *projettent* ainsi sur les citoyens la contrainte à n'être que le miroir des exigences qu'ils leur adressent.

À travers la dénonciation des fonctionnaires, des factions et du parti de l'étranger, se montre la dimension paranoïaque du discours terroriste. L'exigence est en effet sans fin, rien ne peut la combler. On le voit, par exemple, chez Robespierre qui s'exaspère de la non-application de son décret sur les vertus révolutionnaires (18 floréal an II) : « Les hommes qui n'ont que le masque de la vertu, mettent les plus grandes entraves à l'exécution des lois de la vertu même. » Ceux qui semblent obéir à l'injonction de vertu — et très nombreux sont les textes qui brodent sur ce thème à l'ordre du jour — ne portent qu'un masque de vertu. De là naissent les *amalgames* pratiqués par la justice révolutionnaire ; on peut en restituer le mécanisme en examinant le grand discours robespierriste du 18 floréal.

Robespierre : la perpétuité du Mal

Dans le discours du 18 floréal par lequel il annonçait le culte de l'Être suprême, l'Incorruptible trace un bilan, afin de juger du passé à la lumière du présent et sceller définitivement la mémoire des adversaires éliminés. Le thème principal de cette vue récurrente est que tous les chefs d'opinion, depuis 1789, ont pratiqué une « *mimêsis* » de sophistes, feignant de servir le peuple pour promouvoir leurs appétits de pouvoir, de richesse et de considération. Qui étaient ces *individus* ? Pour Robespierre ils n'étaient rien en fait, car sous les multiples figures de l'opposition à sa ligne, tous se ramènent au Mal — lequel consiste dans le mépris du peuple :

« On attaqua la liberté en même temps par le modérantisme et par la fureur. Dans le choc des deux factions opposées en apparence, mais dont les chefs étaient unis par des nœuds secrets, l'opinion publique était dissoute, la représentation avilie, le peuple nul ; et la révolution ne semblait être qu'un combat ridicule pour décider à quels fripons resterait le pouvoir de déchirer et de vendre la patrie » (*Œuvres*, X, 448).

Aussi différents que parurent être La Fayette, Dumouriez, Brissot, Hébert, Danton — tous cités — ils ne formaient que la répétition du Mal à travers des simulacres « sophistiques » (selon un qualificatif de l'auteur)[70]. À cette tentative dans laquelle ils se sont fracassés, l'orateur oppose la force de ce qu'il appelle, pour les Jacobins, « nos principes » : « C'est surtout dans les derniers temps que l'on vit se développer dans toute son étendue l'affreux système ourdi par nos ennemis de corrompre la morale publique ; [...] ils allaient tout flétrir, tout confondre, par un mélange odieux de la pureté de *nos principes* avec la corruption de leurs cœurs. »

L'énonciation est fort claire, et correspond à ce que disait Louvet : c'est du point de vue des Principes de celui qui parle (de « son » peuple, disait Louvet), que pouvait se deviner la « corruption de leurs cœurs » ; mais sous ce regard, ils ne sont rien, ils n'ont pas même de cœur. Car ces « apôtres fougueux du néant », qui avaient nié l'immortalité de l'âme, sont néant eux-mêmes. L'orateur de la nouvelle Église stigmatise, outre les noms déjà cités, tous ceux qui ont favorisé ou laissé faire la déchristianisation. De ce point de vue, Guadet dans le passé, Danton, Hébert, Fouché plus récemment, ont montré le même mépris de l'Être suprême : ils ne diffèrent pas.

On comprend dès lors que, si les individus ne sont rien — ni comme opinions différentes ni comme le reflet de forces présentes dans le corps social — toutes les assimilations deviennent licites. La thèse robespierriste de la perpétuité d'un Mal unique fondait les amalgames pratiqués dans les procès terroristes.

C'est le mot même de Saint-Just : lorsque Fouquier-Tinville doit dresser la mise en accusation de Ronsin, Vincent, Hébert, Momoro, il demande sur quelles pièces on peut s'appuyer ; le jeune révolutionnaire répond : « Amalgamez[71] ! » Ce que Fouquier fit, en huit jours de temps, en rattachant les Cordeliers à divers autres « individus » qui présentaient tel ou tel trait que l'on pouvait incriminer[72].

La pratique de l'amalgame, qui fut le ressort de nombre de procès révolutionnaires, constitue pour une part l'aboutissement des ambiguïtés que l'on a rencontrées, autour de l' « individu » ; mais elle a trouvé son facteur le plus favorable dans la théorisation robespierriste des deux factions : selon cette dernière, modérantistes (ou citra-révolutionnaires) contre exagérés (ou ultra-révolutionnaires) sont opposés en apparence, et complices en réalité.

Il semble que ce soit vers la fin de juin 1793 que commencent à apparaître chez Robespierre des formulations qui mettent sur un même plan les diverses oppositions. La fronde menée par Jacques Roux contre la Convention, sous le motif que la Constitution montagnarde ne contient pas de mesures à l'encontre des accapareurs, en a fourni l'occasion. Dans une intervention aux Jacobins, l'Incorruptible déclare : « Croyez-vous que tel prêtre [J. Roux] qui, de concert avec les Autrichiens, dénonce les meilleurs patriotes, puisse avoir des vues bien pures, des intentions bien légitimes ? [...] Croyez-vous qu'on puisse d'un coup surmonter l'Autriche, l'Espagne, Pitt, les Brissotins et Jacques Roux ? » (*Aulard*, V, 278-279).

Comme on le voit, il ne s'agit encore que d'un *rapprochement*, plutôt que d'une collusion affirmée : les amis de Brissot, ceux de Roux, et les puissances étrangères convergent, de façon objective, vers l'affaiblissement de la Convention [73]. Au printemps 1794, Saint-Just et Robespierre passent à l'affirmation d'une entente complète entre les ennemis intérieurs et l'ennemi extérieur dont les premiers ne seraient que l'appendice, ou le Cheval de Troie. On trouve cette thèse longuement développée dans le rapport, de la main de Robespierre, sur la faction Fabre d'Églantine. Non prononcé, le texte servit d'inspiration pour les rapports d'accusation de Saint-Just contre les factions (23 ventôse et 11 germinal). Robespierre écrivait notamment : « Il est assez difficile de démêler les individus qui appartiennent à l'une et à l'autre [des deux factions] ; ils ne valent pas même la peine d'être distingués ; ce qui importe, c'est de les apprécier par leur but et par leur résultat : or, sous ce rapport, vous trouverez que les deux factions se rapprochent et se confondent » (*Œuvres*, X, 341).

A ce moment, les individus « ne valent même pas la peine d'être distingués », car ils sont interchangeables, comme les factions elles-mêmes le sont : il n'y a qu'un seul et même Mal contre-révolutionnaire, et il se perpétue depuis les commencements de la Révolution.

Le paradoxe est que dans le même temps où il pratique cette réduction à l'identique, et où il affirme que le présent était déjà contenu dans le passé (de Mirabeau à Fabre), Robespierre veut faire de la perpétuité du Mal... une fabrication de l'étranger. La Révolution se heurte à des forces qui s'autoreproduisent, et cependant ces forces ont des sources externes : la vision jacobine de l'unité atteint ici sa formulation *essentialiste* la plus extrême, la plus pauvre, et aussi la plus contradictoire. Le Peuple ne devant point être conçu comme divisible, il faut que les résistances dans le réel proviennent de forces externes.

CHAPITRE III

Le problème d'un fondement rationnel de la citoyenneté

« *Le chef-d'œuvre de la société serait de créer en* [*l'homme*], *pour les choses morales, un instinct rapide qui, sans le secours tardif du raisonnement, le portât à faire le bien et à éviter le mal.* »

Robespierre

« *Nous ne pouvons plus jouir de la liberté des anciens, qui se composait de la participation active et constante au pouvoir collectif. Notre liberté, à nous, doit se composer de la jouissance paisible de l'indépendance privée.* »

B. Constant

LES QUESTIONS NON RÉSOLUES

L'étude menée dans les deux chapitres précédents l'a montré : l' « individu », maintes fois évoqué à l'intérieur du discours jacobin, ne constitue pas pour ce dernier une notion claire, mais une source permanente d'ambiguïtés ou de contradictions. Que ce soit dans la référence aux Principes, dans la critique de l'individualisme ou dans la pratique de la dénonciation, l'individu joue à la fois le rôle d'une entité indispensable et d'une source d'intérêt particulier, comme telle frappée de soupçon. Dès lors, il doit s'effacer au profit du *citoyen*, lequel n'est pas plus clairement conçu du fait que la réduction à l'unanimité pèse comme une contrainte *a priori* sur les initiatives que ce citoyen est appelé à prendre. La citoyenneté moderne, dont on sait aujourd'hui à quel point elle est corrélative d'une opinion publique libre et diversifiée, fut largement méconnue par le jacobinisme, qui la soumit à la norme du Peuple un et vertueux. Entre le citoyen et la *souveraineté* un rapport de tension était engagé, et dans la phase du gouvernement révolutionnaire, le déséquilibre au profit du second terme ne fit que s'accentuer[74].

En cela le mouvement jacobin reprend et aggrave des difficultés déjà présentes dans l'ensemble de l'idéologie révolutionnaire. Cette dernière exalte elle aussi l'individu comme la pierre de touche du nouvel édifice social et politique, à l'encontre de l'ancienne société corporative ; mais le postulat atomiste engendre diverses apories. L' « individu » est toujours en danger d'apparaître, soit qu'il se montre par excès, soit qu'on le remarque par défaut. Ainsi, lorsqu'une organisation se forme (mais dont les Jacobins verrouillent la structure), l'individu est réputé absent, c'est-à-dire exclu de la libre expression qui devrait se manifester dans le groupe : c'est l'offensive des modérés, menée par Le Chapelier (Part. I), et qui va se prolonger à diverses reprises contre les sociétés accusées d'être imprégnées de l'esprit jacobin.

Inversement, lorsqu'un leader devient le porte-parole de certains intérêts ou de certaines revendications, l'individu est accusé de trop se montrer, d'aspirer en sa personne le libre jeu du débat politique. Il s'agit, cette fois, de la crainte envers les leaders d'opinion et l'incarnation du pouvoir — crainte que les Jacobins vont partager avec les modérés. Mirabeau fait exception — dans la mesure où il voulait faire de Louis XVI une sorte de roi démocratique — mais sans démentir le diagnostic général de l'époque, sur le phénomène de cristallisation de l'opinion.

La ligne de partage vis-à-vis des modérés s'est établie sur la question du fondement (il faudrait dire : de l'aliment) de légitimité : refusant l'idée d'un jeu des *intérêts* qui dégagerait par addition l'intérêt le plus général (Sieyès), les Jacobins se sont alliés les sans-culottes sur le thème d'un contenu vertueux de la citoyenneté. Le Peuple, formé en principe des unités individuelles que constituent les citoyens, doit réprimer les manifestations égoïstes de l'individualisme. C'est l'une des dimensions du discours d'opposition qui, les premières années, valorise la souveraineté du peuple[75]. On a vu cette perspective devenir particulièrement explicite chez Billaud-Varenne : l'opposition entre « individus » qui s'isolent et « citoyens » qui s'unissent représente à la fois un élément de credo fondamental, et un thème mobilisateur. De ce point de vue, le jacobinisme, systématisé par ses porte-parole les plus radicaux, apparaît comme un *retournement sur lui-même de l'individualisme moderne* : ce dernier tente de réprimer et de retravailler dans la société civile ses propres conditions de naissance, inhérentes à une société de marché. Ensuite, les mesures d'économie dirigée en l'an II constituèrent la réalisation d'un tel credo, quelque limitées qu'elles restassent en pratique. L'alliance, fragile et provisoire, avec les sans-culottes s'est également établie sur ce point, corrélat de la *dénonciation* dirigée contre les individus « mauvais ». La dénonciation des riches et des accapareurs entrait elle-même sous la catégorie plus générale de poursuite des factions et des ennemis du peuple.

Mais à son tour la dénonciation produit une suite de paradoxes dont on a retracé le schéma général. D'un côté, il faut que le débat politique se consacre aux « choses » et non aux « personnes », comme on dit à l'époque ; mais pourtant la pratique de dénonciation est supposée frapper les motivations *individuelles* les plus secrètes ! Il n'en est rien finalement, et la contradiction n'est pas soluble : un manichéisme moral et un essentialisme politique rendent interchangeables les individus qu'on prétendait prendre en compte. La stérilisation du débat public, consacrée par la dictature révolutionnaire, mène Saint-Just à écrire : « Tout le monde veut gouverner, personne ne veut être citoyen. » Il est de fait que, dans ce jeu de balancier où l' « individu » est tout aussi impalpable que les Principes au nom desquels on l'incrimine, ce sont la figure et la vie du citoyen qui se révèlent interdites d'existence.

Il peut cependant paraître étrange que la Révolution, qui a tant valorisé le citoyen de la politique moderne par opposition au « sujet » de la monarchie, ait rencontré en cette matière l'une de ses difficultés les plus fortes. N'a-t-elle pas pris soin, dans des Déclarations successives, d'énoncer les droits attachés à l'Homme et au Citoyen ? La référence au droit naturel devait donner en principe un fondement philosophique à la citoyenneté, protéger ses droits tout en favorisant ses initiatives.

Mais, si l'on confronte les Déclarations au cours que la Révolution a suivi entre 89 et 94, il apparaît au moins deux types de *questions* qu'en matière de citoyenneté ces textes n'ont pas aidé à formuler avec clarté. L'une a trait à ce que l'on peut appeler la compétence spécifique du citoyen, l'autre concerne les relations du public et du privé. Laissées généralement dans l'ombre (à l'exception notable de Condorcet), ces questions formèrent un obstacle sur lequel achoppa, à plusieurs reprises, la pratique du personnel révolutionnaire. En politique comme en psychanalyse, une question qu'on a tenté d'éviter peut revenir perturber la conduite des acteurs, sous formes d'ambiguïtés et d'actes manqués [75bis].

Citoyenneté et compétence du jugement

Le premier point, généralement non problématisé durant la Révolution, s'énoncerait ainsi : *de quoi le citoyen peut-il être juge ?*

Faute d'aborder explicitement la question, on pouvait entendre que par principe le citoyen est un juge compétent pour toute question : du fait des droits d'élection, d'opinion et de réunion, il concourt à faire apparaître un pouvoir ne reposant que sur le consentement majoritaire et devant être contrôlé dans tous ses actes. Pourtant, le système de la représentation et la complexité des questions à traiter montraient vite que la possibilité de juger revient à cette élite que Sieyès appelait de ses vœux [76]. Juge en droit sur n'importe quelle question, le citoyen doit se borner en fait à *choisir les hommes* qui, par une division du travail, seront seuls à même d'examiner et de décider. De ce décalage la Déclaration d'août 1789 ne parle pas, soit qu'il faille y voir un oubli, soit que dans une démocratie attachée à l'idée d'égalité un silence prudent en la matière paraisse s'imposer [77].

D'ailleurs, la distinction entre citoyens actifs et citoyens passifs n'apparaît pas plus dans le texte de 1789, et Robespierre aura beau jeu d'affirmer que les Constituants violaient par cette discrimination le *droit naturel* qu'ils avaient pris pour principe de référence [78].

Défenseur de l'égalité civique, le robespierrisme tient pour évident que le citoyen peut être juge de tout ; car le zèle patriotique, l'*enthousiasme* pour la liberté, suffisent à éclairer l'esprit de chaque citoyen. La difficile question de la compétence du jugement ne fait jamais problème dans cette perspective, elle n'est même pas abordée car ce serait injurieux à l'égalité.

À consulter la Déclaration des droits rédigée par Robespierre en avril 1793 et approuvée par la Société des Jacobins, il semble même que la seule et unique tâche du citoyen consiste à *réagir* contre les empiétements que les gouvernants tendent à opérer contre un état naturel primitif, juste et heureux : « Toute institution qui ne suppose pas le peuple bon, et le magistrat corruptible, est vicieuse [79]. » Protestant contre la Déclaration girondine qui proclamait des « droits de l'homme en société » et abandonnait la référence au droit naturel [80], Robespierre adresse une mise en garde contre l'artificialisme social, générateur de richesse et de corruption : « L'égalité des droits est établie par la nature : la société, loin d'y porter atteinte, ne fait que la garantir contre l'abus de la force qui la rend illusoire. » Il est vrai qu'il fait sa place à l'idée d'un progrès de la connaissance et d'une instruction des citoyens [81], mais comme la suite le montrera, c'est le projet spartiate de Michel Lepelletier, défendu par lui à la tribune de la Convention, qui va représenter son idéal d'instruction publique : il s'agit d'un programme visant à inculquer une morale et une discipline extrêmement sévères ; former les mœurs, plutôt que développer les intelligences, a bien été l'idée directrice du jacobinisme en la matière.

Considérant que le Comité d'instruction publique de la Convention avait négligé « l'éducation », pour ne s'intéresser qu'à « l'instruction », Lepelletier écrivait : « J'ai osé concevoir une plus vaste pensée ; et considérant à quel point l'espèce humaine est dégradée par le vice de notre ancien système social, je me suis convaincu de la nécessité d'opérer une entière régénération et, si je peux m'exprimer ainsi, de créer un nouveau peuple. »

Au problème de la compétence du citoyen le jacobinisme substitue donc celui de sa moralité ; à la question des modalités de participation aux décisions, il substitue la vision d'une transparence intégrale de la société, par laquelle gouvernants et gouvernés deviendraient indivis. On conçoit que dans cette perspective, le *modelage* des individus, puis de la collectivité entière, succède brutalement, au moment de la prise du pouvoir, à l'affirmation de la bonté par nature du peuple : l'autoformation du citoyen n'a pas été prise en compte. D'ailleurs cette autoformation supposerait que des *formes* de pensée et de réflexion — au lieu d'un catéchisme moral — soient encouragées, et que quand un contenu de connaissance est apporté par l'école, il le soit aussi pour la valeur de la démarche qu'il met en œuvre : le débat sur l'instruction publique entre Condorcet et ses adversaires trouve là son enjeu essentiel, car il engage une idée différente du citoyen.

La frontière entre instruire et éduquer, tracée par Condorcet, a été contestée de nombreuses fois, et de façon explicite, par les Jacobins. Or, il est important de le remarquer, c'est le même Condorcet qui aborde véritablement la question : « De quoi le citoyen peut-il être juge ? » Le refus de l'anti-intellectualisme et celui de l'égalitarisme vont de pair chez lui, parce que ces deux refus découlent d'une véritable *pensée* de la citoyenneté.

Le particulier et l'universel

Il est encore un autre problème de philosophie politique qui ne peut être séparé de la vision *française* de la citoyenneté. Si, à la différence des États-Unis à la même époque, on n'admet pas que la diversité des intérêts et des factions soit le remède même aux conflits que la société civile engendre, on peut envisager, comme la Révolution le fait, une doctrine de la « volonté générale », c'est-à-dire de la visée d'universalité qui est demandée au citoyen.

L'idée de volonté générale est bien au cœur de l'idéologie révolutionnaire ; sans cesse évoquée dans le discours des divers groupes qui soutiennent le processus engagé (des Monarchiens à l'extrême gauche)[82], elle apparaît comme notion clé dans la Déclaration de 1789 (« La loi est l'expression de la volonté générale »). Dans l'universalisme qu'il affirme défendre — mais dont il détient en fait l'estampille légitimante, comme Louvet le faisait remarquer —, le discours jacobin exige une *conversion subite* de la particularité en décisions valant pour tous. Il faut que la situation, l'intérêt, l'opinion, voire le comportement de l'individu (*cf.* l'affaire Chabot) disparaissent derrière la volonté générale avec laquelle cet individu est sommé de coïncider.

Ce second aspect par lequel le jacobinisme s'enracine profondément dans l'esprit révolutionnaire concerne la question du privé et du public, de leur séparation et de leurs points de rencontre, ou aussi bien de leur confusion. Car ce que l'on appelle l' « individu », recouvre indistinctement l'homme dans sa vie privée et le citoyen dans son activité publique. Les relations familiales, les amitiés, les intérêts professionnels, etc., appartiennent à la première sphère, mais la vie associative, qui entre dans l'organisation du débat politique sous la Révolution, est significativement rejetée par certains dans le domaine des conversations privées : de Le Chapelier en 1791 à Roederer sous le Directoire, la méfiance pour le regroupement des citoyens persiste. Et par là il est fait obstacle à la possibilité de la *délibération* démocratique dont pourtant la compétence attribuée au citoyen impliquait qu'elle ne fût pas le monopole des représentants. C'est cette inconséquence que reflétait G. Delfau lors de sa dénonciation de juin 1792 : « Que penseriez-vous, Messieurs, si vous aperceviez un jour dans la rue, ou sur une place publique quelconque, un groupe de citoyens délibérant sur les matières politiques, et votant par assis ou levé des projets de décrets ? Sans doute, vous feriez dissoudre à l'instant cette nouvelle espèce d'Assemblée nationale. Eh bien, voilà ce qui se pratique chaque jour à deux pas du corps législatif » (A.P., XLV, 568).

Avec la plupart de ses contemporains, Delfau confond sous le nom de « délibération » l'*activité* de recherche en commun — par échange réciproque de propositions et de réfutations — et le *résultat* de cette activité, soit le vote qui se dégage de la délibération proprement dite[83]. On ne doit pas, selon lui, délibérer dans les sociétés populaires, car délibérer consiste à *prendre une décision* — ce que seul peut légitimement faire le Corps législatif. L'assimilation est patente dans l'article 2 du décret proposé par Delfau : « Les sociétés, clubs ou associations ne pourront jamais employer dans leurs séances les formes délibératives par voie de suffrage ; la majorité ne pouvant jamais lier la minorité dans ces assemblées, elles ne pourront voter en aucun cas, sous quelque forme ou scrutin que ce puisse être. »

Ainsi la délibération entre citoyens, forme démocratique s'il en fut, se voit assimilée à une tyrannie exercée par la majorité sur la minorité[84]. Au nom du postulat atomiste (il ne doit y avoir

que des « individus »), Delfau retourne exactement aux propos
de Le Chapelier — et sans doute est-il orfèvre en la matière
puisque, jusqu'à sa dénonciation de juin 1792, il était affilié en
province aux Jacobins, tout comme Le Chapelier était ancien
membre du Club de Paris : « La loi, dit Delfau, ne reconnaît pas
de société dans les Amis de la Constitution, elle n'y voit que des
individus. Les individus peuvent correspondre particulièrement
entre eux, mais toute relation, tout acte quelconque, arrêté,
commission, députation, etc. au nom de la société, sont autant
de délits que la loi doit sévèrement réprimer. Il n'y a en France
qu'une société, qui est la grande société de tous les Français. »

En réalité, pour que la « grande société de tous les Français »
fût une société de *citoyens* il aurait été légitime que le regroupement, l'échange d'opinions, la diversité associative, assurent une
expression autonome venue de la société civile. Qu'est-ce en
effet la citoyenneté moderne, sinon une conscience, et une
activité vivante, qui assure la *médiation* permanente entre le
privé résidant dans la société civile et l'espace public du débat
politique ?

Si pour une part il y a, et de toute nécessité, une séparation
entre le public et le privé (Benjamin Constant s'en fera ensuite le
théoricien), on conçoit mal, par ailleurs, qu'aucune médiation
n'assure le passage d'un domaine à l'autre. Ou alors, l'absence
de ce passage, par lequel la particularité des intérêts et des
opinions se convertit dans la généralité de l'opinion publique,
impliquerait une dissociation entre droits naturels et droits
civiques : les libéraux français du xixe siècle revendiqueront la
dissociation de façon explicite. Constant, notamment, est connu
pour l'avoir formulée avec netteté : « Le système représentatif
n'est autre chose qu'une organisation à l'aide de laquelle une
nation se décharge sur quelques individus de ce qu'elle ne peut
ou ne veut pas faire elle-même [85]. »

Et, de façon cohérente, Benjamin Constant ne place plus la
liberté des modernes dans l'égale participation à la souveraineté,
mais considère qu'elle s'identifie à « la sécurité dans les
jouissances privées ». Il renouait ainsi avec l'inspiration non pas
unique, mais principale, de Sieyès, en considérant, comme ce
dernier, que le citoyen ne peut être juge de tout, et que ce n'est
même pas souhaitable en droit. Telle ne fut pas l'orientation
dominante des six premières années de la Révolution, du fait de

son attachement à la notion sacralisée de volonté générale. Il fallait, dans ces conditions, reconnaître à la fois la protection des droits attachés au privé, tout en monnayant à travers la citoyenneté une médiation vivante entre le particulier et l'universel. Mais le personnel révolutionnaire a hésité sur les conséquences qui pouvaient s'ensuivre, sous la crainte de ce qu'on appellera plus tard l'irruption des masses dans la vie politique.

La Déclaration de 1789 fut donc davantage entendue comme la définition de *droits* que l'on possède (droit de liberté, droit d'égalité, droit de propriété), plutôt que comme l'encouragement à une pratique civique familière et quotidienne. L'infléchissement supplémentaire apporté par le jacobinisme consista à critiquer le caractère *formel* des droits énoncés, pour annoncer leur réalisation effective par des moyens politiques et sociaux ; du moins dans un premier temps, celui de la lutte contre la Gironde, puis de la Déclaration montagnarde après le 2 juin — car ensuite c'est une autre vision de la « nature » qui se fait jour, substituée au droit naturel proprement dit.

Or, pourra observer, dans la Déclaration de juin 1793, le déplacement de sens — encore en termes de droit naturel — qui est opéré par rapport aux textes précédents : le « but de la société » devient « le bonheur commun », la liberté prend un contenu nouveau (de type moral), les droits de « chaque portion du peuple » sont reconnus... La conséquence d'une telle réinterprétation fut l'évanescence de la frontière entre le public et le privé. Plutôt que de combiner séparation et médiation, la citoyenneté jacobine organise l'extension croissante de la sphère du public[86], le repoussement indéfini du domaine de ce qui ne serait pas directement politique.

Cette confusion des deux sphères explique à son tour les oscillations ou les dénégations que l'on constate dans le discours tenu par les leaders de l'an II : on répète sans cesse qu'il faut respecter le domaine proprement individuel du privé, mais on ne cesse d'y pénétrer au nom de la conception élargie, et indéfinie, du citoyen : « Nous ne prétendons pas jeter la République française dans le moule de celle de Sparte, écrit Robespierre ; nous ne voulons lui donner ni l'austérité ni la corruption des cloîtres[87]. » Mais aussitôt avant il affirmait : « Dans le système de la Révolution française, ce qui est immoral

est impolitique, ce qui est corrupteur est contre-révolutionnaire. » Ou encore, lorsqu'il fait la théorie des deux factions,
l'Incorruptible demande : « Les représentants du peuple sont-
ils des inquisiteurs minutieux, chargés de fouiller dans la vie
privée des hommes, et de porter la terreur dans toutes les âmes
faibles ? [...] Non[88]. » Mais aussitôt après, il s'en prend à divers
individus corrompus, revient sur le mariage de Chabot[89], etc.
Au cœur de la pratique jacobine de dénonciation, il y a une réelle
mauvaise conscience, indice d'un problème jamais résolu car
jamais examiné dans ses fondements.

Les deux dimensions de la citoyenneté, comme exercice du
jugement démocratique et comme visée de l'universel, vont être
maintenant examinées, en référence à la pensée de Condorcet et
au libellé des Déclarations de 89 et de 93 : cette analyse achèvera
l'étude du discours jacobin aux prises avec le moment de
naissance de l'individu moderne.

CONDORCET : FORMATION INTELLECTUELLE ET MORALE RATIONNELLE

Le souci permanent — mais largement infructueux — de
Condorcet fut de jeter les bases institutionnelles d'une autoformation du citoyen. Cette dernière devait passer par trois
modalités principales : l'instruction publique, le développement
de la vie associative, l'exercice direct par chaque citoyen d'une
part de la souveraineté. La dernière question sera étudiée dans la
partie suivante, avec le projet constitutionnel de février 1793, dû
à Condorcet. Il convient de privilégier ici le combat du
philosophe pour l'école, qui donna lieu à cinq *Mémoires sur
l'instruction publique*[90], ainsi qu'au *Rapport et projet de décret sur
l'organisation générale de l'instruction publique*, présenté à la
Législative les 20 et 21 avril 1792[91]. Du fait de la déclaration de
guerre et de la pression générale du contexte politique, le projet
de décret, quoique souvent cité et discuté, ne put jamais faire
l'objet d'un examen définitif. Il fallut attendre décembre 1793
pour que la Convention adopte un autre décret, proposé par
Gabriel Bouquier, et qui, par ses orientations anti-intellectua-
listes, tournait résolument le dos aux idées de Condorcet[92].

L'égalité sans égalitarisme

Condorcet, ami des Encyclopédistes encore actif à l'époque révolutionnaire, place explicitement une conception philosophique au fondement de l'instruction ; il lui paraît indispensable de postuler un *progrès de la raison* à l'œuvre dans l'histoire humaine : on sait qu'il consacra ses derniers moments à cette question[93]. Dès son premier *Mémoire*, il énonçait la nécessité d'une telle perspective : « Si le perfectionnement indéfini de notre espèce est, comme je le crois, une loi générale de la nature, l'homme ne doit plus se regarder comme un être borné à une existence passagère et isolée, destiné à s'évanouir après une alternative de bonheur et de malheur pour lui-même, de bien et de mal pour ceux que le hasard a placés près de lui ; il devient une partie active du grand tout et le coopérateur d'un ouvrage universel » (*Œuvres*, VII, 183).

Ensuite, on en trouve l'écho dans le rapport lu devant la Législative, lorsque le philosophe définit le devoir prescrit à la puissance publique : « Cultiver dans chaque génération les facultés physiques, intellectuelles et morales, et par là, contribuer à ce perfectionnement général et graduel de l'espèce humaine, dernier but vers lequel toute institution sociale doit être dirigée » (A.P., LV, 197).

Le postulat philosophique d'un progrès de la raison rendu possible par l'instruction des générations successives appelle à son tour une vision de l'homme. Ce dernier, selon une expression fréquente chez Condorcet et inspirée de Locke, est un être sensible, apte par la réflexion sur soi à des idées morales ; mais surtout un être capable de *justesse d'esprit*. De cette qualité Condorcet écrivait avant la Révolution qu'elle est celle « que la nature a le plus universellement et le plus également répandue » (*Vie de M. Turgot*)[94].

L'optimisme philosophique est donc aux yeux de Condorcet la condition nécessaire, justifiant une exigence pédagogique élevée : « Si l'on n'enseignait aux enfants que des vérités, si on ne leur parlait que de ce qu'ils peuvent entendre, il n'y aurait presque plus d'esprit faux[95]. » Puisque le développement de l'entendement est une disposition universelle, il faut que l'instruction soit universelle, égale pour tous, et strictement

gratuite. Mais cette égalité dans l'instruction ne signifie nullement que les résultats obtenus seront égaux : bien au contraire,
Condorcet avertit à maintes reprises que le développement de ce
qu'il y a de commun dans l'entendement révèlera une inégalité
des facultés, voulue par la nature. Le premier *Mémoire* l'affirme
avec courage : « Il est impossible qu'une instruction même égale
n'augmente pas la supériorité de ceux que la nature a favorisés
d'une organisation plus heureuse. Mais il suffit au maintien de
l'égalité des droits que cette supériorité n'entraîne pas de
dépendance réelle. »

L'inégalité des facultés et des résultats ne s'oppose pas à la
liberté des citoyens, elle brise au contraire la « dépendance
réelle », par laquelle l'ignorance de certains hommes permet à
d'autres de cumuler le prestige et le pouvoir. C'est l'*égalitarisme*
qui est funeste pour la liberté, car il se nourrit d'un anti-
intellectualisme qui opprime tous les esprits, et avant tout ceux
maintenus dans l'ignorance du fait de la condition sociale. Le
troisième *Mémoire,* plus spécialement consacré à l'instruction
des adultes, critique les contemporains qui estiment que les
citoyens peuvent *spontanément* être juges de tout : « Ceux-ci
croient que le simple bon sens doit suffire à tout, pourvu qu'il
s'unisse à un grand zèle. Quelques-uns y ajoutent seulement le
secours d'une illumination intérieure qui supplée aux lumières
acquises, et avec laquelle on se passe de raison » (*Œuvres,* édit.
O'Connor, VII, 376).

Dans les défenseurs de l' « illumination intérieure », il faut
certainement voir les Jacobins (dont Condorcet fréquente épiso-
diquement le club) et tous ceux qui valorisent dans la Révolution le « cœur » contre la « raison », ou contre la philosophie.
Condorcet a d'ailleurs donné un titre révélateur à ce passage de
son Mémoire : « L'union de *la philosophie* à la politique sera un
des premiers avantages de la réforme de l'instruction. »

Les termes de philosophie et de politique méritent cependant
explication. Il ne faut pas entendre par philosophie l'exposé des
métaphysiques, dont Condorcet, en homme des Lumières, met
en doute la valeur de vérité. La philosophie consiste pour lui
dans un esprit de rigueur et de méthode, une recherche des
vérités positives, et une démarche d'analyse des sensations et des
idées[96]. Le troisième *Mémoire* appelle en ce sens à une analyse
philosophique des bases de la politique : « Faites que dans

l'instruction publique ouverte aux jeunes citoyens, la philosophie préside à l'enseignement de la politique ; que celle-ci ne soit
qu'un système dont les maximes du droit naturel aient déterminé toutes les bases. »

L'approche philosophique de la politique n'est donc pas
assimilable à un endoctrinement que l'instituteur exercerait sur
les futurs citoyens : l'école doit être préservée de toute influence
gouvernementale et doctrinale, elle délivre uniquement ce que
les républicains appelleront plus tard une instruction civique.

En résumé, pour Condorcet l'égalitarisme et l'anti-intellectualisme sont deux travers qui s'associent dans la démagogie envers
le peuple et la haine pour les philosophes. L'école publique n'est
pas un moule destiné à produire de l'uniformité sous le prétexte
qu'elle doit se mettre à la portée du peuple ; elle forme le lieu de
naissance d'une élite favorable à la liberté républicaine : « Alors,
les citoyens sauront à la fois échapper aux ruses des ambitieux,
et sentir le besoin de confier leurs intérêts aux hommes éclairés.
Une fausse instruction produit la présomption ; une instruction
raisonnable apprend à se défier de ses propres connaissances.
L'homme peu instruit, mais bien instruit, sait reconnaître la
supériorité qu'un autre a sur lui, et en convenir sans peine. »

On peut lire dans ce passage le condensé de toute la vision de
Condorcet sur la formation du citoyen : vision complexe et
nuancée, qui avait peu de chance d'être entendue au moment
même où elle était exprimée. La citoyenneté n'est pas une
qualité absolue, réglée par la loi du tout ou rien, réductible à la
simplicité d'une égalité de droits. Il y a place, à l'intérieur d'une
formation égale pour tous, pour une diversité de compétences
qui fera que certains citoyens seront, sur certaines questions,
meilleurs juges que d'autres. L'égalité des droits civiques[97] ne
saurait par là être remise en question, tant s'en faut ; mais on ne
doit pas non plus se dissimuler qu'elle est impuissante par elle
seule à garantir la justesse des choix populaires. Condorcet a
souligné, avec franchise et courage, ce que la Déclaration de
1789 laissait seulement entendre à propos des vertus et des
talents. Il est évident pour lui que la République a besoin de
savants ; tel n'est pas l'avis de Gabriel Bouquier qui, en
décembre 1793, critique les savants « dont l'esprit voyage
constamment, par des sentiers perdus, dans la région des songes
et des chimères ». Le modèle de la formation des citoyens, pour

ce Montagnard, se trouve dans les sociétés populaires : « Les plus belles écoles, les plus utiles, les plus simples, où la jeunesse puisse prendre une éducation vraiment républicaine sont, n'en doutez pas, les séances publiques des départements, des districts, des municipalités, des tribunaux et surtout des sociétés populaires[98]. »

Toute la différence est là : c'est une *éducation* prédéterminée, et non une instruction de l'esprit, se construisant en même temps que l'élargissement des connaissances, que Bouquier a en vue.

Le droit naturel, source et repère pour l'intelligence civique

Pourtant, la finesse de la pensée de Condorcet ne peut se réduire à cette opposition trop simple ; il serait faux de croire que chez lui la formation des citoyens est exempte de toute donnée morale, pas plus d'ailleurs qu'il ne nie un minimum d'universalité quant aux objets sur lesquels chacun peut se prononcer.

« Les principes de la morale enseignés dans les écoles et dans les instituts seront ceux qui, fondés sur le sentiment naturel et sur la raison, appartiennent également à tous les hommes. » Cette affirmation du rapport de 1792 montre que le philosophe croit à la possibilité d'un universel, entre les hommes suffisamment instruits. En effet, la démarche rationnelle et scientifique qui guidera l'instruction devra mettre chacun à même de n'accepter des vérités que pour autant qu'il les a reconnues et faites siennes ; tel est le propre du rationnel : en étant enseigné à un homme, il permet à ce dernier de se l'enseigner à lui-même comme à *tout être raisonnable*.

En d'autres termes, Condorcet croit fermement que le respect pour la vérité, lorsqu'il existe, enveloppe une éthique du respect de la dignité d'autrui. Il avait réfléchi sur cette idée dans sa *Vie de Turgot* : « Parmi les sentiments moraux qui naissent nécessairement dans le cœur de l'homme, le respect pour la vérité est un des plus utiles et un de ceux que la nature inspire le plus fortement, mais qui s'altère le plus dans la société » (éd. Cabanis, XV, 248).

Si l'honnêteté envers la vérité est un sentiment moral, et qui
se développe par la culture de l'esprit, la source première doit en
être cherchée dans le *droit naturel*. Ce dernier indique une
dignité également présente dans chaque homme, et que chacun
peut retrouver par retour sur soi. L'instruction publique visera à
favoriser un tel retour sur soi : on donnera un « tableau simple
et raisonné des actions bonnes et mauvaises vers lesquelles on est
porté par les circonstances communes de la vie » (troisième
Mémoire), en mettant en face les motifs de l'action et un principe
de morale. L'élève devra se poser la question suivante : « Parmi
ces principes de morale pratique, n'en est-il aucun que j'ai
violé ? »

Le rapport de 1792 reprend ce programme, en proposant de
partir des « sentiments naturels » des élèves : « De courtes
histoires serviraient à développer, à diriger les sentiments
moraux, à les fortifier par l'attention. Une analyse des idées
morales les plus simples viendrait ensuite, et on n'aurait besoin
ni d'enseigner ni de prouver les préceptes, mais seulement de les
faire remarquer parce qu'ils se trouveront d'avance dans l'esprit
des enfants, avec le sentiment qui en garantit l'observation »
(A.P., LV, 199, note de Condorcet). Dans cet appel aux
sentiments, nul recours à « l'illumination intérieure » ou à ce
que Condorcet appelle maintenant l'*enthousiasme* ; il explique
aux députés de la Législative que dans l'enceinte parlementaire
tout aussi bien que dans l'école, l'enthousiasme est dangereux
pour les citoyens : « Une fois excité, il sert l'erreur comme la
vérité ; et dès lors il ne sert réellement que l'erreur, parce que
sans lui, la vérité triompherait encore par ses propres forces. Il
faut donc qu'un examen froid et sévère, où la raison seule soit
écoutée, précède le moment de l'enthousiasme. Ainsi, former
d'abord la raison, instruire à n'écouter qu'elle, à se défendre de
l'enthousiasme qui pourrait l'égarer ou l'obscurcir ; telle est la
marche que prescrit l'intérêt de l'humanité et le principe sur
lequel l'instruction publique doit être combinée.

« Il faut sans doute parler à l'imagination des enfants ; car il
est bon d'exercer cette faculté comme toutes les autres ; mais il
serait coupable de vouloir s'en emparer, même en faveur de ce
qu'au fond de notre conscience, nous croyons être la vérité. »

Sans doute ces propos austères — que l'on pourrait croire
prononcés par Kant, le contemporain de Condorcet — peuvent-

ils paraître quelque peu utopiques, si on les confronte à la
pratique de la politique. Il est peu d'exemples où l'homme
politique ait réussi à se faire écouter en ne parlant que le langage
de la raison, sauf à accomplir le métier de Cassandre[99]. Mais
sans doute Condorcet proposait-il avant tout un idéal, et il
songeait davantage aux futurs instituteurs qu'à ces représentants
du peuple, à qui il doit s'adresser, mais sur lesquels il ne
nourrissait pas d'illusions. Enfin, il faut reconnaître que s'il y a
une conception rationnelle du *citoyen* de la démocratie, elle ne
semble pouvoir être que celle exposée ici : comment justifier
l'existence et l'universalité du suffrage, sinon par l'espoir d'une
sagesse possible ? On peut dire, en l'occurrence avec Rousseau,
que si les faits démentent généralement la théorie et la raison, les
faits ne prouvent pas. Quand bien même le citoyen idéal et
raisonnant serait sociologiquement inexistant, ou ultra-minori-
taire, il forme l'élément indispensable d'une conception non
empiriste de la démocratie représentative.

Pour Condorcet le citoyen est donc juge, en droit, du respect,
en lui et chez autrui, de la morale naturelle et du droit naturel.
C'est parce qu'il existe un tel principe d'universalité, conjoint à
la différence des aptitudes et des talents, que le philosophe
propose de confier le dimanche aux instituteurs la charge d'un
cours ouvert à toute la population ; entre autres finalités, cet
enseignement aurait pour objet « 1° — De rappeler les connaissances acquises dans les écoles ; 2° — De développer les
principes de la morale et du droit naturel ; 3° — D'enseigner la
Constitution et les lois dont la connaissance est nécessaire à tous
les citoyens » (A.P., *loc. cit.*, p. 216).

Le droit naturel est donc à la fois la source de la connaissance
de soi (qu'il faut, dès l'école, appeler chaque citoyen à développer), et le *critère* sur lequel le jugement de chacun peut se régler.
Ce dernier aspect a été particulièrement explicité dans les textes
que Condorcet a consacrés aux *conventions* : il s'agit cette fois
directement de la compétence politique que tout individu serait
à même d'exercer dans une société républicaine.

En effet, si on ne peut prétendre que le domaine des lois est
l'affaire de tous, car il faut un savoir spécialisé, ce n'est
cependant pas une raison pour soustraire l'activité législative au
contrôle du grand nombre. Là encore, Condorcet prend la
Déclaration de 1789 au pied de la lettre, pour en tirer l'esprit

vivifiant dont elle est susceptible. Le préambule de ce texte disait qu'il fallait que « les actes du pouvoir législatif et ceux du pouvoir exécutif, pouvant être à chaque instant comparés avec le but de toute institution politique, en soient plus respectés » ; il fallait aussi fonder « les réclamations des citoyens [...] sur des principes simples et incontestables ». Ce thème est développé par Condorcet en 1791, alors que la révision de la Constitution n'est pas encore arrêtée, et qu'il plaide pour sa ratification, puis sa révision périodique, par le peuple [100]. Étant donné que les lois ne peuvent avoir d'autre *objet* que la conservation des droits de l'homme et du citoyen, « on demanderait aux citoyens, non s'ils approuvent une loi, mais s'ils n'y trouvent rien de contraire à leurs droits ». Autant il est vrai que les citoyens ne sont généralement pas compétents pour « former les combinaisons nécessaires » pour atteindre le but des lois, ni même pour « juger entre ces combinaisons », ils sont par ailleurs bons juges de l'atteinte que telle loi peut porter à leur liberté, ou leur sécurité, ou leur propriété...

En l'occurrence, ce n'est pas sur la *vertu* du peuple que Condorcet se fonde, mais sur sa capacité de juger, que l'instruction devra en même temps aiguillonner : « Ce n'est pas dans cette classe modeste qui forme le plus grand nombre qu'on serait exposé à rencontrer le plus souvent de ces gens qui, sans rien savoir, se croient faits pour décider de tout, et la raison de l'homme simple répondra toujours juste quand on saura bien l'interroger. »

À l'habileté que les législateurs doivent montrer (savoir bien interroger le peuple), s'ajoute l'importance nouvelle prise par la presse, qui deviendra un facteur indispensable de la citoyen-neté : grâce à elle « les hommes dispersés peuvent examiner, délibérer, juger comme les hommes réunis ». Ainsi l'*unité* souhaitable entre les citoyens se déploie comme richesse et diversité : « C'est par l'impression seule que la discussion dans un grand peuple peut être vraiment une ; qu'on peut dire que tous ayant pu suivre la même instruction, décident réellement sur un même objet. »

En même temps, soucieux des modalités pratiques, le philo-sophe indique comment les citoyens seront consultés : le texte des lois serait envoyé dans les assemblées primaires ; chaque membre rayerait article par article les numéros des dispositions

« contraires aux franchises dont le maintien est la condition du pacte social » ; après relevé des voix portées à l'encontre des divers articles, l'envoi serait fait à une Convention nationale chargée de réviser les lois [101].

L'aperçu qui vient d'être donné n'épuise pas toute la pensée de Condorcet sur le citoyen : il faudrait notamment prendre en compte les réflexions sur l'acceptation de la règle majoritaire — alors pourtant que le vote d'une assemblée peut conduire à des absurdités, dont Condorcet a fait la théorie [102]. Mais du moins on peut apercevoir en quoi le philosophe militant a répondu au problème des attributions du citoyen : c'est avant tout de ses droits naturels, de ses capacités particulières d'individu, et des limites des uns et des autres, qu'il est juge. La problématique de Condorcet, républicaine avant la lettre, n'est pas celle de la transparence comme dans le jacobinisme, mais d'une compétence en partie universelle et en partie spécialisée, combinée avec la perspective d'un *progrès* de cette compétence ; le terme idéal consistant dans un état de société où « aucun article de loi ne sera obligatoire qu'après avoir été soumis immédiatement à l'examen de tout individu [103] ». Dans le présent, et dans le devenir de la société, il n'y a jamais transparence, mais, pour employer un terme apparu plus tard, il peut y avoir démocratisation.

Il reste que dans cette vision de la citoyenneté que l'on peut qualifier d'optimiste, et de philosophiquement idéaliste, aucune prise en compte *pratique* n'est accordée au jeu des croyances et des passions : l'opposition, ou le désintérêt, que Condorcet rencontre au moment de son rapport, tient à ce silence, qui ne pouvait pas ne pas attirer l'attention [104]. Sans prétendre recenser l'ensemble des critiques que reçut Condorcet, il est intéressant de relever celles venues de l'un de ses proches, François Lanthenas : intermédiaire entre le camp girondin et le camp montagnard, ce dernier estime que la République ne peut se passer d'une « morale révolutionnaire ». Sans le savoir, il annonce ainsi la conception qui triomphera avec le culte de l'Être suprême.

Lanthenas critique de Condorcet :
pour une « morale révolutionnaire »

Lanthenas a approché Condorcet sous divers rapports, puisqu'il fut comme lui participant du Cercle Social, membre de la Fédération des Amis de la Vérité, et il entra dans le Comité d'instruction publique de la Convention. C'est d'ailleurs lui qui rédige un rapport et un projet de décret sur l'enseignement primaire, en décembre 1792 [105]. Membre des Jacobins, Lanthenas fut rayé des listes en même temps que son protecteur Roland, en octobre 1792. Il était cependant considéré comme soucieux de se tenir en dehors de la Gironde, ce qui lui valut d'être écarté des proscriptions au 2 juin (intervention de Marat). Les écrits, relativement nombreux, de Lanthenas ne se caractérisent pas par une grande rigueur, mais sont significatifs des hésitations qui entourent l'idée de citoyenneté. Considérant le danger que pouvait représenter l'exaltation jacobine de la *vertu*, il décrit la lutte qui oppose les deux grands courants comme une même intolérance, appuyée d'un côté sur les lumières, de l'autre sur un obscurantisme vertueux.

Cette description est particulièrement développée dans un texte du 9 août 1793 [106] où il critique le thème majeur des Jacobins : « La vertu ne peut exister dans un degré éminent, si elle n'est accompagnée d'une connaissance profonde des causes et des conséquences ; de manière qu'après avoir exactement pesé le bon et le mauvais [...] nous puissions adopter la conduite qui va le plus droit et par le chemin le plus sûr à l'avantage de l'humanité et de la société dont nous sommes membres.

« Si la vertu est quelque chose, elle doit avoir des degrés ; si elle admet des degrés, celui-là est le plus vertueux qui choisit véritablement avec le jugement le plus solide et le plus étendu. »

Cette critique est d'esprit cartésien : elle conteste le volontarisme d'une option morale qui prétendrait se passer de l'intelligence ; elle vise évidemment Robespierre — lequel dira quelque temps plus tard : « La vertu est naturelle au peuple, en dépit des préjugés aristocratiques. [...] D'ailleurs on peut dire en un sens, que pour aimer la justice et l'égalité, le peuple n'a pas besoin d'une grande vertu ; il lui suffit de s'aimer lui-même. »

Dans ces propos, habituels chez l'Incorruptible, Lanthenas

percevait un mépris de l'intelligence et des lumières, qui commençait à s'afficher dans la Convention ; mépris d'autant plus redoublé que la rivalité des deux factions en avait fait un thème explicite de la controverse politique : on se définissait pour ou contre la « vertu jacobine ».

Cependant, s'il prône la raison et la réflexion dans les décisions, Lanthenas critique aussi les projets d'instruction publique dus à Condorcet. Un long texte de mai 1793 est consacré à cette discussion [107]. L'auteur signale qu'il était en désaccord avec le Comité d'instruction publique alors même qu'il en fut le rapporteur. L'instruction, sur laquelle la Convention n'arrive pas à se mettre d'accord, doit être un moyen directement *politique* du « gouvernement national et républicain » : « Personne ne l'a considérée comme *puissance révolutionnaire*, avant de l'envisager comme moyen de perfection morale et physique pour l'espèce. »

Ce qui est contesté en l'occurrence, c'est le caractère formel de la démarche, mais aussi de la morale naturelle que Condorcet envisageait : « Par une jalousie excessive, ou plutôt mal fondée, de la liberté indéfinie des opinions, [le Comité a voulu] consacrer à tort, comme un principe, qu'il ne peut, qu'il ne doit être rien établi, en faveur d'un gouvernement national, républicain, pour garantir l'opinion publique des erreurs et des mensonges qui la dépravent. » Ce sont donc les bonnes opinions, à contenu doctrinal déterminé, que Lanthenas voudrait voir enseigner ; à l'époque moderne il faut que, chez les peuples, soit développée une « instruction révolutionnaire, capable de changer leurs opinions morales et politiques, et de leur donner celles qu'il est nécessaire qu'ils aient, pour soutenir avec constance et vigueur la cause de la liberté ».

Ainsi, malgré son estime pour l'intelligence éclairée, Lanthenas verse du côté jacobin ; un certain nombre de mesures, réclamées par lui, vont dans le même sens : « les lectures publiques, dont je fais une sorte de ministère religieux », des amphithéâtres construits à cette fin dans tous les arrondissements de la République, un « ministère de la morale et de l'instruction publique », une « censure privée et fraternelle et une censure nationale », etc.

Il est significatif qu'en fin de compte l'auteur ne voie d'autre ressource pour la formation des citoyens que de reprendre à l'Église le ministère des âmes qu'elle possédait depuis des siècles [108]; anticlérical déclaré, Lanthenas estime cependant que le modèle de l'universel est religieux : « Les lois, les décrets, les décisions de l'Assemblée nationale de France obtiendront même une sorte de *catholicité*, d'universalité, qu'elle n'ambitionnera jamais que pour le bonheur des hommes. » Cette morale révolutionnaire, dispensatrice d'une nouvelle catholicité, préfigure de façon frappante le culte qui sera établi en floréal an II. On peut d'ailleurs relever des expressions exactement comparables à celles qu'emploiera Robespierre. Ce dernier déclare : « Et d'ailleurs qu'y a-t-il entre les prêtres et Dieu ? Les prêtres sont à la morale ce que les charlatans sont à la médecine. Combien le Dieu de la nature est différent du Dieu des prêtres ! [...] Les prêtres ont créé Dieu à leur image : ils l'ont fait jaloux, capricieux, avide, cruel, implacable. » De même, Lanthenas prêche pour un théisme purifié : « Dieu, dans toutes les religions, est la perfection et la réunion de toutes les qualités essentiellement bonnes. [...] Aux yeux de la philosophie, de la véritable politique qui mène les hommes à la paix et au bonheur, la base générale des religions, distincte, séparée des inventions des prêtres qui la défigurent, n'est donc pas aussi ridicule, si fondée sur l'erreur que veulent le persuader certains hommes. »

De la morale naturelle selon Condorcet à cette religion naturelle à effets « révolutionnaires », la Révolution montre l'hésitation qui l'a traversée devant le problème de la légitimité et des idéaux fondateurs. Le citoyen pouvait-il être seulement quelqu'un calculant ses intérêts, et attendant de la société qu'elle lui procure des avantages garantis par la Déclaration des droits ? Cette vue utilitariste a été majoritairement écartée par l'idéologie révolutionnaire, dès lors en charge, mais aussi en peine, d'un nouveau registre d'universalité. Le déchirement du pays après l'adoption de la Constitution civile du clergé (12 juillet 1790) a accru encore la confusion, et a pesé, comme on le sait, sur la suite de l'histoire politique française.

Sous le Directoire, Lanthenas est resté fidèle aux idées qu'il avait avancées durant la tourmente révolutionnaire ; elles reçurent alors une certaine amplification du fait de la naissance de la théophilanthropie : il publia notamment une *Religion civile proposée aux Républiques pour lien des gouvernements représentatifs*. A cette occasion, Lanthenas reprend la *Déclaration des devoirs de l'homme, des principes et maximes de la morale universelle* qu'il avait proposée à la Convention en août 1793[109].

Il faut remarquer que l'idée d'une déclaration des *devoirs*, complétant celle des droits ou s'y substituant, avait été évoquée à plusieurs reprises — quoique sans succès — dans l'été 1789. Elle provenait généralement des députés du clergé et des monarchistes de type traditionnel. Au moment de la Constitution montagnarde, Robespierre fit de nouveau repousser cette proposition venue du député Raffron, sans doute parce qu'il la jugeait politiquement maladroite. Mais finalement, la liste des vertus énumérées dans le décret du 18 floréal répondit à la même fonction. Le décret parle d'ailleurs explicitement des devoirs de l'homme :

« Art. 2 — [Le peuple français] reconnaît que le culte digne de l'Etre suprême est la pratique *des devoirs de l'homme.*

« Art. 3 — Il met au premier rang de *ces devoirs* de détester la mauvaise foi et la tyrannie, de punir les tyrans et les traîtres, de secourir les malheureux, de respecter les faibles, de défendre les opprimés, de faire aux autres tout le bien qu'on peut, et de n'être injuste envers personne » (*Œuvres*, X, 462-463)[109bis].

L'UNIVERSEL JACOBIN : DU « DROIT NATUREL » À LA « NATURE » QU'IL FAUT RÉGÉNÉRER

L'itinéraire à première vue surprenant qui mène chez les robespierristes de l'exaltation des droits de l'homme à l'énoncé de ses devoirs, mérite un supplément d'examen. Cette évolution est significative de la recherche d'un universel, conçu comme le modèle auquel le citoyen n'aurait plus qu'à s'identifier. Mais chez les Jacobins il s'agit aussi de la recherche d'une transcendance — de ce besoin d'un absolu qui, à en croire Hannah Arendt, serait le moment inévitable de toute révolution[110]. En même temps, le culte de l'Être suprême soutient l'exigence adressée au citoyen de s'envisager lui-même à travers l'État révolutionnaire : incarnation de l'universel, l'État constitue la réflexion sur soi de la société.

Faut-il comprendre que là serait l'aboutissement du droit naturel reconnu par les Déclarations précédentes ? Le « droit » du citoyen de l'an II résiderait dans son devoir de réprimer en

lui-même toute trace de particularité, afin de régénérer
« l'homme corrompu » hérité du régime précédent. Il apparaît
en fait deux moments dans l'évolution jacobine, correspondant à
la conquête du pouvoir, puis à son exercice. Le premier temps
passe par une contestation du droit naturel qui s'exprime dans la
Déclaration, et la tentative de lui substituer un autre contenu :
cette phase conduit à la Déclaration montagnarde de juin 1793.

Ensuite, la référence au « naturel » et à la « nature » change
de sens et de portée : une conception plus archaïque se fait jour ;
elle motivait sans doute la première attitude, mais elle ne
s'exprime véritablement qu'au printemps 1794. Devant les
difficultés rencontrées, le projet est énoncé de la fondation d'un
Homme nouveau, par retour à une nature première qui a été
perdue.

L'indétermination morale de la Déclaration de 1789

Peut-on dire que la première Déclaration des droits de
l'homme et du citoyen avait un contenu moral ? Si l'on se garde
des interprétations rétrospectives — portées à l'anachronisme
parce qu'elles isolent le texte des débats de l'époque —, il faut
constater qu'il n'en est rien.

Mirabeau avait prétendu que les divers droits énoncés
n'étaient que la reprise du Décalogue, et on sait que le
préambule les place « sous les auspices de l'Être suprême ». En
fait, la Déclaration veut éviter de se présenter comme norma-
tive, c'est-à-dire de *prescrire* à l'homme et au citoyen des fins
qu'il aurait à poursuivre au sein de la communauté. La tentative
de Condorcet pour dégager une morale naturelle à partir d'une
telle Déclaration, reste une interprétation qui lui est propre : il
s'agit d'une élaboration philosophique, greffée sur un texte qui,
par lui-même, n'a pas cette portée.

Il faut se souvenir du but effectif que se donnèrent les
Constituants : réagir contre les barrières ou les limitations que la
société à ordres avait dressées devant « l'individu » pris dans sa
généralité abstraite ; ouvrir l'accès aux carrières, permettre la
liberté d'acheter et de vendre ainsi que la circulation des
marchandises, supprimer les censures sur l'opinion et l'édition, rendre impossible la lettre de cachet, etc. — autant de

perspectives regroupées sous la notion de *droits* de l'individu.

L'inspiration libérale qui guide cette démarche [111] s'inscrit dans un contexte plus général, celui de tout le mouvement d'idées apparu depuis le siècle précédent : la seule *fin* que l'État peut poursuivre est d'offrir les moyens convenables à l'individu pour la poursuite de son bonheur propre. D'où le caractère à la fois formel et éthiquement neutre qui s'attache aux droits énoncés, et que l'on doit rapprocher, avec J. Habermas, du style propre au droit naturel moderne : « Tandis que dans le droit naturel classique les normes des actes moraux et légaux se définissent à partir de la vie correcte, c'est-à-dire vertueuse des citoyens », le droit formel moderne a rompu avec cette perspective depuis Hobbes [112]. C'est le caractère formel des droits qui justifie que la loi positive — leur corrélat — interdise et limite, mais ne prescrive pas. Elle n'impose pas un idéal du Bien, comme l'absolu sur lequel les hommes devraient se régler, dans leur vie privée comme dans leur vie de citoyens. Ainsi que le dit encore Habermas, le nouveau droit naturel, faisant silence sur les *fins communes* que l'homme aurait à poursuivre, « justifie bien plutôt l'existence d'une sphère neutre, personnelle et arbitraire, dans laquelle chaque citoyen peut, en tant que personne privée, rechercher l'accroissement de ce qui lui profite ».

Cette conception va être d'une grande conséquence pour la démocratie moderne : dans cette dernière il n'y a plus un Bien indiscutable — ou, plus exactement, indiscuté — mais un État de droit, réglé par des normes constitutionnelles ; l'État permet l'indépendance du choix de sa vie et de ses opinions pour chacun, ainsi qu'un espace de disputabilité permanente sur ce qu'il est *juste* de faire dans les grands choix publics. À son tour, le débat est tranché, et périodiquement révisé, par les évolutions du vœu majoritaire. La laïcité de l'État, qui va nourrir tant de controverses en France, constitue de ce point de vue un élément essentiel de la citoyenneté et de la séparation du public et du privé.

On voit donc combien l'idée de « droits par nature » était appropriée pour les constituants : elle s'identifiait à la « sphère neutre » (Habermas) dont jouit le privé, et à la libre compétition des opinions s'exerçant dans la sphère publique. Mais en même temps les rédacteurs jouent sur une ambivalence. Il y a, d'un côté, un acte de « déclarer », qui, par ailleurs se présente comme la *constatation* d'un état de fait premier, qu'on se bornerait à rétablir en le tirant de l'oubli ou de la méconnaissance. Révolutionnaire par le mouvement qui consiste à « déclarer », le texte fondateur prétend que c'est la nature elle-même qui, en quelque sorte, veut le bouleversement. Déclarer est aussi conserver [113], ou, selon l'expression souvent employée à l'époque, « la Nation n'a fait que recouvrer ses droits ».

Il faut même remarquer, pour expliquer les intentions des rédacteurs, qu'à travers l'*individu* qualifié dans ses droits, c'est leur propre prise de souveraineté que les « représentants du peuple français » accomplissaient, et qu'ils légitiment par leur capacité de parler au nom de la nation [114].

Rattachée à son contexte historique de formation, la Déclaration constitue donc le point de convergence entre un courant d'idées (le droit naturel moderne) et un acte politique de prise de souveraineté. Elle s'inscrit ainsi dans la vision libérale de la citoyenneté, pour ce qui constitue le premier domaine, tandis qu'elle engendre un certain nombre de difficultés, par le second aspect, qui assure la prééminence de la loi souveraine sur les droits individuels.

Pour mesurer toute la différence avec l'ancienne conception, et le paradoxe que va constituer l'attitude jacobine, il suffit de comparer avec quelques éléments du droit naturel antérieur chez saint Thomas au XIIIe siècle.

L'idée de justice naturelle chez saint Thomas d'Aquin

Malgré des tentatives peu convaincantes au XXe siècle, on ne peut prétendre trouver chez saint Thomas une doctrine des droits de l'homme : il s'agit plutôt de devoirs envers autrui, eux-mêmes tributaires d'un devoir général envers Dieu. Au lieu d'avoir des droits pour soi seul, pris comme *individu*, l'être humain reconnaît des obligations envers ses semblables, et envers tout le genre humain : le droit naturel ne jouit d'aucune neutralité éthique.

En effet, qu'est-ce que la société pour le philosophe de l'Église ? Il s'agit de « l'union des hommes poursuivant ensemble un même but » (*Somme théologique*, Ia IIae, qu. 95, art. 3) [115].

Du fait de ces fins communes, dont le contenu est supposé objectif et incontestable, le problème de la *médiation* entre le particulier et l'universel, qui est le problème de la Révolution, n'apparaît pas dans la vision thomiste. Certes, le danger de l'intérêt particulier est pris en compte[116], mais si les hommes respectent la définition de la justice, l'universalité des actes est assurée.

La justice est en effet toute relationnelle, c'est-à-dire tournée vers le bien d'autrui : on peut la définir comme « ce qui par sa nature est adéquat ou proportionné à autrui[117] ». Le citoyen ne peut être juste envers lui-même que pour autant qu'il se montre juste par rapport aux autres, et au-delà, par rapport à Dieu[118]. Il ne peut donc y avoir de *droits subjectifs* au sens où va l'entendre l'époque moderne, d'autant plus que la justice réside dans une *objectivation* de l'obligation ; en effet, la justice c'est « le juste » (*id quod justum est*), une obligation inscrite dans la chose juste (acte, service, tribut, hommage, etc.).

Voici comment le commentateur du *Traité de la justice* expose cette objectivation : « Mis en face de l'objet, chose ou acte, qui revient à autrui, le tiers devra, s'il veut se comporter raisonnablement, c'est-à-dire vertueusement, adopter une certaine attitude d'âme, ou plutôt de volonté : en cette attitude consiste la vertu même de justice. » Dès lors, par cette volonté de rendre à chacun ce qui lui revient (formule que saint Thomas reprend au droit romain), la relation sociale ne s'établit pas directement *de personne à personne*, « mais de personne à but, et par l'intermédiaire du but, de personne à personne ».

En d'autres termes, le principe même du *contrat*, qui est à la base de la pensée politique du XVIIIe siècle, est étranger (en ce domaine) à la philosophie thomiste : la relation sociale n'est pas une relation contractuelle et artificialiste, mais l'observance d'une suite de devoirs déterminés par nature. Si l'homme a des droits, ce n'est qu'indirectement : en tant qu'il représente pour autrui une source de devoirs.

On comprend pourquoi l'universalité du devoir est ici donnée d'emblée, elle n'est pas à engendrer à partir d'un intérêt particulier qui constituerait la donnée première, ou à partir de cette *volonté individuelle* sur laquelle les théoriciens modernes construisent la théorie du contrat social. Tout change en effet avec l'apparition du droit naturel que l'on va qualifier ensuite de moderne, et dont Hobbes tire toutes les conséquences, jusqu'à, éventuellement, scandaliser. Le problème chez Hobbes, Locke ou Rousseau devient de rendre *compatibles* les droits subjectifs, et de les convertir en un intérêt général confié au gouvernement. Chez Hobbes notamment, c'est le rôle des « lois de nature », c'est-à-dire des calculs rationnels par lesquels les individus pèsent l'intérêt qu'ils ont à limiter leurs appétits, cesser la guerre, instaurer une souveraineté pacificatrice. Par-là se manifeste l'esprit libéral que l'on trouve à l'origine de la Déclaration de 1789 : l'organisation politique a pour fin la société civile (au sens nouveau du terme), elle constitue un moyen au service de la satisfaction de l'individu, pris en lui-même au titre d'unité atomique.

La conception moderne de l'individu est donc finalement corrélative de l'*individualisme* : l'effort de chacun des théoriciens — mais selon des voies différentes — va porter sur les limites qui peuvent être accordées à l'individualisme sans que l'intérêt général en pâtisse. D'une société centrée sur Dieu et sur un bien commun objectif, on passe à une vision où la conciliation du particulier et de l'universel est le problème philosophique crucial ; mais, de ce fait, c'est la citoyenneté elle-même qui devient un problème, en tant que c'est par elle que s'opérera la conciliation.

L'interprétation montagnarde du « bonheur commun »

Comme on a déjà pu le constater, la légitimation de l'individualisme social et la mise en suspens de toute finalité éthique forment les deux traits que le jacobinisme contestera de plus en plus. L'article premier de la Déclaration montagnarde subordonne explicitement les droits de l'individu à une fin commune :

« Le but de la société est le bonheur commun.

« Le gouvernement est institué pour garantir à l'homme la jouissance de ses droits naturels et imprescriptibles. »

S'il y a un bonheur commun, cela veut dire que les gouvernants peuvent savoir ce qu'il est, mais aussi que chaque bon citoyen (expression qui devient un pléonasme) peut savoir où est le bonheur d'autrui. Les conceptions antérieures (Déclaration de 89) sont réputées insuffisantes, mystificatrices même, par le caractère formel et neutre qu'elles donnaient au droit naturel. Et la Déclaration girondine de mai 1793 est encore plus contestée, pour n'avoir envisagé que des « droits de l'homme en société ».

On voit bien dans la définition montagnarde de la liberté le refus de réduire celle-ci au pouvoir de faire ce que la loi n'interdit pas. La liberté doit avoir un *contenu* éthique, elle suppose de considérer les droits d'autrui en tant que tels :

« Art. 6 - La liberté est le pouvoir qui appartient à l'homme de faire tout ce qui ne nuit pas aux droits d'autrui ; elle a pour principe la nature ; pour règle la justice ; pour sauvegarde la loi ; sa limite morale est dans cette maxime : *Ne fais pas à un autre ce que tu ne veux pas qu'il te soit fait.* »

Les premières formulations viennent du projet de Déclaration de Robespierre [119], tandis que la dernière a une histoire plus complexe. Sa source première n'est pas évangélique, mais correspond cependant à une interprétation vulgarisée d'un passage du Sermon sur la montagne : « Tout ce que vous voulez que les hommes fassent pour vous, faites-le de même pour eux, car c'est la loi et les prophètes » (*Matt.*, VII, 12). Point remarquable, la formule sous sa forme vulgaire avait été introduite dans la Déclaration girondine, à l'article 5, pour modifier le texte présenté par Condorcet au nom du Comité de constitution [120]. Le compte rendu des débats permet de deviner qu'il s'agissait là d'une concession (il y en a d'autres exemples) faite au camp montagnard [121]. Le rapporteur, Barère, fut applaudi lorsqu'il déclara que « la morale publique » exigeait une nouvelle rédaction : « Je reviens à l'article second du projet, qui contient la définition de la liberté. On a objecté contre cet article que sa contexture était trop obscure, et l'on a proposé d'y substituer une rédaction qui renferme la base de la morale publique, etc. » (A.P., LXII, 707 ; 19 avril).

Cet infléchissement que les Girondins avaient commencé à accepter fut accentué ensuite, après leur élimination de la Convention. C'est principalement sous cet angle qu'il faut comprendre la controverse sur le droit de propriété durant la discussion du texte girondin : il fallait, là encore, peser sur la vision des droits individuels. On ne reprendra pas ici l'ensemble des arguments [122], pour retenir la seule intervention de Robespierre, le 24 avril : la question de la propriété est reliée à l'idée d'un droit naturel à contenu moral, sinon communautaire.

Robespierre apostrophe avec véhémence le groupe girondin accusé de favoriser la disparité des fortunes : « Âmes de boue ! qui n'estimez que l'or, je ne veux point toucher à vos trésors, quelque impure qu'en soit la source. Vous devez savoir que cette loi agraire, dont vous avez tant parlé, n'est qu'un fantôme créé par les fripons pour épouvanter les imbéciles ; [...] l'égalité des biens est une chimère. Pour moi, je la crois moins nécessaire au bonheur privé qu'à la félicité publique. Il s'agit bien plus de rendre la pauvreté honorable que de proscrire l'opulence. »

Au nom d'un principe de moralité, Robespierre entend à la fois critiquer l'illimitation du droit de propriété, et faire l'éloge de la pauvreté ou, du moins, de la petite propriété : le groupe girondin est accusé d'avoir favorisé l'égoïsme économique, en accordant un droit non spécifié [123]. Voici le passage de ce discours que l'historiographie marxiste a rendu parmi les plus célèbres chez Robespierre : « Aux yeux de tous ces gens-là, la propriété ne porte sur aucun principe de morale. Pourquoi votre Déclaration des droits semble-t-elle présenter la même erreur ? En définissant la liberté, le premier des biens de l'homme, le plus sacré des droits qu'il tient de la nature, vous avez dit avec raison qu'elle avait pour bornes les droits d'autrui ; pourquoi n'avez-vous pas appliqué ce principe à la propriété, qui est une institution sociale ? [...] Vous avez multiplié les articles pour assurer la plus grande liberté à l'exercice de la propriété, et vous n'avez pas dit un seul mot pour en déterminer le caractère légitime ; de manière que votre Déclaration paraît faite non pour les hommes, mais pour les riches, pour les accapareurs, pour les agioteurs et pour les tyrans. »

Robespierre proposait en contrepartie quatre articles, retirant à la propriété son fondement naturel (elle n'est pas un droit de l'homme), et affirmant que ce droit social « ne peut préjudicier ni à la sûreté, ni à la liberté, ni à l'existence, ni à la propriété de nos semblables ». Ainsi seul le *droit à l'existence* était naturel et fondamental, tandis que la propriété devenait une institution, seconde et réglementable.

Durant cette controverse du printemps 1793, le *devoir* du citoyen apparaissait donc comme l'obligation d'avoir à considérer la survie des autres membres de la société. C'est dans la même optique que Robespierre réclame l'impôt progressif, qu'il présente comme un devoir civique éminent : « En matière de contributions publiques, est-il un principe plus évidemment puisé dans la nature des choses et dans l'éternelle justice que celui qui impose aux citoyens l'obligation de contribuer aux dépenses publiques progressivement, selon l'étendue de leur fortune, c'est-à-dire selon les avantages qu'ils retirent de la société ? »

Par la suite, les Montagnards firent machine arrière par rapport au courant le plus radical des Jacobins qui s'était exprimé autour de Robespierre : ni le droit à l'existence, ni la limitation de propriété, ni l'impôt progressif n'apparaissent dans la Déclaration votée le 24 juin [124]. La finalité du « bonheur commun » s'accompagnait d'une certaine indétermination sur le plan social et économique, comme l'école marxiste l'a souligné depuis Mathiez.

L' « *homme nouveau* » *appelé par le gouvernement révolutionnaire*

À situation nouvelle, problèmes nouveaux : jusque-là, la citoyenneté était une notion en débat ; elle cesse de l'être à partir de l'été 1793. Dans les projets constitutionnels de la Gironde et de la Montagne, on s'était encore demandé comment aménager un exercice direct de la souveraineté, ce qui impliquait une compétence des citoyens, soit dans la formation des lois, soit dans leur ratification, soit enfin dans leur révision. Régime d'exception dans son moment de formation et de définition, le gouvernement révolutionnaire supprime le débat public, qu'il ne rencontrera plus que sous la forme d'une résurgence des « factions ». Par là même, la question de savoir comment le citoyen peut réaliser une médiation entre le particulier et l'universel, ou comment il peut s'élever à la volonté générale, ne se pose plus. La *conformité* au gouvernement révolutionnaire, qui incarne l'universel, lui est imposée.

C'est la discipline collective, avec ses activités militantes, qui est devenue la définition même du civisme, selon la devise que l'on trouve affichée dans les Comités révolutionnaires : « Ici, on s'honore du nom de citoyen. » Ce citoyen n'a pas à faire preuve d'invention, mais plutôt à appliquer les consignes que le pouvoir central fait parvenir à tous les échelons de l'État ; il a à s'inspirer de *modèles* qu'on présente à son imitation. Ainsi ce *Recueil des actions héroïques et civiques des républicains français,* confié à Léonard Bourdon, imprimé par ordre de la Convention et surveillé par le Comité d'instruction publique [125]. Le décret de la Convention placé en tête de chaque numéro précise que l'ouvrage sera envoyé aux municipalités, aux armées, aux sociétés populaires et dans les écoles : « Les instituteurs seront tenus de le faire lire à leurs élèves. » Une note de L. Bourdon indique qu'il s'agit d'un « livre élémentaire de morale [...] substitué aux catéchismes ». Le décret Bouquier inscrit d'ailleurs le *Recueil* parmi les ouvrages indispensables au premier degré d'instruction. Quant au contenu, il s'agissait principalement du récit de conduites de bravoure à la guerre, recueilli, après enquête, dans les départements.

Discipline et dévouement sont donc — dans un contexte général de guerre — les deux traits principaux du citoyen en l'an II ; la mission prioritaire du Comité d'instruction publique est de diffuser cet état d'esprit, par le catéchisme révolutionnaire, par des ouvrages et des fêtes civiques. Le *Livre du républicain dédié aux amis de la vertu* est un autre exemple intéressant : publié également par livraisons périodiques, il contient des chants, des discours à portée édifiante, des morceaux choisis de « bons auteurs » (dont au premier chef Volney et Rousseau).

On peut donc dire que la notion de citoyenneté prend un contenu simple et évident, éloigné maintenant de toute argutie sur le droit naturel. Pourtant, le *discours* du gouvernement révolutionnaire la charge de connotations plus complexes et plus obscures.

L'artificialisme réinstaurateur de la nature

En effet, le thème maintenant développé est celui de la nécessité de créer un homme nouveau et un peuple nouveau, en réinstaurant une *nature* perdue. Il ne s'agit plus ici du droit naturel, au sens qu'il prenait (et dans le rôle qu'il jouait) pour les rédacteurs de la première Déclaration. Mais il ne s'agit pas non plus de la perspective, annoncée au printemps 93, de « réaliser » les droits de l'homme : lorsque Robespierre lançait ce thème à l'encontre de Buzot[126], ou lorsque certains Montagnards avaient exigé une « égalité réelle[127] ». La « nature » maintenant évoquée est celle du cœur, celle des sentiments et, par là, d'une *bonté primitive* qui a été altérée par des siècles de monarchie et par les premiers gouvernants de la Révolution. La tâche que se propose le gouvernement révolutionnaire consiste, de façon paradoxale, à réinstaurer par la voie artificialiste une nature première.

A ce moment, la perspective de l'éducation du citoyen et de la formation des mœurs, converge avec la toute-puissance, politique et institutionnelle, que s'est donnée le gouvernement révolutionnaire. On peut lire, par exemple, dans le *Livre du républicain* (livraison n° 8) un discours de David[128] qui développe la double thèse suivante : 1° « Les hommes ne sont que ce que le gouvernement les fait » ; 2° « La démocratie ne prend conseil que de la nature, à laquelle sans cesse elle ramène les hommes. Son étude est de les rendre bons, de leur faire aimer la justice et l'équité. »

Tout gouvernement exerce donc un modelage sur son peuple, mais le modelage de la « démocratie » (terme désignant maintenant le gouvernement révolutionnaire) est le seul qui puisse réconcilier le citoyen avec l'homme, c'est-à-dire avec la nature. « Sous les lois barbares du despotisme, les hommes, avilis et sans morale ne conservent pas même la forme altière que leur a donnée la nature [...] le froid égoïsme remplace parmi les hommes les vertus qui les abandonnent : alors leur malheur est consommé ; ils deviennent lâches, féroces et perfides comme leur gouvernement. Ô vérité humiliante ! tel était le Français d'autrefois[129]. »

Continuant son antithèse, David explique que, sous l'actuel gouvernement, la vertu est reparue, le travail est redevenu productif, etc. « Le commerce fleurit à l'ombre de la bonne foi, la sainte égalité plane sur la terre, et d'une immense population fait une nombreuse famille. Ô vérité consolante, tel est le Français d'aujourd'hui. » Cette vision riante d'une communauté réconciliée, unissant la fécondité économique et la pureté morale, alterne dans les textes avec des propos plus sombres — où il est question, comme chez Billaud-Varenne, d' « extirper des vices invétérés[130] ». Le terme de la régénération est rejeté dans le futur de la Révolution.

En fait, on ne doit pas oublier que le thème d'un peuple nouveau à faire apparaître est fortement lié à la conjoncture politique, puisque la corruption la plus immédiate est attribuée au « fédéralisme » girondin, qui a eu l'écoute du peuple. La politique de Terreur, légitimée par le discours de la régénération, auquel elle confère en retour une plus grande crédibilité, a pris la place des droits de l'homme et de la citoyenneté. Cela explique l'attitude ambivalente qui se montre en cette période vis-à-vis de la Déclaration montagnarde : toujours en vigueur, affiché partout dans les organismes de pouvoir, enseigné dans les écoles, le texte est cependant ressenti comme inopérant — du fait de la lutte contre les ennemis du peuple, qui se sont mis d'eux-mêmes hors les droits de l'homme. Robespierre en prend acte dans son discours *Sur les principes du gouvernement révolutionnaire* (décembre 1793) : « Sous le régime constitutionnel, il suffit presque de protéger les individus contre les abus de la puissance publique : sous le régime révolutionnaire, la puissance publique elle-même est obligée de se défendre contre toutes les factions qui l'attaquent. » La défense du droit des individus n'est plus à l'ordre du jour, il s'agit maintenant de fortifier la puissance étatique, et que chacun, pour cela, lui prête son concours. Le discours terroriste sur l'État comme celui qui est tenu sur l'instruction publique convergent vers une seule et même idée : changer les mœurs pour retrouver la nature, en sorte que, à travers son gouvernement, ce soit le peuple lui-même qui se régénère.

C'est ainsi que s'exprime par exemple, Fouché, ardent propagandiste de la Terreur, dans ses *Réflexions [...] sur l'instruction publique* : « Le peuple français ne veut pas plus une demi-instruction qu'une demi-liberté ; il veut être régénéré tout entier, comme un nouvel être récemment sorti des mains de la nature [131]. »

Ce sont les mêmes propos que tient Lepelletier, cité par Robespierre : « Dans l'institution publique, [...] la totalité de l'existence de l'enfant nous appartient ; la matière, si je peux m'exprimer ainsi, ne sort jamais du moule ; aucun objet extérieur ne vient déformer les modifications que vous lui donnez. Prescrivez, l'exécution est certaine [132]. » Régénérer, prescrire, modeler : l'exaltation de toute-puissance ne semble plus vouloir reconnaître de limites ; elle donne finalement chez

Lepelletier des accents qui évoquent fâcheusement certaines expériences du xxᵉ siècle : « Ainsi se formera une race renouvelée, forte, laborieuse, réglée, disciplinée, et qu'une barrière impénétrable aura séparée du contact impur des préjugés de notre espèce vieillie. »

De fait, il ne s'agit plus ici du citoyen. Ce volontarisme lyrique a quitté le terrain du politique, pour celui de l'exaltation morale — l' « illumination intérieure » dont parlait Condorcet — à racines religieuses. Une métaphysique rudimentaire, sur la nature de l'homme et ses possibilités de salvation, tente de rationaliser la lutte dans laquelle est lancé le gouvernement révolutionnaire, et les obstacles ou résistances qu'il rencontre. C'est dans cette perspective que doit être replacé le discours manichéen sur le Pur et l'Impur qu'on avait observé à propos de la dénonciation. Devant la division entre les groupes qui exercent le pouvoir, le discours jacobin appelle à la rescousse une culture religieuse, qui n'était que latente et qui doit servir maintenant aux fins de rationalisation.

Réminiscences religieuses

Cette culture apparaissait précédemment dans la critique de l'égoïsme et l'appel à faire prévaloir l'intérêt général, mais elle passait à l'arrière-plan, derrière la problématique du droit naturel. Quelqu'un comme Billaud-Varenne exprimait certaines des tendances qui vont se libérer dans le culte de l'Être suprême.

Professeur à l'Oratoire de Jésus, dans le collège de Juilly [133], Billaud-Varenne était — comme nombre de Jacobins — hostile à l'Église et aux congrégations ; il professait néanmoins un déisme austère et affirmé. Il suffit de comparer son pamphlet de 1787, *Le dernier coup porté aux préjugés et à la superstition*, avec les *Mémoires* posthumes (1831) : l'attachement à l'Être suprême, associé à la pureté des mœurs, ne fait aucun doute durant toute cette vie.

Voici, par exemple, un passage du premier ouvrage : « Les premières lois, les seules qui ne blessent ni la raison ni la justice, les seules qui soient propres à diriger le cœur de l'homme dans les sentiers de la vertu sont les lois de la nature. Elles ont été visiblement dictées par l'Être suprême, puisque chaque individu en porte l'empreinte au fond de son âme. » Et, en écho, les

Mémoires critiquent de pair l'athéisme et le matérialisme : « Le plus grand des forfaits est sans doute l'oubli de l'Être suprême et il n'y a qu'un homme qui ait la conscience chargée de crimes qui puisse s'en rendre coupable. »

Mise au service de la conquête du pouvoir, cette conviction déiste et cette certitude de se battre contre une civilisation corrompue, vont irriguer la problématique de la nature déchue, de la souffrance salvatrice, et finalement, d'un homme nouveau à retrouver. Il est aisé de vérifier que l' « amour-propre » dont parlaient les *Éléments du républicanisme* a moins à voir avec Rousseau, qu'avec Bossuet, Pascal, La Rochefoucauld — et plus précisément encore, avec le jansénisme. La comparaison est parlante si on considère les fragments de Pascal qui concernent la dépravation humaine en morale et en politique.

Le janséniste écrivait par exemple : « [...] Nous naissons donc injustes, car tout tend à soi. Cela est contre tout ordre : il faut tendre au général ; et la pente vers soi est le commencement de tout désordre, en guerre, en police, en économie, dans le corps particulier de l'homme. La volonté est donc dépravée. Si les membres des communautés naturelles et civiles tendent au bien du corps, les communautés elles-mêmes doivent tendre à un autre corps plus général, dont elles sont membres. L'on doit donc tendre au général. Nous naissons donc injustes et dépravés [134]. »

Dans le principe, « il faut tendre au général », pour fuir l'injustice de la volonté personnelle, on peut reconnaître le credo ultérieur des Jacobins en guerre contre l'individualisme ambiant. Devant l'exténuation de la doctrine thomiste, le jansénisme avait préfiguré la condamnation de l'égoïsme que le mouvement jacobin reprend à son compte. Simplement, au lieu de dire que nous *naissons* injustes et dépravés, Billaud-Varenne écrit que l'homme perd au contact de la société sa nature première, et que les « individus » remplacent les « citoyens ».

Voici comment en floréal an II, il appelle, du sein de la Convention, à « tendre au bien du corps » : « Concentrer le bonheur en soi-même, c'est s'isoler au détriment de l'association civile, c'est circonscrire ses propres jouissances en renonçant aux plus douces sensations, à la bienfaisance, à la gratitude, à l'amitié même. Citoyens, vous aurez beaucoup fait pour la patrie si [...] vous apprenez aux Français à se dépouiller de ce funeste égoïsme, reste impur du système monarchique qui divise pour constituer sa puissance dans la désunion, [...] égoïsme qui fournit un moyen de plus à la malveillance en réussissant encore à nous fédéraliser par départements, par districts, par communes, par familles, par individus » (A.P., LXXXIX, 99).

Contre le « funeste égoïsme », il est remarquable de constater la filiation avec l'unité et la discipline morale à laquelle le janséniste appelait de son côté : « Si les pieds et les mains avaient une volonté particulière, jamais ils ne seraient dans leur ordre qu'en soumettant cette volonté particulière à la volonté première qui gouverne le corps entier » (Pensée 475). Et Pascal disait encore : « Pour faire que les membres soient heureux, il faut qu'ils aient une volonté, et qu'ils la conforment au corps » (Pensée 480).

Entre le janséniste et le Jacobin il existe, bien sûr, de grandes différences (sans parler du génie !), mais un certain nombre de notions et un esprit général ont transité et se retrouvent dans l'Église jacobine constituée en appareil de pouvoir : les volontés particulières donc mauvaises, l'amour de soi placé avant l'amour du Tout, un état présent où l'homme ne se connaît plus tant sa nature est altérée...

En deçà de Pascal lui-même, l'image du « corps mystique » dont les membres exercent une solidarité réciproque et reconnaissent l'unité incarnée dans les dirigeants, a une longue histoire ; elle venait de la première Épître de Paul aux Corinthiens et avait fourni durant le Moyen Âge d'innombrables inspirations à l'organicisme alors en faveur : le propre du pessimisme janséniste fut de l'associer au thème de la puissance du péché et au mystère de la grâce.

L'influence de la culture religieuse sur le jacobinisme au pouvoir a généralement été peu perçue par les historiens, bien qu'il soit arrivé qu'Aulard la signale, mais toujours comme en passant. Ainsi, dans ses *Orateurs de la Révolution*, l'historien décrivait en ces termes la différence entre Gironde et Jacobins : « La Gironde, c'est la France artiste, spirituelle, mobile ; c'est l'esprit du Midi. La Montagne robespierriste, c'est la France religieuse, gouvernementale ; c'est l'esprit du Nord. [...] Les seconds, comme Robespierre, Saint-Just, Billaud-Varenne, etc. ont hérité, à leur insu, des instincts religieux et autoritaires du XVIIe siècle et se réclament de Rousseau politicien [135]. » De même, à propos de Couthon, Aulard notait avec quelle passion ce dernier s'emporte, dans sa correspondance, contre le « crime domestique » que constitue le concubinage, un crime comparable aux « crimes publics ». Et lorsque Couthon, à la Convention, prend la défense du culte de l'Être suprême, l'historien écrit : « C'est le ton de l'éloquence de la chaire ; c'est, à la lettre, la rhétorique d'un moine espagnol du XVIe siècle, mettant ceux qu'il a brûlés la veille au défi de lui répondre. Qui sont-ils ces athées apostrophés par Couthon ? C'est Danton, Hébert, Chaumette [136]. »

Les références explicites pratiquées par les orateurs jacobins ont tendu à occulter l'importance du fonds religieux qui les inspirait : la recherche d'une transparence perdue, l'éloge de la « volonté générale » pouvaient en effet se dire dans le langage rousseauiste omniprésent à l'époque. Mais Rousseau servit bien plus de lieu commun du discours que d'une source réelle de pensée, comme le montre par exemple le fait que les Jacobins ne croient pas à la force et à la valeur propre des *lois* ; à l'opposé de tout juridisme, le jacobinisme est à la recherche d'individualités vertueuses. Et à la problématique du contrat il substitue en l'an II un gouvernement de type organiciste (*cf.* la partie suivante).

De même, la référence à l'Antiquité est indéniable ; comme le rappelle P. Vidal-Naquet, tout le monde à l'époque lisait Plutarque. Mais lors même que Billaud-Varenne fait l'éloge de Lycurgue dans le discours du 1er floréal, on s'aperçoit que la référence est destinée à introduire une conception de la « nature » qui est chrétienne et non pas grecque [137].

C'est finalement le débouché dans le culte de l'Être suprême qui constitue le moment de vérité de l'idéologie jacobine : comme le confirment les premiers écrits de Billaud-Varenne cités plus haut, cette décision audacieuse ne saurait se réduire à une lubie propre à Robespierre. Louée dans la Société des Jacobins [138], l'initiative visait à surmonter les déchirements, pour assigner une transcendance secourable. La tâche de remodeler l'humanité apparaissait dès lors comme une mission voulue par la divinité et débarrassée des aspects d'opportunité politique dont on commençait à l'accuser : l'élimination des adversaires. D'où les thèses d'ambition métaphysique que Robespierre expose à cette occasion : « La Nature a mis dans l'homme le sentiment du plaisir et de la douleur, qui le force à fuir les objets physiques qui lui sont nuisibles, et à chercher ceux qui lui conviennent. Le chef-d'œuvre de la société serait de créer en lui, pour les choses morales, un instinct rapide qui, sans le secours tardif du raisonnement, le portât à faire le bien et à éviter le mal. »

Créer « un instinct rapide » a pris la place du thème antérieur et énoncé dans le langage du droit naturel : aménager un ordre constitutionnel où l'individu poursuivrait ses fins propres en tant qu'homme, tout en contribuant cependant à l'intérêt commun. La contradiction entre le particulier et l'universel régressait vers une formulation religieuse plus ancienne.

Quelques mois avant le discours du 18 floréal, Robespierre répondait à la question : « Que voulons-nous ? » Il pressentait que la Révolution allait prendre un nouveau cours : il fallait sortir du cadre dans lequel on avait enfermé les questions. On s'était borné aux lois et aux institutions, on avait cherché à leur insuffler un contenu éthique, mais on n'avait pas compris que c'était le cœur même de l'homme qu'il fallait changer : « Nous voulons un ordre de choses où toutes les passions basses et cruelles soient enchaînées, toutes les passions bienfaisantes et généreuses éveillées par les lois ; [...] où toutes les âmes s'agrandissent par la communication continuelle des sentiments républicains et par le besoin de mériter l'estime d'un grand peuple. [...] Nous voulons substituer dans notre pays la morale à l'égoïsme, la probité à l'honneur, les principes aux usages, les devoirs aux bienséances. [...] Nous voulons, en un mot, remplir les vœux de la nature, accomplir les destins de l'humanité, tenir les promesses de la philosophie » (*Œuvres*, X, 352 ; 17 pluviôse).

On comprend pourquoi ce principe de la recherche d'un bonheur qui ne peut être que le bonheur commun, ne passait plus par les droits de l'homme et du citoyen, mais par ses *devoirs* — ainsi que par une vision théologico-politique de l'État révolutionnaire. C'est cette dernière forme de pouvoir qu'il s'agit maintenant de considérer, tant dans ses conditions d'apparition et son développement, que dans ses sources les plus lointaines.

TROISIÈME PARTIE

La souveraineté
et la représentation

Après le statut controversé de l'individu, la relation — elle-même obscure — entre souveraineté et représentation constitue le second facteur de l'écho rencontré par le jacobinisme. Par ces notions — « souveraineté », « représentation », « gouvernement représentatif », « République », etc. — on aborde non seulement aux théories de l'État et à la naissance du droit public moderne, mais aussi à la vision la plus commune, et dans les termes les plus ressassés, du discours révolutionnaire. La « souveraineté du peuple », qui est sans cesse évoquée (ou invoquée) ressort avant tout comme le Mythe mobilisateur du courant démocratique, à contenu indéterminé et par là générateur de controverses répétées.

Au départ, les Jacobins les plus radicaux se situent par rapport à la doctrine de la Constituante, elle-même très influencée par Sieyès ; elle est connue depuis, chez les juristes, sous le nom de doctrine de la « souveraineté nationale ».

Lors du débat constitutionnel du 10 août 1791, on voit bien que Robespierre reproche à cette conception d'enlever sa souveraineté au peuple, spécialement aux *sections* qui constituent les organes électoraux du peuple. Ultérieurement, le 10 Août (un an après, jour pour jour), et le 2 Juin sont déclarés par les Jacobins — comme on l'a vu — des actes authentiques de la souveraineté populaire. Cette dernière ne pouvait-elle donc exister qu'au prix de l'insurrection et dans le moment de l'insurrection ? Ou bien était-elle conciliable avec l'exercice du gouvernement représentatif ?

L'incertitude en cette matière constitue l'un des enjeux les plus importants dans le devenir de la Révolution ; c'est aussi, depuis, une question capitale pour l'analyse de la démocratie moderne, pour la *séparation* entre ce qui relève proprement de la dimension révolutionnaire et ce qui appartient à la démocratie. Au cas où la souveraineté ne se manifesterait authentiquement que dans le moment insurrectionnel, il resterait à savoir comment les Jacobins au pouvoir en sont arrivés à l'estimation qu'ils avaient réconcilié les deux pôles de la relation, ou, en d'autres termes, qu'ils avaient institué une « démocratie révolutionnaire ».

Curieusement, lors de la République jacobine, la Convention a établi une structure de pouvoir qui peut, au moins sous l'angle suivant, être comparée à la vision de Sieyès : un Représentant collectif qui est *devenu souverain*. La démocratie révolutionnaire aurait installé le peuple, avec son attribut principal, dans le lieu du pouvoir.

En effet, dans le système conçu par Sieyès, les électeurs n'avaient pas de volonté originaire à imposer ; ils exercent une fonction sociale (celle de « citoyens actifs ») qui fait apparaître *dans l'Assemblée* la volonté de tous. C'est parce qu'elle s'identifie à la nation, et même incarne la nation, que l'Assemblée n'est comptable devant quiconque : elle est la souveraineté nationale en personne, ou, pour reprendre un concept de Hobbes, elle porte la Personne collective du peuple.

Dans le second cas, qui est celui du gouvernement de l'an II, le peuple est supposé se gouverner lui-même grâce aux hommes vertueux qui le représentent. Alors, la Convention et ses Comités exercent souverainement, et légitimement, le droit de vie et de mort sur toute personne ou faction qui menace l'Unité du peuple français. Les textes jacobins disent que la Convention est la tête du corps du peuple, et qu'en cela la souveraineté qu'elle exerce est celle même du peuple. L'indivision garantit contre toute aliénation, et de ce fait, la Convention incarne, elle aussi, la Personne collective des gouvernés. Bien entendu, l'une des grandes différences avec l'époque où prévalait la doctrine de Sieyès, c'est que, on le sait, les droits de l'individu ne sont plus opposables aux organes qui réalisent dans l'État le droit du Peuple.

Ainsi l'alternative, aujourd'hui bien connue des juristes, entre « souveraineté populaire », autonome, et « souveraineté nationale », représentée, se trouvait-elle dépassée du point de vue des Jacobins : le gouvernement révolutionnaire est à la fois le souverain et le Représentant ; parce que le peuple n'existe pas en dehors de lui.

Ce chapitre développera donc l'observation suivante : de 89 à 93, bien que la conjoncture, les forces dominantes et les contenus idéologiques soient différents, une certaine *visée* persiste. Selon ce schéma, plus idéal que réalisé, l'unité et la consistance de la société ne peuvent lui être conférées que de l'extérieur, par le pouvoir d'État, par le jeu associé de ce qui est appelé « souveraineté » et de ce que l'on baptise « représentation » (parfois au prix de métaphores laborieuses).

L'acte donateur d'unité en arrive, chez les Montagnards et les Jacobins, à l'exercice d'une représentation libérée de tout contrepoids ; ce qui implique, notamment, l'abolition du système des assemblées ou organes municipaux et départementaux. L'État révolutionnaire (défini à partir de décembre 1793), s'incorpore la société, parce que, pense-t-on, la cohésion de la société est à ce prix. Il devient la tête d'une pyramide d'organes épurateurs.

Devant cette relative continuité (qu'il ne faut pas exagérer néanmoins) entre 89 et 93, l'observateur est amené à s'interroger sur les causes qui s'exercent, d'abord à travers le moment libéral, puis dans la phase dictatoriale de la Révolution. De là l'hypothèse, qu'il faut considérer, du poids d'une culture politique marquée par l'absolutisme et le catholicisme, par différence avec la révolution américaine qui, à la même époque, engendre une Constitution de type fédéral et de gouvernement limité. On peut se demander quel est le facteur déterminant en France qui conduirait, au nom de la démocratie, à un État tout-puissant : réside-t-il dans une logique propre à la représentation ? Ou s'agit-il des effets du modèle de la souveraineté ?

La simple comparaison suffit à montrer que ce n'est pas la représentation qui porte en elle une logique d'absorption de la société, et de transfert de la souveraineté dans les mains des représentants, contrairement à ce que pourrait suggérer l'évolution jacobine. Le système représentatif à l'américaine exemplifie une *distance* entre peuple et pouvoir que la France n'arrive pas à maintenir, malgré les efforts des éléments les plus libéraux [1]. Mais il est vrai que la distance n'est préservée, aux États-Unis, que moyennant une pluralité d'organes représentatifs : entre États et gouvernement fédéral ou, dans le gouvernement central, entre sénateurs, représentants et président.

En outre, à s'en tenir aux textes du *Fédéraliste* en faveur du projet de Constitution, on retrouve également une *diversité*, conçue comme le trait qui doit vitaliser la nation américaine [2] ; ici la fonction assurée par la représentation n'est pas unifiante au point d'occulter la diversité (des sectes, des intérêts, des régions, des opinions...) — ou de viser à la transcender dans une mystérieuse « volonté générale ».

Le cas américain montre donc, par contraste, que première-ment la balance des pouvoirs, deuxièmement le système de négociation des intérêts forment deux grands facteurs qui peuvent empêcher que la souveraineté populaire ne soit transfé-rée des gouvernés aux représentants. On admettra que la représentation, institution des temps modernes, n'est significa-tive que dans le contexte où elle s'exerce [3].

En menant, au siècle dernier, l'analyse comparative, Édouard Laboulaye avait relevé combien la logique française du transfert de souveraineté (et par là, de l'*identification* entre peuple et pouvoir) séparait les deux expériences révolutionnaires : « Jamais il ne viendrait à l'esprit du Congrès et au Président, même réunis, de dire qu'ils sont souverains, qu'ils possèdent la souveraineté. Il n'y a qu'un souverain aux États-Unis, c'est le peuple américain.

« On ne l'entend pas ainsi en France. [...] On suppose d'abord que le peuple a une souveraineté absolue, on suppose en second lieu que cette souveraineté le peuple la délègue, ou plutôt l'abandonne tout entière à une assemblée, surtout quand cette assemblée est constituante [4]. »

En fait, il n'est même pas sûr que la *notion* de souveraineté joue un rôle effectif dans la pensée et la pratique américaines, une fois traversée l'époque de l'indépendance vis-à-vis de la Couronne d'Angleterre. Cette remarque doit inciter à se souve-nir des origines monarchiques de la notion — et par là, des influences qu'elle pouvait avoir sur une société française portant *en elle* l'Ancien Régime avec lequel elle tente de rompre.

En fin de compte, le recul comparatiste (qui ne peut ici qu'être ébauché), écarte l'hypothèse d'effets spécifiques de la représentation et incite à porter l'attention vers la place de la souveraineté dans la culture politique française. La généalogie propre de cette notion — qui est aussi un modèle de pouvoir —, l'image qui l'accompagne sous l'absolutisme (corps de la nation dont le monarque constitue l' « âme souveraine »), les développements donnés par les publicistes royaux — vont confirmer, dans l'étude qui suit, la présence et la persistance d'un héritage.

Cette troisième partie analyse donc comment le jacobinisme tente de réconcilier une forme de représentation avec la souveraineté du peuple, après avoir ressenti et déclaré leur quasi-incompatibilité. L'hypothèse retenue est qu'il ne s'agit pas d'un pur revirement tactique à des fins de maintien au pouvoir, mais, pour une part appréciable, de l'effet de facteurs venus de la longue durée — soit une reprise de la souveraineté monarchique, inversée et habillée dans le discours sur le peuple « devenu souverain ».

Cette quête d'une unité de la société moyennant le pouvoir d'État (jusqu'à la recherche d'une identification de type organique), doit conduire finalement à une interrogation sur la démocratie moderne, lorsque cette dernière soit oublie, soit abandonne, le jeu pluraliste qui est à son fondement. Il est probable que les actuelles démocraties vivent la recherche d'une voie moyenne : entre une unité parfaite, qui serait coercitive, et un pluralisme intégral, qui débouche sur le relativisme de toutes les valeurs. Mais l'idée de souveraineté aide-t-elle à définir cette voie moyenne ? Et faut-il réinterpréter le caractère d'évidence, de réalité objective, dont s'entoure la souveraineté ? Il appartiendra à la conclusion du présent livre de reprendre ces questions.

CHAPITRE PREMIER

Aux origines
de l'idée révolutionnaire
de la souveraineté

*« Le roi est seul souverain en son royaume et la
souveraineté n'est non plus divisible que le point en
géométrie. »*

Cardin Le Bret

*« La Révolution française ne sera que ténèbres pour
ceux qui ne voudront regarder qu'elle ; c'est dans les
temps qui la précèdent qu'il faut chercher la seule
lumière qui puisse l'éclairer. »*

Tocqueville

Les conditions d'émergence
de la souveraineté chez les légistes royaux

Le concept de souveraineté a eu son moment de formation
indéniable, malgré les anachronismes commis dans certaines
études[5] : il date du succès de la puissance royale affirmant à la
fois sa prééminence sur le pouvoir des seigneurs et son
autonomie vis-à-vis des prétentions du pape et de l'empereur.
On considère généralement que le traité de Jean Bodin, *Les six
livres de la République*, marque, en 1576, la consécration de cette
notion — dont Bodin est le premier à donner une analyse
systématique, qui devient aussitôt célèbre. Le livre connaît
quatorze éditions en français entre 1576 et 1629, auxquelles il
faut ajouter neuf autres en latin, de 1586 à 1641.

La souveraineté devenait l'attribut par excellence de l'État moderne, celui que Bodin appelle « République bien ordonnée » : « République est un droit gouvernement de plusieurs ménages, et de ce qui leur est commun, avec puissance souveraine. » Légitimé (car il est un « droit gouvernement », et non une association du type de celles des voleurs ou des pirates), fondé sur la séparation du public et du privé (Bodin oppose au « public » ce que le ménage a « en propre »), doté de la puissance souveraine (dont le modèle est le pouvoir du chef de famille dans le ménage), l'État monarchique est présenté comme le plus naturel et le plus rationnel.

Désormais, l'idée de souveraineté avait acquis cette *abstraction* qui allait marquer si fortement les conceptions du droit public français ; comme l'écrit Bertrand de Jouvenel, « le Moyen Age a eu fortement le sens de cette chose concrète, la hiérarchie ; il n'a pas eu l'idée de cette chose abstraite, la souveraineté. Le mot de " souverain " était couramment employé, mais non pas au sens moderne [6] ». L'abstraction inhérente à la notion s'est formée sur la base de la dissolution de tous les liens personnels qui organisaient la société féodale — avec d'ailleurs pour résultat d'occulter largement le processus historique qui a accompagné sa naissance. Il importe pourtant de rappeler les conditions de naissance de la souveraineté royale, car elle porte les marques de ses origines, même si elles sont voilées par la glorification et l'aura métaphysique que lui donnent les légistes. Il suffit de prêter attention à certaines indications que nous livre Jean Bodin, ou son émule Charles Loyseau qui publie en 1608 le *Traité des seigneuries*.

Par ces ouvrages, la *prééminence* dont jouit le souverain commence à passer pour un fait de nature, alors qu'elle résulte d'une conquête qui a réussi. « Souverain c'est-à-dire celui qui est par-dessus tous les sujets », écrit Bodin, conformément à l'étymologie même du terme [7]. Mais, pour être par-dessus tous les sujets, il a fallu d'abord que le roi le devienne, et avant tout vis-à-vis des vassaux. Il s'est imposé comme « le seigneur des seigneurs », ainsi qu'il est parfois désigné.

Le parallélisme que Bodin trace entre pouvoir royal et pouvoir familial ne doit donc pas faire illusion : le modèle de la famille est une rationalisation après coup, qui sert notamment à critiquer l'opposition, venue d'Aristote, entre « pouvoir politique » et « pouvoir despotique ». À travers l'analogie, Bodin procède en fait à une légitimation : « Tout ainsi donc que la famille bien conduite est la vraie image de la République, et la puissance domestique semblable à la puissance souveraine, aussi est le droit gouvernement de la maison le vrai modèle du gouvernement de la République » (Liv. I, chap. 2). Ce qui est encore donné ici comme une image ou un modèle, deviendra assez vite, au XVIIᵉ siècle, une thèse constante : le roi est le père de ses peuples.

Mais l'analogie est vite démentie par le fait que le pouvoir souverain s'accompagne, lui, de la séparation du public et du privé, une séparation qui organise « la différence de la République et de la famille » (titre du chapitre 2, livre I du traité de Bodin). De plus, l'auteur signale aussi, mais comme en passant, que la souveraineté fut accouchée par la violence : « La raison et lumière naturelle nous aident à cela, de croire que la force et violence a donné source et origine aux Républiques » (I, 6). Le même aveu se trouve chez Loyseau qui cite ce proverbe, empreint d'un franc cynisme politique : « Usurpation suivie d'une longue jouissance fait loi aux souverainetés. »

Si le souverain est celui qui, historiquement, a su s'élever au-dessus des autres, il n'a pu le faire que par rapport à la base de tout droit dans la féodalité : la possession du *fief*. C'est là le second élément important, car désormais la puissance abstraite qu'on appelle souveraineté désigne quelque chose *appropriable* et transmissible, permettant elle-même de posséder le royaume. Propriété et puissance vont de pair, car qui possède le territoire commande aux hommes.

Avant de la lire en toutes lettres chez Loyseau, on peut deviner cette origine historique à travers les propos de Bodin, lorsqu'il discute la question de savoir si un « prince tributaire ou feudataire » peut être souverain : « Nous conclurons qu'il n'y a que celui absolument souverain qui ne tient rien d'autrui : attendu que le vassal pour quelque fief que ce soit [...] doit service personnel à cause du fief qu'il tient » (I, 9). Il en résulte donc que le souverain ne tient de personne, à la différence des bénéficiaires du fief, dépendant par là de leur suzerain. Selon Georges Duby, dès le XIᵉ siècle en France, la relation d'homme à homme (l' « hommage ») avait été relayée par l'interposition de la tenure féodale, qui allait à l'héritier du vassal, mais lui imposait de « servir » le seigneur en servant le fief [8].

On dira donc couramment que « le roi ne tient que de Dieu et de l'épée ». Comme l'écrit un juriste du XVIIᵉ siècle, « le mot *tenir* paraît emprunté au langage des fiefs, dans lequel *tenir de quelqu'un* veut dire *en dépendre, être vassal*. Notre maxime signifie donc que le roi ne reconnaît aucun supérieur que Dieu [9] ».

Cette transposition de la seigneurie dans un pouvoir par lequel le roi est « seigneur des seigneurs » ou « souverain fieffeux de son royaume » révèle les origines, autant que la clef, de la notion de souveraineté — qui signifie donc un droit sans réciprocité de devoirs. On sait qu'il en est résulté l'idée que le souverain gardait la « possession éminente » des biens de ses sujets. Un autre juriste, de Launay, rappelait que le chancelier Duprat, « sollicité par les seigneurs, possesseurs de grandes terres en France, de représenter à François Iᵉʳ qu'il était de la justice de leur conserver les droits féodaux à eux appartenant de toute antiquité, eut sujet de leur répondre : chacun tient du Roy, le Roy ne tient de personne [10] ».

Si la Révolution consacra le droit de propriété intégral pour les particuliers, en supprimant toute base féodale, elle hérita cependant de cette conception selon laquelle il y a une relation, et même une *expression réciproque*, entre « souveraineté nationale » et territoire. De façon significative, la Constitution de 1791 donne les mêmes qualificatifs au sol et au pouvoir politique : « Le Royaume est un et indivisible : son territoire est distribué en quatre-vingt-trois départements, chaque département en districts, chaque district en cantons. [...] La souveraineté est une, indivisible, inaliénable et imprescriptible. Elle appartient à la Nation » (Godechot, pp. 37-38). À la place de Louis XVI (qui n'est plus roi de France mais « roi des Français »), la Nation est « souveraine » en ce que (notamment) elle a puissance sur le territoire [11], elle le soumet à des lois qui sont les siennes et qui sont les mêmes en tout lieu. L'unité et l'indivisibilité sont le chiffre de la souveraineté.

C'est chez Loyseau [12], et avec bien plus de force que chez Bodin, que s'expriment ces origines de la notion moderne de souveraineté, en tant que puissance et possession abstraite imposée à autrui. Le légiste enjolive moins les choses que son prédécesseur : non seulement il écrit que toutes les seigneuries ont commencé « par force et usurpation », mais au vu de la complexité de la société qu'il a sous les yeux, il se sent obligé d'admettre *plusieurs degrés* de souveraineté. Selon lui, le feudataire (titulaire d'une « seigneurie privée ») est souverain aussi, même s'il l'est moins que le possesseur d'une « seigneurie publique ». Le danger de la conception de Bodin, remarque-t-il, c'est que nul roi ne pourrait être souverain, puisque tous sont considérés comme des feudataires de l'empereur et du pape ! Aussi juge-t-il prudent de distinguer quatre degrés dans la souveraineté des princes, correspondant respectivement aux empereurs, aux rois, aux ducs ou comtes, et aux simples seigneurs (p. 11) [13].

Il est vrai que Loyseau se contredit en partie puisque, aussitôt après, il reconnaît que la notion de souveraineté implique un statut d'indépendance absolue. De façon caractéristique, il sort de cette difficulté en renforçant la mystique de la souveraineté : celle-ci doit s'analyser comme une essence qualitative, et non en termes de plus ou de moins. « Il y en a quatre degrés, qui sont distingués seulement par l'étendue de leur domination, pour ce que *intensive* leur pouvoir est pareil, ayant tous la parfaite souveraineté et puissance absolue. » De même que le roi est, comme l'on disait, empereur en son royaume, chaque souverain chez Loyseau jouit de cette perfection intrinsèque, et mystérieuse, par laquelle il est un dieu pour ses sujets. On touche ici à la fois aux rapports que Loyseau entretient avec l'héritage féodal et à l'extraordinaire portée que la notion va prendre dans les temps modernes : aujourd'hui encore, « être souverain en la matière » (par exemple pour un jury d'examen) garde un sens chez nous. Sous l'angle du statut possédé, la souveraineté consacre une prééminence ; sous l'angle de la qualité intrinsèque, elle signifie l'excellence par nature (ainsi pour un « remède souverain ») ; enfin, sous l'angle de la propriété, elle signifie un droit ou une force qu'on détient. Elle peut donc être considérée tantôt de façon comparative, tantôt comme un superlatif, et enfin et surtout : être prise dans l'absolu.

On comprend que ces connotations aient participé à la mystique de la souveraineté royale lorsque cette dernière s'est identifiée à l'émergence de l'État moderne. De même que, selon une certaine théologie, on ne peut dire la perfection de Dieu, mais seulement la suggérer en *écartant* toutes les limitations auxquelles l'humaine condition est soumise, Loyseau définit la souveraineté à travers une suite de négations : « Or elle consiste en puissance absolue, c'est-à-dire parfaite et entière de tout point, que les Canonistes appellent *plénitude de puissance*. Et par conséquent elle est sans degré de supériorité, car celui qui a un supérieur ne peut être suprême et souverain ; sans limitation de temps, autrement ce ne serait ni puissance absolue, ni même seigneurie, ains une puissance en garde ou dépôt ; sans exception de personnes, ou choses aucunes, qui soient de l'État, pour ce que ce qui en serait excepté ne serait plus de l'État ; finalement, sans limitation de pouvoir et autorité, pour ce qu'il faudrait un supérieur, pour maintenir cette limitation. Et comme la couronne ne peut être, si son cercle n'est entier, aussi la Souveraineté n'est point, si quelque chose y défaut » (p. 8).

Quitte à contredire en partie ce qu'il accorde par ailleurs aux grands de son temps (les « degrés de supériorité »), le légiste définit avant tout ce qui est devenu primordial à son époque : la souveraineté du pouvoir d'État. C'est en cela qu'il est d'accord sur le fond avec Jean Bodin, qui devait lui-même répondre aux dévastations engendrées par les guerres de Religion [14]. D'ailleurs, là où Bodin parlait de la République, Loyseau emploie le terme d'État, et il magnifie, dans une page devenue célèbre, le Léviathan moderne : « Enfin la souveraineté est la forme qui donne l'être à l'État, même l'État et la souveraineté prise *in concreto* sont synonymes, et l'État est ainsi appelé pour ce que la souveraineté est le comble et période de puissance, où il faut que l'État s'arrête et établisse » (p. 8). A travers la notion de « souveraineté *in concreto* », Loyseau avait montré le modèle, tout autant que la filiation, du royaume, à partir du fief ; par celle de « souveraineté *in abstracto* » il promeut le mythe de l'État, entité propre aux temps modernes. L'ensemble est résumé de façon très concise par le passage suivant : « Et comme c'est le propre de toute seigneurie d'être inhérente à quelque fief ou domaine, aussi la souveraineté *in abstracto* est attachée à l'État, Royaume ou République. »

À la fin du XVIIe siècle, sous la rubrique « État », le dictionnaire de Furetière intégrait les deux aspects dégagés par Loyseau : « Royaume, province ou étendue de pays qui sont sous une même domination. [...] État se dit aussi de la domination ou de la manière dont on se gouverne dans une nation [15]. »

L'émergence de ces catégories abstraites (État, domaine public, souveraineté), leur présence désormais irréversible à l'intérieur du discours politique, traduisent également une nouvelle perception de la place des individus : à ce moment commence le face à face du « peuple » et du pouvoir, et même du *citoyen* et du souverain. Le terme de « public » apparaît vers le xve siècle (selon les dictionnaires), avec son sens romain : *publicus* (dérivé de *populus*), qui concerne tout le peuple [16]. Quant à la notion de citoyen, Bodin avait anticipé, dans une page remarquable, la formation de l'égalité abstraite qui allait constituer la citoyenneté ; de même que le souverain n'était plus un simple seigneur spécifié par son domaine, le citoyen s'obtient par le dépouillement de toute forme de particularité : « Quand le chef de famille vient à sortir de sa maison où il commande, pour traiter et négocier avec les autres chefs de famille, de ce qui leur touche à tous en général, alors il dépouille le titre de maître, de chef, de seigneur, pour être compagnon, pair et associé avec les autres [...] et, au lieu de Seigneur, il s'appelle citoyen : qui n'est autre chose en propres termes que le franc sujet tenant de la souveraineté d'autrui » (I, 6).

La Révolution héritera de cette perspective, tout en voulant que le « franc sujet » soit l'*origine* de la souveraineté qu'il reconnaît : rectification capitale mais ardue. Comment la souveraineté, synonyme d'indépendance absolue, puissance de commander sans contrepartie, pourrait-elle résulter de la volonté des sujets ? Ou encore, comment ceux qui instituent et par là ordonnent — on les appelle « citoyens » en un sens nouveau — pourraient-ils ensuite obéir ? Le problème ne fait que grandir si l'on examine maintenant les attributs, ou, comme disent les auteurs, les « marques » de la souveraineté.

Les attributs de la souveraineté « indivisible et incommunicable »

Chez Loyseau et chez Bodin, il y a accord sur le caractère *absolu* que possède nécessairement la souveraineté — au sens propre du terme : qui est délié de toute condition ou restriction.

On a vu que Loyseau, pour évoquer cette illimitation perçue comme une perfection de type divin, procédait par une suite d'éliminations. Plus sobrement, Bodin écrivait : « La souveraineté n'est limitée ni en puissance, ni en charge, ni à certain temps », ce qui le conduisait à la définition devenue célèbre : « La souveraineté est la puissance absolue et perpétuelle d'une République. » Tandis que le premier qualificatif met l'accent sur l'impossibilité d'opposer un obstacle quelconque au pouvoir royal, le second porte sur la continuité même de l'État[17].

L'absolutisme est ainsi fondé, au sens où le prince, « absous de la puissance des lois » (Bodin)[18], ne tient que de celles de Dieu et de la nature. Il a été beaucoup discuté de l'importance que la loi naturelle et la loi divine pouvaient effectivement avoir. À lire Bodin il est clair que le souverain peut tout, puisque la souveraineté, issue primitivement de la force, est un fait *sans droit antérieur*, qui fonde désormais tout droit. En d'autres termes, Bodin laïcise considérablement la souveraineté au moment même où il l'instaure comme notion maîtresse du droit public français : la garantie divine du pouvoir, la référence à la lettre fameuse de saint Paul (*Non est potestas nisi a Deo...*), ne sont chez lui nullement nécessaires — alors que cette légitimation deviendra insistante au xviiᵉ siècle[19].

Bodin se contente, tout au plus, de *postuler* que le prince ne peut mal faire, que ses fins ne peuvent contrevenir à celles de Dieu : « Car si la justice est la fin de la loi, la loi œuvre du Prince, le Prince est image de Dieu, il faut par la même suite de raison que la loi du Prince soit faite au modèle de la loi de Dieu » (I, 8). Le fond de sa pensée est des plus clairs toutes les fois qu'il s'emporte contre ceux qui disent que « les Princes soient obligés de faire serment de garder les lois et coutumes du pays » (*ibid.*, p. 101, édit. 1580).

Il est vrai que les théoriciens ultérieurs de la monarchie absolue, commentant la formule « Qui veut le roi, si veut la loi », ont tenté d'en atténuer la portée, pour éviter le reproche de « tyrannie ». Lacour-Gayet rapporte par exemple « l'opinion de Claude Joly, petit-fils et éditeur de Loysel [...], qui prétend que ces mots veulent simplement dire que le roi doit gouverner suivant la disposition de la loi, que sa volonté et la loi doivent se confondre, et non pas que la loi n'est rien autre chose que sa volonté[20] ». En fait, cette maxime, tout comme la formule qui terminait les ordonnances royales (« Car tel est notre plaisir ») suggéraient suffisamment la liberté dont jouissait la volonté princière. Les libelles, les mazarinades, les pamphlets ne se firent pas faute de le souligner à l'époque — ainsi cet opuscule en allemand, et intitulé de façon plaisante *La Métempsycose de Machiavel en Louis XIV* (1674)[21].

Pour en revenir à Bodin, la souveraineté est donc « absolue », au sens où le prince n'est tenu ni par les lois de ses prédécesseurs ni par les lois et ordonnances qu'il a lui-même édictées. On touche ici à l'attribut essentiel de la souveraineté : elle est puissance indéfinie de faire, et refaire, les lois. Fait premier sans droit, elle engendre tout droit — car désormais le droit se confond avec la loi. Alors que dans la conception médiévale le législateur ne *crée* pas, mais découvre un droit antérieur et un ordre naturel institué par Dieu, le souverain de l'État moderne tend à l'assimilation du juste et du légal. Les audaces de la souveraineté démocratique (« Est juste ce que le peuple veut ») prendront avec évidence la suite de ce bouleversement opéré par l'absolutisme[22]. Ainsi, l'indépendance par rapport à quiconque (*superanus* = souverain) et l'illimitation de la souveraineté avaient pour enjeu chez Bodin la toute-puissance de la *loi* ; cette dernière ne désigne pas un ordre objectif, une quelconque « nature des choses », mais le *discours* impérieux d'une pensée et d'une volonté. L'idée de loi se pénètre de subjectivité : « La souveraineté gît au souverain qui donne la loi ; [...] le terme de *Loi* sans dire autre chose signifie le droit commandement de celui ou de ceux qui ont toute puissance » (I,10).

Certes la loi doit être juste — c'est-à-dire prononcée dans l'intérêt de tous —, mais, phénomène nouveau, elle constitue un commandement, elle est la parole de quelqu'un qui ordonne. Hobbes saura particulièrement repérer l'importance de la conception bodinienne. « La loi, écrit-il, est le commandement d'une personne dont la décision constitue une raison suffisante pour y obéir. » Formulation qui, détachée du contexte argumentatif du *Léviathan*, pourrait paraître quasi provocatrice. Mais c'est bien ainsi que fut perçue en Angleterre la pensée de Hobbes, alors qu'elle était reçue avec faveur à la Cour de Louis XIV. Chez Hobbes la *common law* anglaise n'a de valeur que pour autant que le souverain du moment en décide ainsi (chap. 26 du *Léviathan*).

De cette subjectivation de la loi, les conséquences sont immenses jusqu'à aujourd'hui, comme on peut le constater à propos de l'idée de contrôle de constitutionnalité. Une telle procédure est en effet difficile à accepter pour une culture politique où la loi est tenue pour l'acte d'une volonté souveraine, d'un Sujet historique qu'il s'appelle Roi, Empereur ou Peuple...

Les juristes ont remarqué l'ambivalence dont s'entourait le concept de souveraineté à partir de Bodin même : en tant que puissance *abstraite*, il s'agit, comme on l'a vu, d'une substance impersonnelle, appropriable et transmissible, mais en tant que capacité de légiférer, elle devient la voix et le visage même d'un Sujet, le souverain [23]. Les deux caractères n'étaient pas contradictoires du point de vue de ceux pour lesquels les légistes ont élaboré la notion : les rois qui, en France, devaient à la fois personnaliser le pouvoir, et publiciser — si l'on peut dire — l'État. La séparation de la personne privée du monarque et du domaine public, phénomène constitutif de l'État moderne, trouvait sa formulation appropriée, son symbole dans le double caractère de la souveraineté : incarnée et transmissible, subjective mais universaliste.

Aussi peut-on comprendre que dans le cadre de la monarchie il n'y ait pas lieu de distinguer entre la *possession* de la souveraineté et son *exercice*. Selon les termes mêmes de Loyseau, « les rois ont prescrit la propriété de la puissance souveraine, et l'ont jointe à l'exercice d'icelle [24] ». C'est le même sujet qui, en effet, reçoit des mains de son prédécesseur la couronne (« possède » la souveraineté) et qui, en son Conseil, édicte et légifère (« exerce » la souveraineté). Même s'il est vrai que le roi peut, comme on dit, *déléguer* certaines fonctions (ainsi pour la justice), il n'y a cependant pas lieu de séparer la possession de l'exercice, la puissance de l'acte, ou... la souveraineté du souverain. Une telle séparation serait proprement absurde, signifierait la ruine même de la notion de souveraineté.

Tel est pourtant le cas de la démocratie représentative lorsqu'elle va distinguer entre la possession de la souveraineté (par le peuple) et l'exercice de celle-ci (par les représentants ou le gouvernement au sens large du terme). Que peut signifier la thèse selon laquelle le peuple est souverain, mais n'exerce pas lui-même cette souveraineté ? La Révolution ne va cesser de gloser sur cette question, ferment perpétuel d'inquiétude dont le jacobinisme a saisi toute l'importance. La Constitution de 1791 organise la distribution des pouvoirs sous la notion de « délégation » — mais, de la souveraineté déléguée à la souveraineté transférée, ou, comme on dira, « aliénée », le pas était aisé à franchir :

« Article premier — La Souveraineté est une, indivisible, inaliénable et imprescriptible. Elle appartient à la Nation ; aucune section du peuple, ni aucun individu, ne peut s'en attribuer l'exercice.

Article 2 — La Nation, de qui seule émanent tous les Pouvoirs, ne peut les exercer que par délégation. »

Il faut donc lire que ceux à qui la souveraineté est déléguée ont droit, eux, de « s'en attribuer l'exercice ». Les articles suivants les désignent nommément :

« Art. 3 — Le Pouvoir législatif est délégué à une Assemblée nationale composée de représentants temporaires, librement élus par le peuple (...)

Art. 4 — Le Gouvernement est monarchique : le Pouvoir exécutif est délégué au roi (...)

Art. 5 — Le Pouvoir judiciaire est délégué à des juges élus à temps par le peuple » (Godechot, *op. cit.*, pp. 38-39).

Dès 1789 le courant démocratique (particulièrement agissant dans les « districts » parisiens, ancêtres des sections ultérieures) soupçonnera une antinomie déguisée entre l'affirmation du caractère inaliénable de la souveraineté (art. premier) et sa « délégation » aux députés et au roi (qualifié lui-même de représentant, circonstance aggravante !). Dans le langage de Jean Bodin, une telle possibilité avait été d'avance exclue, en termes exprès : la souveraineté, dit-il, est « indivisible et *incommunicable* » (II,7). Ces qualificatifs, on le voit, n'ont pas été inventés par la Révolution : ils ont cheminé depuis Bodin, sans doute par la médiation de Rousseau[25]. Mais ils ont chez Rousseau cette conséquence capitale de conduire à la critique du mode représentatif.

Il est vrai que Bodin avait admis, sous certaines conditions, une délégation des pouvoirs. Les marques de la souveraineté sont chez lui au nombre de cinq[26], mais le légiste prend soin de rappeler que la première est déterminante : « Sous cette même puissance de donner et casser la loi, sont compris tous les autres droits et marques de souveraineté : de sorte qu'à parler proprement il n'y a que cette seule marque de souveraineté. » On en revient donc au caractère premier, illimité et indéfiniment révisable du pouvoir de légiférer — et c'est ce caractère que Bodin affirme « incommunicable » ou, en d'autres termes, non aliénable. Cependant, explique-t-il, supposons que le peuple ait la souveraineté, et qu'il en confie *l'exercice* à des magistrats, comme il se faisait dans l'Antiquité à Cnide : ces derniers n'en ont alors que le « dépôt » ; il doit être bien clair qu'il n'existe qu'un seul souverain. Pour mieux expliquer sa pensée, l'auteur établit une comparaison entre le roi et un tel magistrat investi par le peuple : « L'un est Prince, l'autre est Sujet [du peuple] ; l'un est seigneur, l'autre est serviteur ; l'un est propriétaire et saisi de la souveraineté, l'autre n'est ni propriétaire ni possesseur d'icelle, et ne tient rien qu'en dépôt » (I, 8).

En d'autres termes, obligé de rendre compte des modes de *gouvernement* autres que le monarchique, Bodin concède qu'il peut y avoir un État de souveraineté monarchique gouverné aristocratiquement, ou un État populaire gouverné aristocratiquement — mais en aucun cas une souveraineté *mixte*. « Et combien que le gouvernement d'une République soit plus ou moins populaire, ou aristocratique, ou royal, si est-ce que l'État en soi ne reçoit comparaison de plus ni de moins : car toujours la souveraineté indivisible et incommunicable est à un seul, ou à la moindre partie de tous, ou à la plupart : qui sont les trois sortes de Républiques que nous avons posées. »

La distinction est devenue traditionnelle dans les écrits du XVIᵉ au XVIIIᵉ siècle, mais pour les partisans de l'absolutisme la concession est de pure forme ; Bodin lui-même finit par l'avouer à la fin de son traité : « Mais le principal point de la République, qui est le droit de souveraineté, ne peut être ni subsister, à parler proprement, sinon en la monarchie, car nul ne peut être souverain en une République qu'un seul ; s'ils sont deux, ou trois, ou plusieurs, pas un n'est souverain, d'autant que pas un seul ne peut donner, ni recevoir loi de son compagnon » (VI, 4).

Il en ressort que les États où un « dépôt » de souveraineté a été établi (par la séparation de la possession et de l'exercice, du souverain et du gouvernement) sont des États fragiles, mal bâtis.

En termes plus directs, la souveraineté du peuple n'est pas une modalité viable, car elle entretient les confusions. C'est seulement dans la monarchie, où la souveraineté *d'un seul* est claire et évidente, et où le pouvoir de légiférer ne souffre pas contestation, que certaines fonctions pourront être déléguées sans danger [27].

Tel est donc le sens que prenait à l'origine, sous la plume de Bodin, le qualificatif d' « incommunicable » attribué à la souveraineté : il faut qu'il y ait un homme, et un seul, qui incarne en lui toute la puissance exercée sur la société ; si cette puissance est partagée entre plusieurs, ou si elle est déléguée, le résultat est le même, de type aberrant. Car « il est impossible que la république, qui n'a qu'un corps, ait plusieurs têtes, comme disait Tibère l'empereur au Sénat ; autrement, ce n'est pas un corps, ains un monstre hideux à plusieurs têtes ». L'image n'est pas neuve : outre la référence césarienne, elle avait été employée par les canonistes glorifiant la *plenitudo potestatis* des papes. Chose curieuse, mais qui révèle la persistance du dogme unitaire, on verra le Comité de salut public revenir à cette image dans une circulaire de décembre 1793 [28].

En fin de compte, la nature incommunicable de la souveraineté confirme le paradoxe qui travaille une notion forgée au service de l'absolutisme royal. En tant que substance abstraite et objective, elle est appropriable et transmissible (du roi à son successeur) ; elle est donc *aussi* apte à l'usurpation : on peut s'approprier la souveraineté, comme le firent les grands capitaines du type d'Alexandre. Finalement, on pourrait la déléguer, c'est-à-dire la transmettre à des magistrats qui s'en feraient les possesseurs. Mais ici guette la scission de la République, et la guerre civile — d'où l'importance du second qualificatif donné par Bodin : elle est tout autant *indivisible* qu'incommunicable.

Dans la pensée de Bodin la « division de souveraineté » n'a pas le sens fonctionnel qu'on trouvera un peu plus tard (séparation des branches du pouvoir) ; ou alors elle ne prendrait ce sens qu'à titre secondaire : comme une conséquence de l'absence de l'Un, du Sujet souverain unique, le « monarque » au sens étymologique du terme. Point remarquable, lorsque le légiste veut définir ce qu'il entend par indivisibilité, il se réfère au contre-exemple, pour lui absurde, d'un même agent de pouvoir qui à la fois ordonnerait et obéirait. C'est par excellence le cas d'une coexistence sur un pied d'égalité entre le peuple, le roi et les princes [29].

Pourtant, une objection se présente à l'esprit : supposons une démocratie directe où le peuple est souverain, fait les lois et y obéit (selon le modèle ensuite retenu par Rousseau). Ne peut-on dire ici que la souveraineté se divise, au sens de Bodin, puisque chacun obéit à la loi qu'il reçoit des autres, et impose à d'autres la loi qu'il réussit à faire adopter par un jeu de majorités [30] ? Il n'en est rien aux yeux de Bodin, car ce n'est pas « le peuple » qui est souverain dans l'État populaire, c'est le *nombre* de ceux qui ont la majorité, ou, comme il dit, « la plupart du peuple ». La souveraineté du peuple est, à la lettre, une expression impropre : « L'État populaire est la forme de la République où la plupart du peuple commande en souveraineté au surplus en nom collectif, et à chacun de tout le peuple en particulier [...] de sorte que s'il y a 35 lignées, ou parties du peuple, comme à Rome, les 18 ont puissance souveraine sur les 17 ensemble, et leur donnent loi » (II, 7).

La souveraineté indivisible est ici celle du nombre — par laquelle ceux qui commandent se séparent de ceux qui obéissent. La thèse peut paraître inconséquente, car ceux qui font les lois ne doivent-ils pas ensuite s'y soumettre comme à la règle commune ? Toujours est-il que l'argument fera fortune, et l'appellation de « souveraineté du nombre » se retrouvera chez les adversaires ultérieurs de la démocratie. C'est le cas, par exemple, de Guizot réfléchissant sur l'expérience de la Révolution française. Dans un article publié en 1826, il avait raillé l'idée de souveraineté du peuple : « Cette dernière hypothèse est savante et pénible. [...] Ce souverain collectif n'a ni forme, ni résidence, ni majesté. [...] C'est le peuple, mais seulement en idée, un peuple abstrait qui ne se laisse ni entendre ni voir, à qui la théorie seule attribue l'être et la volonté [31]. »

Revenant en 1837 sur ces considérations (*De la démocratie dans les sociétés modernes*), Guizot introduit un rectificatif : « La souveraineté du nombre, que ses partisans, pour la déguiser, appellent la souveraineté du peuple — ou le droit de la majorité sur la minorité [32]. » Entre les deux appellations on voit toute la différence : l'une, de nature qualitative ou intensive, a partie liée avec la métaphysique du Peuple comme sujet de la souveraineté dont le jacobinisme a constitué un exemple éclatant. L'autre, en termes quantitatifs, et plus empiriques, possède une fonction essentiellement technique et peut même faire l'économie de la doctrine de la souveraineté. Utilisée de façon d'abord polémique, la « souveraineté du nombre » décrit la vie prosaïque des démocraties d'aujourd'hui, lorsque l'évaluation et la conquête de l'*opinion publique* tiennent lieu des grandes spéculations juridiques ou philosophiques. En cela la vie politique contemporaine s'éloigne de la Révolution, qui a cru à la souveraineté et s'est méfiée de l'opinion.

L'héritage et ses pesanteurs

Le personnel révolutionnaire des premières années est empreint de culture juridique, à travers ses notaires, avocats et robins divers qui dominent dans la Constituante : s'il n'a pas nécessairement une connaissance directe de Bodin, Loyseau, etc. — ou même de Rousseau —, il ne peut cependant se dérober à la tâche d'une « régénération du royaume » à partir des *matériaux* présents dans le droit public français[33]. Dans ce trésor juridique, la souveraineté — pour se borner à elle — constitue une pièce majeure. Il s'est alors agi de reprendre la notion (dont on vient de voir à quels usages elle avait été forgée), pour la faire jouer dans un nouveau contexte : l'égalité, le suffrage, les droits individuels, la liberté de pensée, d'expression et de carrière... Il fallait même changer le Sujet de la souveraineté, en installant littéralement la Nation à la place du roi. Remarquable transplantation si l'on y songe, où le neuf, l'ancien et... le mixte ne cessent d'interférer — alors que le discours de 89, magnifiant la rupture avec un Ancien Régime définitivement enterré, multiplie les efforts pour occulter ce ravaudage idéologique.

On peut résumer les deux ou trois grandes idées-forces autour de la souveraineté dont hérite la Révolution, et qu'elle va devoir « transplanter » (si l'on peut suivre cette métaphore), mais il est clair qu'il s'exerce aussi autre chose qu'un héritage d'idées. C'est dans l'*imaginaire* même du pouvoir que, par-delà la lutte des divers courants favorables à la Révolution, une exigence issue de l'histoire se manifeste. De façon schématique, cette exigence pourrait s'énoncer ainsi : *affirmer la prééminence de l'État sur la société*. Mais ce n'est pas la notion de souveraineté qui est *cause* de l'exigence (et il est d'ailleurs rare qu'une notion soit dotée d'une efficacité intrinsèque), c'est au contraire la tendance de longue durée de l'histoire française qui s'est servie de la souveraineté comme d'un outil approprié.

Dans la mesure où elle évoque la capacité de donner loi à autrui sans y être soi-même soumis, la « souveraineté » confortait l'imaginaire d'un État qui n'avait pu se forger qu'au prix d'une centralisation acharnée, et dans un effort pluriséculaire pour dépasser les particularismes culturels et politiques. La double centralisation française (politique et administrative), à laquelle Tocqueville et Marx furent si sensibles, a forgé une image de l'État avec laquelle la Révolution devait inévitablement composer — même dans ses éléments les plus libéraux [34].

Les effets de telles tendances de longue durée sont malaisés à théoriser, ils sont cependant familiers, maintenant, à l'historien et au sociologue. Au XVIIIe siècle c'est sans doute chez Montesquieu que l'on trouverait l'analyse la plus poussée en ce sens. Avant *L'Esprit des lois*, le grand observateur des sociétés écrivait dans un fragment publié de façon posthume : « Dans toutes les sociétés, qui ne sont qu'une union d'esprits, il se forme un *caractère commun*. Cette *âme universelle* prend une manière de penser qui est l'effet d'une chaîne de causes infinies, qui se multiplient et se combinent de siècle en siècle. Dès que le ton est donné et reçu, c'est lui seul qui gouverne, et tout ce que les souverains, les magistrats, les peuples peuvent faire ou imaginer, [...] s'y rapporte toujours et il domine jusqu'à la totale destruction [35]. »

En France, la prééminence de l'État sur la société, l'effort pour le rendre en quelque sorte visible et palpable (« L'État c'est moi », de Louis XIV en constitue un exemple), entrent dans ce que Montesquieu appelait caractère commun. Et c'est sans doute la raison principale pour laquelle le *mot* souveraineté est français d'origine, et a diffusé ensuite dans les langues européennes.

On comprend que la pression, venue de l'histoire, poussant à renforcer et magnifier l'État aura pour conséquence cette exigence jumelle : *que la souveraineté revienne aux gouvernants*, soit de façon plus ou moins déguisée, soit de manière avouée.

Telle est la logique générale dont on observera quelques effets, dans cette troisième partie, pour la période 1789-1794, et à travers des enjeux liés aux circonstances.

Sur le fond général de cette tendance, se détachent trois traits de la souveraineté repris par le personnel révolutionnaire, mais qui vont s'appliquer malaisément au nouveau contexte de transplantation. Il s'agit de la puissance légiférante, de l'unité de la nation, de l'inaliénabilité de souveraineté.

1. La Révolution est unanime à considérer que la création de la loi est la marque par excellence de souveraineté. Ainsi que Sieyès l'avait écrit dès avant les États généraux, la Nation devient souveraine (ou, comme on préfère dire, « recouvre sa souveraineté ») en tant qu'elle est à la fois pouvoir constituant et pouvoir législatif. Sa *volonté* est la loi elle-même, avant laquelle il n'y a rien [36]. Mais comment la nation peut-elle légiférer ? C'est là qu'intervient, selon les indications mêmes de Sieyès, à la place de « la volonté commune *réelle* qui agit », une « volonté commune *représentative* » ; dans ce dernier cas « les délégués n'exercent point [la volonté] comme un droit propre, c'est le droit d'autrui ; la volonté commune n'est là qu'en commission » (*Tiers État*, p. 66).

Mais, comme on a déjà eu l'occasion de le signaler, l'idée de souveraineté se trouve altérée : la possession se distingue de l'exercice effectif, qui échoit aux délégués. De plus, cette altération va engendrer des *contradictions* vis-à-vis des autres caractères de la souveraineté.

2. Le second trait réside en effet dans l'inaliénabilité de la souveraineté (son « incommunicabilité » chez Bodin) : pour l'assurer, le courant démocratique serait partisan que l'on reprenne le *mandat impératif* d'Ancien Régime avec divers assouplissements. Dans l'ancien système, cette pratique était une garantie (théorique) pour les corps et communautés représentés auprès du souverain. Le courant démocratique voudrait que l'usage rajeuni signifie maintenant la souveraineté des mandants vis-à-vis de leurs délégués, c'est-à-dire finalement un contrepoids à l'égard du pouvoir d'État. Un conflit s'ouvre, de ce fait, entre ceux qui veulent que la nation légifère en ratifiant les décisions du corps législatif, et ceux qui admettent que ce que veut le Représentant collectif, la nation l'aura par avance admis et voulu.

3. Dans ce conflit, le troisième caractère va faire pencher la balance ; il touche à un thème sacralisé : l'*Unité* de la nation (ou encore, son indivisibilité) est une marque absolue de sa souveraineté. Or comment pourrait-on faire vivre cette unité si on acceptait un réaménagement du mandat impératif ? Ce serait une mosaïque contradictoire d'aspirations et de propositions qui s'exprimerait, et non une volonté nationale ; de plus le système serait lourd et fastidieux, car avant que tous les corps délibérants soient consultés, que l'information revienne, que la délibération ultime et le vote aient lieu, un temps considérable serait gaspillé.

L'indivisibilité de la nation ne peut donc être assurée et rendue concrète que par *la médiation de la représentation :* c'est en tant que représentée, et au sein du corps législatif, qu'une volonté unique s'obtiendra. Telle est la victoire qu'emportent les partisans de la rupture avec le mandat impératif dans l'été 1789. Mais cela au prix d'un artifice, nécessaire pour concilier la souveraineté inaliénable et la souveraineté indivisible : il faut *identifier* la nation aux représentants eux-mêmes, établir par voie d'argumentation que ces derniers sont la bouche et la voix de la nation.

C'était finalement estimer (sans le proclamer) que la souveraineté doit revenir aux spécialistes de la chose publique, aux députés : ainsi la Constituante retrouve-t-elle, *mutatis mutandis*, l'identification que la monarchie avait connue entre l'État et le souverain. L'exigence de prééminence du pouvoir d'État sur tout intérêt particulier, et sur l'ensemble de la société, était effectivement satisfaite. Mais elle ne pouvait prétendre désamorcer la contradiction entre indivisibilité et inaliénabilité qu'en mécontentant les plus radicaux : le procès du régime représentatif, la mobilisation à cette fin de la critique rousseauiste, commencent dès 1789.

C'est cette configuration d'ensemble que l'on va rencontrer à diverses reprises : elle est explicative à la fois du discours d'opposition des Jacobins et du discours de pouvoir après le 2 juin 1793. D'abord, les membres du club laissent cheminer une idée qui gagne des forces dans l'opinion au moment de la Législative : le Peuple, le véritable sujet de la souveraineté, son possesseur et son agent, devrait se gouverner lui-même. Pourtant, à partir de juin 1793, lorsque le principe de la représentation n'est plus contesté, on constatera que sa défense, *comme auparavant sa contestation,* puise, contre toute apparence, à un même fonds.

En effet, comme pour la souveraineté, l'idée de représentation ne naît pas d'un seul coup, et elle n'est pas non plus le résultat d'une simple importation (d'Angleterre ou des États-Unis) : elle entretient des relations complexes avec ce que les défenseurs de l'absolutisme ont ajouté *au tournant du XVIIᵉ siècle* à la doctrine de Bodin. Et si les libéraux de 89 disent que la souveraineté nationale s'obtient par et dans la représentation de la nation, les Jacobins de 93 pensent en fait la même chose ; il est vrai que c'est d'un autre type de représentation qu'ils étaient en quête, mais qui permette, là encore, de rendre inséparables les mandants et les mandataires.

En fin de compte, la prééminence de l'État sur la société — cette exigence canalisée à travers l'idée de la souveraineté et les modèles de la représentation — a été le vecteur d'une recherche d'*indivision* entre gouvernants et gouvernés ; indivision que le passé monarchique lègue aux temps démocratiques, à titre de norme inaperçue autant que de visée idéale.

CHAPITRE II

La localisation de souveraineté, une controverse permanente

> « *Partout où le peuple n'exerce pas son autorité, et ne manifeste pas la volonté par lui-même, mais par des représentants, si le corps représentatif n'est pas pur et presque identifié avec le peuple, la liberté est anéantie.* »
>
> Robespierre (18 mai 1791)

ÉPOQUE DE LA CONSTITUANTE

La Constituante inaugure une controverse qui rebondira ensuite à plusieurs reprises : il s'agit de déterminer la *localisation* réelle de la souveraineté, de répondre à la question « qui est effectivement souverain ? ». Pour cela il fallait à la fois définir le statut de l'Assemblée vis-à-vis du roi, et trancher sur l'indépendance (absolue ? partielle ?) que l'on donnerait aux députés. En pratique, cela signifie que les députés — et avant tout les membres du tiers état — devaient *s'investir eux-mêmes* du statut qu'ils allaient endosser. Cet acte de discours [37] est déjà une prise de souveraineté dont le premier moment s'effectue le 17 juin 1789, lorsque les députés des Communes, en l'absence des deux ordres privilégiés, déclarent que néanmoins ils sont « l'Assemblée nationale ».

Alors que certains avaient proposé des dénominations pleines de prudence [38], Sieyès eut l'idée de reprendre l'intitulé donné par Legrand, député du Berry (A.P., VIII, 122). Il gagnait ainsi de vitesse son rival Mirabeau, qui plaidait en faveur de

« Représentants du peuple français ». La motion que Sieyès fait passer est d'ailleurs intéressante, car, à peine cette prise de souveraineté s'effectue-t-elle *à l'encontre du roi,* qu'elle traduit vis-à-vis des électeurs la tentative de les identifier aux députés — c'est-à-dire l'assimilation de la souveraineté avec les représentants : le texte dit que « la dénomination d'*Assemblée nationale* est la seule qui convienne », entre autres motifs parce que « la représentation [est] une et indivisible [39] ».

Donner à la représentation les termes qu'on appliquait d'abord à la nation [40] et qui traditionnellement caractérisaient la souveraineté, c'était laisser assez clairement entendre en premier lieu que la souveraineté était dans l'Assemblée et nulle part ailleurs, ensuite que l'Assemblée elle-même devenait le corps visible et glorieux de la nation.

Mais, alors que le transfert de souveraineté du roi aux députés fut effectivement consommé par ce « *speech act* » décisif, il n'en alla pas aussi facilement pour ce qui concerne le second aspect — le transfert de pouvoir des électeurs aux élus. Le débat sur les mandats impératifs (dont certains bailliages et sénéchaussées avaient investi leurs députés) allait se développer ; en principe il est clos le 8 juillet, lorsque l'Assemblée décide qu'il n'y a pas lieu à délibérer sur cette question désormais caduque ; mais il reprendra de nouveau en août et septembre, sans que les minoritaires regagnent le terrain perdu.

La rupture avec le principe du mandat impératif

Les défenseurs de la rupture avec le mandat impératif ne peuvent pas dire clairement que la question est vitale pour s'approprier la souveraineté : l'aveu serait scandaleux. Pourtant, certaines interventions s'arrêtent à l'extrême limite. Ainsi Mounier le 12 août [41], qui répète, après Montesquieu, que le peuple sait choisir ses représentants, mais n'entend rien aux questions dont les députés ont à débattre. D'ailleurs, c'est pour l'intérêt même du peuple que cette répartition des rôles s'effectue : « Si tous les pouvoirs émanent du peuple, il importe à sa félicité qu'il n'en ait pas l'exercice. » Et, de façon plus prosaïque, il précise que ceux qui ont la richesse doivent aussi avoir le pouvoir : « Le pouvoir législatif ne doit pas être confié à des hommes sans fortune, qui n'auraient ni assez de loisir ni assez de lumières pour s'occuper avec succès du bien général ; mais, par la représentation, il s'établit des liens de fraternité entre les riches et ceux qui sont forcés de travailler pour leur subsistance. Les premiers ont intérêt à mériter les suffrages des autres ; ils cherchent à se concilier l'opinion publique. »

Ces vues, quoique exprimées avec quelque crudité, rejoignaient les idées chères à Sieyès sur la nécessaire division du travail qui s'établit dans les sociétés modernes.

De même, s'il s'oppose à Sieyès sur la question du veto royal, Mounier est cependant d'accord pour identifier les représentants à la nation elle-même — en des termes qui anticipent ceux du grand discours de Sieyès prononcé le 7 septembre : « La nation n'exerçant pas elle-même sa puissance, et ne devant pas l'exercer, ne peut avoir d'autre volonté que celle des personnes qu'elle en a rendues dépositaires, à moins qu'elles n'en abusent pour la retenir dans l'oppression. Ainsi la volonté de la nation française se formera par le concours des volontés de son Roi et de ses représentants. »

La nation n'a donc pas une volonté originaire, qui précéderait le moment de la délibération des députés : elle ne veut que *par* ses députés, à travers leurs volontés, auxquelles il n'y a pas lieu de l'opposer (et auxquelles Mounier associe le roi[42]). Comme l'acte électoral *n'est lui-même pas un fait de souveraineté* (thèse généralement admise chez les Constituants), il devient clair que la nation ne jouit de la souveraineté que lorsque ses délégués l'exercent pour elle, à sa place. Cette thèse est-elle cependant parfaitement claire ? Elle sonne étrangement, dans la mesure où on commence par reconnaître la séparation de deux instances (représentés et représentants) pour affirmer ensuite leur identité. D'ailleurs, on a pu noter que Mounier assortit la thèse d'identité d'une restriction : « À moins qu'elles n'en abusent pour la retenir dans l'oppression. » Qui plus est, l'instant auparavant, en voulant comparer le statut du roi et celui des députés, il tenait un langage pour le moins imprudent : « Il est très vrai que le Roi est le délégué de la nation ; il doit s'honorer de ce titre ; mais les députés choisis dans chaque district ne sont pas la nation ; ils ne sont aussi que des délégués : ils n'ont d'autre pouvoir, d'autre autorité, que celle qu'ils ont reçue par leurs mandats, et à l'avenir ils n'en auront d'autre que celle qu'établira la Constitution[43]. »

C'est donc de façon assez fragile que Mounier pose l'identification des élus aux électeurs : il s'agit d'une *fiction*, pour le moment utile aux tâches importantes qu'ont à remplir les Constituants, mais qui pourrait être remise en question par les électeurs, et la société elle-même, en cas de divergences graves[44]. Jusque chez Sieyès, la théorie de la représentation n'était pas exempte d'ambiguïtés : la nation est décrite tantôt comme ce qui existe d'abord et par soi-même, tantôt comme un être abstrait résultant fictivement de la représentation[45].

Au-delà de ces difficultés, l'enjeu concerné apparaît en tout cas clairement : il s'agissait à la fois de se donner les mains libres (du côté des représentants du tiers état), et de prouver la cohésion qui fait la force. C'est pourquoi la discussion sur le mandat impératif porte inséparablement sur l'expression « souveraineté de la nation » et sur le qualificatif « une et indivisible ». L'offensive de Lally-Tollendal et de Barère le 7 juillet, celle de Sieyès le 7 septembre, concernent le second aspect : une nation divisée n'est pas souveraine.

Dans son intervention de septembre[46], Sieyès énonce ce qui était devenu la doctrine définitive : « Le député d'un bailliage est immédiatement choisi par son bailliage ; mais, médiatement, il est élu par la totalité des bailliages. Voilà pourquoi tout député est représentant de la nation entière. » C'était rappeler·une nouvelle fois que le mandat impératif introduirait nécessairement une mosaïque de consignes divergentes ou contradictoires — chose incompatible avec une « volonté de la nation » appelée à prendre la place de la volonté monarchique. Non seulement chaque député est libre de ses décisions (qu'il forge au contact de l'opinion de ses collègues), mais à lui seul il est un représentant « de la nation entière ». Au lieu que l'image unitaire de la nation résulte de la coagulation des opinions exprimées dans le corps législatif, elle est portée par tout élu, quel qu'il soit. C'était supprimer deux fois la diversité inhérente au mandat impératif, et renforcer doublement l'idée de l'unité indivisible de la nation générée à l'instant même du vote. Très logiquement, cette conception appelle comme son complément l'unité de territoire — deux aspects inséparables, on l'a vu, dans les doctrines de la souveraineté.

Sur ce dernier point, Sieyès prononce des formules énergiques : « La France ne doit point être une assemblée de petites nations qui se gouverneraient séparément en démocraties ; elle n'est point une collection d'États ; elle est un *tout* unique. » De même que la France n'est pas une collection d'États (première critique en règle de l'idée fédérale), elle n'est pas plus une collection de volontés exprimées par les commettants.

Ces thèses sonnaient comme la conclusion victorieuse des opinions majoritaires exprimées au mois de juillet. Ainsi Lally-Tollendal — qui avait d'abord défendu le mandat impératif — observait qu'il conduit à nier le *principe de majorité* à l'intérieur de l'Assemblée, puisque chaque consigne donnée à chaque élu devait être — du moins dans un premier temps — absolument respectée : « Chaque partie de la société est sujette ; la souveraineté ne réside que dans le tout réuni ; [...] là où je vois les représentants de vingt-cinq millions d'hommes, là je vois le tout en qui réside la plénitude de la souveraineté ; et s'il se rencontrait une partie de ce tout qui voulût s'élever contre la nation, je ne vois qu'un sujet qui prétend être plus fort que le tout. Il n'est pas permis de protester, de réserver ; c'est un attentat à la puissance de la majorité. Les principes qui s'élèvent contre les protestations sont les mêmes contre les mandats impératifs. Quelle harmonie pourrait-il exister ? Quelle serait l'Assemblée où chaque membre arriverait armé d'une protestation ou d'un mandat qui le forcerait de combattre l'opinion générale ? » (A.P., VIII, 204).

L' « harmonie » que réclame Lally-Tollendal, outre l'imaginaire de la souveraineté qu'elle implique, a un sens politique précis à ce moment : la cohésion du Tiers face au roi et aux privilégiés (qui s'abritent derrière une requête d'allure démocratique). Le même jour, Barère intervient pour renforcer l'idée ; il développe quant à lui, l'opposition — qui a tant de poids dans le discours révolutionnaire — entre intérêts particuliers et intérêt général : « Les commettants particuliers ne peuvent être législateurs, parce que ce n'est pas de leur intérêt particulier seulement que l'Assemblée générale doit s'occuper, mais de l'intérêt général. Or aucun des commettants particuliers ne peut être législateur en matière d'intérêt public. La puissance législative ne commence qu'au moment où l'Assemblée générale des représentants est formée. S'il en était autrement, il aurait suffi aux divers bailliages, aux différents ordres composant les sénéchaussées, d'envoyer des opinions écrites et de former un assemblage d'opinions mécaniques d'après des cahiers bizarres et souvent contradictoires » (*ibid.*, p. 205).

Si l'on admet un tel puzzle, cela revient, estime Barère, à reconnaître « un *veto* effrayant dans chacun des soixante-dix-sept bailliages du royaume, ou plutôt dans les quatre cent trente et une divisions des ordres qui ont envoyé des députés à cette Assemblée ». La menace d'anarchie et d'impuissance fut entendue : le point de vue unitaire triompha, consacré dans la doctrine selon laquelle le député ne représente ni une région particulière, ni un groupe, ni des intérêts spécifiés, mais la nation indivisible.

Cependant, alors que le principe du mandat impératif est abandonné, on constate que l'idée du *contrôle permanent* des électeurs sur les élus ne cesse de réapparaître ; on la voit exprimée au sein des districts où se déroule l'importante « révolution municipale » de Paris, on la trouve dans le discours de Pétion du 5 septembre — et enfin, la conception *jacobine* de la volonté du peuple réintroduit, sous divers habillements, le principe du mandat.

Dans ces contestations s'opère la fusion entre une revendication nouvelle, d'esprit démocratique, et une perspective et une pratique anciennes, qui possédaient un tout autre sens. Le résultat en sera la tension, déjà repérable, entre le pôle « inaliénabilité » et le pôle « indivisibilité ».

Les contestations : indépendance
de l'élu = aliénation de la souveraineté du peuple

Pétion

Dans son discours (A.P., VIII, 581-584), Pétion livre ce qui peut paraître un dernier combat, voué à l'insuccès, mais qui, en réalité, allait se poursuivre ; et lui-même se fit, au printemps 1791, l'avocat du nécessaire contrôle démocratique. Sa tentative s'appuie sur des idées jumelles : la souveraineté doit rester aux mains des électeurs, la volonté générale est celle immédiatement exprimée par le peuple. C'était poser que l'*élection* est un acte de souveraineté — ce que les Constituants n'admettaient point :

eux en restaient à la thèse classique, depuis Bodin au moins, selon laquelle la confection de la loi constitue la vraie marque de souveraineté.

Sur le premier point, voici les propos véhéments et prophétiques que tenait Pétion, Jacobin et futur Girondin : « Dans le système que j'attaque, c'est le mandataire qui est le maître et le commettant le subordonné ; la nation se trouve à la merci de ceux qui doivent lui obéir ; elle est obligée de se soumettre aveuglément à leurs ordres : c'est ainsi que tous les peuples sont tombés dans l'esclavage. »

Pétion n'admet donc pas la fiction selon laquelle la Nation prend corps dans l'Assemblée des représentants : elle est pour lui le peuple même des électeurs (dont il n'acceptera d'ailleurs pas de soustraire les « citoyens passifs »). Quant à la notion sacralisée de volonté générale, l'orateur en donne une vue quelque peu empirique : elle se réduit à l'addition des vœux exprimés. « Tous les individus qui composent l'association ont le droit inaliénable et sacré de concourir à la formation de la loi, et si chacun pouvait faire entendre sa volonté particulière [47], la réunion de toutes ces volontés formerait véritablement la volonté générale, ce serait le dernier degré de perfection politique. »

Là où Barère voyait un désordre généralisé (« assemblage d'opinions mécaniques »), Pétion parle de perfection politique : le désaccord est complet, même si pour le moment il paraît de peu d'incidence. De façon logique, Pétion concluait à un aménagement du mandat impératif pour certains points délimités — comme d'ailleurs son ami Salle, futur Girondin lui aussi, dans une intervention du 1er septembre. Pétion énonce ainsi sa proposition : « Supposez un point fixe, précis, soumis dans le même moment à la discussion des différentes assemblées élémentaires, qui puisse se décider par une formule simple : je ne vois plus alors pourquoi chacune de ces assemblées ne pourrait pas charger ses représentants de l'expression de son vœu. »

Dans cette défense de la souveraineté du peuple moyennant la limitation de la représentation, s'exprime l'écho des idées débattues dans les districts parisiens, et qui deviendront ensuite le leitmotiv des sections sans-culottes.

Les districts de Paris

Pendant que se déroulent les débats de l'Assemblée sur le mandat, sur les droits de l'homme et le veto (absolu, suspensif ou nul) à accorder au roi, les soixante districts de Paris connaissent une intense activité révolutionnaire. Créés pour les élections aux États généraux (règlement royal du 13 avril 1789), et venant d'élire l'assemblée de la Commune en juillet et août, les districts fonctionnent aussi comme lieux de rencontre, de débats et de mobilisation. Voici la description qu'en donnent deux historiens : « Chacun des soixante districts a tendance à se constituer en commune autonome, avec son administration locale, ses comités, ses assemblées générales. Souvent les plus révolutionnaires — comme les Prémontrés et les Cordeliers, sur la montagne Sainte-Geneviève — contestent l'autorité de l'Hôtel-de-Ville, réclament déjà le référendum, la démocratie directe. Comme Danton aux Cordeliers, de jeunes patriotes ambitieux y font l'apprentissage d'un rôle futur. Les yeux fixés sur l'Assemblée, ils dénoncent avec passion la moindre trace de modérantisme parlementaire : la relève s'esquisse déjà » (Furet et Richet, pp. 93-94).

Ayant en principe les mêmes adversaires que les députés du Tiers (la droite des « Monarchiens », vaincue en septembre, étant mise à part), les militants des districts entendent s'appuyer sur la souveraineté du peuple *réalisée, selon eux, dans leurs assemblées.* Leurs revendications sont tout naturellement en faveur du mandat impératif — sous sa forme stricte, ou bien avec aménagements[48]. Ainsi, le district des Prémontrés écrit le 18 novembre 1789 : « Le mandat impératif est [...] un principe de droit naturel qui assujettit le mandataire à son commettant, selon la teneur et la lettre du pouvoir que le premier a reçu du souverain. »

Au cas où le délégué se montrerait infidèle aux consignes reçues, il devra être révoqué : c'est l'origine de la demande de « rappel des députés infidèles » qui va cheminer sous la Législative, jusqu'au 2 juin 1793. Saint-Nicolas du Chardonnet affirme le 4 septembre : « Chaque représentant appartenant à son district avant d'appartenir à la Commune, où il n'est que son constitué, sera révocable à la volonté du district. » Dans cette conception, la volonté du peuple préexiste à la concertation et la délibération des délégués, et elle subsiste *pendant* ce temps : la thèse d'inaliénabilité est défendue avec rigueur. De nombreux arrêtés pris en 1789 par les districts confirment l'attachement à la révocabilité, parfois effectivement appliquée malgré la résistance des autorités[49].

Vis-à-vis de l'Assemblée nationale les districts ne nient pas l'utilité du système représentatif, mais réfutent sa capacité de pourvoir concrètement aux besoins *locaux* du peuple. On le voit par exemple dans l'*Adresse respectueuse du district des Minimes à l'Assemblée nationale :* « Sans doute les lois générales du Royaume doivent être votre ouvrage [...] mais les localités, la convenance à chaque endroit intéressent trop les citoyens qui les habitent, pour qu'ils ne puissent pas espérer que leurs vœux seront entendus. [...] L'Assemblée nationale s'occupe en général des lois municipales du Royaume. C'est un cadre commun à toute la France que chacun doit remplir suivant ses intérêts particuliers. »

La réapparition du terme « intérêts particuliers » signale la tension entre les « vœux » des citoyens vivant dans des situations concrètement diversifiées, et l'Unité du peuple inlassablement affirmée. Pour que la souveraineté soit effectivement exempte d'aliénation, il faut contrevenir au dogme de son indivisibilité : elle se divise, de fait, en une pluralité de vues, ou de micro-souverainetés. Mais inversement, comme le pensaient les députés groupés autour de Sieyès, pour que l'indivisibilité soit crédible, il fallait rendre souverains les représentants. La Révolution expérimente là, dès la première année, une de ses apories fondamentales.

De même d'ailleurs que l'Assemblée nationale ne peut légiférer en tout pour les citoyens, les municipalités demandent parfois l'autonomie pour leur propre compte. Le district des Cordeliers (1er mars 1790) observe que l'Assemblée « ne pouvant faire les règlements particuliers de toutes les municipalités du royaume, c'est aux citoyens de chaque municipalité à faire eux-mêmes leurs règlements particuliers qui sont des lois locales ; autrement ces règlements ne seraient plus l'expression de la volonté générale de ceux qui leur sont soumis ». La revendication d'autonomie, en faveur de la municipalité, fait appel de façon caractéristique à la « volonté générale » (notion cardinale du courant démocratique), en supposant qu'un règlement qui est « particulier » par rapport au corps d'ensemble a néanmoins une portée générale pour les membres des corps subordonnés [50]. Mais étant donné le primat accordé par les dirigeants de la Révolution à la souveraineté nationale, ces vues ne pouvaient être admises : elles donnaient lieu — ou paraissaient donner lieu — au grief de fractionnement de la souveraineté. Le débat est exprimé dans une intervention très claire, exemplaire à ce titre, de Bengy de Puyvallée, lors de la discussion du nouveau plan de municipalité de Paris (A.P., XV, 374-380 ; 3 mai 1790).

L'orateur conteste le droit que s'attribuait la Commune de Paris « de s'organiser comme il lui plaît ». L'un des arguments clés consistait à montrer que la souveraineté s'exerce « sur toutes les parties du corps politique », alors que le pouvoir municipal ne concerne que « des parties distinctes et séparées du royaume ». Bengy de Puyvallée retournait donc au principe de l'incommunicabilité de la souveraineté (Bodin), combinée avec son exclusivité étatique : « Autrement la nation, en qui réside la souveraine puissance, n'exercerait pas la plénitude des pouvoirs sur toutes les parties de l'empire, puisqu'il existerait un pouvoir indépendant de sa puissance souveraine. »

Les débats à l'Assemblée comme les documents en provenance des districts confirment donc le point suivant : dans les années préparatoires à la rédaction de la Constitution, la *localisation* de la souveraineté fait problème, génère une tension, et appelle un dispositif de contrainte ; en effet, face à des organes qui se considèrent possesseurs d'un pouvoir, et qui recherchent l'autonomie, face également à des intérêts sociaux qui divergent entre eux (*cf.* la crise des subsistances), la recherche de l'Unité du peuple demande l'application d'une norme *externe* à ce peuple.

Du point de vue des forces démocratiques, une telle unité se payerait trop cher : que deviendrait le caractère inaliénable de la volonté du peuple tellement invoquée ? C'est sur cette contradiction que s'appuie le discours jacobin dans sa phase d'opposition, faisant pièce à la doctrine de la représentation, qui équivaut au transfert de souveraineté. Avant l'étape décisive du 2 juin 1793, Jacobins et démocrates divers ne peuvent donc que favoriser l'image d'une souveraineté de droit naturel, une par nature. Le *Journal du Club des Cordeliers* écrit en 1791 : « La loi est l'expression de la volonté générale. Cette volonté quoique censée exister par l'organe des représentants du peuple, doit encore se manifester particulièrement par lui[51]. » Mais faire s'exprimer la volonté autonome du peuple, apporter ainsi la preuve de l'existence de cette entité, c'est révéler une diversité qui ne manque pas d'apparaître, à travers *des* volontés qui parlent. C'est aussi entraver le jeu de la représentation tel que la France l'a institué. Cette conséquence est bien aperçue, là encore, dans les débats du 3 mai 1790, lorsque l'Assemblée entreprend de remodeler le statut de la municipalité de Paris, et son organisation de base, les soixante districts.

Le nouveau projet de règlement prévoit la suppression des districts : du même coup, c'en était fini de la *permanence* de leurs assemblées, dont les membres avaient demandé avec insistance la légalisation[52]. Robespierre intervient alors pour tenter d'empêcher l'examen du plan de municipalité : « Quand vous avez parlé d'une exception en faveur de la Ville de Paris, j'avoue que je n'ai entendu que la conservation des assemblées de districts. [...] Dans cette ville, le séjour des principes et des factions opposées, il ne faut pas se reposer sur la ressource des moyens ordinaires contre ce qui pourrait menacer la liberté ; [...] Je conclus à ce qu'on ne décrète aucun article avant d'avoir discuté : 1° — si les districts seront autorisés à s'assembler quand ils voudront, jusqu'après l'affermissement de la Constitution ; 2° — si après l'affermissement de la Constitution, ils pourront s'assembler, au moins une fois par mois, pour répandre l'esprit public » (*Œuvres*, VI, 349-350).

Au sein de la Constituante, Robespierre est le seul, ce jour-là, à soutenir ouvertement la revendication de permanence des districts, qui était tenue pour une lubie des agités de la capitale ! Il s'attire la réplique de Mirabeau, dénonçant le risque de dualité de souveraineté : « Il [Robespierre] a oublié que ces assemblées primaires toujours subsistantes seraient d'une existence monstrueuse : dans la démocratie la plus pure, jamais elles n'ont été administratives. Comment ne pas savoir que le Délégué ne peut entrer en fonction devant le Délégant ? Demander la permanence des districts, c'est vouloir établir soixante sections souveraines dans un grand Corps où elles ne peuvent qu'opérer un effet d'action et de réaction capable de détruire notre Constitution » (A.P., XV, 381).

La critique porte sur deux aspects capitaux pour la tactique et la vision représentées par Robespierre : il faut que le « Délégant » disparaisse lorsque paraît le « Délégué ». Traduisons : il faut que le transfert de souveraineté se fasse (si l'on admet que les électeurs exercent, à ce moment, la souveraineté) ; en outre, il faut qu'un seul Corps (l'Assemblée) soit permanent, et non soixante : il y va de l'unité indivisible attachée à la souveraineté.

Pour le moment, les vues et les craintes exprimées par les modérés l'emportent, ainsi que le matérialise le décret final voté (21 mai-27 juin 1790). Les quarante-huit sections de Paris, seules subsistantes, ne se réunissent que pour le moment de l'élection, et n'ont plus ensuite lieu d'être. Comme le redira la Constitution de 1791, « les fonctions des assemblées primaires et électorales se bornent à élire ; elles se séparent aussitôt après, les élections faites, etc. » (Godechot, p. 42).

Mais comme il était difficile de ne rien céder aux revendications exprimées au nom de la « volonté du souverain », les modérés acceptèrent une certaine latitude de réunion hors les circonstances électorales : il fallait que cinquante citoyens actifs, pris à l'intérieur d'une section, le demandent ; et pour que ce vœu aboutisse à la réunion de l'assemblée générale des sections, il y avait, de surcroît, des conditions contraignantes[53].

Genèse du discours robespierriste : la souveraineté des sections

Dans ces premières années de la Révolution et à travers Robespierre, son porte-parole le plus affirmé, le discours jacobin d'esprit radical a fait son apparition au sein du corps législatif. Il est en fait — on vient de le constater — la reprise des revendications exprimées dans les districts parisiens et, à partir du printemps 1790, dans les quarante-huit sections. On ne suivra pas ici les diverses connexions (idéologiques, politiques et même sociales) qui unissent les deux instances tribunitiennes : l'Assemblée, les sections. Par exemple, la lutte contre le décret du marc d'argent (qui réserve la députation à un niveau aisé de revenu) confirmerait la *base de légitimité* que Robespierre et ses amis (Pétion, Salle, Buzot, principalement) ont su se donner chez les militants des sections — avant d'affirmer leur implantation dans la Société des Jacobins. La bataille pour l'abolition des conditions censitaires — d'abord acceptées chez les Jacobins — dure jusqu'à la fin de la Constituante[54] ; il est clair que la défense des citoyens pauvres allait dans le même sens que l'affirmation de présence et de permanence de la souveraineté au sein du peuple — un peuple que le jacobinisme radical entend à la fois sous l'angle politique, sociologique et moral.

Lorsque les sections de Paris commencent à entrer en fonction, le conflit sur la localisation de souveraineté reprend de plus belle — l'occasion étant que l'Assemblée devait établir la Constitution du royaume, et par conséquent définir la base des « pouvoirs délégués ». Le 28 février 1791, Le Chapelier — toujours vigilant sur ces questions — avait tenté de mettre les points sur les i. Son projet concernait les administrateurs et les juges élus, et voulait fonder le respect qui leur était dû. Il déclarait dans un préambule : « La nation entière possédant seule la souveraineté qu'elle n'exerce que par ses représentants, et qui ne peut être aliénée ni divisée, aucun département, aucun district, aucune commune, aucune section du peuple ne participe à cette souveraineté » (A.P., XXIII, 559).

Ce préambule était effectivement sans ambiguïté quant à l'obtention d'obéissance : il provoque la colère de Pétion et de Robespierre, qui interviennent en termes à peu près identiques. Pétion, reprenant les conceptions qu'il avait exposées en septembre 1789, voulait préparer les esprits à des *conventions* de révision des lois : « Chaque section de la nation peut émettre son vœu particulier, et dans ce sens elle participe évidemment à la souveraineté (*Murmures*). Je dis que la volonté générale ne se compose que de toutes les volontés particulières. Je dis, et ceci est exact en principe, qu'une section en particulier n'exerce pas la souveraineté ; mais il n'est point exact d'en conclure qu'elle ne participe point à la souveraineté (*Murmures*). N'est-ce pas la réunion de toutes les sections qui forme la volonté générale ? »

Dans le même sens, et malgré le chahut déclenché, Robespierre affirme : « S'il est vrai que la nation est composée de toutes ces sections, il est vrai de dire que toute section, que tout individu même est membre du souverain. » La contradiction entre indivisibilité et inaliénabilité reparaît donc ici : pour les modérés, seul le tout est souverain, or la section n'est qu'une fraction du tout. Mais de plus, en tant qu'il *exerce* la souveraineté, ce tout n'existe pas dans l'ensemble des sections : il est

composé de leurs représentants. Il y a évidemment un glissement de la première thèse (qui impliquerait que la nation est
composée de l'ensemble des sections) à la seconde, qui dessaisit
le « peuple » de l'exercice de souveraineté.

Les contradicteurs, de leur côté, feignent d'entendre qu'il n'y
a pas de différence entre le « peuple » (électeurs) et la « nation »
(corps des élus). Il faut cependant se demander en quel sens ils
peuvent vouloir que les sections « participent à la souveraineté » ? Ce point n'est jamais éclairci, et ne pourrait l'être sans
contredire ouvertement le principe qu'avait fait triompher
Sieyès. Les contradicteurs jouent en fait sur l'amalgame de deux
idées au moins : chaque section de citoyens peut émettre des
pétitions (à titre individuel), chaque section concourt à l'élection
des députés. Du « vœu » émis par les sections à leur « volonté »,
il y a, là aussi, un glissement constant, dénoncé par les
adversaires [55].

C'est le 10 août 1791, lors de la révision du texte constitutionnel (la « révision réactionnaire » dont parle l'historiographie de
gauche), que la même polémique reprend et donne à Robespierre l'occasion de déployer toutes les ressources de sa dialectique. Par l'intermédiaire de Thouret, le Comité de Constitution
avait proposé les articles suivants :

« Art. premier — La souveraineté est une, indivisible et
appartient à la nation ; aucune section du peuple ne peut s'en
attribuer l'exercice.

2 — La nation, de qui seule émanent tous les pouvoirs, ne
peut les exercer que par délégation. La Constitution française
est représentative ; les représentants sont le Corps législatif et le
roi » (A.P., XXIX, 322-323).

Dans sa réplique, Robespierre dénonce trois aspects de la
formulation :

1) On anéantit la souveraineté du peuple, car on l'aliène à
perpétuité ;

2) on retire aux sections le pouvoir souverain qu'elles ont (de
nature obscure, comme on va le voir) ;

3) on fait un « représentant » d'un roi promu par l'hérédité,
ce qui est absurde car il n'y a pas de représentant par nature
mais seulement par délégation ; de plus, on mélange le législatif
et l'exécutif.

Le dernier reproche est suffisamment clair [56], et peut être laissé de côté. Il est par contre intéressant d'observer la tactique robespierriste sur les deux premiers points.

L'inaliénabilité de souveraineté selon Robespierre

L'orateur commence par relever que l'article premier lu par Thouret ne mentionne pas l'*inaliénabilité,* caractère nécessaire de la souveraineté : il gagne sur ce point, qui va passer dans la Constitution de 1791. Sur l'article 2, il déclare : « Remarquez bien que la délégation proposée par le Comité est une délégation perpétuelle, et que le Comité ne laisse à la nation aucun moyen constitutionnel d'exprimer une seule fois sa volonté sur ce que ses mandataires et ses délégués auront fait en son nom. Il n'est même pas question de Conventions dans tout le projet. [...] J.-J. Rousseau a dit que le pouvoir législatif constituait l'essence de la souveraineté, parce qu'il était la volonté générale, qui est la source de tous les pouvoirs délégués ; et c'est dans ce sens que Rousseau a dit que lorsqu'une nation déléguait ses pouvoirs à ses représentants, la nation n'était plus libre et qu'elle n'existait plus » (*Œuvres*, VII, 613)[57].

Robespierre assimile en fait deux questions : celle du pouvoir de faire les lois (qui ne peut échoir qu'aux représentants) et celle du *pouvoir constituant.* D'après la doctrine américaine (reprise à l'époque par Pétion, Brissot, Condorcet)[58] seule une convention, élue exprès par le peuple, peut être qualifiée pour accepter ou rejeter un projet constitutionnel. Sieyès, il faut le dire, avait clairement vu le danger d'imposer une constitution non ratifiée. Il était, en vain, intervenu plusieurs fois en ce sens. Mais Robespierre brouille les cartes, car il ramène le pouvoir de faire des lois au cas, tout autre, du pouvoir constituant.

La référence à Rousseau n'est pas plus claire : Robespierre se sert des propos de Rousseau tournés contre la Représentation, pour affirmer que la « volonté générale » est... dans le « pouvoir législatif » élu ! Or le législatif dans le *Contrat social* ne saurait être une Chambre élue, distincte du peuple.

C'est donc, davantage que le discours explicite, les sous-entendus qui comptent ici. L'orateur laisse entendre qu'il admettrait une délégation provisoire, soit pour des conventions nationales, soit pour l'élection des députés par les assemblées électorales. En ce sens, l'élection est elle-même un acte de souveraineté. Mais ce dernier cas mène alors à l'autre problème : l'*indivisibilité* que Robespierre prétend reconnaître et défendre.

L'indivisibilité et ses impasses

Ce sont maintenant les sections qui entrent en scène par la bouche de Robespierre contestant de nouveau l'article premier : « Il est dit dans deux articles de la Constitution : " Aucune section du peuple ne peut s'attribuer l'exercice de la souveraineté ". [...] On ne peut pas dire d'une manière absolue et illimitée qu'aucune section du peuple ne peut s'attribuer l'exercice de la souveraineté. Il est bien vrai qu'il sera établi un ordre pour la souveraineté ; il est bien vrai encore qu'aucune section du peuple, en aucun temps, ne pourra prétendre qu'elle exerce les droits du peuple tout entier ; mais il n'est pas vrai que, dans aucun cas et pour toujours, aucune section du peuple ne pourra exercer, *pour ce qui la concerne*[59], un acte de la souveraineté *(Rires ironiques).* »

On peut de nouveau observer comment la dialectique robespierriste crée son enjeu propre, en déplaçant le centre de gravité de la question. L'enjeu auquel tient l'orateur, c'est que la section pourra être dite souveraine, avoir l'exercice même de la souveraineté. Le problème — sur lequel il feint d'accorder une concession — est de savoir en quoi une seule section pourrait valoir pour le « peuple entier ». Admettant explicitement qu'elle n'est qu'une part du peuple, Robespierre lui donne néanmoins l'exercice de souveraineté. La formule de compromis qui permet le pas en avant subreptice, consiste à dire que cette section exerce *un* acte de la souveraineté, et « pour ce qui la concerne ».

Que faut-il comprendre ? Soit les autres sections devront être en accord pour que cet acte de souveraineté devienne celui du peuple entier (sans les représentants, ainsi court-circuités) : c'est la dynamique qui se met en place un an après, et qui provoque le 10 Août. Soit l'Assemblée des représentants devra ratifier la volonté « souveraine » de cette section : c'est bien ce que demande Mauconseil le 5 août 1792. Les exclamations moqueuses signalées par le sténographe montrent que l'Assemblée a compris de quoi il s'agissait, et quel était l'enjeu ; elle n'ignorait pas les demandes émanant des sections[60]. Pour le moment, Robespierre veut considérer qu'il ne légitime pas la désobéissance aux lois : la suite de son intervention porte cette fois sur le droit de vote exercé dans les sections, qu'il définit comme un exercice de souveraineté : « Je m'explique, c'est d'après vos décrets que je parle : n'est-il pas vrai que le choix des représentants du peuple est un acte de la souveraineté ? N'est-il pas vrai même que les députés élus pour une contrée sont les députés de la nation entière ? Ne résulte-t-il pas de ces deux faits incontestables que des sections exercent, *pour ce qui les concerne partiellement* [61], un acte de la souveraineté ? »

Robespierre emploie ici l'argument de rétorsion, feignant de reprendre à son compte la doctrine de la « souveraineté nationale » ; il n'en est rien puisqu'il place l'exercice de souveraineté dans l'élection, et non dans l'activité législative. Le rappel du principe qui avait éliminé le mandat impératif (*cf.* seconde phrase) est tout autant un trompe-l'œil : la doctrine de Sieyès visait à écarter le fractionnement de la *représentation*, alors que l'orateur jacobin prétend repousser tout fractionnement de la souveraineté *au sein du peuple sectionnaire*. En disjoignant ainsi la souveraineté (exercée directement) et la représentation, Robespierre sapait sans le dire la doctrine française qui n'avait pour finalité que de fusionner ces deux termes [62]. C'est de nouveau sur le sous-entendu — clin d'œil à l'adresse des forces favorables, hors de l'Assemblée — que joue ce discours.

Le comble de l'ambiguïté se trouve dans l'expression « pour ce qui les concerne », utilisée deux fois. Ou l'assemblée municipale est contestée, ou les sections comme *parties* du Souverain se prennent pour le Souverain entier [63]. C'est dans ce dernier cas l'indivisibilité du Souverain (même au sens de Robespierre) qui devient tout à fait obscure. Il ne s'agit pas, en l'occurrence, d'un malentendu, ou de maladresses imputables à une improvisation orale ; outre que l'on a les notes écrites, parfois véhémentes, par lesquelles l'Incorruptible avait schématisé les grandes lignes de son intervention [64], ce débat a déjà eu lieu (comme on l'a vu) en février, avec Le Chapelier.

Le point vulnérable du nouveau dispositif institutionnel

Sous la Constituante, la répétition dans les documents des mêmes équivoques, et l'usage des mêmes termes, permet d'affirmer la naissance du discours jacobin en faveur de la souveraineté du peuple : ce dernier ne commence pas avec l'insurrection ultérieure du 10 Août, ou le coup de force du 2 Juin 1793. Cette constatation complète d'ailleurs ce qui avait été observé (Part. I) sur le parallélisme de situation et de tactique dans les deux grandes journées apparues ensuite ; dans la phase de conquête du pouvoir, le discours sur la souveraineté a fourni le point d'appui principal dans la formation d'une avant-garde révolutionnaire. Et il constituera au moment de la Convention le levier d'élimination de la Gironde, pour, après le 2 Juin, être révisé au profit de la Représentation, qui retrouve des titres de légitimité.

Il peut être utile de récapituler les enjeux de l'attitude robespierriste au moment du débat d'août 1791. En refusant ce qu'il appelle une délégation perpétuelle, et en reconnaissant aux sections un exercice « partiel » de souveraineté, l'orateur fait saillir deux paradoxes :

— Un corps législatif qui décide, mais ne peut vouloir pour le peuple ; ou encore : une souveraineté que l'on représente, mais au prix de son aliénation ;

— Une souveraineté indivisible, mais composée de parties souveraines.

Du point de vue symbolique, on voit sans peine ce que l'Incorruptible poursuivait à travers ces ambiguïtés ; il s'agissait de constituer le Peuple (ou la Nation redéfinie) comme sujet politique, doté d'une volonté propre et distincte de l'institution étatique ; constituer ainsi la section comme micro-sujet et micro-unité de souveraineté, apte à rendre concrètement visible *hic et nunc*, le Peuple invoqué. Dans cette double opération de constitution, le discours tient évidemment le rôle d'un opérateur capital.

En cela Robespierre fait preuve d'habileté, sinon de prescience, car le discours consacre une déchirure déjà présente dans le champ politique : il s'appuie sur des forces existantes, pointe un enjeu qui permet, en se plaçant à un lieu névralgique, de défier la Constituante. Le lieu névralgique se trouve dans le *passage* de la volonté supposée résider dans les gouvernés à l'instance qui engendre les lois : ainsi, la séparation entre « possession » et « exercice » rendait incohérent le modèle, qu'on avait transposé, de la souveraineté monarchique. Le nouveau dispositif apporté par 89 contient un point vulnérable sur lequel pèse la revendication démocratique qui prend, alors, contre toute légalité instituée, une dimension révolutionnaire et insurrectionnelle.

Le 10 août 1791, Robespierre résume à la fin de son intervention ce qui est le fond de sa pensée, et qui résonne quasiment comme une menace : « On ne peut pas dire que la nation ne peut exercer ses pouvoirs que par délégation ; on ne peut pas dire qu'il y ait un droit que la nation n'ait point. On peut bien régler qu'elle n'en usera pas, mais on ne peut pas dire qu'il existe un droit dont la nation ne peut pas user si elle le veut. » Un an après, jour pour jour, il se confirmera qu' « on ne peut pas dire qu'il y a un droit que la nation n'ait point ». Le 10 Août sera célébré comme le moment où la nation se lève pour *reprendre* ce droit : une « seconde révolution » comme on dira désormais chez les Montagnards.

Dans une belle convergence des extrêmes, Malouet, représentant de la droite monarchique, avait lui aussi lancé un avertissement du même type durant le débat constitutionnel : « Vous avez voulu, par une marche rétrograde de vingt siècles, rapprocher intimement le peuple de la souveraineté, et vous lui en donnez continuellement la tentation sans lui en confier immédiatement l'exercice » (A.P., XXIX, 264 ; 8 août 1791).

ÉPOQUE DE LA LÉGISLATIVE

Le déroulement des événements qui conduisent au 10 Août ne sera pas repris ici, ayant été donné en première partie : l'examen doit porter exclusivement sur les nouveaux aspects pris par le problème de la localisation de souveraineté. La controverse majeure à considérer a lieu à la veille du 10 Août, et s'incarne dans les positions respectives prises par Robespierre et Condorcet : il s'agit alors de savoir en quoi l'*indépendance* dont jouissent les députés est ou non antinomique d'une participation des gouvernés à la souveraineté. L'originalité de l'attitude de Condorcet consiste à accepter la thèse de la souveraineté du peuple en tentant cependant de la dissocier des conséquences où l'entraîne la ligne adoptée par l'Incorruptible en juillet. En pratique, c'est la question du droit des *sections* qui est soumise à examen.

La tentative de Condorcet est infructueuse puisque son texte du 9 août (*Instruction sur l'exercice du droit de souveraineté*) ne reçoit aucun écho : il est d'une part, d'une abstraction telle que seuls des esprits très théoriciens pouvaient l'assimiler, mais surtout il confirme combien le discours jacobin est fort en s'installant au point névralgique : relation entre volonté du peuple et représentation, entre souveraineté égale des sections et exercice législatif de cette souveraineté. À ce titre, la comparaison des perspectives confirme que la doctrine de la souveraineté agit par sa charge émotionnelle, mais non par une clarté dans les principes qui l'inspirent. Appliquée à ce nouveau contexte, la souveraineté invoquée démultiplie la revendication de pouvoir entre les groupes : l'*égalité* entre « membres du souverain » et entre « parties du souverain » sape la possibilité de reconnaître une règle fixe et commune. Aussi, au sortir du 10 Août, l'*indivisibilité* proclamée par la Convention est entièrement contredite, et ne tient que par la commune référence au Peuple, entre les deux camps qui se déchirent.

La critique de l'indépendance des représentants chez Robespierre

Dans cette période, les deux grands textes de Robespierre concernant la localisation de la souveraineté sont publiés par son journal *Le Défenseur de la Constitution*. Le premier, *Sur le respect dû aux lois et aux autorités constituées* (*Œuvres*, IV, 144 et suiv.), reprend « l'anathème foudroyant de J.-J. Rousseau contre le gouvernement représentatif absolu ». Le second, du 29 juillet, intitulé *Des maux et des ressources de l'État* (*ibid.*, 317 et suiv.), achève d'instruire le procès du « despotisme représentatif ».

L'analyse du second discours ayant été menée précédemment[65], il convient à présent de porter l'attention sur la conception de la loi exposée dans le premier texte. Selon le titre même adopté par l'auteur il s'agissait de fonder le respect que les citoyens devaient porter à la loi, tout en marquant les *limites* et les confusions possibles s'attachant à cette attitude de respect.

Mais le caractère respectable de la loi ne devient un objet d'examen que dans la mesure où il sert d'arme contre le général qui menace à l'époque l'ordre constitutionnel : La Fayette. Comme toujours chez Robespierre, l'apparence théorique et doctorale de la réflexion enveloppe une portée polémique, car chez lui la pensée est inséparable de l'action. Cela explique le double versant des thèses défendues. D'un côté la loi doit être obéie en tant que — et parce que — elle émane de la majorité : « Aussi longtemps que la majorité exige le maintien de la loi, tout individu qui la viole, est rebelle. Qu'elle soit sage ou absurde, juste ou injuste, il n'importe ; son devoir est de lui rester fidèle. »

Mais par ailleurs, Robespierre introduit tellement de restrictions que sa thèse se renverse dans la légitimité de l'insubordination, si la loi contrevient à la souveraineté du peuple *et* au jugement moral, qui ne font qu'un. La question est de savoir comment la souveraineté peut se différencier de la majorité et s'identifier au jugement moral. Il faut reprendre le fil de l'argumentation exposée.

L'orateur commence par poser une distinction entre le tout (le souverain) et les parties (les individus-citoyens) — distinction qui va se révéler ensuite surdéterminée par celle du souverain et des représentants. « Les lois peuvent être considérées sous deux aspects, par rapport au souverain, c'est-à-dire à la nation ; par rapport aux sujets, c'est-à-dire aux individus. Le souverain est au-dessus des lois ; le sujet doit leur être toujours soumis. La nation peut changer à son gré la loi, qui est son ouvrage ; chaque citoyen est toujours obligé de la respecter. » Le peuple est donc ce souverain « absous des lois » dont avaient parlé les légistes royaux. Le point capital, pour le moment présupposé, est que la loi constitue l'œuvre directe du souverain : il n'y a pas de séparation entre la possession et l'exercice de la souveraineté. Si bien que toute prétention à maintenir la loi établie *indépendamment* de la volonté du souverain est nulle d'emblée. C'est ce que l'orateur ajoute aussitôt après : « Quiconque veut maintenir par force ou par artifice, une loi que la volonté de la nation a proscrite, est rebelle à la loi ; il se révolte contre le souverain même, en qui réside la puissance législative. »

Quel est celui qui voudrait maintenir « par force » la loi établie ? Il s'agit d'un individu qui, tel La Fayette, emploierait la puissance militaire pour intimider la nation. Mais, dans le second cas, du maintien « par artifice », de qui peut-il s'agir ?

La réponse viendra un peu plus loin, lorsque Robespierre fait intervenir la dimension représentative : « Les chances de l'erreur sont bien plus nombreuses encore lorsque le peuple délègue l'exercice du pouvoir législatif à un petit nombre d'individus ; c'est-à-dire lorsque c'est seulement par fiction que la loi est l'expression de la volonté générale. »

Cette « fiction » est donc l'artifice qui fait qu'on risque de ne plus obéir à la loi du souverain, mais à la loi d'un petit nombre d'*individus*. Les individus rebelles qui avaient d'abord été mis en opposition avec le tout souverain, se révèlent être, dans certains cas, les représentants. Du coup, le texte change de sens : il vise à établir la nécessité de *retirer le respect* envers les lois si la souveraineté du peuple est en jeu. Il ne faut respecter que les lois qui sont bonnes, et pour les autres, celles qui reposent sur le préjugé et la force, leur obéir tant qu'on ne peut faire autrement [66]. « Je souscris à la volonté du plus grand nombre, ou à ce qui est présumé l'être ; mais je ne respecte que la justice et la vérité. J'obéis à toutes les lois ; mais je n'aime que les bonnes. La société a droit d'exiger ma fidélité, mais non le sacrifice de ma raison : telle est la loi éternelle de toutes les créatures raisonnables. »

C'est finalement le jugement de la conscience qui est le vrai critère du sentiment du respect, lequel constitue la source du caractère durable des bonnes lois. Or ce jugement de la conscience est inséparable de la souveraineté morale du peuple, qu'il ne faudrait pas s'empresser de confondre avec la règle majoritaire qui engendre des représentants. La *nature* première du peuple est de tendre vers le vrai et le juste, alors que le « petit nombre d'individus » qui exerce la magistrature forme une institution artificielle, fictive, et par là susceptible de toutes les déviations envers l'ordre naturel : « Tels sont les éléments simples de l'ordre social et de l'économie politique. Ils sont établis pour des hommes, ils doivent être fondés sur la morale et sur l'humanité. Si je vois le législateur suivre des principes opposés, je ne reconnais plus le législateur ; je n'aperçois qu'un tyran. »

Robespierre enchaîne en rappelant tous les méfaits dont sont capables les magistrats dès lors qu'ils jouissent d'une indépendance d'action non contrôlée. Il faudrait, pour contrer cette tendance, et pour identifier les gouvernants aux gouvernés, que les magistrats partagent la moralité familière au peuple : « Les peuples sont heureux, disait Platon, lorsque les magistrats deviendront philosophes ou lorsque les philosophes deviendront magistrats. »

L'usage de cette formule célèbre (mais où Robespierre remplace « rois » par « magistrats ») retentit, dans le contexte de l'été 1792, à la fois comme une menace envers la Législative et comme l'hypothétique perspective d'une réconciliation à venir, peut-être, un jour futur. En quelques lignes on trouve rassemblés ici les éléments permanents de la vision jacobine : la distinction de la majorité et de la souveraineté, la subordination du critère quantitatif au point de vue qualitatif, et enfin l'identité de la *vertu* avec la souveraineté — ce qui permet à la minorité éclairée de prendre en charge le salut du Peuple. Alors que dans la perspective inaugurée par 1789 la légitimité des lois provenait de leur source (élection des représentants, règle majoritaire), le jacobinisme renoue avec une conception plus ancienne : c'est le *contenu* qui rend une loi bonne et légitime[67] ; il peut y avoir de mauvaises lois, certes légalement engendrées, mais moralement illégitimes. Mais c'est en réputant la volonté du peuple comme incapable d'arbitraire, que Robespierre peut concilier le point de vue médiéval (les lois ont pour fin et pour norme la visée du bien commun) et la doctrine des légistes royaux (le souverain est au-dessus des lois).

Il s'ensuit que le modèle de la souveraineté doit être cherché dans l'*individu* lui-même, non en tant qu'unité numérique, mais comme sujet moral : la souveraineté est le circuit par lequel le sujet obéit librement aux lois qu'il s'est lui-même librement données. Tout ce qui ferait écran ou simplement médiatiserait ce rapport de la volonté à elle-même dissout la souveraineté et abolit la qualité morale des règles auxquelles on obéit : scindant l'unité interne du Sujet moral qu'est le peuple, la représentation est donc une source permanente d'aliénation. C'est en janvier 1793 que Robespierre illustrera le plus clairement le modèle de la souveraineté qui guide ses propos ; polémiquant avec les Girondins, accusés de méconnaître par leur « appel au peuple » ce qu'est la souveraineté véritable, il écrit : « Qu'est-ce que la souveraineté, messieurs ? C'est le pouvoir qui appartient à la nation de régler sa destinée. La nation a sur elle-même tous les droits que chaque homme a sur sa personne ; et la volonté générale gouverne la société comme la volonté particulière gouverne chaque individu isolé[68]. »

Si donc il n'y a de souveraineté que dans l'unité indivise de la nation avec elle-même, deux conséquences, seulement, sont possibles pour ce qui concerne l'institution représentative : soit les représentés se subordonnent les représentants pour leur ôter toute indépendance, soit aucune représentation n'est admissible. C'est évidemment la première voie que Robespierre indique, en janvier 1793, en concluant le passage cité par des formules énergiques : « Les mandataires du peuple sont avec le souverain dans le même rapport que les commis d'un particulier avec leur commettant, et que le serviteur avec le père de famille. » Serviteurs du peuple, ceux qu'on appelle « représentants » n'ont pas droit à cette appellation impropre, car la volonté ne se représente pas : ils sont seulement des *mandataires* — terme destiné à rappeler que la souveraineté est, et reste, dans leurs mandants ou commettants. C'est devant cette conception — qui aboutit à paralyser l'activité parlementaire — que se trouve placé Condorcet à la veille du 10 Août.

Condorcet : une autre approche de la souveraineté

Le 9 août 1792, Condorcet, figure éminente de la Législative, intervient à travers deux textes importants qu'il rédige au nom de la Commission extraordinaire des Douze : *Rapport* [...] *sur une pétition de la Commune de Paris, tendant à la déchéance du roi* (A.P., L, 649-651); *Projet d'adresse au peuple français sur l'exercice des droits de souveraineté* (A.P., XLVII, 615-616)[69].

Le premier écrit répondait, comme son titre le signale, à une pétition du 3 août portée par Pétion (maire de Paris), au nom des 48 sections et réclamant la déchéance du roi. Mais c'est surtout le second qui importe, car il répond visiblement à la démarche de Mauconseil qui appelait les autres sections de Paris à considérer que désormais la Constitution n'existait plus[70]. La situation devant laquelle Condorcet se trouve placé est la suivante : d'un côté la Constitution interdit qu'on suspende Louis XVI, mais par ailleurs le « salut public » réclame des mesures urgentes à l'encontre du roi. En quoi consiste, en l'occurrence, la souveraineté du peuple, et qui peut l'exprimer ?

La tentative de rationalisation
de la souveraineté du peuple

Condorcet commence par reconnaître le bien-fondé des inquiétudes exprimées : « Lorsque des complots sans cesse renaissants, lorsqu'une longue suite de trahisons semblent justifier toutes les défiances et légitimer tous les soupçons, on ne doit pas s'étonner, sans doute, de voir les citoyens n'attendre leur salut que d'eux-mêmes, et chercher une dernière ressource dans l'exercice de cette souveraineté inaliénable du peuple ; droit qu'il tient de la nature, et qu'aucune loi légitime ne peut lui ravir. » Cependant, l' « exercice » de la souveraineté peut-il se faire de façon instantanée ? Et surtout, peut-il se condenser dans l'initiative des sections de Paris ? Ici réapparaît la tension entre inaliénabilité et unité : « Mais on doit craindre aussi que des hommes agités par des passions, fatigués par de longues inquiétudes, ne se laissent entraîner à des erreurs qui pourraient détruire cette unité de volonté et d'action, si nécessaire au salut et au bonheur de l'empire. » Au lieu de contester *la valeur de l'institution représentative*, comme chez Robespierre, Condorcet entend montrer que le débat se limite au pouvoir constituant — qui est, et reste, dans le peuple — et, par là, au statut donné au roi par la Constitution de 1791.

Le problème reformulé s'énonce ainsi : il faut « exposer quelle est cette souveraineté dont [le peuple] s'est réservé l'exercice ». La suite va montrer qu'elle n'est pas le droit d'élire (car l'élection n'est pas un acte de souveraineté), ni de révoquer les pouvoirs délégués, mais de désapprouver une constitution, et d'en faire une autre ; il s'agit alors de savoir « comment [...] une section séparée du peuple peut exercer ce même droit sans entreprendre sur le droit égal d'une autre section ».

En spécifiant ce que signifie l'exercice du droit de souveraineté, et en rétablissant la primauté du tout sur les parties pour l'exercice du pouvoir constituant, Condorcet tente visiblement de freiner la dynamique insurrectionnelle, pour amener à la perspective d'une *convention*. La « volonté du peuple » est bien reconnue par le philosophe militant, mais à condition qu'elle passe de bout en bout par des procédures majoritaires. Le refus de dissocier souveraineté et majorité renoue avec ce qui fut depuis toujours l'un des sujets de la réflexion de Condorcet : comment former des majorités fiables, et à quelle condition peut-on présumer que la volonté majoritaire contient un élément raisonnable [71] ? Et faire l'économie de cette question risquait de favoriser le point de vue jacobin, pour qui le jugement *moral* émis par une minorité vertueuse équivaut à la volonté du souverain en personne.

Contrairement donc à Mauconseil, qui estime que la Constitution n'est plus reconnue par « la volonté générale » (selon l'expression employée), Condorcet écrit à propos des sections : « Aucune d'elles n'a le droit ni de recueillir, ni de constater, ni de déclarer l'expression de la volonté nationale. » Si on cède, même par urgence, au mépris des procédures majoritaires, rien ne peut garantir que le « peuple » n'est pas une fiction vide, usurpée, dit l' *Instruction,* par « des sophistes ignorants ou perfides ». L'auteur rappelle donc comment une majorité effective peut être authentifiée, par différence avec des majorités fabriquées : « Lorsque l'universalité d'une nation a voté dans des assemblées convoquées suivant une forme établie par la loi et formées de sections du peuple, déterminées aussi par la loi, alors le vœu de la majorité des citoyens présents à ces assemblées, ou celui de la majorité de ces assemblées, est l'expression de la volonté nationale ; et *l'absence volontaire* [72] des autres citoyens devient une preuve de leur adhésion préalable au vœu de cette majorité. »

Dans ce cas, il y a majorité légitime, parce que l'on comptabilise les absents, qui étaient prévenus (il y a eu convocation « suivant une forme établie par la loi »), qui pouvaient venir, et ne l'ont pas fait. Le 9 août, on se trouve devant une situation tout autre : « Mais si ces assemblées se sont formées spontanément, l'absence des citoyens n'est plus une preuve suffisante de leur renonciation momentanée à l'exercice de leurs droits ; et le vœu de la majorité réelle peut seul être l'expression de la volonté nationale. » Comme on le voit, les critiques ne sont pas formulées de façon nominale ou illustrée : selon le style habituel de Condorcet, qui ne se donne aucune facilité rhétorique, il s'agit d'un pur raisonnement ! En l'occurrence, le théoricien de la démocratie vise la façon dont les sections de Paris avaient dissuadé depuis quelques mois les modérés, les amis de La Fayette et d'une partie de la Gironde, de se présenter aux réunions : la majorité obtenue était factice [73].

Enfin, ayant redéfini l'étendue et les conditions du droit des sections, Condorcet traite d'un problème sur lequel il avait souvent et vainement attiré l'attention : pour éviter l'issue dangereuse du droit d'insurrection, il aurait fallu que la Constitution énonçât une *loi* de recours envers la Constitution ou une partie de celle-ci. Une telle loi aurait véritablement matérialisé le pouvoir constituant qui reste dans le peuple. Elle éviterait aussi que le moment de crise apparaisse comme une insurrection contre la Représentation elle-même.

Le problème français, dans cette perspective, n'est pas que les représentants jouissent d'une *indépendance* envers leurs commettants, mais que les citoyens sont privés du moyen de concilier la pérennité de la Constitution avec sa nécessaire adaptation. Condorcet soupçonne un défaut dans l'esprit français, qui déclare que les constitutions sont la marque de la souveraineté des citoyens (et non de leurs législateurs), alors que tout est fait pour qu'elles apparaissent vite comme des entraves, obligeant à des changements de régime brutaux. La suite de l'histoire politique française, frappée d'instabilité constitutionnelle, a amplement confirmé la justesse de l'analyse de Condorcet.

Lui-même tentera, par la suite, de faire adopter des modalités d'assouplissement [74], mais, pour le moment, il doit se borner à constater la carence qui favorise tous les périls : « Ce serait sans doute une loi utile, nécessaire au maintien de la paix, à la conservation des droits du peuple, que celle par laquelle, en s'assujettissant à quelques formes simples, il s'assurerait à tous les moments des moyens prompts d'exercer la souveraineté dans toute son étendue, et avec une liberté plus entière. Mais cette loi n'existe pas. »

Dès lors que reste-t-il à faire ? La fin de cette *Instruction sur l'exercice du droit de souveraineté* manque de clarté, et surtout d'efficacité politique, car elle recommande aux sections de « se contenter d'exprimer leurs opinions ou leurs désirs » (et non leur volonté), et elle appelle à *attendre* « le moment où cette volonté [nationale] s'exprimant en même temps dans toutes les portions de l'empire, suivant un mode régulier, uniforme, s'il est possible, pourra se former avec plus de maturité, se montrer avec plus de force, se reconnaître avec plus de certitude ».

Devant les dangers extérieurs, les menaces incarnées par les chefs militaires, cette adresse ne pouvait guère rencontrer de succès — surtout étant donné les hésitations d'une Assemblée à laquelle, pour le respect des lois, Condorcet demande que confiance soit maintenue! En s'efforçant de rationaliser le problème de la localisation de souveraineté, le philosophe ne pouvait éviter de passer pour irrésolu, et qu'on lui impute la responsabilité de la politique girondine[75]. On peut d'ailleurs se demander si, en parlant, lui aussi, de la souveraineté du peuple, Condorcet a les moyens de faire entendre les divergences qui séparent sa conception de celle des Jacobins en train de l'emporter.

Politique de la raison et conception du peuple

« Ils lui parleront non le langage de la loi, car elle n'a rien prononcé; [...] ils lui parleront le langage de la raison. » Ces propos définissent l'attitude qu'il convient de tenir envers le peuple selon Condorcet; ils témoignent d'une *politique de la raison*, au lieu d'une politique de la volonté du peuple, au sens où l'entendaient les éléments radicaux[76].

L'attitude, caractéristique du philosophe, consiste à s'adresser à des interlocuteurs supposés prêts à raisonner malgré l'intensité passionnelle du moment. D'où une autre vision des citoyens et du « peuple » que celle qu'on a pu rencontrer chez les chefs jacobins. Les mythes de la transparence, de l'immédiateté, et de l'unité morale du Souverain sont récusés : Condorcet sait qu'ils sont efficaces vis-à-vis du bouillonnement révolutionnaire, mais les considère comme dangereux et, au sens propre du terme, démagogiques. En 1791, devant l'assemblée des Amis de la Vérité, il avait déclaré : « Les amis de la vérité sont ceux qui la cherchent, et non ceux qui se vantent de l'avoir trouvée. » Plus tard, il revint sur ce thème, alors que la proscription girondine commençait : « Nous ne demandons pas que les hommes pensent comme nous; mais nous désirons qu'ils apprennent à penser d'après eux-mêmes. Ce n'est pas un catéchisme politique que nous voulons enseigner; ce sont des discussions que nous soumettons à ceux qu'elles intéressent, et qui doivent les juger[77]. »

De façon cohérente avec les projets d'instruction publique qu'il avait défendus devant la Législative, c'est au *citoyen* davantage qu'au peuple comme entité collective que Condorcet s'adresse. Le citoyen est un être capable de juger et de critiquer, en proportion de la formation intellectuelle et morale que les progrès de la société ne manqueront pas de favoriser. Les citoyens ne peuvent porter un jugement sur tout, car il y a des compétences spécifiques — ce que traduit notamment l'usage de la représentation ; mais il leur revient d'apprécier dans les lois si elles sont ou non conformes au *droit naturel* des hommes.

L'ensemble de cette conception va être repris dans *De la nature des pouvoirs politiques dans une nation libre*[78], où l'on peut considérer que Condorcet dresse un bilan critique du tournant engendré par le 10 Août. Dans ce texte, le philosophe estime que le critère majoritaire est une règle impérative, mais sous la condition du postulat d'une avancée de la Raison dans l'histoire : alors ce n'est pas au nombre pur et simple, que la pensée se soumet, mais à un signe probabilitaire de la vérité, ainsi qu'à une espérance de justice s'actualisant peu à peu. Dans ces conditions, il est légitime de dire : « Je dois [...] d'après ma raison même, chercher un caractère indépendant d'elle, auquel je doive attacher l'obligation de me soumettre ; et ce caractère, je le trouve dans le vœu de la majorité. »

Mais si Condorcet admet à cette époque que les améliorations législatives se feront par la confrontation des lois votées avec le jugement individuel (sous l'angle des droits naturels), il n'a pas encore trouvé les moyens concrets d'un dialogue permanent entre gouvernants et gouvernés. C'est dans son projet constitutionnel que se fera l'avancée décisive. Pour l'heure, l'erreur la plus grave lui paraît résider dans une confusion entre « le droit de souveraineté » et « le droit d'invoquer le souverain » ; et, visiblement, il pense à l'expérience toute récente du 10 Août : « Nous entendons, sans cesse, les portions de citoyens un peu nombreuses, parler au nom du peuple souverain. »

Si l'on en revient à l'*Instruction* du 9 août, l'ambiguïté de cette attitude, au milieu du bouillonnement des esprits et des passions, consiste à tenir le langage de la souveraineté du peuple, tout en lui donnant d'autres contenus que ceux alors dominants ; il s'ensuit qu'un certain nombre de différences ne sont, pour les protagonistes ou les destinataires, guère intelligibles.

Tout d'abord, c'est par la *loi* que les représentants devraient juger du contenu exprimé de la volonté du peuple ; et cette dernière n'a donc de sens univoque que si elle répond à une consultation lancée par les législateurs. En termes plus modernes c'est le *référendum* qui constituerait une procédure véritable d'exercice de sa souveraineté par le peuple — procédure que la Constitution aurait dû instituer. Mais sur un plan plus général, pour Condorcet, « la volonté » est chaque fois *une* volonté, formulée sur une question précise et préalablement exprimée : il s'agit de faire apparaître un vote, lui-même variable et révisable. Et ce vote n'est qu'une somme de voix, non une hypostase de type « holiste » (comme dirait Louis Dumont). La volonté du peuple n'a pas besoin, pour être respectée, d'une aura métaphysique.

Par ce souci de régler et de pluraliser ce que le jacobinisme envisage dans la seule alternative du tout ou rien, Condorcet refuse la vision du Peuple qu'on vient de rencontrer chez Robespierre. Il ne peut s'agir d'un Sujet collectif, jouissant d'une unité indivise avec lui-même, et qui n'obéirait qu'aux lois qu'il s'est lui-même données (du moins dans le temps présent de la Révolution). Dans cette politique de la raison, la contradiction entre inaliénabilité et indivisibilité peut en principe être résolue : en définitive, Condorcet est, comme on le verra, le seul à y parvenir. L'unité n'est pas une donnée supposée présente au départ, mais elle résulte d'une pluralisation ; quant à la souveraineté, elle se divise entre sa part inaliénable (pouvoir constituant) et sa part transférée (exercice législatif) — conception qui va encore s'enrichir par la suite. Cela suppose cependant le refus d'un égalitarisme massif : il y a inégalités de culture, inégalités intellectuelles, inégalité de richesses, et enfin entre gouvernants et gouvernés. Ces facteurs sont susceptibles d'évolution avec les progrès de la raison, et de la société, mais ils doivent être pris en compte : du fait que, égaux par leurs droits civiques, les hommes ne le sont pas sur d'autres plans, il s'ensuit que les notions majeures (de souveraineté, de peuple) prennent une autre portée que celle conférée par le courant maintenant dominant dans la Révolution.

Pourtant il est arrivé à Condorcet lui-même de céder à la célébration de la rencontre avec le Peuple dans son unité immédiate supposée — ce qui risquait de passer pour une soumission au fait accompli. C'est ainsi qu'il déclarait le 13 août devant la Législative : « Mais la patience du peuple était épuisée : tout à coup il a paru tout entier réuni dans un même but et dans une même volonté ; il s'est porté vers le lieu de la résidence du roi, etc. [79]. »

Dans ce propos, où l'orateur parlait cette fois « en Jacobin », se confirme la pression de l'imaginaire révolutionnaire en matière de souveraineté, et surtout lorsque la dynamique proprement révolutionnaire submerge les mécanismes démocratiques : le peuple prouve son existence concrète d'Individu unifié par les « grandes journées » de la Révolution. A ce moment, il n'y a plus de place pour des doutes quant à la localisation de la souveraineté ; et, de même, l'attrait puissant de ce type insurrectionnel provient de ce qu'il paraît réconcilier l'unité avec l'inaliénabilité : le peuple « paraît tout entier réuni ». Pourtant, c'était l'œuvre de Paris (avec, il est vrai, la présence des fédérés), c'était l'œuvre des sections, elles-mêmes épurées de tous les modérés. Condorcet l'a-t-il oublié ? Ou veut-il, cette fois, faire des concessions ?

La réponse est sans doute que nul n'échappe à son temps, et que le conflit d'un Peuple « tout entier réuni » avec un Roi oppose, pour des républicains ardents, deux termes qui n'ont rien de comparable entre eux ; républicain, Condorcet l'était, et animé d'une violente haine contre les monarchies, ainsi que tous les témoignages le confirment, et comme ses divers écrits le montrent. Plusieurs documents concernant le 10 Août attestent de l'enthousiasme qu'il éprouvait à la chute de la royauté, quelles que fussent les conditions qui l'accompagnèrent [80]. Et dès lors, la matrice de l'Un qui structure l'imaginaire du conflit n'est plus remise en question ; à ce moment Condorcet peut retrouver Robespierre, lorsque ce dernier écrit : « Il faut une volonté une. Il faut qu'elle soit républicaine ou royaliste [81]. »

ÉPOQUE DE LA CONVENTION

La souveraineté et son mode de distribution fait, encore une fois, l'objet de controverses dans l'ultime combat (législatif) qui oppose la Gironde à la Montagne — alors que le premier groupe est en perte de vitesse constante, à la suite du 10 Août et de l'exécution du roi, qu'il n'a pu réussir à empêcher. Condorcet est de nouveau au premier plan, par suite du rapport et du projet de Constitution qu'il présente le 15 février 1793, et dont tout le monde s'accorde aujourd'hui à reconnaître qu'ils sont son œuvre presque exclusive quoique rédigés au nom du Comité de Constitution [82].

Alors que son texte est reçu dans un silence glacial et qu'il va ensuite essuyer de sévères critiques chez les Girondins eux-mêmes, Condorcet est désormais considéré comme l'un de leurs porte-parole. A travers lui, c'est tout le courant qui est visé par Saint-Just dans la réponse critique qu'il donne le 24 avril, accompagnée d'un contre-projet de Constitution. Finalement, le projet Condorcet, discuté et remanié en avril et mai [83], devient caduc par la chute des Girondins le 2 Juin : lorsque le groupe tombe, il laisse une Déclaration des « droits de l'homme en société », mais n'a pu achever la Constitution — dont six articles seulement ont été votés. L'ensemble de ces débats, passionnels et souvent confus, ne saurait être retracé ici. Il faut en retenir la confrontation entre Saint-Just et Condorcet, éclairante pour le problème de la localisation de souveraineté : deux interpréta-tions de la *volonté générale*, très différentes, se dégagent ; elles rendent compte pour une large part de l'incompatibilité entre le concept de peuple chez Condorcet et l'image affective qu'en donne Saint-Just du côté jacobin. L'audace démocratique du projet de Condorcet est très grande (inégalée jusqu'à aujour-d'hui), et l'originalité de pensée certaine : après le 2 Juin les Montagnards devront en tenir compte, bien qu'ils refusent dès lors au « peuple » l'initiative qu'ils entendaient précédemment encourager.

Le projet constitutionnel de Condorcet :
redéfinir la volonté générale

Dans son rapport introductif, Condorcet présente sa tâche sous forme d'un problème à la fois théorique et historique — car il s'agit de considérer le devenir suivi par la Révolution, pour, une nouvelle fois, tenter de la stabiliser : « Combiner les parties de cette Constitution de manière que la nécessité de l'obéissance aux lois, de la soumission des volontés individuelles à la volonté générale, laisse subsister dans toute leur étendue, et la souveraineté du peuple, et l'égalité entre les citoyens, et l'exercice de la liberté naturelle : tel est le problème que nous avions à résoudre. »

Avec l'expérience du 10 Août, implicite dans tout ce texte, Condorcet est obligé de considérer que la souveraineté du peuple est devenue largement antithétique de l'obéissance à la loi et, par là, des tâches législatives ou constitutionnelles qui incombent aux représentants. Il s'agit donc de trouver un moyen par lequel le peuple serait rassuré et recevrait une part au moins de cet *exercice* sans lequel sa souveraineté reste un vain mot. Mais comment aménager un exercice de souveraineté tel qu'il bénéficie de l'énergie révolutionnaire — qu'il ne faut pas anéantir — tout en restant enserré dans des formes et des délais réglementés ?

À la différence de Le Chapelier qui, en 1790, voulait donner un coup de frein brutal à l'effervescence présente dans la société civile, le but de Condorcet est de garder ce qu'il y a de meilleur dans l'esprit révolutionnaire, pour vivifier un ordre républicain. C'est sa façon à lui de reprendre la question, omniprésente dans l'expérience française, de l'articulation entre dimension démocratique et dimension révolutionnaire : « Il faut que la Constitution nouvelle convienne à un peuple chez qui un mouvement révolutionnaire s'achève, et que cependant elle soit bonne aussi pour un peuple paisible ; il faut que, calmant les agitations sans affaiblir l'activité de l'esprit public, elle permette à ce mouvement de s'apaiser sans le rendre plus dangereux en le réprimant, sans le perpétuer par des mesures mal combinées ou incertaines, qui changeraient cette chaleur passagèrement utile en un esprit de désorganisation et d'anarchie. »

Dans cette perspective, où il importe d'aller beaucoup plus loin dans la démocratisation des institutions que la Constitution de 1791, Condorcet pose trois questions auxquelles il répond par l'affirmative : « Faut-il que pour toutes les lois il soit ouvert au peuple un moyen légal de réclamation, qui nécessite un nouvel examen de la loi ? Faut-il que le peuple ait un moyen légal et toujours ouvert de parvenir à la réforme d'une constitution qui lui paraîtrait avoir violé ses droits ? Faut-il enfin qu'une constitution soit présentée à l'acceptation immédiate du peuple ? »

Par ce droit de réclamation et par le pouvoir constituant,

l'auteur entend « conserver dans une plus grande étendue la jouissance de ce droit de souveraineté dont, même sous une constitution représentative, il est utile, peut-être, qu'un exercice immédiat rappelle aux citoyens l'existence et la réalité ». Représentation *et* « exercice immédiat » de la souveraineté par les citoyens : il s'agit véritablement de la première tentative pour penser, et surmonter l'aporie rencontrée depuis 1789. Deux termes qui ont paru jusqu'à présent incompatibles (il avait semblé qu'on pourrait presque définir l'un par la négation de l'autre), vont être rendus complémentaires dans leurs objets et interdépendants dans leur fonctionnement. Le caractère original de la démarche c'est donc qu'elle ne remet pas en cause l'indépendance des représentants ; sur ce point, Condorcet ne varie pas, ainsi d'ailleurs que le confirment ses *Remerciements aux électeurs de l'Aisne* qui l'ont appelé à la Convention : « [Le peuple] m'a envoyé, non pour soutenir ses opinions mais pour exposer les miennes. Ce n'est point à mon zèle seul mais à mes lumières qu'il s'est confié et l'indépendance absolue de mes opinions est un de mes devoirs envers lui [84]. »

Ce que donc le législateur doit remettre en cause, c'est l'absence de canaux légaux par où monteraient les vœux de l'opinion publique, et par lesquels s'effectuerait une information en retour suivie de la sanction populaire. Bien que Condorcet n'aime pas le terme (qui est attaché à une autre tradition), il s'agit d'un jeu de *contrepoids* entre gouvernés et gouvernants, tel que la souveraineté est présente effectivement chez les premiers (et elle le prouve), mais ne peut rien sans un jeu d'interactions avec le corps législatif ; soit l'initiative vient de ce dernier, soit elle provient des citoyens. Dans ce cas, quatre étapes sont prévues :

1. Un seul citoyen peut proposer à son assemblée primaire de revoir une loi ; il doit alors provoquer une demande réunissant cinquante signatures.

2. Au cas où la majorité de l'assemblée *communale* approuve, les assemblées du département sont convoquées.

3. Si de nouveau la majorité approuve, la demande doit passer devant le Corps législatif : « L'Assemblée des représentants du peuple est obligée d'examiner, non la proposition elle-même, mais seulement si elle croit devoir s'en occuper. »

4. Au cas où elle refuse, ce sont toutes les assemblées primaires

qui seront consultées ; si de nouveau la majorité se prononce dans le sens de la demande, l'Assemblée nationale est dissoute.

On voit que dans ce schéma *tout part du citoyen* (une seule demande à l'origine), pour aboutir par degrés et par composition de majorités à la manifestation de la volonté générale : l'idée unanimiste de Peuple reçoit un traitement tout à fait nouveau, ainsi que les conditions de formation de la volonté générale. Le mécanisme est conçu — et cette formule est décisive — « de manière que jamais ni la volonté des représentants du peuple ni celle d'une partie des citoyens ne peut se soustraire à l'empire de la volonté générale » (A.P., LVIII, 587). De fait, dans la chaîne tissée entre le citoyen et l'Assemblée nationale, l'expression de la volonté générale n'est ni le propre du « peuple » (thèse jacobine) ni non plus le monopole des représentants (doctrine de Sieyès). La volonté générale naît du dialogue constant, ou du choc, entre les deux termes de la relation politique. Mieux encore, elle n'est pas ce qui précède l'*exercice* de souveraineté, comme une sorte d'opinion première et diffuse, mais ce qui résulte continûment de son partage en trois grands domaines :

1. Les représentants exercent la souveraineté quand ils font les lois, les décrets d'administration (dont l'urgence doit les soustraire à la procédure de réclamation) et enfin rédigent la Constitution (qu'il vaut cependant mieux réserver à une Convention élue à cet effet).

2. Les citoyens exercent la souveraineté par référendum : « Lorsque le corps législatif provoque, sur une question qui intéresse la République entière, l'émission du vœu de tous les citoyens [85]. »

3. Enfin, les citoyens exercent éminemment leur souveraineté dans le cas de l'initiative populaire examiné plus haut : il s'agit « soit de requérir le corps législatif de prendre un objet en considération, soit d'exercer sur les actes de la représentation nationale la censure du peuple, suivant le mode et d'après les règles fixées par la Constitution ». Cela signifie donc que les citoyens peuvent prendre l'initiative de proposer un thème *inédit* au législateur, ou inversement, prendre l'initiative de faire rectifier un acte du législateur.

L'initiative populaire pour la révision des lois vise à résoudre « cette question, aussi difficile en politique qu'en morale, du droit de résistance à une loi évidemment injuste, quoique

régulièrement émanée d'un pouvoir légitime » (p. 590). Condorcet reconnaît donc qu'il peut y avoir des lois injustes quoique
« légitimes » au sens moderne du terme, c'est-à-dire émanées
d'un pouvoir régulièrement élu par les citoyens ; mais là où
Robespierre faisait appel au jugement moral de la minorité qui
parle pour le peuple, Condorcet introduit la Loi qui permet de
réviser les lois, la procédure qui désamorcerait le débouché
insurrectionnel.

De ce fait, majorité et souveraineté redeviennent indissociables : « Car, si d'un côté on doit [...] regarder une obéissance
durable comme une véritable abnégation des droits de la nature,
de l'autre on peut demander qui sera le juge de la réalité de cette
injustice. Ici ce juge, dont l'action est réglée par la loi même, est
la majorité immédiate du peuple. » Le terme de « censure du
peuple » suffit à marquer combien l'exigence démocratique
d'*inaliénabilité* est satisfaite, mais autrement réglée et rationalisée que dans la situation dramatique du 9 août.

Enfin, on avait vu combien l'inaliénabilité de souveraineté
entrait en contradiction — chez ceux qui s'en faisaient les
défenseurs — avec l'*indivisibilité* ; il fallait donc pour Condorcet,
fonder l'égalité du droit des sections, de façon à éviter l'avant-
gardisme parisien. Il évoque le problème dans les termes
suivants : « Des réclamations partielles et spontanées, des
réunions volontaires et privées, prenant à leur gré un caractère
public, qu'elles ne tiennent pas de la loi, des assemblées
municipales ou de sections se transformant en assemblées
primaires, voilà ce que nous avons voulu remplacer par des
réclamations régulières et légales, par des assemblées convoquées au nom de la loi, et exerçant, suivant les formes
légalement établies, des fonctions précises et déterminées »
(p. 586).

Désormais, lorsque les sections se réunissent, soit à l'instiga-
tion des députés, soit à l'appel des citoyens, elles n'ont pas à
sortir du cadre que leur trace la Constitution. D'ailleurs, si le
peuple est souverain, *aucune section n'exerce à elle seule la
souveraineté* : « Chaque assemblée n'est pas souveraine ; la
souveraineté ne peut appartenir qu'à l'universalité d'un peuple,
[...] l'individu citoyen n'appartient point à l'assemblée dont il
est membre, mais au peuple dont il fait partie. »

Mais cela ne veut pas dire pour autant que les réunions

privées entre citoyens sont interdites ; tout au contraire, Condorcet envisage de *transformer* les assemblées primaires en lieux de rencontre et de discussion, et ce à dates régulières[86]. La confusion entre sociabilité démocratique et avant-gardes « spontanées » est dénouée. Alors que Saint-Just va mener l'offensive au nom de l'esprit « fédéraliste » qui animerait le groupe girondin, Condorcet affirme qu'il a voulu empêcher « une inégalité réelle entre les diverses portions de la République ».

Ce modèle de la souveraineté, où la possession n'est pas contredite par l'exercice, ni l'unité par l'inaliénabilité et où la volonté générale devient un *processus* et non une entité a subi de furieuses attaques. Les objections proprement techniques qui pouvaient être faites ressortent avec évidence : le système de la censure du peuple mobilise un temps très long, requiert donc beaucoup de patience ; il suppose un citoyen plus soucieux de raisonner que de faire triompher les passions — postulat optimiste auquel le philosophe restait attaché. Ce citoyen lui-même ne pouvait se former que par les progrès de l'instruction et moyennant les lieux de sociabilité où l'élite du savoir et de la culture devait rencontrer les plus humbles (la distinction des citoyens « passifs » et « actifs » étant abolie). Et surtout, un tel système pouvait paraître inapplicable dans un pays en guerre et déjà en proie à des soulèvements intérieurs ! Pourtant, ce n'est pas fondamentalement sur des aspects d'irréalisme que Saint-Just mène l'attaque : il entend montrer que Condorcet et ses amis méconnaissent la nature de la volonté générale.

La réponse de Saint-Just : la volonté générale sensible au « cœur », non à la « raison »

« J'ai cherché dans cette exposition quelle idée on avait eue de la volonté générale, parce que de cette idée seule dérivait tout le reste. » Ainsi s'exprime Saint-Just dans sa réponse du 24 avril, faisant immédiatement suite à la contre-Déclaration des droits que présente Robespierre contre la Gironde[87].

Le thème général est que la meilleure constitution sera celle la plus conforme à la *nature* et au *cœur humain* : « J'ai pensé que l'ordre social était dans la nature même des choses, et n'empruntait de l'esprit humain que le soin d'en mettre à leur place les éléments divers ; j'ai pensé qu'un peuple pouvait être gouverné sans être assujetti, sans être licencieux et sans être opprimé ; que l'homme naissait pour la paix et pour la vérité, et n'était malheureux et corrompu que par les lois insidieuses de la domination. Alors j'imaginai que si l'on donnait à l'homme des lois selon sa nature et son cœur, il cesserait d'être malheureux et corrompu [88]. »

L'appel à la nature et au cœur sonne comme le critère de la vérité jacobine, la pierre de touche de la fidélité au Peuple : si « l'art de gouverner n'a presque produit que des monstres », c'est que l'on a oublié le cœur. Tel est le cas des Girondins qui n'ont écouté que « l'esprit » » : « Il m'a paru que le Comité [de Constitution] avait considéré la volonté générale sous son rapport intellectuel ; en sorte que la volonté générale purement spéculative, résultant plutôt des vues de l'esprit que de l'intérêt du corps social, les lois étaient l'expression du goût plutôt que de la volonté générale. »

Sous les termes d'esprit, de spéculation et de goût on retrouve l'attaque en règle que Robespierre avait menée contre la « secte des Encyclopédistes » ; c'est de la même façon que Saint-Just oppose Rousseau à Condorcet, comme d'ailleurs Robespierre le fera encore le 18 floréal [89] : « Rousseau, qui écrivait avec son cœur, et qui voulait au monde tout le bien qu'il n'a pu que dire, ne songeait point qu'en établissant la volonté générale pour principe des lois, la volonté générale pût jamais avoir un principe étranger à elle-même. »

Il est difficile de savoir quel aspect précis du projet de Condorcet est sur ce point visé, car Saint-Just ne le dit pas. Le reproche semble concerner le trait dominant, soit la dissolution de la volonté générale comme *entité* fixe résidant dans le peuple, et sa conversion dans un procès permanent d'échange entre gouvernants et gouvernés. Au contraire, pour Saint-Just, elle se caractérise par son immédiateté instantanée et son unanimité : « En restreignant donc la volonté générale à son véritable principe, elle est la volonté matérielle du peuple, sa volonté simultanée ; elle a pour but de consacrer l'intérêt actif du plus grand nombre, et non son intérêt passif. » L'unité, l'immédiateté et la transparence correspondent bien à la vision de la souveraineté du peuple qu'on a rencontrée chez les Jacobins : il s'agit non d'un concept rationnel, mais d'une *image* à contenu affectif et de portée mobilisatrice.

Concrètement, cette volonté est supposée résulter d'un scrutin direct, et non par degrés. Or le projet Condorcet prévoyait que l'élection des députés se ferait à deux degrés, au scrutin de liste et par départements. Dans la constitution établie par Saint-Just, l'élection est directe, uninominale, et se déroule dans le cadre de communes de 600 à 800 citoyens [90]. Il faut ajouter que le vote devait se pratiquer à voix haute chez le leader jacobin, alors que chez Condorcet il y avait, au premier degré, un suffrage écrit et *signé*, dépouillé ensuite par les électeurs départementaux. On devine par là quels enjeux se tiennent derrière le procès fait à « l'esprit » : Condorcet est accusé de favoriser un « patriciat de renommées », et d'inégaliser le poids des circonscriptions, les campagnes pesant plus lourd que les villes. En reprenant les qualificatifs que Saint-Just donne à la volonté générale, on peut donc les traduire ainsi : elle est « matérielle » (expression peu rousseauiste !) au sens où on ne doit pas la diluer dans des médiations qui l'étouffent, si vraiment on veut la reconnaître ; elle est « simultanée » parce que le Peuple parle en entier, ou alors des factions parlent à sa place [91]. Enfin, elle exprime « l'intérêt actif du plus grand nombre » par opposition au « patriciat de renommées », aux notabilités départementales que les Girondins sont accusés de favoriser. Il est exact que Condorcet, refusant l'égalitarisme abstrait tout autant que les dynamiques d'assemblées, avait établi le vote écrit et nominatif pour que les électeurs du niveau départemental sachent qui avait voté, et comment, après que les assemblées primaires eurent été tenues dans le calme. Il disait en février : « Il peut être utile que ceux qui ne connaissent pas assez par eux-mêmes les plans, puissent se diriger d'après le jugement public et avoué des citoyens dont ils respectent la probité et les lumières, et c'est une raison de plus pour préférer le scrutin écrit et signé au vote à voix haute. »

En d'autres termes, il préfère explicitement l'influence des notables à l'influence des meneurs d'assemblée. Il ajoutait qu' « en ne lisant les noms qu'après que l'élection est terminée, elle n'est point influencée par les murmures, les signes de désapprobation que certains noms peuvent exciter ». On a vu que, dans le même esprit, les assemblées primaires pouvaient se transformer en lieux de sociabilité : c'était créer des liens entre notables et simples citoyens, c'était aussi sans doute, développer une implantation *girondine* rivale de celle des Jacobins ! Telle est la lecture que développe Saint-Just [92]. Il le fait cependant au prix d'une distorsion considérable : la souveraineté du peuple chez Condorcet n'est pas dans l'élection, mais dans les divers actes par lesquels les citoyens répondent à l'initiative du corps législatif, ou développent une initiative propre. C'est d'ailleurs pourquoi la volonté générale ne saurait résider dans le peuple seul, mais émane du mécanisme général des interactions.

On peut en outre se demander comment Saint-Just échappe à la contradiction qui imprègne son texte — car l'idée de volonté générale qu'il défend, et supposée favoriser la « nature », s'accompagne pourtant de formulations très dirigistes : « Le législateur commande à l'avenir ; et il ne lui sert à rien d'être faible ; c'est à lui de vouloir le bien et de le perpétuer ; c'est à lui de rendre les hommes ce qu'il veut qu'ils soient ; selon que les lois animent le corps social inerte par lui-même, il en résulte la vertu ou les crimes, les bonnes mœurs ou la férocité [...] les mœurs mêmes résultent de la nature du gouvernement. »

Il est étrange que le laudateur de la volonté du peuple, contre ceux qui sont censés fractionner et dissoudre cette dernière, la vouer à l'« intérêt passif » — que le laudateur d'une *harmonie* entre pouvoir et gouvernés, puisse exalter en même temps le caractère démiurgique des lois. Sans doute la notion d'une volonté générale dictée par le « cœur » n'intervient-elle ici que pour discréditer le groupe girondin et pour faire planer la menace d'un gouvernement à la fois purifié et purificateur. Sous ce gouvernement créateur d'unanimisme, la *diversité* assumée par toute la pensée de Condorcet — et ici assimilée à une dissolution du Peuple — n'aurait pas lieu d'être. L'harmonie qu'évoque Saint-Just doit s'entendre comme la réconciliation du dirigisme et de la nature, à la double condition suivante : l'unanimité dans le peuple, lui-même identifié à ses seuls vrais représentants [93].

En définitive, le groupe jacobin et montagnard est conduit, pour faire pièce aux Girondins, à récuser tout enracinement géographique de la souveraineté du peuple, de façon à assurer une unité qui est d'ordre plus mystique que concret. Saint-Just écrit dans son projet constitutionnel : « La division de l'État n'est point dans le territoire, cette division est dans la population », et il reprendra cette thèse à plusieurs reprises[94]. Le 15 mai, Thirion, membre des Jacobins, intervient pour l'appuyer : la République, explique-t-il, c'est un corps vivant d'individus qui, dans son unité propre, ne doit rien au territoire : « Vous voulez dites-vous, organiser le corps social, la société politique des Français ; en un mot, la République. [...] N'a-t-il pas aussi ses éléments, ses parties organiques, comme le corps physique ? N'est-il pas doué de mouvement et d'intelligence comme chacun de nous ? N'a-t-il pas aussi et ne doit-il pas avoir un centre de mouvement, d'action et de réaction ; une tête qui médite, des bras qui exécutent, un cœur qui donne et reçoive la vie tour à tour, et la répande également dans toutes ses parties ? Ne pouviez-vous donc un instant le concevoir organisé, abstraction faite du sol qu'il occupe ? Est-ce en un mot une République de plantes, ou une République d'hommes qu'il s'agit de composer ! » (A.P., LXIV, 701).

La « volonté générale », selon l'unanimisme mystique que lui donne le jacobinisme, finit donc par retrouver les vieilles images organicistes que l'esprit constitutionnaliste inventé par 89 devrait pourtant avoir reléguées définitivement dans le passé ; mais c'est précisément lorsque les Montagnards renonceront à tout code de constitution (vers septembre 1793) que le modèle organiciste va resurgir avec vigueur : le texte de Thirion, en mai, est préfigurateur de cette tendance neuve, qui est en fait un retour de l'archaïque.

La raison principale est facile à percevoir ; ce modèle organique du « corps social » est propice à établir la solidarité du peuple avec ses représentants, l'identification du souverain au gouvernant : l'unité entre le corps et la tête devra pourvoir au dépassement de la controverse, interminable, sur la localisation de souveraineté. Thirion, ainsi que d'autres Montagnards[95], anticipe ce qui sera développé une fois les *représentants* girondins éliminés : le transfert de souveraineté, légitimé par une idée archaïque de représentation.

Dans le débat du mois de mai on est donc loin des procédures à la fois rationnelles et empiriques que Condorcet proposait : l'idée de peuple tend à revêtir une abstraction totale, qu'habille l'imagerie à tendance organiciste ; tout legs traditionnel, toute cause de diversité entre les individus ou entre régions, est écartée. Cette souveraineté *in abstracto* (pour reprendre l'expression de Loyseau) prétend s'émanciper entièrement du territoire, soupçonné de faciliter les dissensions au sein du peuple. Thirion achevait ainsi sa diatribe : « La République, ou, si vous le voulez, la société des abeilles en existe-t-elle moins quand elle a changé de ruche ? Et les Lacédémoniens transplantés en France avec les lois de Lycurgue, en seraient-ils moins la République de Lacédémone ? Non ! le corps social existe et doit exister organisé, indépendamment du territoire. »

CHAPITRE III

L'évolution jacobine vers
une forme de représentation :
Constitution de l'an I

Les embarras devant le projet Condorcet

La tentative de Condorcet pour repenser la localisation et la nature même de la souveraineté a suscité de la gêne dans le camp de la gauche. Elle fut attaquée sous divers angles, avant même l'intervention de Saint-Just. C'est ainsi que Marat avait obtenu, le 20 février, que soient rayés trois articles rajoutés par l'imprimeur au texte du projet : comme il envisageait dans cette annexe une délibération *séparée* (mais momentanée) entre deux sections du corps législatif, Condorcet est accusé de réintroduire en France le bicaméralisme — condamné depuis septembre 1789 (*cf.* A.P., LIX, 41-44). De même aux Jacobins, dès le 17 février, Couthon avait protesté contre le légalisme dont faisait preuve le texte soumis à la Convention : « Le principe de la résistance à l'oppression est posé d'une manière inintelligible et absurde. On propose d'indiquer un moyen légal, comme si, pour se débarrasser d'un assassin, il fallait lui laisser le temps de consommer son coupable dessein » (*Aulard*, V, 29).

Cette question du droit de résistance fera l'objet de longues controverses. Les Girondins, de guerre lasse, finiront par céder aux pressions des Montagnards qui entendaient s'attacher par ce thème la confiance des sections de Paris[96]. Dans leur propre Déclaration, votée le 23 juin, les Montagnards consacrèrent ce droit, en prenant soin de souligner qu'il s'appliquait à la souveraineté des sections : « Art. 35 — Quand le gouvernement viole les droits du peuple, l'insurrection est pour le peuple, *et pour chaque portion du peuple,* le plus sacré des droits et le plus indispensable des devoirs. »

Par ailleurs, on a vu que le mode de représentation, fondé chez Condorcet sur le département, ainsi que l'élection des ministres au suffrage universel, fournirent matière à polémiques. Enfin, une accusation très répandue a consisté à dire que le projet de Condorcet était... trop démocratique, car il mobilisait sans cesse l'énergie des citoyens ; il revenait, donc, à s'appuyer sur ceux qui avaient des loisirs, des ressources. Le démocratisme extrême s'inverse dans son contraire, déclare Robert, le 26 avril, devant la Convention : « Si vous décrétiez ces fréquentes assemblées, la partie la moins aisée du peuple serait dans l'impossibilité absolue de s'y rendre ; et si elle ne s'y rendait pas, son droit à l'exercice de la souveraineté ne serait plus qu'illusoire : la classe aisée, la classe opulente deviendrait la maîtresse suprême des assemblées, et par un excès de démocratie mal entendu, vous verriez nécessairement s'élever un genre d'aristocratie bien plus terrible, l'aristocratie presque absolue des riches » (A.P., LXIII, 386)[97].

Il reste néanmoins que, après le 2 Juin, les Montagnards qui ont bloqué la révision du projet Condorcet se trouvent maintenant devant la nécessité de proposer un autre texte, tant il est vrai que — selon le mot d'Auguste Comte — on ne détruit vraiment que ce que l'on remplace. Un nouvel organe de révision avait été formé dès le 30 mai et adjoint au Comité de salut public[98]. Selon Aulard, le nouveau projet constitutionnel a été rédigé entre le 3 et le 9 juin par Hérault de Séchelles[99]. Les débats furent tout aussi rapidement expédiés (du 10 au 24 juin), et donnèrent la Constitution de l'an I, souvent appelée « Constitution montagnarde », devenue la Bible des républicains du XIXᵉ siècle. On peut constater que les rédacteurs durent compter avec les idées de Condorcet, sous trois points de vue, mais en les déformant profondément : il s'agit de la pratique du référendum, de la « censure du peuple sur les actes du corps législatif » (qui va être abandonnée), et, de façon générale, de la compatibilité entre représentation et exercice direct de la souveraineté. Cette dernière question ne pouvait être évitée puisque le courant girondin avait affronté — derrière son législateur-philosophe — l'énigme centrale de la Révolution ; on jugea bon de renchérir sur la perspective de Condorcet, mais en fait pour revenir en deçà de l'édifice subtil que ce dernier avait conçu. L'idée était la suivante : aucune loi confectionnée par les députés ne pourrait entrer en vigueur sans que le peuple l'ait *approuvée*.

Par là Hérault de Séchelles faisait retour à l'inspiration première du jacobinisme radical : la représentation est mauvaise en elle-même, par l'indépendance dont jouissent les représentants[100]. Mais si la volonté générale, de nouveau, était supposée ne résider que dans le peuple pris en lui-même, la perspective se heurta aussitôt à nombre d'objections. Dans la lutte sanglante qui s'engageait avec les provinces solidaires de la Gironde, le thème de la Convention comme « centre d'initiatives » indispensable va peser lourdement. Le rappel, une fois de plus, de la nécessaire Unité — contre le « fédéralisme » — incite à penser que la volonté du peuple ne peut s'exercer sans être guidée centralement. La hantise d'une « dissolution de la Convention nationale » (formule désormais employée jusqu'au 9 Thermidor) place les Montagnards dans une contradiction où la marge d'action est étroite : d'un côté il faut fonder cet exercice direct qu'ils ont tellement appelé, par ailleurs ils sont réduits, à coups d'amendements, à le rendre quasiment impossible. Sur les trois questions du référendum, de la censure du peuple et de la représentation, on assiste à des reculades successives.

Le référendum et ses limitations

Le projet Hérault de Séchelles[101] proclame que « le peuple exerce sa souveraineté dans les assemblées primaires ». Celles-ci sont définies par une division de population, et non de territoire, ainsi que l'avait demandé Saint-Just : 400 à 600 votants formant le canton. Ce sont elles qui devaient se prononcer sur les lois :

« [Chap. V] art. 7 — Les suffrages sur les lois sont donnés par *oui* et par *non*.

« Art. 8 — Le vœu de l'assemblée primaire est proclamé ainsi : *L'Assemblée accepte, l'Assemblée rejette.* »

Cette formulation se heurte à des réticences. Tout d'abord, Basire demande que le nombre de voix présidant à l'opération soit exprimé : « Car si on ne constate pas dans le procès-verbal de chaque assemblée primaire le nombre des votants pour et contre, il en résultera que le recensement des suffrages de la nation se fera par assemblée, au lieu de se faire par individu [...]

la nation serait divisée en corporations délibérantes, au lieu d'être divisée en citoyens votants : il y aurait à chaque question, scission entre des parties intrigantes de la République, alors qu'on doit voir au plus différence d'opinion entre individus soumis à la loi générale » (A.P., LXVI, 454).

La proposition de retour au critère numérique individuel (une assemblée n'est qu'une somme d'individus) contraste avec la vision jacobine antérieure, qui privilégiait des micro-unités de souveraineté. Maintenant s'exprime la crainte de « corporations délibérantes », c'est-à-dire de corps électoraux où se traduirait la dominance *girondine*. Avec le dénombrement proposé par le rapporteur, il suffirait que très peu de présents, dans des assemblées elles-mêmes restreintes, appartiennent à la Gironde, pour faire la loi aux autres : « 400 individus, délibérant dans deux assemblées primaires, auraient plus d'influence que 600 citoyens réunis dans la même assemblée. »

Ainsi le facteur arithmétique retrouve de l'importance : ce qui était bon dans l'été 1792 (une section en vaut une autre, quelle que soit le nombre des votants), n'est plus de saison. Thuriot fait accepter l'amendement de Basire, en nommant clairement l'ennemi : « Basire a très bien démontré que le recensement par assemblées nous conduirait au fédéralisme. Je demande que l'article soit amendé. » Mais même amendé, l'article paraissait encore donner trop de liberté aux organes du Souverain, ainsi que l'exprime cette fois Ducos : « Je vous prie d'observer que l'expression de *accepter* ou *rejeter* la loi, que vous autorisez une assemblée à prendre, tend absolument au fédéralisme ; car c'est ainsi que délibéraient de petites Républiques confédérées. Il ne faut pas dire que 700 ou 600 citoyens acceptent une loi, mais qu'ils votent pour que cette loi soit acceptée par la nation. Le souverain seul accepte la loi ; et le souverain est la collection des citoyens. »

Ducos, qui obtient lui aussi gain de cause, s'abstient de dire, on l'aura noté, que chaque assemblée primaire *exerce une part de souveraineté*, et encore moins qu'elle est souveraine. On est loin des formules de Robespierre au 10 août 1791 : elles sentent désormais le fagot, elles sont « fédéralistes » !

Il s'agit, comme jadis, de concilier l'inaliénabilité de souveraineté avec son indivisibilité, mais cette fois au profit du Corps législatif ; la relation bascule du côté des représentants. Car, le

sens réel de l'adoption du critère arithmétique (le souverain est
« la collection des citoyens »), c'est de soumettre chaque citoyen
au contrôle de l'Assemblée : elle seule fera connaître les
suffrages, et portera au jour la volonté générale ; nulle autre
assemblée ne peut prétendre déclarer la volonté générale. Ducos
fait une discrète allusion en ce sens : « Quand on vote par tête,
chaque citoyen n'émet qu'une opinion, qu'un vœu ; la majorité
seule, *du moment que ses suffrages sont connus*, a une volonté. » On
croirait entendre Condorcet dans son *Instruction* du 9 août 1792,
rappelant les sections de Paris aux principes représentatifs !
L'ironie de l'histoire veut que ces idées soient rappelées par le
Girondin Ducos, réchappé du courant maintenant proscrit [102].

Par compensation, la Déclaration montagnarde va reconnaître
nominalement aux sections une apparence d'indépendance :
« Art. 26 — Aucune portion du peuple ne peut exercer la
puissance du peuple entier ; mais chaque section du souverain
assemblée doit jouir du droit d'exprimer sa volonté avec une
entière liberté. » Quant au texte constitutionnel, la rédaction
finalement adoptée rendit la pratique du référendum très
théorique : la ratification était acquise par *acceptation tacite*, ce
qui vouait au cas d'exception la consultation effective, par
ailleurs fort complexe [103].

L'abandon de la « *censure du peuple* »

Il est intéressant de relever que si le projet Hérault de
Séchelles ne faisait aucune référence à l'idée de « censure du
peuple » (présente chez Condorcet), il fallut cependant y revenir
le dernier jour des débats (24 juin). Hérault explique que le droit
d'insurrection ne peut être réglementé, et en cela il reste fidèle à
la vision montagnarde ; mais il ajoute qu' « il est un autre cas,
celui où le Corps législatif opprimerait quelques citoyens ; alors
il faut que ces citoyens trouvent dans le peuple un moyen de
résistance » (LXVII, 139).

Mais ce qui est présenté comme un moyen de défense pour les
minorités acquiert en fait un tout autre contenu que chez
Condorcet : il s'agit d'un *tribunal*, décentralisé, présent dans
chaque section pour juger la conduite des députés. « Le chapitre
que nous vous présentons est intitulé : " De la censure du

peuple contre ses députés, et de sa garantie contre l'oppression du Corps législatif. " Notre intention a été de donner à la section du peuple qui a élu un député, le soin de juger sa conduite ; et nous avons ajouté qu'un député n'était rééligible qu'après que sa conduite aurait été approuvée par ses commettants. Nous avons puisé ce mode dans le principe même de la représentation nationale [104]. En effet, rien ne s'y rapporte davantage que de faire juger les députés de la même manière qu'ils sont élus. »

L'idée n'a donc rien de commun avec l'exercice de souveraineté tel que le concevait Condorcet et qui visait à la révision continue des *lois* sur initiative des citoyens ; seul reste le nom, parce qu'il sonne bien [105]. De plus, le projet viole le principe de la représentation institué depuis 89 et rappelé, cependant, par la Constitution montagnarde à son article 29 : « Chaque député appartient à la nation entière. » Thuriot ne manque pas de souligner la contradiction, en intervenant aussitôt et avec succès.

C'était le moment de vérité par rapport à ce que le jacobinisme avait antérieurement soutenu : le rappel des « députés infidèles », les diverses propositions de Robespierre [106], les mesures énoncées par Saint-Just dans son projet du 24 avril... Concrètement, le débat du 24 juin marque l'effondrement de la thèse selon laquelle la souveraineté du peuple suppose la *dépendance* complète de l'élu devant les électeurs (soit la transposition de la vieille idée du « mandat »).

En décidant que le député appartient à la nation entière et non au corps électoral d'origine, en réduisant le référendum à une fonction décorative, la Constitution de l'an I accomplissait sans le dire le transfert de souveraineté tellement critiqué dans la doctrine de la Constituante.

Mais il est clair que, toute irrationnelle que fût la vision jacobine de la souveraineté du peuple, ce n'est pas pour des raisons d'ordre théorique qu'elle est abandonnée à ce moment ; les motifs d'opportunité politique sont déterminants, ainsi que le souligne Thuriot avec franchise. La « censure du peuple », dit-il, ferait le jeu des Girondins : « Les journaux, les correspondances auraient une influence pernicieuse, l'intrigant serait acquitté ; l'homme vertueux, le plus chaud ami du peuple, le député livré tout entier à ses devoirs, se verrait condamné à la mort civile par le plus grand nombre des assemblées primaires. »

C'était évidemment se montrer peu optimiste sur la capacité actuelle du peuple à reconnaître « l'homme vertueux ». D'autres intervenants allèrent dans le même sens, ainsi J.-F. Delacroix estimant que « Barbaroux, Vergniaud, Guadet, Gensonné et bien d'autres », seraient applaudis par leurs départements ; « et pourtant, poursuit Delacroix, ce ne serait point pour ces députés un titre à la confiance de toute la République ».

L'issue consistait donc à admettre que la voix et la « confiance de toute la République » sont le monopole de la Convention : en elle seule réside cette *souveraineté morale* que les Jacobins avaient d'abord attribuée au Peuple source de la vertu. C'est Couthon, membre du Comité de rédaction, qui prend acte du tournant où l'on se trouve : « J'avais, certes, concouru avec zèle à la rédaction de ce projet, *dont la moralité m'avait séduit ainsi que mes collègues* [107], mais vous venez de me faire remarquer qu'une majorité corrompue pourrait avoir corrompu l'opinion publique, de telle façon que le patriote le plus pur, le républicain le plus zélé pourrait être déclaré avoir trahi la cause du peuple pour l'avoir trop bien défendue, je réclame moi-même la radiation de ces articles » (LXVII, 141).

Le retour en arrière, en faveur de l'unité et de l'indépendance des députés, va se montrer une troisième fois : il s'agit de la question même de la représentation, sous la modalité du mode de candidature et d'élection des députés. Le débat a lieu, en fait, quelques jours avant la rétractation opérée par Couthon. Entre les principes antérieurement proclamés et l'adaptation aux nouvelles circonstances, l'idée de « centralité révolutionnaire » l'emporte de nouveau.

Le privilège donné aux candidatures parisiennes

Le rôle de Paris devient un point capital du débat constitutionnel, puisqu'il formait un enjeu du conflit avec la Gironde. On a vu que Saint-Just soutenait contre Condorcet que l'élection des députés au second degré par des *assemblées de départements* aurait supprimé la volonté générale au profit d'un « patriciat de renommées ». D'où son affirmation péremptoire : « Celui qui n'est pas élu immédiatement par le peuple ne le représente pas. » En même temps, cette immédiation de l'élection était supposée garantir l'*indivisibilité* du corps représentatif qui sortait des urnes : « Celui qui n'est pas nommé dans le concours simultané de la volonté générale, ne représente que la portion du peuple qui l'a nommé ; et les divers représentants de ces fractions, s'ils se rassemblent pour représenter le tout, sont isolés, sans liaison dans leurs suffrages, et ne forment point de majorité légitime » (A.P., LXIII, 204).

D'après Saint-Just, l'unité immédiate du Souverain devait trouver son *reflet*, tout aussi unifié et immédiat, dans le corps des élus. Ces garanties contre une « représentation fédéraliste » semblaient autoriser que tout citoyen pris dans une commune soit éligible (pourvu qu'il y soit domicilié depuis un an et un jour, et âgé au moins de vingt-cinq ans) : ainsi raisonnait Saint-Just. Le Comité de Constitution alla plus loin encore : l'unité du corps représentatif demande que l'*origine* des députés ne porte aucun stigmate localiste. Le 14 juin Hérault de Séchelles propose donc l'article suivant : « Tout Français exerçant les droits de citoyen, est éligible dans toute l'étendue de la République. Chaque député appartient à la nation » (LXVI, 518).

Cette proposition concordait avec le monopole jacobin, et avec la demande, le même jour, par Robespierre, d'un « centre unique de forces et de moyens »[108] : des hommes proches de la Montagne comme Delacroix et Génissieu protestent cependant contre le privilège que les leaders parisiens en tireraient presque inévitablement. Si la Gironde avait cherché à établir la prépondérance des notabilités rurales, on s'orientait cette fois vers un second type de notabilités : « Vous concentrez la représentation nationale dans un petit nombre d'hommes qui auront usurpé une réputation quelconque par la publicité de leurs noms à la défense de quelques causes, à quelques journaux ; ainsi vous établissez l'aristocratie de réputations, non moins dangereuse que les autres. » En tenant ces propos, Delacroix précisait que choisir plutôt les élus dans les communes où ils habitent était le seul moyen de garantir « la responsabilité morale du mandataire vis-à-vis de ceux qui l'ont choisi » : l'immédiation du choix (suffrage universel direct) devait se compléter par la proximité de l'élu par rapport à ses électeurs ; autrement, on détruisait d'une main ce qu'on prétendait établir de l'autre. Nous dirions aujourd'hui qu'un « candidat parachuté » est davantage l'homme d'un parti que celui d'une communauté régionale et électorale.

Génissieu vient renforcer la même idée, en reprenant à Saint-Just la formule de « représentation immédiate » : « Le mieux serait certainement que le peuple concourût à la confection des lois, mais puisque cela est impossible, vous devez lui donner une représentation la plus immédiate possible. Si vous adoptez l'article du Comité, il y aura, comme l'a dit Delacroix, une aristocratie de talents. »

Mais les objections des deux Montagnards trop modérés [109] ne furent pas admises : l'article proposé par le Comité de rédaction fut adopté, car il allait tout à fait dans le sens de l'action jacobine qui visait à maintenir l'hégémonie par le moyen de la capitale. D'ailleurs, à travers l'opposition entre les objections des amis de Delacroix et les thèses du courant jacobin on peut entendre une même idée que les deux groupes partagent : le peuple, dont la souveraineté est invoquée, est faible, car *tributaire* de ceux qui sollicitent ses suffrages. Il importe de bien choisir les candidats : soit pour contrebalancer l'influence de la Gironde en province, soit pour limiter la mainmise des leaders parisiens. Mais en définitive, le transfert de souveraineté ne fait pas de doute — comme les autres décisions (pour le référendum, pour la censure du peuple) l'ont déjà montré.

Une dernière hésitation de Robespierre : nul ne représente le peuple

Cependant, le transfert de souveraineté ne pouvait s'opérer ni de façon explicite ni de façon aisée : les Jacobins avaient trop attisé les inquiétudes dans le « ciel idéologique » français, quant au rapport problématique entre la volonté du peuple et l'institution représentative. En citant Rousseau, on n'avait cessé de dire : « La volonté ne se représente pas. » Aussi est-il compréhensible qu'au moment où il fait de la Convention le « centre de ralliement », Robespierre se laisse aller à remettre de nouveau en question la possibilité de représenter le peuple. Cette hésitation, comparée à ce qui va suivre, confirme qu'il s'agit d'une période de transition ; et si pour le moment

Robespierre prononce des formules qui établissent l'*identité et la différence* entre peuple et représentants, il va un peu plus tard changer le cadre de référence, pour briser définitivement le système de contradictions qui entoure l'idée représentative. Cette dernière ne passera plus par la modalité électorale.

Pour le moment (il s'agit du 16 juin), la Convention examine l'article suivant : « Les administrateurs n'ont aucun caractère de représentation. » La formule renouait avec les conceptions de la Constituante (et contrairement à l'option de Sieyès en cette matière). Robespierre intervient alors, de manière inattendue, pour affirmer que *personne* — ni administrateur, ni député — n'est un « représentant », mais que les uns et les autres sont des « mandataires [110] ». Voici comment il s'exprime : « Cet article me paraît absolument inutile [...] J'observe [...] que le mot de *représentant* ne peut être appliqué à aucun mandataire du peuple, parce que la volonté ne peut pas se représenter. Les membres de la législature sont les mandataires à qui le peuple a donné la première puissance ; mais dans le vrai sens, on ne peut pas dire qu'ils le représentent » (A.P., LXVI, 578).

Voilà donc reparue la thèse rousseauiste de la volonté toujours irreprésentable, alors qu'elle semblait devoir s'effacer, ne serait-ce que par le moyen de la procédure de ratification des lois ! Cette intervention embarrasse et divise les assistants ; elle donne lieu à une discussion entre Ducos et Robespierre, avec pour thème la différence entre les *décrets* (immédiatement adoptés) et les *lois* (qu'on envisage de soumettre à référendum). Entre les deux intervenants, l'interprétation apportée sur les décrets est diamétralement opposée :
— Robespierre : « Les décrets ne sont exécutés avant d'être soumis à la ratification du peuple, que parce qu'il est censé les approuver ; il ne réclame pas, son silence est pris pour une approbation. (...) Ce consentement est exprimé ou tacite ; mais dans aucun cas la souveraineté ne se représente, elle est présumée. »
— Ducos : « Je prouve par le fait à Robespierre que la volonté générale peut être représentée. L'Assemblée législative fait des décrets qui sont provisoirement exécutés ; or ils ne peuvent être provisoirement exécutés qu'en supposant qu'ils sont l'expression de la volonté générale ; qu'en supposant que le législateur a représenté la volonté générale de la nation. »

Il est étrange que Robespierre parle d'une ratification possible
des décrets par le peuple : le projet Hérault de Séchelles l'avait
formellement exclu. Mais en tout cas, la controverse concerne
l'exégèse à donner sur le silence du peuple. Pour l'Incorruptible,
ce silence signifie que le peuple garde son jugement, et cela
prouve son *autonomie* par rapport à l'institution représentative.
Pour Ducos, cela prouve que le peuple a délégué la volonté
générale dans le sein de la Convention, et ce dès l'instant de
l'élection. On retrouve évidemment dans cette controverse
la *quaestio vexata* que la Révolution n'a cessé de débattre :
sous l'angle de la dissociation entre exercice et possession
de souveraineté, ou sous celui d'une souveraineté qui n'est
pas transférable, contre une représentation qui devient souveraine.

Finalement, Robespierre est mis en minorité : la Montagne
ne peut aller dans le sens d'une fragilisation de son propre
pouvoir alors qu'elle a maintenant conquis les organes gouvernementaux. Il fallait à la fois que la souveraineté du peuple reçût
un hommage déclaré, et que ses conditions d'exercice fussent en
fait entravées par la prépondérance de l'Assemblée. Albert
Mathiez, qu'on ne peut guère soupçonner d'hostilité envers les
rédacteurs de juin 93, écrit : « Toute la Constitution montagnarde était orientée vers la dictature de l'Assemblée et pratiquement, du parti qui gouvernait l'Assemblée [111]. »

Il est cependant étonnant que dans la tradition républicaine,
la Constitution de l'an I ait gardé la réputation d'être d'un esprit
démocratique avancé, avec le rejet dans l'oubli (comme les
Montagnards le souhaitaient) du projet de Condorcet. C'est dans
ce dernier, et lui seul, que le problème de la compatibilité entre
l'initiative des citoyens et la fonction représentative était réellement affronté. Michelet, qui est si volontiers critique à l'égard
des camps jacobin et montagnard, manque de clarté sur ce
point.

D'une part, il affirme, à propos du texte montagnard : « Cette
Constitution, écrite pour un grand empire, prétend réaliser ce
qui est si difficile dans les plus petites sociétés : l'exercice
universel et constant de la souveraineté populaire. » Mais un
peu plus loin il ajoute : « La Constitution jacobine, toute
démocratique qu'elle est, mène droit à la dictature. C'est son
défaut, et c'était son mérite, au moment où elle fut faite et dans

la crise terrible dont la dictature semblait le remède. » Ce que
Michelet n'éclaircit pas, c'est comment une constitution démocratique pourrait « mener droit à la dictature ». La conception
démocratique serait-elle donc, et en elle-même, si ambiguë ?

CHAPITRE IV

Le gouvernement révolutionnaire et son idée de représentation

> « *Le fédéralisme ne consiste pas seulement dans un gouvernement divisé, mais dans un peuple divisé. L'unité ne consiste pas seulement dans celle du gouvernement, mais dans celle de tous les intérêts et de tous les rapports des citoyens.* »
>
> Saint-Just

L'idée de souveraineté inaliénable et indivisible traverse les débats qui viennent d'être examinés : présente dans la Constitution de 1791, mise en tête de celle de 1793, la formule s'avère minée par une contradiction interne qui, à son tour, se répercute dans la séparation entre exercice et possession de souveraineté. La souveraineté serait inaliénable si elle restait aux mains de ceux qui la possèdent (les citoyens), mais elle ne devient indivisible qu'exercée par un corps de représentants. A vouloir défendre un pôle de la relation, chaque courant dominant de la Révolution se voit accusé de sacrifier l'autre terme. C'est ainsi que la doctrine des premiers temps, venue en partie de Sieyès, assurait l'indivisibilité par la représentation du corps des gouvernés — lesquels devaient vaquer à leurs tâches propres, externes à la vie publique. Par réaction, le courant jacobin a dit ou laissé entendre que seul l'exercice direct de la souveraineté, ou d'une part de souveraineté, garantirait son inaliénabilité.

Pourtant, confronté aux tâches du pouvoir, ce courant appuie un type de constitution où rien ne contrebalance sérieusement la prépondérance du Corps législatif : les Jacobins en reviennent, eux aussi, à la thèse de la Représentation comme lieu nécessaire de la confection d'unité. D'ailleurs, lorsque le 8 juin, Varlet développe, devant la Commune de Paris, ses idées sur la souveraineté des *sections*, il est discrédité comme membre du groupe des Enragés. Dans sa *Déclaration solennelle des droits de l'homme dans l'état social*, tirée à 5 000 exemplaires, Varlet écrit : « Art. 24 : Les lois sont l'expression de la volonté générale : cette volonté générale ne peut se connaître qu'en rapprochant, comparant, recensant les vœux partiels qu'émettent par sections les citoyens réunis en assemblées souveraines [112]. »

De même, la Convention ne tiendra pas compte des propositions présentées par le Jacobin Boissel le 17 juin [112bis] : elles ne visaient à rien de moins qu'à *remplacer les assemblées primaires par les sociétés populaires* qui, désormais, auraient fait les élections. Attaquant violemment les Girondins (on a pu voir en première partie qu'il fut actif le 2 Juin), Boissel estime qu'il faut établir le pouvoir des sans-culottes et de « nos frères jacobins », deux termes pour lui indissociables. À cette fin, l'Assemblée s'appellera désormais « le centre de la République » : « Le centre de la République sera composé de 1 200 membres citoyens, discutés, choisis et nommés par le peuple dans les sociétés populaires de la République, au prorata de la population des communes. » Cette Assemblée, consacrant véritablement la présence de la souveraineté dans le peuple, « ne sera regardée que comme le centre de toutes les sociétés populaires de la République » ; elle « ne pourra avoir qu'une existence morale et purement passive, pour recevoir et recueillir le vœu de la majorité sur ce qu'elle veut qu'il soit ordonné ».

Cette conception extrême, et isolée chez les Jacobins, ne pouvait avoir aucune chance de l'emporter au moment où elle s'exprime, car c'est exactement la tendance inverse qui commençait à se manifester à ce moment (discussion de la Constitution montagnarde) : l'*unité* entre sociétés populaires leur serait conférée de l'extérieur, et par en haut — ce que ne pouvait apporter un Centre à « existence morale et purement passive. »

Le souci d'unité acquiert ensuite une acuité extrême lorsque la guerre civile est indéniable : la tâche de *réalisation* de l'Indivisibilité s'inscrit à l'ordre du jour de l'été 1793 ; elle passe par l'abandon de la Constitution, et un renforcement encore accru de la prééminence du pouvoir d'État sur la société.

En reprenant le recul historique que le début de cette troisième partie avait tenté de marquer, il s'est confirmé qu'au-delà des enjeux conjoncturels, la Révolution s'est débattue jusqu'à ce moment (été 1793) avec un modèle transplanté de la monarchie; elle a tenté de concevoir la liberté et l'égalité politiques dans un cadre qui s'y prêtait mal, car il était né dans des circonstances où le pouvoir venait d'en haut, où il s'exerçait sans partage, où les hommes étaient des « sujets », et non des « citoyens » (au sens où la Révolution va l'entendre). La monarchie française des siècles précédents avait, quant à elle, les moyens d'une souveraineté dite « une et incommunicable » (Bodin), du fait que le principe unificateur de la société n'y était pas distinct de la source reconnue du pouvoir : la personne royale organise cette fusion que la République de fait (1791) ou de droit (1792-93) n'arrive pas à rétablir, cette fois sur les bases du mécanisme électoral et de la liberté d'opinion.

Restant attachée au schéma unitaire (d'origine monarchique, mais aussi, on le verra, catholique), la Révolution découvre l'inspiration démocratique : elle bute alors sur l'institution de la représentation, dont elle n'a à aucun moment une conception claire et opératoire (Condorcet restant une pensée sans écho). Soumise à l'impératif de confection de l'unité, la Représentation est dévorée par l'idéologie de la souveraineté; les différences géographiques, culturelles, sociales et économiques n'ont pas droit à l'expression franche et distincte. Au nom du primat de l'intérêt général sur toute particularité, la représentation tend à être la seule voix légitime de la société, ce qui fait par exemple que le pouvoir constituant du peuple n'est pas reconnu ou que l'initiative propre des citoyens ne reçoit pas de canaux appropriés; corrélativement, la représentation doit faire parler la société d'une seule voix. A la différence des institutions anglaises et américaines, les éléments *libéraux* restent faibles dans cette conception du système représentatif.

Le gouvernement révolutionnaire, qui achève la conquête jacobine du pouvoir, s'inscrit lui aussi dans cette tendance issue de l'histoire française antérieure : il va même au-delà, en hypertrophiant sous l'exigence d'unité une Représentation souveraine. Les réticences, les hésitations qui avaient parsemé le débat constitutionnel des Montagnards, sont balayées devant l'évidence salvatrice énoncée par des leaders comme Billaud-

Varenne : « Il faut, pour ainsi dire, recréer le peuple qu'on veut rendre à la liberté. » Le peuple doit être dirigé contre ceux qui ont corrompu l'opinion publique, et il doit être représenté par ceux qui l'incitent à éliminer ses parties gangrenées. Mieux encore (*cf.* Ire partie), c'est en s'épurant lui-même à tous les échelons que le peuple *se* gouverne lui-même, et *se* représente, dans son unité vertueuse, à travers ses dirigeants : Terreur et gouvernement révolutionnaire sont ressentis comme la possibilité de dépasser enfin la contradiction qui a facilité jusque-là les luttes successives pour le pouvoir. Le substitut, tant recherché, du mandat impératif, et par lequel ceux qui sont gouvernés commanderaient à ceux qui gouvernent, émigre dans l'idée de la *vertu*. Car, selon cette dernière, les représentants, s'ils ressemblent au peuple, devraient se retrouver en accord avec la volonté des gouvernés.

Il s'agit en réalité d'une fuite en avant, où l'on peut parler de la « représentation d'un peuple qui n'existe pas encore, contre le peuple qui existe [113] ». D'une unité qui était supposée d'abord donnée (on a vu au prix de quels paradoxes), on passe à une unité qu'il faut engendrer, en vue de laquelle l'État et les organes révolutionnaires travaillent la société civile (épuration, mobilisation, mesures d'économie dirigée). La démocratie, dit maintenant Robespierre, n'est pas un État « où cent mille fractions du peuple, par des mesures isolées, précipitées et contradictoires, décideraient du sort de la société entière [114] ». La souveraineté n'est donc pas exercée par les sections, mais elle consiste plutôt dans le travail sur soi de la société à travers son appareil étatique : l'unité *dans* le peuple est le processus qui résulte de l'unité *avec* le gouvernement révolutionnaire, moyennant le continuum d'un principe spirituel qui anime l'édifice de bas en haut.

Le sentiment de fuite en avant apparaît fréquemment dans le nouveau discours de pouvoir qui légitime cette vision ; ainsi dans l'interrogation que Robespierre semble s'adresser à lui-même au moment précis où il redéfinissait la démocratie : « S'il existe un corps représentatif, une autorité première constituée par le peuple, c'est à elle de surveiller et de réprimer sans cesse tous les fonctionnaires publics. Mais qui la réprimera elle-même, sinon sa propre vertu ? »

Il existe un tel corps représentatif : c'est la Convention

perpétuée dans son pouvoir, mais, pour qu'il se réprime lui-même, il faut également lancer la Terreur contre certains de ses membres : de là l'emballement étudié dans la Ire partie, dont on a vu qu'il frappe en retour ceux mêmes qui ont initié la nouvelle politique. On laissera de côté cet aspect déjà étudié, pour privilégier la *vision de soi* que donne le gouvernement révolutionnaire à travers le discours de ses dirigeants. L'imagerie du corps politique dont la Convention, au titre de Souverain-Représentant, constitue la tête, est apparue dès le printemps 1793 : on en voit l'ébauche chez Thirion lorsqu'il appuie Saint-Just contre la Gironde, on la retrouve chez le Montagnard J.-L. Seconds, et elle se développe ensuite dans les circulaires rédigées par le Comité de salut public, dans l'hiver 93.

Nouveauté ou résurgence ? Cette question se pose de nouveau à l'observateur. Le sentiment présent chez les grands leaders, d'improviser quelque chose de tout nouveau devant la pression des circonstances et la « force des choses », ne doit pas faire illusion. La représentation révolutionnaire, de type organiciste et de visée moralisatrice, brode sur un legs de la culture politique française, tout autant que la conception insoluble de la souveraineté qui, pour une part, a fini par y conduire. C'est après Bodin, dans les conceptions de la monarchie absolue et gallicane, au XVIIe siècle, que le roi est apparu comme le *Représentant de son peuple ;* le souci d'assurer ainsi la double fusion du peuple et du souverain, du souverain et du « représentant » se lit, par exemple, chez Bossuet. Et, d'une certaine façon, l'exclusion de l'hérésie protestante avait fourni le prototype de l'État opérant sur son peuple une catharsis sévère.

Alors que la Révolution des premières années avait trouvé dans le constitutionnalisme les réquisits de la nécessaire liberté de conscience, la dictature jacobine renoue avec une interpénétration du politique et du religieux, dont le culte de l'Être suprême est le symptôme le plus manifeste — bien qu'il ait surpris nombre de contemporains, en France comme à l'étranger. Fondamentalement, la crainte de l'individualisme dissociateur a agi comme le levain de cette novation archaïsante : l'État révolutionnaire.

LE RAPPORT ENTRE PEUPLE ET POUVOIR
SELON LE COMITÉ DE SALUT PUBLIC (DÉCEMBRE 1793)

> « *Contre des brigands couronnés et des mangeurs*
> *d'hommes, il faut Hercule et sa massue.* »
>
> Billaud-Varenne, 8 juillet 1792

Parmi les textes ayant pour fonction de donner une légitimité au gouvernement révolutionnaire de l'an II, on doit accorder une attention particulière à dix circulaires du grand Comité, dont le style hautement métaphorique est frappant. Les historiens ne leur ont accordé que peu d'attention, sans doute du fait même du caractère métaphorique, qui a été jugé d'un excès à la fois ridicule et peu significatif[115]. Le thème général est que l'État doit désormais être conçu comme un Individu collectif, ou aussi comme une machinerie géante composée de rouages, dont chacun accomplira sa tâche spécifique commandée par un Centre d'initiative. La spécialisation des fonctions sous un plan d'ensemble, la complémentarité corrélative de ces fonctions, l'*interdépendance* entre dirigeants et dirigés sont fortement soulignées. Car si les exécutants ne peuvent rien sans l'instance centrale qui leur envoie les ordres, par ailleurs le poste de commande n'est que le lieu de l'intérêt général de tous les organes : c'est pour eux qu'il calcule, ordonne, et reçoit en retour des informations. On l'a deviné : la tête du corps collectif (le gouvernement) se voit attribuer une fonction de *représentation* de l'ensemble du corps.

Un second trait spécifique de ce colosse politique réside dans la rapidité des mouvements qui s'accomplissent à partir des ordres donnés par le cerveau : comme l'expliquent les circulaires, c'est la *célérité* qui forme la signification véritable du mot « révolutionnaire » dans le gouvernement du même nom. Par là il s'agit de mettre en œuvre les deux grands décrets du 10 octobre (dû à Saint-Just) et du 4 décembre (présenté à la Convention par Billaud-Varenne). Le décret du 10 disait en effet :

« Art. 4 — Les lois révolutionnaires doivent être exécutées rapidement. Le gouvernement correspondra immédiatement avec les districts dans les missions de salut public. [...]

« Art. 6. — L'inertie du gouvernement étant la cause des

revers, les délais pour l'exécution des lois et des mesures de salut public seront fixés [116]. »

On examinera donc quelques-unes des images par lesquelles le Comité veut faire comprendre le lien de solidarité et d'efficacité qui unit le peuple français à ses représentants.

La machine et ses rouages

En s'adressant aux représentants en mission, le Comité rappelle que la division du travail qui leur est dictée constitue une règle impérative pour l'unité de l'ensemble : « Ouvriers de la République, faisons chacun la pièce qui nous est confiée dans ce grand ouvrage. Si nous voulons obtenir un ensemble, n'enjambons point le travail d'un autre. [...] Précision, célérité et mouvement révolutionnaire, c'est à cela que doivent se mesurer toutes vos opérations » (p. 163). Ou encore, vis-à-vis des agents nationaux placés auprès des communes, le rédacteur écrit que « chaque ressort [...] agit avec d'autant plus de force qu'il est à sa place et dégagé du frottement » (p. 180).

La contrepartie du fonctionnement efficace de la machine révolutionnaire se trouve dans l'esprit de *moralité* c'est-à-dire de dévouement à l'intérêt général que chacun doit montrer. Aux départements le Comité écrit : « Les hommes ne sont rien, la patrie seule est tout : elle commande, obéissez. Quel homme pour un objet idolâtre n'est point prêt à tout entreprendre à son moindre signe ? » (p. 170). Il faut donc que le gouvernement devienne pour ses agents, l'équivalent de cet « objet idolâtre », car les départements ont eu trop tendance, avant cette période, à s'isoler dans un repliement égoïste.

Le même sens de l'oubli de soi est requis de la justice révolutionnaire, dans la circulaire adressée « aux tribunaux révolutionnaires, aux tribunaux criminels, aux commissions militaires et aux accusateurs publics » : « N'avoir pour famille que la patrie ; lui sacrifier comme Brutus vos frères, vos amis, vos enfants s'ils étaient coupables ; telle est la hauteur de vos devoirs » (p. 185). D'ailleurs, la force de la répression est proportionnée à la rapidité avec laquelle arriveront les temps nouveaux d'une humanité purifiée : « Dès qu'on est obligé de punir, il faut punir promptement. Alors, la peine qui, dans son principe, n'a été établie que pour l'exemple, atteint plus efficacement son but et frappe par une salutaire terreur. Alors aussi se préparent plus rapidement ces jours de la félicité publique, où la hache se rouillera dans le repos, parce que tous les hommes seront rendus à la vertu. » Visiblement, le Comité veut défendre la Terreur contre toute accusation d'aveuglement : ce qui est d'ordre mécanique accomplit aussi une finalité et une unité de type spirituel.

Il serait inutile de citer toutes les formulations appartenant au registre mécaniciste ; les communes par exemple, sont « les bras qui meuvent le levier révolutionnaire », tandis que les lois édictées par la Convention « meuvent les bras ». Ou encore, s'agissant cette fois des procureurs de district : « Vous êtes en quelque sorte les conducteurs électriques de ses foudres [la Révolution]. Si vous brisiez la chaîne, vous seriez vous-mêmes noircis des coups du tonnerre. Ne vous isolez pas ; défendez-vous contre tout acte qui romprait cette nouvelle harmonie, établie pour le bonheur de tous » (p. 174).

En fin de compte, il y a une solidarité en quelque sorte physique et morale, entre les éléments de la machine révolutionnaire, telle que si l'un d'entre eux déviait de sa mission, il serait aussitôt détecté. C'est ainsi que les agents nationaux placés auprès des districts doivent savoir qu'ils sont surveillés, autant que surveillants : « Songez, surveillants, que d'autres yeux sont ouverts ; songez que, si les vôtres se ferment un instant, la peine appelée par vous-mêmes sur les coupables vous atteint et vous frappe ; la hache de la loi se balance aujourd'hui sur la tête du juge ; tout courbe sous elle, l'incorruptible vertu reste seule debout » (p. 176).

Le géant révolutionnaire et ses organes

De même que les évocations mécanistes sont supposées définir un fonctionnement qui n'est pas aveugle mais obéit à une finalité éthique, le modèle biologique de l'individu humain ne cesse d'interférer avec le premier registre : l'État est un Homme, quoique d'origine artificielle, l'incarnation vivante de l'Hercule qui écrasait l'hydre fédéraliste le jour de la fête de l'Indivisibilité (10 août 1793). « Le peuple français va reprendre l'attitude d'Hercule. Il attendait ce gouvernement révolutionnaire qui doit raffermir toutes ses parties, qui, distribuant dans ses veines la vie révolutionnaire, le retrempe d'énergie, et complète sa force et son aplomb » (p. 166).

Comme l'a montré l'historienne Lynn Hunt[117], l'image d'Hercule subit toute une évolution sous la Révolution, et sous la monarchie française elle avait été fréquemment utilisée pour figurer le roi, ainsi que la majesté royale[118]. Mais pour le Comité de salut public, la citation précédente montre que le Colosse *englobe le peuple*, dont il raffermit les « parties » et irrigue les « veines ». Il faut d'ailleurs que le gouvernement mobilise le peuple, qu'il atteint principalement par, ou dans, les Comités de surveillance : « Vous êtes, dit-il à ces derniers, comme les mains du Corps politique dont elle [la Convention] est la tête, et dont nous sommes les yeux. » Auparavant, avec l'édifice administratif hérité de la Constitution de 1791, le corps était quasiment informe parce que morcelé ; maintenant, il faut que « prenant pour ainsi dire tout à coup une voix, des yeux et des bras, le corps politique prononce, regarde et frappe à la fois » (p. 173). Un cerveau « prononce » (c'est le gouvernement), des yeux « regardent » et surveillent (ce sont les districts), des « poings » frappent (par les communes dotées de Comités révolutionnaires).

Les circulaires sont particulièrement prolixes pour décrire les fonctions vitales du nouveau Léviathan ; les lois, par lesquelles passent les messages du gouvernement, « sont l'âme du corps social, s'y répandent, le parcourent, et, semblables à ces esprits qui portent la vie, circulent avec célérité dans toutes ses veines, et arrivent en un instant du cœur aux extrémités » (p. 175).

Il est évident que la finalité principale du registre métaphorique est de supprimer toute notion d'altérité ou de *distance* entre le Centre et la périphérie : devenu indissociable de ses gouvernants, le peuple ne saurait admettre un quelconque corps intermédiaire, qui freinerait l'unité de direction. En termes plus explicites, sont visées les *réunions centrales* de sociétés populaires qui s'étaient formées en juin, les unes hostiles à la Gironde, d'autres favorables : « Tout congrès ou réunion centrale vous est interdit. C'est un piège où le fédéralisme a fait tomber des patriotes séduits ; [...] le corps politique, comme le corps humain, devient un monstre s'il a plusieurs têtes : la seule qui doit régler tous ses mouvements est la Convention. »

En s'exprimant ainsi, le Comité de salut public ne se doute probablement pas qu'il reprend un thème ressassé durant le Moyen Âge chrétien ; un érudit comme Otto Gierke a pu montrer les enjeux qui s'attachaient à l'image du monstre bicéphale ou polycéphale[119]. Et Jean Bodin la retrouve tout naturellement pour justifier le caractère impartageable de la souveraineté : « Combien il est impossible que la République, qui n'a qu'un corps, ait plusieurs têtes, comme disait Tibère l'empereur au Sénat ; autrement ce n'est pas un corps, ains un monstre hideux à plusieurs têtes » (*Les six livres...*, VI, 4).

Achevant sa description du danger qu'il y aurait à pluraliser les instances de décision, le Comité en vient à un tableau apocalyptique : « Hors la sphère qu'elle [la Convention] trace est le vide et un chaos infini, où roulent les spectres effrayants, l'anarchie et le despotisme, traînant de derrière ce monstre [à plusieurs têtes] des chaînes sanglantes. »

Le point le plus remarquable est sans doute que l'auteur de ces textes avait commencé par publier un ouvrage, en 1791, intitulé *L'Acéphocratie,* où il faisait l'éloge d'un pouvoir du peuple moyennant « le gouvernement fédératif », et des « corps administratifs secondaires[120] » ! Pour que le peuple fût libre, il fallait, d'après Billaud-Varenne, que le corps politique n'ait pas de tête ; et à ceux qui doutaient de l'utilité du fédéralisme en France (Billaud cite la Suisse et l'Amérique), le futur théoricien du gouvernement révolutionnaire répond que *l'unité est mauvaise* car elle provient de l'absolutisme royal : « ... Pensent-ils un pouvoir unitif plus nécessaire pour qu'il y ait plus de célérité dans les opérations et dans leur exécution ? A cette objection, je répondrai que ce principe politique de l'ancien régime ne pourrait être appliqué à la rigueur qu'à un gouvernement militaire et conquérant. Mais la France a renoncé à toute guerre offensive. »

Ce document confirme que le nouvel édifice de l'an II, nullement prévu par les chefs jacobins, leur est progressivement apparu comme la solution et le dépassement des antinomies que la Révolution avait rencontrées. Par l'imaginaire de nature organiciste, le transfert de souveraineté est légitimé ; il culmine dans un phantasme de *toute-puissance* où ni le territoire ni les individus ne font obstacle à la volonté du souverain : « [Le législateur] veut réaliser dans sa plus énergique précision cette pensée : *Le peuple a dit : que la loi existe, et la loi existe.* Il veut enfin que la nouvelle création sociale sorte en un clin d'œil du chaos. Que lui faut-il pour cela ? Sa volonté toute-puissante » (*Actes du Comité de salut public, loc. cit.,* p. 171).

Bien entendu, cette annihilation de la distance spatiale s'appliquera à l'armée : l'unité de commandement doit permettre la transmission parfaite du mouvement aux points les plus reculés du territoire. De même qu'un apologiste de la monarchie absolue avait expliqué que le souverain a « de longs bras [qui] vont prendre ses ennemis aux extrémités du monde [121] », le Comité de salut public expose aux généraux que tout se tient dans la propagation du mouvement qu'il impulse : « Ici la République se déployant tout entière tombe de tout son poids sur les tyrans ; douze armées les pressent ; ces armées ont des mouvements séparés, mais elles en ont aussi de communs. La science du gouvernement consiste à déterminer ce mouvement, commun ou séparé suivant le besoin. L'impulsion donnée au Nord a son contrecoup au Midi ; celle imprimée au centre se fait sentir aux extrémités, etc. » (p. 165) [122].

Le territoire n'est donc plus un obstacle pour ce corps *organisé indépendamment de lui* que Thirion, on s'en souvient, proposait comme modèle de la République au printemps 1793. Il reste enfin à considérer ce qui, en principe, constitue le dernier obstacle matériel pour le tout-puissant gouvernement révolutionnaire : le cheminement temporel de l'information.

La relation centrifuge et ses effets centripètes

À travers l'identité — mécaniciste, organiciste — du peuple et du pouvoir révolutionnaire, c'est l'identité du pouvoir *à lui-même* qui doit se vérifier, et selon des preuves tangibles. En d'autres termes, un ordre qui est donné doit revenir le plus vite possible à sa source d'émission, prouvant ainsi la transparence à soi du nouvel Hercule qu'est devenu le peuple français. Il faut, dit le Comité, « faire jaillir du sein de la représentation les différentes émanations du pouvoir, de manière qu'elles reviennent toujours à leur source » (p. 172). C'est en cela que le

Représentant (terme soigneusement rappelé par ces textes) ne se borne pas à refléter une volonté préexistante chez les gouvernés, mais ne cesse de *recréer* l'organisme dont il constitue le centre nerveux. À la solidarité passive de l'ancienne idée de représentation (les représentants doivent se conformer à la volonté générale présente dans le peuple), la Terreur, changeant le cadre de référence, substitue la perspective d'une solidarité active et d'essence démiurgique ; lorsqu'il façonne son peuple, le gouvernement se crée lui-même en retour.

Le Comité critique donc inlassablement le fédéralisme honni, qui « voulait neutraliser la représentation nationale, en agrandissant les points auxquels elle distribue les pouvoirs, et faire ainsi disparaître le centre sous les rayons ». Si la fin de la formulation reste un peu obscure, l'obsession d'unité ne fait en tout cas pas de doute, elle implique la quasi-instantanéité dans la transmission des ordres et des informations [123] : conformément à ce qu'annonçait le décret Saint-Just, les lois seront promulguées dans les vingt-quatre heures, et leur exécution devra être accomplie, et signalée, sous trois jours.

L'ANTICIPATION DONNÉE PAR J.-L. SECONDS (AVRIL 1793)

> « *Episcopus cum capitulo suo facit unum corpus, cujus ipse est caput.* »
>
> La glose

> « *Le souverain est [...] l'âme publique, puisque c'est de lui que la République reçoit vie et mouvement. Cette âme ayant quitté le corps, les membres ne sont pas davantage gouvernés par elle que la dépouille d'un homme ne l'est par l'âme qui (même si elle est immortelle) l'a abandonnée.* »
>
> Hobbes

Lorsque le Comité de salut public institue un type d'État qu'il estime entièrement inédit, il réélabore des matériaux dont certains sont fort archaïques (vision médiévale), d'autres issus des conceptions de l'absolutisme à l'époque de Louis XIV. Cette continuité, parfois perçue comme telle l'espace d'un éclair, n'est jamais reconnue clairement ni assumée : l' « héritage » faisait l'objet d'une répulsion indignée. Chez Billaud-Varenne plus particulièrement, la banalisation de l'organicisme est accréditée par l'idée d'un simple décalque à partir de modèles *naturels*. Dans le *Rapport sur un mode de gouvernement provisoire et révolutionnaire*, il explique comment l'individu biologique indique la route à suivre : « La meilleure constitution civile est celle qui est la plus proche des procédés de la nature, qui n'admet elle-même que trois principes dans ses mouvements : la volonté pulsatrice, l'être que cette volonté vivifie, et l'action de cet individu sur les objets environnants. »

La notion de « constitution » (re)prend ici un sens tout autre que celui que lui avait donné la Révolution : au lieu d'un système écrit de normes, issu du pouvoir constituant, et propre à générer des lois conformes au texte fondateur, il s'agit de la configuration et structure de l'organisme vivant — lequel est donc *constitué* comme un « individu », pourvu d'une « volonté pulsatrice ».

Mais, et c'est le deuxième temps de la logique de Billaud-Varenne, la vie naturelle étant assimilée (depuis le cartésianisme) à un système mécanique, la vieille image organique se transforme, pour donner lieu à un être en qui s'unissent la nature et l'artifice. Dans son *Rapport*, le leader jacobin continuait en ces termes : « Ainsi tout bon gouvernement doit avoir un centre de volonté, des leviers qui s'y rattachent immédiatement, et des corps secondaires sur qui agissent ces leviers, afin d'étendre le mouvement jusqu'aux dernières extrémités. Par cette précision, l'action ne perd rien de sa force ni de sa direction dans une communication et plus rapide et mieux réglée. » Cet Homme qui est à la fois naturel par son modèle, et objet pour l'art humain qui le réorganise à chaque moment [124], apparaît comme l'être le plus approprié pour les tâches de la guerre et de la Terreur ; mais aussi comme la meilleure illustration de la *dépendance réciproque* qui doit unir les gouvernés entre eux et vis-à-vis de leurs représentants.

D'autres y avaient déjà pensé : on l'a signalé, la perspective organiciste s'était déjà exprimée au sein de la Convention, et notamment dans un document de grand intérêt, présenté en avril 1793 devant l'Assemblée par Jean-Louis Seconds.

Seconds, médecin et auteur d'un projet d'aérostat, régicide, est classé parmi les Montagnards par Alison Patrick ; bien que Françoise Brunel l'ait contesté [125], un tel classement paraît justifié à la lecture du texte reproduit par les *Archives parlementaires*, et intitulé *De l'art social* [126].

Le problème exposé par Seconds :
fonder la dépendance réciproque des mandants et des représentants

« Il faut que celui qui gouverne soit, pour ainsi dire, gouverné à son tour ; il faut qu'il contienne et qu'il soit contenu ; qu'il reçoive et qu'il donne en quelque sorte le mouvement et la direction » (p. 533). Tel est l'énoncé du problème formulé par Seconds, et dont on ne peut que constater à quel point il retrouve la préoccupation toujours présente dans les débats sur la souveraineté et la représentation : trouver une forme de *lien* par lequel le peuple gouverné exercerait son contrôle au moment même où il reçoit les lois et les directives de ses gouvernants. La « solution » proposée par Seconds consiste à supprimer la distance entre peuple et pouvoir, tout en laissant — ou croyant laisser — une marge d'autonomie pour la Convention : cette dernière est à la fois la partie qui complète le tout (la tête reliée au corps), et un tout par elle-même, ou, comme il va être dit, un « abrégé du peuple ».

Si la Convention *contient* en elle le peuple, tout en émanant du peuple, elle peut en ce sens être dite le représenter. L'idée de reflet s'ajoute ainsi à celle de mandat — ce qui permet de poser à la fois l'identité et la différence entre peuple et pouvoir ; l'image organiciste, propice à cette mixité, accompagne tous les propos du député de l'Aveyron. Sous l'emblème de Léviathan, il va explicitement décrire la Convention comme le centre nerveux et la tête du corps collectif. Mais, comme chez Billaud-Varenne ensuite, la fonction du modèle est également de justifier un transfert de souveraineté au profit des gouvernants, dès lors que la solidarité organique avec le peuple est censée donner à ce dernier une contrepartie.

L' « art social » doit donc générer son œuvre en deux temps : « Faire d'abord d'une société naturelle un corps politique en lui donnant une *souveraineté représentative* » ; formule dont l'audace se fait excuser par le second aspect : « Contenir cette souveraineté elle-même, et la force qu'on est obligé de lui confier par une autre force capable de la réprimer. » En termes plus clairs, le peuple doit arrêter la Convention, grâce à la Constitution [127] qui est la « muselière du gouvernement », mais la Convention doit discipliner le peuple, par les lois (qui sont le « frein du peuple »).

Cependant, ce jeu réciproque entre les deux termes ne peut suffire, et il faut un point ultime d'unité : « Il faut aussi nécessairement un chef qu'il faut une tête à un individu pour en faire un homme » (p. 535). Seconds finit par formuler sans réticences l'idée que toute la Révolution a tenté de forclore, mais que l'esprit moniste de cet écrit appelle irrésistiblement : l'instauration d'un « chef » ou encore, d'un « président de la souveraineté ».

L'imposition d'unité, le transfert de souveraineté, et le chef de la souveraineté, tels sont les trois aspects importants qu'il convient d'analyser dans *De l'art social*.

Une solution à la façon de Hobbes :
convertir la « multitude » en « peuple »
par le foyer de la représentation

La façon dont l'auteur image le lien représentatif renoue avec Hobbes — sans que ce dernier soit nommé, car il avait mauvaise presse, étant notamment accusé de « despotisme ». En vue d'établir la nécessité d'un chef, J.-L. Seconds donne à la représentation la double fonction d'incorporation et de commandement. C'est dans la mesure où la Convention s'incorpore le peuple qu'elle l'unifie, et c'est parce qu'elle l'unifie qu'elle peut légitimement commander en son nom : le chef « fait en quelque sorte de tous les individus une personne morale, un individu collectif, en leur servant à la fois de mobile et de centre de réunion, [de sorte] qu'il les fait pour ainsi dire penser, parler et agir *en corps* comme un seul homme ». Ainsi, celui qui représente, contenant en lui ceux qu'il représente, crée « un individu public, une espèce de polype humain, comme le polype lui-même est un peuple animal et individuel » : on trouve ici quelque chose assez proche de l'image figurative et du paradigme théorique qui ouvraient le *Léviathan*, dans l'édition princeps de 1651.

Comme chez Hobbes — mais de façon plus fruste et naïve —, la finalité politique de cette opération de réduction à l'Un, ou à « l'individu public » comme dit l'auteur, consiste à asseoir l'autorité indispensable. Mais là où le théoricien anglais construit un concept rigoureux (celui de « l'autorisation du Représentant »), Seconds est obligé d'avouer que « ce n'est encore ici qu'une comparaison » (p. 535). L'assujettissement des citoyens à l'Individu public passe avant tout par l'opinion, les croyances présentes chez les premiers : « Ils peuvent par conséquent s'en séparer d'opinion et d'intérêt, s'ils y trouvent leur avantage, et si on ne les contient pas par une force et des peines qui leur fassent trouver leur intérêt à lui rester unis et les empêchent ou les détournent de s'en détacher. » À la différence de Billaud-Varenne, l'auteur ne fait intervenir ni la communauté de *vertu* ni la Terreur ; il n'en est cependant pas très loin, lorsqu'il évoque « une force et des peines » qui soutiendraient la structure additive de ce Léviathan.

Finalement, et dans le passage même qui vient d'être cité, Seconds remonte jusqu'au fonds archaïque où Hobbes avait d'abord puisé : l'emboîtement corporatif médiéval, dans lequel chaque niveau dirigeant représente *par métonymie* les niveaux incorporés. L'idée médiévale est que la « tête » d'un corps global constitue la partie éminente qui vaut pour le tout auquel elle est reliée. C'est ainsi que, parmi les textes proprement religieux, la Glose écrit que « L'évêque forme avec son chapitre un seul corps dont il est lui-même la tête »[128]. Mais au sein de cette idée médiévale de la représentation, une extrême diversité est possible : la contiguïté métonymique (c'est-à-dire la cause pour l'effet, l'avant pour l'après, la partie pour le tout, etc.) mêle sans cesse la ressemblance et la lieutenance. Ce que les canonistes et les philosophes du Moyen Âge nomment « *persona repraesentata* » ne forme pas un concept univoque, mais une prolifération de sens multiples qui jouent entre eux[129].

Chez Seconds, on retrouve l'interpénétration et la hiérarchie qui transforment alors la Convention en une étonnante reviviscence de la vieille *universitas* : « La société politique n'est donc, comme on voit, qu'une grande corporation, et sa Constitution qu'une espèce de personnification, d'individualisation morale, d'une multitude d'hommes par le moyen d'un seul. » La Convention est elle-même un individu, qui englobe d'autres individus, et l'union des deux forme un Individu supérieur. De ce fait, l'Assemblée peut être dite *refléter* les volontés de ceux qu'elle incorpore : ce qui correspond à l'idée moyenne de représentation sous la Révolution ; mais elle peut également être dite *décider* souverainement, autre face qui tend à libérer l'initiative du Représentant.

À la fois tributaire et indépendante, la Convention constitue le lieu de rencontre entre le principe originaire de la souveraineté populaire, et le principe de la représentation qui s'érige en souveraineté seconde. C'est elle qui devrait réconcilier exercice et possession de la souveraineté : on aborde par là à la légitimation du transfert de souveraineté.

Le dessein jacobin : rendre souveraine la représentation

Continuant ses métaphores, Seconds explique que la tête peut parfois agir *avec* le corps, mais aussi agir *pour* le corps : « Tantôt la partie qui gouverne agit concurremment avec le peuple qui coopère avec lui [*sic*], et alors elle doit être considérée seulement comme une partie du tout. [...] Tantôt elle agit pour le peuple, et alors elle doit être regardée elle-même comme un tout, comme un corps entier, comme un extrait et une image de la nation, qu'il [*sic*] représente dans ce moment, en un mot, comme un *abrégé du peuple* » (pp. 535-536).

En ce moment de conflit aigu de la Montagne avec la Gironde (laquelle est visiblement stigmatisée p. 538), J.-L. Seconds exprime le vœu ardent de la partie radicale de la Convention : être, comme il dit, « un abrégé du peuple », qui s'identifie par conséquent au bien de ce dernier, menacé par le fédéralisme dissociateur de l'organisme politique. Non seulement le foyer représentatif unifie, mais par un jeu de miroir, il contient en lui de façon resserrée et purifiée ce qu'il unifie. La Convention opérant l'unité du peuple est également, pour sa partie monta-gnarde, le Peuple lui-même en condensé : *cette partie contient proprement le tout.*

Comme on le verra ensuite, la thèse d'apparence paradoxale

selon laquelle une partie peut contenir le tout avec laquelle elle est unie a des origines religieuses : Bossuet ne définit pas autrement l'autorité du chef de l'Église sur le peuple des croyants. La thèse peut même être retrouvée dans la doctrine de Sieyès, pour qui chaque député « représente toute la nation ». Il est clair que Seconds, médecin de tendance matérialiste, auteur en 1815 d'un ouvrage intitulé *Le Sensitisme, ou la Pensée et la connaissance des choses replacées dans les sens...*, n'entendait nullement se référer à un principe spiritualiste ; on a déjà constaté qu'il ne fonde pas l'unité interne de l'édifice politique sur un lien moral, comme la vertu au sens jacobin. Pourtant, c'est bien le mode d'expression ainsi que la logique de pouvoir des clercs qu'il retrouve ; sans doute parce qu'en ce mois d'avril 1793 il s'agit d'affirmer l'unité de pensée et de discipline, comme Bossuet, par exemple, l'avait fait avec vigueur à l'encontre de « l'hérésie » calviniste.

Par ailleurs, une telle vision renouait avec la théologie politique du « double corps du roi » analysée par E. Kantorowicz : le roi est à la fois la tête du corps de la nation, et la nation elle-même. Dans le *De cive*, Hobbes écrivait : « Plusieurs conçoivent malaisément que tout l'État est compris dans la personne du roi. » Il est vrai que Hobbes et les théoriciens de la monarchie absolue reconnaissaient une part privée, disjointe de la sphère du pouvoir étatique. Le Souverain qui tient le rôle du Représentant ne peut violer la sécurité, la propriété et un certain nombre de libertés chez les sujets sans devenir despotique, et provoquer par là un droit de résistance que saint Thomas a reconnu et que Bossuet lui-même admet partiellement. Alors que Seconds, dans un syncrétisme qui reprend à la fois l'absolutisme et l'organicisme, incorpore toute la société civile à sa tête dirigeante : par la Convention, la sphère publique est illimitée « pour diriger les hommes à un but commun, pour les faire mouvoir d'une manière conforme à ce but, d'une manière qui ne puisse jamais le manquer » (p. 538). En cela, *De l'art social* anticipe effectivement sur la vision du gouvernement révolutionnaire ultérieur : il n'y a plus de droits individuels opposables au salut public, car ces droits serviraient de bouclier aux ennemis du peuple.

Après la phase de la Terreur, c'est à un tel schéma que Sieyès répond lorsqu'il critique les « mauvais plans de ré-totale », système monacaux qu'il oppose à la vraie « ré-publique ». Dans son célèbre discours du 2 thermidor (20 juillet 1795), lors des débats préparatoires à la Constitution de l'an III, Sieyès dira : « Que deviennent alors les pouvoirs illimités ? Les pouvoirs illimités sont un monstre en politique, et une grande erreur de la part du peuple français. Il ne la commettra plus à l'avenir. [...] Lorsqu'une association politique se forme, on ne met point en commun tous les droits que chaque individu apporte dans la société, toute la puissance de la masse entière des individus. On ne met en commun, sous le nom de pouvoir public ou politique, que le moins possible, et seulement ce qui est nécessaire pour maintenir chacun dans ses droits et ses devoirs [130]. »

Ayant derrière lui l'expérience de la Terreur (une énigme désormais considérable pour la pensée libérale), Sieyès perçoit le danger qu'a représenté le transfert de la souveraineté monarchique au système républicain — transfert auquel il n'avait cependant pas été étranger en 1789 : « Il s'en faut bien que cette portion de puissance [à déléguer] ressemble aux idées exagérées dont on s'est plu à revêtir ce qu'on appelle la *souveraineté* ; et remarquez que c'est bien de la souveraineté du peuple que je parle, car s'il en est une, c'est celle-là. Ce mot ne s'est présenté si colossal devant l'imagination, que parce que l'esprit des Français, encore plein des superstitions royales, s'est fait un devoir de le doter de tout l'héritage de pompeux attributs et de pouvoirs absolus qui ont fait briller les souverainetés usurpées ; [...]. On semblait se dire, avec une sorte de fierté patriotique, que si la souveraineté des grands rois est si puissante, si terrible, la souveraineté d'un grand peuple, devait être bien autre chose encore. »

La lucidité dont Sieyès fait preuve quant aux origines de l'idée française de souveraineté ne va pas cependant jusqu'à admettre que, parmi les « pompeux attributs », la *représentation* avait eu sa part, commandée qu'elle était par la logique unitaire de la souveraineté. Dans ce discours où il développe des thèses sur la représentation, Sieyès veut considérer que cette dernière notion était absente de la dictature jacobine et montagnarde. Comme on a pu le constater, tel n'était pas le cas. À travers les diverses voies métaphoriques empruntées, ni Seconds, ni Billaud-Varenne, ni les grands discours des chefs jacobins de l'an II ne prétendent rompre avec le « gouvernement représentatif », tant sa fonction de légitimation leur apparaît indispensable. Voici d'ailleurs en quels termes le député de l'Aveyron soulignait fermement cet aspect : « Cette assemblée doit s'appeler souveraineté représentative, ou représentation nationale, lorsqu'elle agira seule pour le peuple et souverain, conjointement avec le peuple, lorsqu'elle agira conjointement avec lui » (p. 536). Comme chez le Comité de salut public et Billaud-Varenne, la suprématie du cerveau dirigeant signifie l'identité du peuple à lui-même, qui se réfléchit à travers les décisions et les informations (de type centrifuge ou de type centripète) passant par le centre.

Dans le transfert de souveraineté que *De l'art social* tente de faire admettre, un dernier point confirme le caractère mixte de l'argumentation vis-à-vis de l'héritage : l'auteur entend faire droit à l'*égalité* entre les citoyens apportée par la Révolution. Car, à l'intérieur du « polype raisonnable et politique », dirigeants et dirigés doivent permuter pour la reproduction même de l'organisme : « Dans cet individu moral, comme dans l'individu physique, toutes les parties sont animées par un même principe [131], mais toutes n'y occupent pas la même place, et n'y font pas les mêmes fonctions. Tout n'y peut pas être, si je puis ainsi m'exprimer, tête, bras ou jambes à la fois [...]. Mais la grande différence entre cet individu et tout autre, c'est que comme toutes les parties en sont mobiles, que ce sont des individus à peu près égaux en facultés [...] chacun doit pouvoir aussi devenir tête, bras ou jambes et redevenir corps à son tour, et c'est là la seule et véritable égalité de droits politiques que la raison et la justice peuvent admettre entre les citoyens pour l'avantage de tous, pour l'utilité de chacun, pour le bien de la société entière, en un mot, la santé, la vigueur et la bonne constitution du corps social. »

Il s'agit d'une fusion remarquable entre les idées nouvelles et l'ancienne vision hiérarchique, au service de l'unité de la souveraineté représentative. Mais, défenseur de l'égalité, Seconds finit par écrire que « tout État est une pyramide qui se termine nécessairement en pointe, dans un chef unique ». Cette pointe de la pyramide réside dans le « président de la souveraineté », non dans la Convention qui n'en forme que le support. N'est-ce pas la place même qu'occupera le Comité de salut public à partir de ses décrets constitutifs en octobre et décembre ?

Le foyer du foyer : un « chef commun de tous les pouvoirs »

L'auteur affirme en effet que le président de l'Assemblée, élu par elle, devrait être le point ultime où se réfléchissent le législatif, l'exécutif et le judiciaire. Ce « roi de la Révolution », que Robespierre a refusé d'être toutes les fois qu'il en vit approcher les dangereuses prémices, Seconds en affirme d'avance la nécessité. Il ne pouvait d'ailleurs ignorer que Marat en avait parlé ; et on a vu que les 31 mai et 2 juin, l'Ami du peuple va reprendre encore ce thème qui lui était cher.

Cependant, en réclamant un chef de la Convention, l'auteur prévient que sa fonction sera le lieu d'une tension extrême, voire d'une aporie : le « président de la souveraineté » peut tout sur l'Assemblée, mais dans les formes de la loi, et à condition que l'Assemblée reste juge de son respect de la loi (p. 540). Il pourrait d'abord sembler qu'un tel chef n'est après tout qu'un président de séance, dans un rôle plus technique que politique, puisque la loi pourvoit aux limites de sa fonction. Mais visiblement, quand Seconds envisage « qu'il puisse tout sur l'Assemblée, soit sur les membres, soit sur ses diverses sections », on sent que cet aspect de toute-puissance doit inévitablement déborder les limites légales ou réglementaires. Ce « chef » représente bien le tragique que va vivre la Convention dans les moments du 2 Juin, de Germinal, puis de Thermidor. Seconds, exposant la contradiction, explique que 1) le chef « est le premier danger, et par conséquent l'objet le plus naturel de la juste défiance d'un peuple », 2) « il est en même temps pour lui son premier besoin et la chose du monde la plus inévitable et la plus nécessaire » (p. 546).

Il y a et il y aura encore de tels chefs : Seconds laisse entendre que là est le tragique de l'Histoire, au-delà même du drame de la République moderne fondée sur l'égalité. Comble de l'audace de la part de ce Montagnard et de ce régicide [132], l'auteur prétend que Louis XVI fut l'une des figures du Chef indispensable : « La société politique ne se soutient et ne se perpétue que par la succession non interrompue de ses chefs ; cela est si vrai que si

Louis XVI, forcé par ses besoins, n'avait pas convoqué les états ou l'Assemblée constituante, la Législative [?], la Convention [?], vraisemblablement la Convention n'existerait pas. »

Sans doute faut-il entendre ainsi le passage final : sans la convocation par Louis XVI des États généraux, il n'y aurait eu ni Législative, ni Convention. Cette interprétation (osée quant au sens du 10 Août !) veut faire entendre que la Convention ne pouvait, en se débarrassant du roi, se débarrasser du principe mon-archique, ou principe d'Unité [133].

Malgré ses aspects hétérodoxes, son baroque archaïsant, *De l'art social* n'a pas nui à son auteur qui a continué sa vie politique et ses publications, pour mourir sous la Restauration à l'âge de soixante-seize ans, en 1819.

CHAPITRE V

La représentation jacobine :
novations et réminiscences

*« Nous devons considérer le bien de nos sujets bien plus
que le nôtre propre. Il semble qu'ils fassent une partie
de nous-mêmes, puisque nous sommes la tête d'un corps
dont ils sont les membres. »*

Louis XIV, *Mémoires*

Les deux chapitres précédents viennent de retracer l'évolution suivie par la conception jacobine de la représentation, tant
au moment de la Constitution de l'an I que pendant le
gouvernement de l'an II. Cette conception ressort elle-même
comme l'aboutissement sinueux d'une controverse inaugurée
par la Révolution et concernant la localisation de souveraineté ; à
travers l'exercice de la souveraineté, il s'agissait de savoir qui
allait en détenir l'effectivité.

Au total, on observe un parcours comparable à celui de
certains fleuves dont la source est au début modeste, qui passe
par des bras séparés et débouche dans un lit considérablement
élargi que les débuts ne pouvaient laisser prévoir. En effet, entre
le discours robespierriste des premiers temps et les directives
données par le Comité de salut public, les circonstances ont
beaucoup changé, des revirements se sont produits ; parmi ces
derniers, le plus remarquable consiste dans la conversion du
discours oppositionnel — qui favorisait la souveraineté du
peuple — dans le discours de pouvoir, qui aboutit à un modèle
organiciste de représentation.

Le début de cette partie, se situant dans une perspective

historique de longue durée, avait montré l'influence exercée par l'idée monarchique de la souveraineté : elle pèse sur l'ensemble du personnel révolutionnaire qui doit se définir à l'intérieur d'un cadre légué par l'Ancien Régime, au sens très large, puisqu'il avait fallu remonter aux légistes du XVIᵉ siècle. Mais dans la bifurcation que le jacobinisme de 1793 imprime au processus révolutionnaire, c'est une part plus spécifique de l'héritage qui s'est révélée à l'œuvre : le gouvernement révolutionnaire, pas en avant étonnant, renoue avec le XVIIᵉ siècle qui avait constitué en France la phase d'apogée de l'absolutisme. C'est en effet dans cette période que l'on trouve les analogies les plus sensibles avec la vision jacobine de la représentation.

En récapitulant les fonctions principales que les Jacobins ont — de façon généralement implicite — attachées à la représentation, elles apparaissent au nombre de trois.

La première d'entre elles consistait à donner à la société un centre d'unité qui en assure la cohésion menacée, qui à la fois commande aux citoyens et soit néanmoins définissable comme leur émanation. La prééminence de ce « centre » sur la périphérie devait, pour se faire accepter, être accompagnée de la dépendance réciproque entre représentants et représentés. Une seconde fonction du Représentant, très voisine, s'exprime dans un registre spécifiquement moral : il s'agissait, pour les Jacobins, de trouver un mécanisme apte à *extraire* de la société une expression chimiquement pure du lien social, pour l'objectiver dans une institution — celle-ci étant à la fois le miroir et le point d'unité de la société. Le thème de la *nature* et celui de la *vertu* conduisaient à cette opération de sublimation du Tout dans sa partie dirigeante : dans leur discours d'opposition, les Jacobins les plus radicaux avaient souligné la coupure entre droit naturel et lois positives, entre le souverain et les représentants, entre moralité et corruption. Et après le 2 juin, l'exigence que le peuple se gouverne lui-même fut traduite dans l'énoncé suivant : « Le peuple se gouvernera par ceux qui *représentent* le lien social, qui en sont l'abrégé et le condensé. »

Grâce à cette représentation du lien social, la vertu, d'abord qualité inhérente au club (partie avancée du peuple), pouvait passer dans l'appareil d'État et venir l'occuper, de façon à *réaliser* la souveraineté morale du peuple, y compris contre les résistances qui se manifesteraient. Ainsi la souveraineté, qu'on avait primitivement vue être opposée à la représentation, n'était finalement opposable qu'aux mauvais représentants, aux « individus mauvais » (*cf.* notre deuxième partie), mais non à l'institution. Qu'est-ce que la représentation régénérée, sinon la réflexion sur soi du Sujet souverain, sa conscience morale ?

Dès lors, cette perspective impliquait la troisième fonction de la représentation jacobine. Puisque dans le procès de dénaturation-renaturation engagé à partir de l'été 1793, la souveraineté constitue le Sujet tel qu'il est en soi, et la représentation le Sujet tel qu'il est pour soi, il ne devait plus, au terme de ce procès, apparaître de coupure entre peuple et pouvoir. La partie qui représente le tout, c'est-à-dire la Convention, « abrégé du peuple », ne montrera (en théorie) aucune extériorité vis-à-vis du tout : incorporant le peuple à lui-même, le Représentant se confond avec le Souverain, il exerce la souveraineté.

Telles sont les trois grandes fonctions qui polarisent l'idée de représentation et dont le mouvement jacobin ne prit conscience que progressivement. Elles expliquent la conversion du discours oppositionnel en discours de pouvoir ; bien que cette conversion ait pu apparaître comme un reniement complet — aussi depuis ce temps les historiens opposent deux périodes, ou deux dimensions, du jacobinisme —, elle a sa logique interne. Il faut d'ailleurs rappeler qu'avant 1793 des ébauches allaient en ce sens : la perspective de la « minorité vertueuse [134] », c'est-à-dire d'une partie (le club) condensant en elle le tout, laissait entendre que la Société des Jacobins *représentait le Souverain* au sein du Souverain, avant de représenter le Souverain au sein de la « représentation nationale ». Il y avait une représentation révolutionnaire, extérieure à l'institution, qui permettait au club de se poser en recours à venir : le club se voyait comme le dépositaire de la « Personne du Peuple ». Le propre d'une telle idée de représentation, complexe et mouvante, est évidemment de se rendre inséparable de *ceux qui* se l'attribuent : seul le discours jacobin pouvait fonder la conviction de former la partie avancée du peuple, ou de régénérer l'institution. La « démocratie », cette appellation désormais revendiquée en l'an II, devient une formule tributaire des hommes qui la font vivre. On comprend pourquoi : l'Unité du peuple ne s'opérant que par la « partie vertueuse », le gouvernement du peuple s'organise par tels et tels individus porteurs de la vertu. Revendiquant une légitimité *substantielle* (de type moral) en lieu et place de la légitimité *formelle* (de type juridique) qui avait été établie par l'esprit constitutionnaliste de 1789-1791, le jacobinisme forme véritablement une idéologie et une pratique spécifiques sous la Révolution.

La question est maintenant de savoir en quoi les trois fonctions de la représentation, qui viennent d'être définies, ont des points de rattachement avec la culture politique antérieure. L'idée du « centre » de la société, celle de la partie qui contient le tout, et enfin celle du transfert étatique de souveraineté, constituent la convergence d'un héritage politique et religieux dont Bossuet est en son temps un témoin significatif. Mais elles sont aussi en partie le prolongement de la lutte que les *parlements* d'Ancien Régime ont menée pour ce qu'ils appelaient « la représentation ». Enfin, il ne faut pas négliger, dans une localisation plus rapprochée, les représentations symboliques du rapport entre citoyens et pouvoir qui traversent la période révolutionnaire.

La démarche qui va être suivie ira du plus proche au plus lointain, selon une sorte de psychanalyse de l'esprit révolutionnaire : les couches les plus récentes de l'inconscient collectif finiront par conduire au fonds culturel le plus archaïque.

LA SYMBOLIQUE DU « CENTRE »

Comme l'a montré Lynn Hunt, l'un des problèmes rencontrés par la Révolution fut de définir « un nouveau centre [135] ». Dans le passage d'un ordre monarchique encore largement corporatif et hiérarchique à un système représentatif fondé sur l'égalité, la société française éprouve une crise de *légitimité,* aussitôt soulignée du côté de la contre-révolution. C'est pourquoi l'invasion du discours devient si notable, et on a vu plus haut comment la prise de souveraineté accomplie par l'Assemblée constituante équivalait à un véritable « *speech act* » autodonateur de légitimité. Comme l'écrit L. Hunt, « dans l'absence d'une tradition de common law ou de quelque texte sacré de référence qui fût recevable, la voix de la nation devait constamment se faire entendre. Parler et nommer prirent une portée significative énorme ; ces actes devinrent la source de signification » (*op. cit.*, p. 44).

Cependant, que la légitimité vînt désormais d'en bas, alors que la présence du roi était maintenue, ne suffisait pas à effacer entièrement la configuration symbolique installée par des siècles de monarchie ; même si le roi Très Chrétien, déchu de ses anciens pouvoirs, n'était plus que le « premier fonctionnaire » défini par la Constitution, le changement des esprits ne pouvait être aussi rapide que le souhaitait le discours révolutionnaire, célébrant la rupture avec l'Ancien Régime. La question était donc de savoir si dans les mentalités collectives, la *représentation de la nation* allait créer une configuration différente, ou allait plutôt remplir, d'un contenu modifié, la place laissée en partie vacante ; question que L. Hunt résume ainsi : « Quel était le nouveau centre de la société, et comment pouvait-il être représenté ? Pourrait-il même y avoir un centre qui fût désacralisé ? La nouvelle Nation démocratique pouvait-elle être localisée en quelque institution ou par quelque moyen de représentation ? »

On suivra ce problème à la fois dans les conflits des parlements avec la royauté, et dans la symbolisation révolutionnaire de l'ordre politique (figure de l'ellipse, figure du cercle).

Les parlements en lutte pour la « représentation »

Sans qu'il soit question ici de reprendre l'historique complexe de la lutte des parlements [136], il faut rappeler qu'ils prétendirent se poser en organes d'expression de la nation, ou, comme disait celui de Rennes, comme « médiateurs entre le souverain et les sujets ». Cette revendication s'appuyait sur le droit d'*enregistrement* vis-à-vis des actes royaux : il arrivait qu'une cour parlementaire fasse des « remontrances » à l'égard d'un édit royal, auquel cas le souverain était conduit à un réexamen ; si le litige se poursuivait, il pouvait conduire à d' « itératives remontrances » de la part des parlementaires [137]. Mais le souverain avait finalement le dernier mot, notamment par le biais du « lit de justice » ; il contraignait la cour de justice à l'enregistrement de l'édit controversé.

Dans la mesure où, dans leur contestation, ces parlements se référaient aux intérêts de la nation, les historiens ont pu dire qu'ils avaient préparé l'émancipation de cette dernière comme *corps distinct* de la personne royale. Et c'est ce que dénonce explicitement Louis XV lors de la célèbre séance dite de la Flagellation, le 3 mars 1776 : « Les droits et les intérêts de la nation, dont on ose faire un corps séparé du Monarque, sont nécessairement unis avec les miens et ne reposent qu'en mes mains [138]. » Du point de vue royal, constituer la nation en « corps séparé » est une atteinte à la *souveraineté*, puisque la solidarité entre le roi et le peuple est symboliquement la contrepartie d'une communication directe et d'une exécution immédiate des volontés royales. Dans l'attitude du parlement de Paris, Louis XV dénonce donc le « spectacle scandaleux d'une contradiction rivale de ma puissance souveraine ».

D'après la vision encore en vigueur à ce moment, roi et parlements participaient à un corps plus vaste où la nation recevait son âme unificatrice du pouvoir royal. Onze ans avant la Séance de la Flagellation, les Grandes Remontrances exaltaient « un souverain, mobile universel, âme de tous ses états, qui seul agit partout, dont les moindres impressions se portent avec rapidité dans toute l'étendue du corps politique et forment à l'instant même des mouvements proportionnés aux vues de leurs auteurs, mais des mouvements qui semblent naître dans les membres eux-mêmes [139] ».

Il est frappant de constater combien ce souverain universel qui irrigue tous les membres du corps politique évoque la vision de l'an II ; il n'est pas jusqu'aux « mouvements qui semblent naître dans les membres eux-mêmes » qui n'évoquent la comparaison, lorsque l'appel à l'initiative, à l'autoépuration, sera supposé compenser la prépondérance du Centre. De plus, on se souvient que tout « congrès central » est interdit aux sociétés populaires, par le Comité de salut public, sous peine de reconstituer un fédéralisme. De même, en 1776, le roi combat la prétention des parlements à communiquer entre eux, selon le système dit des « classes » : les vrais ennemis de la fonction parlementaire, estime le roi, sont ceux qui « lui font dire que tous les parlements ne font qu'un seul et même corps, distribué en plusieurs classes ; que ce corps, nécessairement indivisible, est de l'essence de la Monarchie et qu'il lui sert de base ; qu'il est le siège, le tribunal, l'organe de la Nation ».

Il est clair que l'union organiciste que tente de préserver le pouvoir royal risquait de se recomposer autour d'un *centre médiateur*, que les parlements occuperaient à leur profit. Cette « union indivisible » qu'il redoute, Louis XV l'appelle aussi un « corps imaginaire », pour stigmatiser sa fonction d'écran et de parasitage [140].

On comprend pourquoi les historiens voient là les prémices de l'autonomisation de la nation — dont les parlements vont d'ailleurs faire les frais, puisque la Révolution va les supprimer et que des parlementaires entreront sous la Terreur dans les charrettes de guillotinés. Mais on peut adopter un autre mode d'interprétation, soulignant le rôle décisif du *discours*. En effet, l'idée nouvelle de Nation — en tant que sujet jouissant d'une unité spécifique — s'opère et se rend crédible à partir de l'action d'un Tiers. C'est ce dernier qui, s'adressant à ceux qui composent la « nation », tout en prenant l'opinion publique à témoin, *constitue* ladite nation en interlocuteur, et aussi en détenteur de certains droits. Avant la Révolution, le rôle du Tiers est tenu par les parlements, mais, par transposition, il devient ensuite celui de l'Assemblée révolutionnaire. Puisque la nation ne peut parler autrement que par ses représentants (comme le dit Sieyès), l'Assemblée s'exprime à la fois au nom de la nation, et comme ce qui la fait proprement exister dans sa volonté une. La nation est, sous cet angle, un artefact engendré par le discours — bien qu'elle ne s'y réduise pas, ou n'accepte pas de s'y réduire. On peut donc dire que l'unité parlements-nation (et à l'encontre de celle que les rois avaient voulu maintenir) a anticipé l'unité représentants-nation instaurée par la Révolution, sous le titre de la « souveraineté nationale ».

On peut voir une confirmation supplémentaire dans le fait que les parlements eux-mêmes disaient qu'ils exercent une *fonction de représentation*. Que pouvaient-ils entendre par là ?

En tant que *médiateurs* entre le souverain et les sujets, ils accréditent l'idée d'un double mouvement à l'intérieur du corps politique : d'une part de bas en haut, mais aussi et surtout, de haut en bas, puisqu'ils se font le véhicule des volontés royales. De ce double mouvement, les parlementaires s'instituent à la fois les canaux (le roi ne doit communiquer que par eux) et les surveillants : ils se veulent juges entre le roi et le peuple. Représenter prend donc fondamentalement le sens de parler au nom de, ainsi que l'exprime le parlement de Bretagne, parmi d'autres : « Le parlement ne parle jamais à la nation qu'au nom du Roi, et de même il ne parle jamais à son Roi qu'au nom de la nation. » Quatre ans plus tôt on retrouve la même conception chez le parlement de Paris.

Ce dernier résume en effet, en une phrase essentielle, l'ensemble du dispositif ; selon lui, il y a double représentation dans une seule fonction, soit l'acte, premièrement de répondre de quelque chose devant quelqu'un, deuxièmement au profit d'un tiers. La fonction des cours consiste à « représenter à vos sujets la personne même de V.M., et de leur répondre de la justice et de l'utilité de toutes ses lois, de représenter vos sujets aux yeux de V.M., et de vous répondre de leur fidélité et de leur soumission [141] ». Il faut donc entendre que si le roi est la tête du corps politique, il ne devrait pas en constituer le *centre* — ce lieu vital, le seul où peut s'accomplir la rencontre harmonieuse du souverain et des sujets. La « représentation » parlementaire a une fonction médiatrice en ce sens qu'elle fait se réunir ce qui vient d'en bas (fidélité et soumission) avec ce qui vient d'en haut (justice et utilité).

En fait, la lutte des parlements revenait littéralement à décentrer la souveraineté royale, pour tenter, à tout le moins, de la partager [142]. L'image du « centre » n'est que le double, rival et mimétique, de celle de la « tête », pour l'exercice de souveraineté. Ou encore il s'agissait de savoir qui occuperait, sous une image ou sous l'autre, la fonction de représentation. Et lorsque le processus révolutionnaire se mit en route, dans un pays qui avait connu les conflits de la Fronde, on comprend que le besoin de *retrouver* un tel « centre » ait pu se faire sentir — malgré le changement des enjeux, des opinions et de tout le système constitutionnel.

La question de savoir qui serait l'occupant de ce lieu privilégié revint donc : serait-ce la nation, dite en cela souveraine ? Seraient-ce les représentants, puisqu'ils parlent en son nom ? Ou Louis XVI, qui fut dit « restaurateur des libertés françaises » ?

La double lutte que le roi mena dans les premières années confirme l'importance qu'il attachait à cette position qui symbolisait la souveraineté ; irrité par l'activité des clubs, il affirme qu'elle se substitue à l'union de la nation et du roi, ou à l' « indivisibilité du monarque et du peuple » que Mirabeau lui conseillait de retrouver (mais par des moyens plus habiles). Par ailleurs, devant l'Assemblée, il tente de prouver, avec l'appui de certains de ses membres, qu'il en est un élément essentiel ; c'est finalement le sens du long débat à propos de l'influence que le roi peut avoir dans la *formation* de la loi. Et quelqu'un comme Sieyès (dans son discours du 7 septembre 1789) perçoit bien que le droit de veto reviendrait à confier à Louis XVI une part singulière, et même exorbitante, dans la fonction législative [143].

L'image circulaire

Si l'on se tourne maintenant vers la littérature révolutionnaire, y compris la plus journalistique, il est aisé de constater que l'*image* d'une chaîne, tantôt circulaire, tantôt elliptique, et sur le pourtour de laquelle se répartissent les individus-citoyens, revient fréquemment. Elle confirme la prégnance du thème du foyer central, en tant que point de reconnaissance et d'unification pour le corps politique.

Par exemple, c'est le cas de deux textes, mis en parallèle par J.-L. Guiomar [144], et qui ont l'intérêt d'appartenir aux deux grandes phases des six premières années de Révolution, par ailleurs opposables sous d'autres points de vue. Le 17 juillet 1789, le *Journal de Paris* décrit en ces termes le moment d'apparente réconciliation où Louis XVI a accepté le rappel de Necker et la cocarde tricolore : « Presque toute l'Assemblée s'est levée et a suivi le roi dans son retour à son palais. Les députés de tous les ordres, se tenant par la main, formaient une *chaîne semi-circulaire* et une enceinte au milieu de laquelle marchait le monarque, précédé de ses deux frères. Un peuple immense suivait. »

Cette image spatiale s'était d'ailleurs imposée dès le premier jour des États généraux, puisqu'un rédacteur rendait compte de l'ouverture de la séance dans les termes suivants : « Tous les députés n'ont été placés que vers les midi moins un quart. On leur avait préparé des banquettes disposées dans une forme semi-elliptique, dont l'estrade sur laquelle s'élevait le trône faisait le diamètre [145]. »

Si l'on consulte maintenant le texte rédigé par David en vue de la fête de l'Indivisibilité (10 août 1793), il faut relever l'analogie de structure signalée par J.-L. Guiomar : « Les commissaires des assemblées primaires des quatre-vingt-six départements *formeront une chaîne autour de la Convention nationale ;* ils seront unis les uns aux autres par le lien léger, mais indissoluble de l'unité et de l'indivisibilité, que doit former un cordon tricolore. »

On trouve visiblement là une continuité de l'imaginaire politique, en vertu de laquelle la place décisive d'un « centre » est assignée, et occupée d'abord par le Roi, puis par les Représentants. Chose remarquable, la même structure était, on l'a vu, évoquée dans *Qu'est-ce que le tiers état ?* en plaçant cette fois la Loi au point central : « Je me figure la loi au centre d'un globe immense ; tous les citoyens sans exception sont à la même distance sur la circonférence et n'y occupent que des places égales ; tous dépendant également de la loi, tous lui offrent leur liberté et leur propriété à protéger » (édit. cit., p. 88).

La Loi, le Roi, la Représentation : chaque fois, à travers un contenu différent, les citoyens sont tournés vers un lieu symbolique, envers lequel ils sont reconnus exercer le pouvoir d'inspirer ou d'élire et qui les assujettit en retour. De plus, par ce lieu central ils deviennent un *corps de nation* composé d'atomes égaux, qualitativement indistincts et convergeant vers le même point unificateur. L'image spatiale ne figure d'ailleurs pas ces atomes comme conversant et délibérant entre eux, mais comme tributaires de la relation avec le Centre pour l'échange de chacun avec chacun ; d'où le schème d'une ligne qui se ferme et qui trouve son miroir dans un point unique, ou foyer vital [146].

Dans ces conditions, il est peu étonnant que le pouvoir révolutionnaire, dès les premières années, ait subi l'aimantation d'un schéma venu de la monarchie et par lequel pouvaient se fondre le pôle souveraineté et le pôle représentation. Il serait fastidieux de citer toutes les occurrences où l'image réapparaît dans la bouche des orateurs [147] ; il suffit de rappeler à quel point le thème de la « centralité » devint hégémonique chez les Jacobins, à partir de l'été 1793. Là encore le gouvernement révolutionnaire proprement dit constitue non pas l'aboutissement linéaire et exclusif des tendances de 1789, mais l'hypertrophie de certaines d'entre elles marquées au coin de l'absolutisme. On peut signaler que le jour même du décret constitutif de l'État révolutionnaire (4 décembre 1793), Couthon exprima l'idée que les *élections* nuiraient à la prééminence que le foyer central doit exercer sur la périphérie ; dans cette intervention, Couthon s'opposait à un remplacement des administrateurs dans les départements : « Dans le gouvernement ordinaire, au peuple appartient le droit d'élire. Dans le gouvernement extraordinaire, c'est de la centralité que doivent partir toutes les impulsions, c'est de la Convention que doivent venir les élections » (A.P., LXXX, 636).

La formule est paradoxale, puisque c'est maintenant le Représentant qui doit « élire », c'est de lui « que doivent venir les élections » : toute l'ambiguïté du gouvernement révolutionnaire (à la fois d'exception et cependant « représentatif ») vient se refléter dans la formulation. Finalement, le Colosse révolutionnaire, qui transmet du centre à la périphérie, mais qui appelle aussi à ce que chaque organe soit actif, constitue le développement, et en quelque sorte l'achèvement de la même thématique.

L'UNITÉ MORALE ET POLITIQUE CHEZ BOSSUET

Il reste cependant que de l'idée d'une société ordonnée autour d'un point vital, à l'absorption de la *société civile* par l'État, le gouvernement de l'an II accomplit un saut qui peut surprendre ; car un retour si prononcé à l'incorporation de type monarchique, refermant la parenthèse libérale ouverte par les premières années de la Révolution, suppose des facteurs d'une force extraordinaire. En la matière c'est le projet purificateur, inhérent à la Terreur, qui a constitué l'élément décisif, dans la mesure où il comportait à la fois la suspension des droits individuels au profit de la souveraineté toute-puissante, et la certitude d'une unité spirituelle de tout le corps social. Il s'agit là, après la thématique du « centre », des deux autres fonctions de la représentation jacobine : le transfert étatique de souveraineté, et l'incorporation du Tout à la « partie vertueuse ». Analogie avec le passé, reviviscence dans le présent pour affronter les circonstances de la guerre civile : deux incitations se conjuguèrent au cœur de l'élaboration, par les Jacobins, de la nouvelle ligne politique. Dans ce domaine la comparaison avec Bossuet se révèle fructueuse.

En effet, dans les sermons de l'Aigle de Meaux, comme dans la *Politique tirée de l'Écriture sainte*, qui est rédigée à l'intention du fils de Louis XIV, il faut relever principalement deux thèmes qui, rétrospectivement, éclairent la problématique du pouvoir jacobin. Exposant ce qu'est *l'unité catholique* et le type de hiérarchie qu'elle implique, Bossuet donne une illustration de la représentation d'un même principe spirituel dans toute la communauté des croyants ; ce principe est selon lui bafoué par l'hérésie protestante, laquelle a d'ailleurs des prolongements politiques, comme on le voit chez le pasteur Jurieu. Et quant à la doctrine de l'État, la *Politique* de Bossuet expose la nécessité de concevoir le roi à la fois comme le Souverain — le seul durable — et comme le Représentant de tout son peuple. L'intérêt présenté par ces sermons et par ces écrits réside dans l'écho et le prestige qu'il reçoivent tant dans l'entourage de Louis XIV, que dans l'Église gallicane : il faut leur attribuer la même importance dans le long règne du Roi-Soleil, que celle que Bodin ou Le Bret eurent à leur époque.

L'image du roi chez Bossuet

« Le prince, en tant que prince, n'est pas regardé comme un homme particulier : c'est un personnage public ; tout l'État est en lui ; la volonté de tout le peuple est renfermée dans la sienne. Comme en Dieu est résumée toute perfection et toute vertu, ainsi toute la puissance des particuliers est réunie dans la personne du prince. Quelle grandeur qu'un seul homme en contienne tant ! » (Liv. V, art. IV, 1ʳᵉ prop.) [148].

C'est en ces termes saisissants que le précepteur du dauphin répond à la question qu'il se proposait d'examiner : « Ce que c'est que la majesté. » Le terme de majesté, et selon un usage attesté avant même Jean Bodin [149], désigne la souveraineté royale. Mais, tandis que les légistes antérieurs n'avaient fait que systématiser le fait accompli — l'ascension de la prééminence royale, résumée au début du présent chapitre —, Bossuet se trouve devant la tâche de *rationaliser* la genèse de la souveraineté ; il n'est plus question, dans cette seconde moitié du XVIIᵉ siècle, de la tenir pour un état de fait que la force aurait établi à l'origine. La souveraineté va donc s'analyser comme le *transfert* de la « puissance des particuliers » dans le roi, « personnage public ».

Faut-il entendre qu'il s'agit de ce que la Révolution va ensuite distinguer, sous le registre, respectivement, de l' « exercice » et de la « possession » ? Bien au contraire, Bossuet tente d'empêcher une telle distinction des rôles, ruineuse selon lui pour l'État, car elle légitimerait une souveraineté populaire. Certes, les peuples ont transféré la puissance, mais il faut établir l'*identification* complète du peuple avec la personne publique que porte le souverain. Représentant de son peuple, le monarque en est désormais le substitut, ou encore il en constitue l'individualité collective réunie en un : « Quelle grandeur qu'un seul homme en contienne tant [150] ! »

Devant la contestation protestante, qui auparavant s'est exprimée chez les théoriciens *monarchomaques* (xvie siècle), puis, du vivant de Bossuet, chez Jurieu, l'évêque de Meaux se voit forcé d'affronter la question qui travaille la philosophie moderne du droit naturel : comment fonder une indépendance du souverain, si ce dernier est un produit de l'art humain ? Rationalisée par la pensée moderne, la souveraineté risque de perdre la qualité de transcendance qui l'auréole, pour, à l'extrême, s'abâtardir en souveraineté du peuple sur lui-même, à travers des magistrats (plus ou moins) électifs. Une telle tendance était perceptible chez Théodore de Bèze, lorsque le théoricien huguenot écrivait que les nations n'ont accepté leurs rois qu'à certaines conditions, et que « ceux qui ont eu puissance de leur bailler telle autorité n'ont eu moins de puissance de les en priver [151] ». A suivre de telles prémisses, il s'ensuivait la conséquence — inacceptable aux yeux de Bossuet — que le prince n'était plus *legibus solutus*, et devait compter avec le jugement en conscience des sujets : « Si leur conscience est en doute, écrit de Bèze, ils peuvent et doivent, par quelque honnête et paisible moyen, s'enquérir quelle raison et droiture peut être en ce qui leur est commandé de faire, ou de ne faire point [152]. »

Comptable de ses actes devant Dieu, le prince de Bossuet doit, sur terre, toujours être obéi, selon le commandement de l'apôtre : « Obéissez aux puissances. » Le schisme de la conscience, en matière civile comme en matière religieuse, a constitué aux yeux de l'évêque de Meaux le plus grand danger pour les sociétés du xviie siècle. Lorsqu'en 1685 Louis XIV révoque, par l'édit de Fontainebleau, le pacte de tolérance envers les protestants, Bossuet approuve avec l'ensemble des clercs français et, probablement, l'ensemble de l'opinion[153]. Dans son Oraison funèbre pour le chancelier Le Tellier, le prédicateur ne cache pas son enthousiasme : « Dieu lui réservait l'accomplissement du grand ouvrage de la Religion ; et il dit en scellant la révocation du fameux édit de Nantes, qu'après ce triomphe de la foi et un si beau monument de la piété du Roi, il ne se souciait plus que de finir ses jours[154]. » Dès lors, dans les représentations du pouvoir royal, le Grand Roi sera l'Hercule qui a étouffé « l'hydre », ou Apollon triomphant du serpent Python : l'unité de croyance devait être le signe tangible de la puissance souveraine ; d'ailleurs l'autre confession n'a même pas de consistance réelle, elle est la R.P.R. (« religion prétendue réformée »).

Bossuet a lui-même mené la lutte contre les schismatiques dans ses *Avertissements aux protestants* : il y polémique longuement, avec Pierre Jurieu notamment, car ce dernier (faut-il y voir une conséquence logique ?) joignait la défense du libre examen avec la reconnaissance de la souveraineté populaire[155]. On voit donc quels sont les enjeux au moment où Bossuet tente de prouver, dans sa *Politique,* que la cession des forces (passant des particuliers au prince) est irréversible. Sans son roi, le peuple n'est rien, et il n'y aurait *même pas de peuple*, mais une multitude anarchique : « Aussitôt qu'il y a un roi, le peuple n'a plus qu'à demeurer en repos sous son autorité. Que si le peuple impatient se remue, et ne veut pas se tenir tranquille sous l'autorité royale, le feu de la division se mettra dans l'État et consumera le buisson avec tous les autres arbres, c'est-à-dire le roi et les peuples. [...] Quand un roi est autorisé, " chacun demeure en repos, et sans crainte sous sa vigne, et sous son figuier, d'un bout du royaume à l'autre "[156] » (IV, i, 3).

Le roi et le peuple sont donc *indivisibles,* même s'ils sont inégaux, même si le roi est roi par son peuple (*per populum*) et avec l'accord de Dieu : « Il ne faut donc point penser ni qu'on puisse attaquer le peuple sans attaquer le roi, ni qu'on puisse attaquer le roi sans attaquer le peuple » (VI, i, 3). Pour asseoir cette union indissoluble, le précepteur du dauphin mobilise l'Écriture, mais il se sert aussi du grand théoricien anglais en faveur à la Cour de Louis XIV : il a lu, et possède dans sa bibliothèque, toutes les éditions de Hobbes[157]. Il reprend principalement au philosophe anglais la notion d'*autorisation*, clé de la théorie de la représentation dans le *Léviathan*.

L'autorisation est ce processus par lequel les individus, d'abord dans l'état de nature et livrés à la « guerre de tous contre tous », s'accordent (par le pacte, ou « *covenant* ») sur le transfert de leurs forces au souverain, qui désormais les « représente ». Cette « *Persona repraesentans* » ou « Personne artificielle » que constitue le souverain, est *autorisée*, pour toute décision qu'elle jugera désormais nécessaire au salut de la multitude[158]. De plus, conférant l'unité à la multitude désunie, la Personne souveraine qui s'exprime au nom de tous (« *to speak in the person of* », dit le texte anglais), transforme la multitude en Peuple-Un.

En résumé, le processus d'ensemble chez Hobbes est donc le suivant : la multitude crée le Représentant-Souverain, qui crée en retour le peuple ; de ce fait l'*indépendance* attachée traditionnellement à la souveraineté est assurée, quoique cette souveraineté résultât de la volonté et de l'art des hommes ! On connaît l'image donnée par Hobbes dans la célèbre vignette de l'édition de 1651 : un souverain, tenant d'une main l'épée de guerre et dans l'autre la crosse épiscopale, contenant en lui la foule des hommes qu'il s'est incorporée. Comme le dit ensuite Bossuet, « quelle grandeur qu'un seul homme en contienne tant ! ». Et, reprenant à la Bible le nom sémitique de « Léviathan », Hobbes avait placé au-dessus de la tête du géant un verset du Livre de Job : « Il n'est pas sur terre de puissance qui lui soit comparable. »

Bien qu'il ait fort peu de sympathie pour le matérialisme implicite qui fonde la démarche de Hobbes, Bossuet nourrit visiblement de l'admiration pour l'édifice vigoureux que le théoricien de Malmesbury avait construit en trois traités successifs[159]. D'ailleurs, en homme nourri de la tradition philosophique et juridique de l'Église, l'évêque de Meaux savait que Hobbes avait transposé un concept fréquent au XIIIe siècle (on le trouve jusque chez Thomas d'Aquin), selon lequel le prince est celui qui « porte la personne de la multitude » (*gerere personam multitudinis*). Ainsi la vieille vision communautaire et organiciste (dont on a vu encore des échos chez Jean-Louis Seconds) se trouvait rajeunie dans le *Léviathan*, pour donner cette allégorie frappante d'un peuple faisant corps avec le souverain et

surmontant par ce biais l'individualisme belliqueux de l'état naturel.

La *Politique* de Bossuet brode donc sur le canevas tracé par Hobbes, tout en veillant à expulser les éléments païens. C'est ainsi que le dispositif hobbien assez complexe du *contrat* est remplacé par un acte pur et simple de cession des forces, laquelle « autorise » le roi. Ou encore, l'état de nature devient celui de l'humanité après le péché originel. Car, depuis la Chute, et du fait des passions, « tout se divise et se partialise parmi les hommes » (I, III, 1). À l'origine, la société du genre humain connaissait l'union et la paix, mais avec le péché, l'argent et l'égoïsme ont divisé les hommes ; c'est pourquoi Abraham et Lot, pourtant si justes et si proches parents, ne pouvant plus « compatir ensemble », durent se séparer. Il fallut alors instaurer les *gouvernements* pour rétablir, par l'obéissance, une unité des nations, à défaut de celle du genre humain. Telle est l'origine véritable de la *légitimité* politique, et son fondement théologique selon Bossuet : produire un commandement qui confère l'Unité et fait respecter l'intérêt général [160]. Au livre I (art. III, prop. 3ᵉ), l'auteur s'exprime ainsi : « C'est par la seule autorité du gouvernement que l'union est établie parmi les hommes.

« Cet effet du commandement légitime nous est marqué par ces paroles souvent réitérées dans l'Écriture : au commandement de Saül et de la puissance légitime " tout Israël sortit comme un seul homme. Ils étaient quarante mille hommes, et toute cette multitude était comme un seul ". Voilà quelle est l'unité d'un peuple, lorsque chacun renonçant à sa volonté la transporte et la réunit à celle du prince et du magistrat. Autrement, nulle union ; les peuples errent vagabonds comme un troupeau dispersé. »

Si telle est la source de la légitimité politique, il reste à en convaincre les hommes ; et par cet ouvrage, qu'il ne put publier de son vivant, Bossuet voulait prouver qu'il est *juste* que nous obéissions à celui qui a montré son aptitude à nous faire marcher de concert. Justice et utilité vont ensemble, car c'est l'intérêt de chacun de renoncer à l'intérêt égoïste, pour se retrouver représenté dans la puissance publique : « Toute la force est transportée au magistrat souverain ; chacun l'affermit au préjudice de la sienne, et renonce à sa propre vie en cas qu'il désobéisse. On y gagne ; car on retrouve, en la personne de ce suprême magistrat, plus de force qu'on en a quitté pour l'autoriser ; puisqu'on y retrouve toute la force de la nation réunie ensemble pour nous secourir » (I, III, 5).

On trouve déjà ici la problématique du contrat social qui, apparue avec Hobbes, va imprégner tout le XVIIIᵉ siècle : il faut, en se réunissant aux autres, perdre quelque chose pour gagner plus, soit « toute la force de la nation ». Et on peut même reconnaître, préfiguré dans ce texte, le face à face que la Déclaration de 1789 instaure entre, d'un côté, des droits premiers et naturels chez l'individu et de l'autre, une souveraineté ou « volonté générale », qui détermine par la loi les bornes de ces droits. Mais chez Bossuet, le point caractéristique est que tout se trouve organisé en vue de l'unité : unité des gouvernés entre eux, unité des gouvernés et du magistrat.

Pour cela, il fallait que la souveraineté soit non pas possédée par le peuple, *mais représentée*. Alors, qui représente, possède et exerce la souveraineté ; et il reçoit en ce sens « toute la force » de chaque individu : au cas où l'individu désobéirait, il « renonce à sa propre vie ». La Convention de l'an II ne dira pas autre chose, et on a déjà pu constater que le pas décisif qu'elle accomplit, par rapport à la Déclaration de 1789, a consisté à retrouver cette exigence impérieuse d'unité venue de l'absolutisme. Le Représentant peut tout [161], parce qu'il incarne le tout.

Bossuet explique que l'alternative est la suivante : l'unité d'obéissance ou la mort ; quand Collot d'Herbois et Fouché écrivent à la fin d'une proclamation : « *La liberté ou la Mort ; réfléchissez et choisissez* [162] », il s'agit de la même logique. Car la « liberté » ainsi entendue ne peut être que celle de l'obéissance à la souveraineté : la même *Instruction aux autorités constituées des départements de Rhône-et-Loire* est suffisamment explicite sur ce point. Elle explique par exemple que la liberté se construit par la destruction de l'ennemi : « La République ne veut plus dans son sein que des hommes libres ; elle est déterminée à exterminer tous les autres, et à ne reconnaître pour ses enfants que ceux qui ne sauront vivre, combattre et mourir que pour elle. »

En outre, l'analogie va plus loin encore puisque cet appel à ne pas dévier des principes de la Terreur (lancé depuis Lyon devenu « Ville-Affranchie ») s'accompagne de l'aliment *religieux* jugé indispensable. Les rédacteurs de l'*Instruction* disent en effet qu'il faut veiller à « l'extirpation du fanatisme » (*ibid.*, p. 232), et en ce sens, la Révolution « qui est le triomphe des lumières », est contre les prêtres — mais elle n'est pas contre le sentiment religieux, ce ciment entre les âmes : « [...] Le Républicain est essentiellement religieux, car il est bon, juste, courageux, le patriote honore la vertu, respecte la vieillesse, console le malheur, soulage l'indigence, punit les trahisons. Quel plus bel hommage pour la Divinité ! Le patriote n'a pas la sottise de prétendre l'adorer par des pratiques inutiles à l'humanité et funestes à lui-même ; [...] digne enfant de la nature, membre utile de la société, il fait le bonheur d'une épouse vertueuse, il élève des enfants nombreux dans les principes sévères de la morale et du républicanisme. »

Les contradictions de ce texte (qui assimile la liberté et la discipline, qui identifie la Terreur et le refus du fanatisme) n'apparaissent pas à ses rédacteurs, parce que, à leurs yeux, la survie de la *République* (une et indivisible) est en jeu. C'est sans doute avec la même bonne conscience que les interdictions professionnelles, l'exil, les enlèvements d'enfants, les dragonnades, etc., furent pratiqués sur la minorité huguenote de 600 000 âmes : l'unité du gallicanisme ecclésiastique et du gallicanisme monarchique était en jeu ; Emmanuel Le Roy Ladurie explique parfaitement leur interpénétration, et leur communauté d'intérêt devant la R.P.R. L'objectivité de l'historien le mène aux observations suivantes : « En termes d'abstraite moralité, la Révocation s'avérait condamnable ; elle l'était, dès 1685, pour un esprit qui par hypothèse eût été capable de transcender les misères de son siècle, et de s'élever jusqu'au système de tolérance qui deviendra progressivement le nôtre, à partir de l'âge des Lumières. La Révocation, par contre, était parfaitement défendable, dès lors qu'on se plaçait " normalement " au point de vue des exigences aujourd'hui périmées, de l'unité de foi, de loi, de Roi : unité garante de la cohésion du Royaume ou de l'État » (*op. cit.*, pp. 31-32)[163].

C'est bien en effet cette unité que l'État révolutionnaire recherche (malgré l' « âge des Lumières » qu'il revendique aussi !) — celle-là même que la *Politique* de Bossuet croyait retrouver, quant à elle, dans le texte des Écritures ; commentant en effet la célèbre lettre de Paul aux Corinthiens sur l'union du corps et des membres, le prédicateur militant concluait ainsi :

« Nous voyons donc la société humaine appuyée sur des fondements inébranlables : un même Dieu, un même objet, une même fin, une origine commune, un même sang, un même intérêt, un besoin mutuel, tant pour les affaires que pour la douceur de la vie [163bis]. »

De cela il ressortait évidemment qu'il fallait un même souverain, pour garantir la survie de la société civile ; comme on le verra ensuite, cette unité politique est la copie, imparfaite, de l'unité catholique à l'intérieur de l'Église : dans cette dernière la communion des âmes remplace (ou devrait remplacer) la coercition.

Bossuet représentatif de son temps ?

L'historien des mentalités pourrait cependant se demander s'il ne s'agit pas, dans cette image de la puissance royale, d'une conception extrême, dont il conviendrait de relativiser l'importance pour la société de Louis XIV. Car, il faut le redire, l'ouvrage de Bossuet, qui a eu une rédaction étalée sur vingt-deux années, ne fut publié qu'après sa mort. Mais les recherches érudites confirment le caractère exemplaire du livre. Comme l'écrit A. Philonenko, « cette mystique de la domination a été connue par tout le monde et même par ceux ignorant la *Politique* de Bossuet [164] ». Il suffit de consulter les extraits reproduits par Georges Lacour-Gayet pour se convaincre de la fréquence à l'époque du thème organiciste.

Ainsi chez Daniel de Priézac : « Un monarque ne doit pas être considéré comme un seul homme, mais comme celui qui représente toute la République [165] ». Et encore chez Jean-Baptiste Noulleau : « La république est dans le roi, *in quo et respublica et nos sumus*, comme parle Pline dans son Panégyrique à Trajan [...]. Selon la perpétuelle doctrine du grand saint Augustin, *caput et corpus unus est Christus* ; ainsi la personne des rois n'est pas seulement ce qu'ils sont en leur particulier, c'est en quelque véritable manière tout le corps civil et politique de leurs sujets [166]. » Enfin, d'après Michel de Marolles, ce serait même l'incorporation dans le monarque qui formerait l'origine du « Nous » royal...

En fait, toute une tradition, celle du « corps mystique de la

République » trouve ici sa nouvelle formulation[167]. Le mot de
Louis XIV : « L'État c'est moi » est considéré par les historiens
à la fois comme apocryphe et cependant symptomatique ; il faut
le comprendre en relation avec cette autre formule de Hobbes :
« Le roi est ce que je nomme le peuple. »

Cette vision de la souveraineté étatique ne doit jamais être
séparée de l'expérience de la Fronde en France, ni du « temps
des troubles, une Fronde de longue durée, entre 1620 et 1675 »
(E. Le Roy Ladurie). Enfin, il y a la révolution anglaise, qui
provoque la décapitation de Charles Ier. L'ensemble de ces
événements rendirent impérieux le renforcement d'un imaginaire de la puissance royale : la souveraineté populaire, là est
l'ennemi !

On comprend pourquoi Bossuet mène une dure controverse
avec Jurieu, qu'il appelle « le cromwellisme rétabli ». D'abord
pasteur en France et professeur de théologie, ce dernier s'était
réfugié à Amsterdam à la suite de la Révocation. C'est à partir de
cette ville ouverte au Refuge que le pasteur anime la résistance à
Louis XIV, polémique autant avec Bossuet qu'avec son coreli-
gionnaire, Pierre Bayle qui, lui, prêchait patience et résignation.

Que disait en effet Jurieu sur le plan de la doctrine politique ?
Il accepte en principe la conception de l'unité du roi et du
peuple, mais sans admettre que le premier *se substitue* en tout au
second ; selon lui, il y a un pacte mutuel entre eux, « et quand
une des parties vient à violer ce pacte, l'autre est dégagée ». Le
pasteur protestant prétend que le roi n'a que l'*exercice* de la
souveraineté — et c'est pourquoi il est souvent présenté comme
l'inspirateur possible de Rousseau, et en tout cas du courant
démocratique. Avec Jurieu se lézarde fortement le modèle
primitif de la souveraineté qui a été exposé dans le présent
chapitre.

Voici en ce sens l'un des passages les plus vigoureux, pris dans
les *Lettres pastorales* : « Le peuple fait les souverains et donne la
souveraineté. Donc le peuple possède la souveraineté et la
possède dans un degré plus éminent[168]. [...] Et quoiqu'un
peuple qui a fait un souverain ne puisse plus exercer la
souveraineté par lui-même, c'est pourtant la souveraineté du
peuple qui est exercée par le souverain. Il en est le bras et la tête,
et le peuple est le corps. Et l'exercice de la souveraineté qui
dépend d'un seul n'empêche pas que la souveraineté ne soit dans

le peuple, comme dans la source et même comme dans son premier sujet [169]. »

Comme on le voit, Jurieu hésitait entre l'image organiciste, et l'idée nouvelle — qui donne la doctrine de la représentation — selon laquelle l'exercice de souveraineté implique une *distance* des gouvernés, assortie d'un certain pouvoir de contrôle de leur part.

Ce passage est commenté par Bossuet ; on sait déjà quel type de réponse il peut faire : le peuple institue la souveraineté, sans la posséder originairement. C'est la démarche même de Hobbes, non pas dans les premiers traités, mais dans le *Léviathan*. Et cette fois, dans son *Cinquième avertissement aux protestants*, Bossuet va jusqu'à reprendre à Hobbes la description de l'état de nature ; il est vrai qu'on peut toujours entendre qu'il s'agit de la nature déchue : « À regarder les hommes comme ils sont naturellement et avant tout gouvernement établi, on ne trouve que l'anarchie, c'est-à-dire dans tous les hommes une liberté farouche et sauvage, où chacun peut tout prétendre, et en même temps tout contester ; où tous sont en garde, et par conséquent en guerre continuelle contre tous ; [...] où le droit même de la nature demeure sans force, puisque la raison n'en a point [170]. »

De ce fait, il n'y a pas de souveraineté originelle du peuple qui soit concevable : « Loin que le peuple en cet état soit souverain, il n'y a pas même de peuple en cet état [...] parce qu'un peuple suppose déjà quelque chose qui réunisse quelque conduite réglée et quelque droit établi. » Et dès lors, contrairement à l'enseignement antérieur des légistes français, la souveraineté n'est pas une *substance* objective indéfiniment transmissible ; elle a une *genèse* qui en constitue le seul possesseur approprié : « Il ne faut pas non plus s'imaginer que la souveraineté ou la puissance publique soit une chose comme subsistante, qu'il faille avoir pour la donner ; elle se forme et résulte de la cession des particuliers, lorsque, fatigués de l'état où tout le monde est le maître et où personne ne l'est, ils se sont laissés persuader de renoncer à ce droit qui met tout en confusion [...] en faveur d'un gouvernement dont on convient. »

Telle est la réplique décisive par laquelle Bossuet s'instituait le théoricien du prince et le porte-parole de l'absolutisme français. Tel sera exactement le point de vue auquel arrivent les Montagnards de l'an II, sous la hantise de la désagrégation

« fédéraliste ». Concevoir, au contraire, l'autosuffisance d'une société civile diversifiée, est la tâche, à la même époque, des constituants américains — et sous l'influence d'une autre philosophie : le libéralisme de Locke [170bis].

L'unité catholique ou la représentation d'un lien spirituel

À la logique de l'émergence de souveraineté par incorporation à l'État, il faut maintenant adjoindre son versant inséparable, au XVIIᵉ siècle et dans la pensée de Bossuet : la doctrine de l' « unité catholique » dans l'Église.

On peut prendre pour référence le *Sermon sur l'unité de l'Église*, prononcé le 9 novembre 1681 : en ouvrant à ce moment l'assemblée générale du clergé de France, l'Aigle de Meaux devait faire triompher une discipline d'essence spirituelle, mais inscrite dans un appareil de pouvoir. En pleine querelle de la « Régale » (vis-à-vis de la papauté), l'Assemblée édictera finalement les fameux « quatre articles », dont deux au moins sont de la plume de Bossuet [171].

Dans le sermon de 1681, l'orateur expose la nécessité de la symbiose entre l'unité du peuple de Dieu et l'unité des pasteurs. L'appareil ecclésiastique va donc jouer cette fois le rôle du gouvernement civil, mais les modalités du *lien* entre l'autorité et les subordonnés diffèrent — car c'est l'unité dans le Christ, et non dans le roi, qu'il s'agit d'illustrer.

En exorde, Bossuet annonce le principe du sermon : « Écoutez : voici le mystère de l'unité catholique, et le principe immortel de la beauté de l'Église. Elle est belle et une dans son tout ; c'est ma première partie, où nous verrons la beauté de tout le corps de l'Église : belle et une en chaque membre ; c'est ma seconde partie, où nous verrons la beauté de l'Église gallicane dans ce beau tout de l'Église universelle. » Il y a un « mystère » de l'unité catholique car seul le corps des croyants peut retrouver en son sein (mais par le Christ) cette socialité que les corps politiques ne font qu'imiter depuis le péché originel.

Il s'agit cependant, et là encore, d'un discours de pouvoir : la conclusion à laquelle tend l'orateur c'est que les évêques « doivent tous agir dans l'esprit de l'unité catholique, en sorte que chaque évêque ne dise rien, ne fasse rien, ne pense rien que l'Église universelle ne puisse avouer ». Unité intensive donc, où un seul (qui reste à préciser) va dire en condensé ce que tous peuvent dire diversement quoique avec fidélité. Tel est le thème qu'il faut approfondir, car il enveloppe une idée de la *représentation*.

De la façon la plus extérieure, il s'agit pour les clercs d'une discipline générale : chaque évêque n'agit qu'au nom de l'Église gallicane ; cette dernière s'autorise elle-même de l'édifice plus vaste, l'Église universelle. Dans un tel emboîtement, où le quantitatif doit se résorber dans une unité qualitative, et le particulier dans l'universel, il existe un principe d'union : le lien spirituel qui traverse et unit organiquement le tout. La doctrine chrétienne (réinterprétée dans l'esprit catholique) pourvoit précisément à un tel principe.

En effet, dans l'Évangile selon saint Jean, cité par Bossuet, le Christ dit au Père : « Je leur ai donné la gloire que tu m'as donnée, afin qu'ils soient un comme nous sommes un — moi en eux, et toi en moi — afin qu'ils soient parfaitement un [172]. » Ce texte est proprement le « symbole » dont va découler la thèse défendue par Bossuet.

On remarque d'abord que l'acte d'unification énoncé par le Sauveur appelle trois termes dont lui-même constitue l'élément médiateur : les hommes (« eux »), Dieu (« toi ») et le Christ (« moi »). L'unité religieuse demande que la gloire émanant de Dieu soit distribuée aux hommes par quelqu'un vivant parmi eux, mais d'une nature supérieure. Le caractère médiateur du Christ exprime le passage d'un état premier (on peut le désigner comme celui de la « multitude ») à un état régénéré, celui du « peuple de Dieu » incluant tous les croyants. De ce fait, le Christ *représente* en lui toute l'humanité à un double titre.

Il en est en effet une partie (car il participe de la nature humaine) et il condense en lui toute l'intensité du Bien dont les hommes sont susceptibles à des degrés divers, épars et imparfaits. Unissant l'incomplet à la perfection divine, partie de l'humanité et réceptacle de la perfection humaine, le Christ est cette partie qui représente le tout.

Une seconde remarque doit être faite : le propre de l'unité catholique est d'affirmer l'égalité des membres *au profit de l'un d'entre eux*, puis, par délégation de pouvoir, au bénéfice de chacun des dignitaires ou vicaires du Christ. Défendant l'idée d'égalité, l'Église ne saurait être une démocratie[173]. Bossuet justifie en ces termes la prééminence de saint Pierre au sein de la communauté des croyants, dont il constitue le souverain et le représentant : « Ainsi le mystère est entendu : tous reçoivent la même puissance, et tous de la même source ; mais non pas tous en même degré ni avec la même étendue [...] [le Christ] commence par le premier, et *dans ce premier* [Pierre] *il forme le tout.* » Il y a donc des degrés de participation à la « puissance », et le plus haut degré est dans un homme qui contient le tout parce qu'il forme un condensé en perfection du tout : il en est l'unité intensive, ou pour reprendre l'expression qu'utilisera de façon profane J.-L. Seconds, il est un « abrégé du peuple » (ici du peuple des croyants). Chez Bossuet, Pierre est bien le *représentant* devant Dieu, pour toute l'Église, comme le Christ l'avait été.

Il faut donc retenir que l'affirmation d'unité chez Bossuet passe par l'idée d'égalité mais pour instaurer une hiérarchie : le dogme unitaire fonctionne comme une contrainte à la discipline.

Troisième remarque : cette discipline est cependant conséquence et non principe ; entre le gouvernement de Pierre et les gouvernés, un lien spirituel est présent, depuis le sommet de la pyramide, jusqu'aux plus humbles degrés — car « tous reçoivent la même puissance ». Cette puissance venue de Dieu est à la fois de nature spirituelle et efficace, productrice d'effets. Il ne s'agit pas de coaction comme dans les sociétés civiles, car la partie renferme le tout en elle, en le reflétant de façon quintessenciée. Il n'y a donc aucune *extériorité* entre la partie et le tout ; à la fois Pierre est parmi « eux » et « eux » sont en Pierre.

Il en résulte que l'unité mystique, par son intériorisation, ne devrait pas avoir besoin de s'exercer de façon visible, et de contraindre physiquement. En pratique, on sait ce qu'il en est. Avec une pointe d'ironie, E. Le Roy Ladurie écrit : « A ce prix, pense l'Aigle de Meaux, nos frères séparés, autrement dit les Protestants, se laisseront volontiers (?) convaincre de rentrer au bercail commun ; quant à ceux des huguenots qui persisteront néanmoins à récalcitrer, les dragons se chargeront sous peu de les ramener par la force à de plus justes sentiments. Mais ceci sera l'affaire du secrétariat d'État à la guerre (Louvois) et non pas de l'évêque de Meaux (Bossuet) » (*op. cit.*, p. 21).

On peut donc dire théoriquement que le pouvoir de Pierre repose sur le consentement des gouvernés — ou, en termes moins profanes, sur la communion des âmes. Mais en réalité, ce discours de pouvoir ne pose l'unité que pour démontrer le caractère mauvais de toute divergence, de toute extériorité manifestée à l'égard de l'Un. Celui qui « représente » exprime sans reste ce qu'il y avait de bon chez les représentés. Hors cette soumission au Représentant, il n'est point de salut.

Et le corollaire du dogme unitaire chez Bossuet doit être recherché dans le refus violent qu'il a exprimé envers le droit d'opinion : « L'hérétique est celui qui a une opinion ; et c'est ce que le mot même signifie. Qu'est-ce à dire avoir une opinion ? C'est suivre sa propre pensée et son sentiment particulier. Mais le catholique est le catholique ; c'est-à-dire qu'il est universel ; et sans avoir de sentiment particulier, il suit sans hésiter celui de l'Église [174]. »

L'hérétique est donc retranché de l'universel, que seule l'Église incarne : il exprime un particularisme là où doit prévaloir l'unité doctrinale en symbiose avec l'unité d'institution. De plus, si catholique signifiait « universel », il faut aussi rappeler qu'étymologiquement la catholicité est ce lien *qui circule à travers le tout*. La partie prééminente ne représente le tout que parce qu'elle ne lui est pas extérieure, du fait qu'elle condense en intensité le lien qui est diffus ailleurs. Ainsi, l'ubiquité de l'universel (la norme du Bien valant pour chacun) va de pair avec son objectivation en quelqu'un.

En conclusion, c'est le plus vertueux qui a droit de commander, et en lui obéissant on ne fait que céder à l'appel du Bien que chacun porte en soi, quoique le péché puisse en brouiller la perception. La discipline religieuse constitue, avec les sacrements, la contrepartie de la nature déchue. Il se confirme ainsi que l'Unité défendue par Bossuet a ceci de remarquable qu'elle permet de hiérarchiser et d'exclure, tout en affirmant que le pouvoir détenu n'a pas son *fondement* dans la contrainte ; et s'il faut en venir à la contrainte, celle-ci ne sera qu'un moyen adventice et contingent.

Les Jacobins : une seconde catholicité

On peut dire que c'est proprement la souveraineté morale du Bien que l'Unité catholique visait à établir dans le contexte de la France gallicane. Les rapprochements avec la représentation révolutionnaire étant suffisamment évidents, il est inutile de les passer tous en revue. On peut se borner à quelques traits majeurs concernant la représentation elle-même, l'appareil de pouvoir et la régénération de l'humanité.

Au sens où l'entendent les leaders de l'an II, représenter le peuple c'est s'en instituer la tête dirigeante, pour exclure les éléments qui divergent : hiérarchiser et ostraciser sont la conséquence du dogme unitaire. Et cette représentation renoue avec l'idée religieuse en ce que la tête du corps politique reflète, au-delà de tout critère numérique (et électoral) une *qualité* et un principe : la vertu, qui implique la soumission de toute pensée personnelle à l'intérêt général.

De ce fait, chaque degré du pouvoir révolutionnaire (district, municipalité, comité) ne fait qu'intérioriser et reproduire en lui l'opération générale à laquelle le Représentant appelle : l'auto-épuration. Il n'est rien d'ailleurs que ces organes ne disent ou ne fassent que le Centre ne puisse dire et reconnaître. Si en haut de l'édifice (Comité de salut public) la Terreur consiste à représenter le peuple par l'élimination des parties contaminées, ou à « étouffer l'hydre », dans chaque organe révolutionnaire, elle est l'acte par lequel ce dernier se fortifie, se régénère, et coïncide alors avec le bien commun. On peut rappeler en quels termes le Grand Comité appelait les sociétés populaires à se débarrasser du vieil homme corrompu : « Après avoir repoussé tous ces éléments hétérogènes, vous serez vous-mêmes ; vous formerez un noyau aussi pur que brillant, aussi solide que serré, et semblable au diamant débarrassé de la croûte qu'avait formée sur sa surface un limon amassé. »

On se souvient que ce langage sur l'homme nouveau, sur une pureté adamantine à retrouver sous le « limon » de la corruption, conduisait le Comité à évoquer le Jugement dernier : « Alors les représentants du peuple appelleront dans votre enceinte au tribunal de l'opinion tous les fonctionnaires publics. Le grand livre de leur action sera feuilleté : vous sonnerez leur jugement ; l'abîme s'ouvrira sous les pieds des méchants, et des rayons lumineux pareront le front des justes. » Ce langage théologico-politique, quelque peu appuyé, a des sources sans mystère — bien que l'historiographie républicaine l'ait jugé non significatif. Affirmant la fusion entre la communauté et les gouvernants, pour une catholicité nouvelle, le langage des leaders renoue avec une inspiration indubitable, qui avait marqué la culture politique française. Certes, il s'agit d'une description métaphorique par rapport à la réalité de l'État révolutionnaire, mais tout comme était métaphorique l'incorporation du peuple au souverain sous le long règne de Louis XIV. Le politique est structuré aussi par le discours métaphorique : il s'agit d'un imaginaire du pouvoir, au même titre que, par exemple la trifonctionnalité dans la vision médiévale.

Avec le rappel des conceptions de Bossuet s'achève cette généalogie de l'*idée jacobine de représentation* : on a pu confirmer qu'elle résulte d'une tradition plus ancienne, réinvestie dans les circonstances et les enjeux qui furent ceux du gouvernement révolutionnaire. Novation et archaïsme se sont conjugués pour tenter de résoudre les problèmes qu'a fait naître le modèle, lui-même ancien, de la souveraineté.

Cette étude conduit à s'interroger sur les virtualités ou les équivoques qui furent celles de l'idée démocratique et dont elle peut, aujourd'hui encore, accuser les effets. Le jacobinisme a contribué à faire admettre une contradiction qui serait *interne* à la démocratie. En effet, les premiers temps, ce régime était pris pour l'équivalent pur et simple de la souveraineté du peuple : démocratie ne signifierait rien d'autre que « peuple souverain ». Dès lors, en s'incorporant le mécanisme représentatif, la démocratie paraît nier ce que le nom semble devoir promettre.

Conscient de cette difficulté, Sieyès avait mis en garde dans son grand discours de septembre 1789 : c'était une *République* qu'il s'agissait d'établir, non une démocratie[175]. La République (y compris avec son roi) constituait la forme politique où l'exercice de souveraineté devait échoir aux gouvernants, parlant et agissant au nom du peuple.

L'étude qui vient d'être menée a montré qu'une autre contradiction, plus fondamentale, a pesé sur l'expérience des premières années, puis sur la tentative de l'an II : la notion même de *souveraineté,* réinterprétée sous l'angle d'une dissociation entre « possession » et « exercice », est par là rendue incohérente ; une fois comparée à ses origines réelles et historiques, il s'avère que la souveraineté ne supporte pas une telle dissociation, car à ce modèle est attachée une indivision que Bodin avait magistralement soulignée.

Que faut-il alors penser de la démocratie contemporaine, dans la mesure où elle continue à se dire dans le langage de la souveraineté ? En fait, elle doit gérer la contradiction sur laquelle elle repose. Non seulement elle le doit, mais elle le peut, grâce à l'*artificialisme* qui organise sa vie et son fonctionnement. Qu'est-ce, en pratique, que la souveraineté du peuple dans une démocratie représentative ? Il ne s'agit pas d'un état de fait objectif, ou d'une « substance » métaphysique — contrairement à ce que suggère l'usage provenant des légistes royaux —, mais d'un artefact produit par le discours politique. Comme on a déjà pu l'entrevoir, elle s'instaure à travers une *prise de souveraineté* [176], et elle s'attribue par le moyen d'un Tiers, qui désigne la nation comme souveraine [177]. Il s'ensuit (en termes de succès ou d'échec) des effets très réels, car l'artificialisme est efficace dans la politique moderne.

La démarche artificialiste qui revitalise la notion de souveraineté, constitue l'objet du bilan d'ensemble que l'on peut maintenant tracer ; elle s'articule avec l'intervention des partis politiques et les attributions du citoyen.

CONCLUSION

Sous le prisme jacobin :
les ambiguïtés de la démocratie

> *« Ceux qui ne sont pas Jacobins ne sont pas tout à fait vertueux. »*
>
> Lanot

> *« La France est une République indivisible, laïque, démocratique et sociale. [...] Son principe est : gouvernement du peuple, par le peuple et pour le peuple. »*
>
> Constitution de la Ve République

> *« Je répondrai simplement que c'est parce que je n'étais point un adversaire de la démocratie que j'ai voulu être sincère envers elle. Les hommes ne reçoivent point la vérité de leurs ennemis, et leurs amis ne la leur offrent guère ; c'est pour cela que je l'ai dite. »*
>
> Tocqueville

L'esprit du jacobinisme — plus que sa réalité historique effective — a laissé une empreinte durable sur les mythes de la vie politique, tant en France qu'à l'étranger : une sorte d'exemplarité jacobine s'est imposée, parallèlement à l'universalisme que la Révolution a revendiqué (et qui, concurremment au « modèle américain », lui est souvent reconnu).

Pourvu à la fois d'une dimension démocratique, qui avait opéré pour l'avènement de la République, et d'une dimension révolutionnaire, qui avait imposé l'État du « salut public », le mouvement jacobin s'est prêté à des lectures diverses. Il devint, entre autres, une référence pour les idéologies révolutionnaires, d'abord dans les courants socialistes au XIXᵉ siècle, puis, après 1917, dans le marxisme-léninisme. Avant même la révolution soviétique, Lénine s'était référé aux Jacobins dont il admirait la forme d'organisation, ainsi que l'action menée « avec la majorité révolutionnaire du peuple, avec les classes révolutionnaires d'avant-garde de leur temps », comme il l'écrit en mai 1917.

L'examen des filiations, tant réelles que fictives, que le jacobinisme a connues du côté républicain ou du côté révolutionnaire ne saurait entrer dans le champ de cet ouvrage. Un premier temps indispensable consistait à se dégager des mythes, pour retrouver la pensée, les pratiques et l'évolution qui furent effectivement *celles des Jacobins* entre 1789 et 1794 ; il fallait également repérer quelques points d'ancrage qui leur ont permis de peser sur l'événement, c'est-à-dire à la fois de s'inscrire dans l'esprit de leur temps, et d'infléchir le cours des choses lorsque le discours, rencontrant le réel, désignait des enjeux et mobilisait des forces sous l'égide des Principes. Trois grandes catégories de notions (l'homme et le citoyen, la souveraineté, la représentation) se sont révélées déterminantes pour analyser la place que le jacobinisme a tenue dans le processus révolutionnaire des six premières années.

Mais l'analyse revêt du même coup une autre portée, car ces notions continuent à définir la démocratie moderne et se trouvent utilisées dans les rationalisations que la société opère sur elle-même. Le mouvement jacobin est aussi un révélateur efficace pour les présupposés, les potentialités ou les ambiguïtés de la vie démocratique.

Les enseignements que l'on peut tirer de la geste jacobine ne résident pas tant dans les thèmes de ce discours, que dans l'*usage* même qui a été fait du discours. Ou, pour le dire autrement, les incertitudes inhérentes à la démocratie concernent moins l'usage de la représentation, ou la conversion dans le salut public, que la démarche artificialiste par laquelle ceux qui gouvernent reçoivent l'octroi de légitimité : telle est la ligne directrice qui guidera ce bilan.

On peut dire d'abord que le jacobinisme a su reconnaître l'artificialisme en passe de devenir dominant dans la vie politique, ensuite qu'il y a greffé son propre mode d'intervention, conduisant au monopole de la légitimité, qui ne pouvait plus passer par la représentation ordinaire. C'est sous cet angle que l'analyse doit reprendre la question du rapport entre démocratie et révolution : il y a bien en la matière une exemplarité jacobine, mais non au sens où l'ont entendu les idéologies révolutionnaires ultérieures.

On considérera d'abord les conditions qui, en matière de critique de la Représentation, ont permis la référence à Rousseau — dans une perspective en réalité différente de celle de Rousseau. Mais, c'est dans le cadre d'un *modèle général* de la démocratie organisée par l'artificialisme qu'il faut en définitive replacer le jacobinisme : sa portée, comme sa spécificité, n'en ressortiront que mieux.

La question de la représentation

Prendre le mouvement jacobin comme un révélateur des présupposés et des ambiguïtés de la démocratie, c'est, semble-t-il, retrouver inévitablement la question de la Représentation. À en croire l'esprit jacobin, la représentation constitue l'impasse et l'illusion de la démocratie moderne. Elle est le trait qui marquerait l'*insuffisance à elle-même* de la démocratie : institution fondée sur le choix des dirigeants par le grand nombre, elle ôte au grand nombre l'exercice du pouvoir — voire même, le contrôle sur cet exercice.

La représentation serait donc une institution vicieuse dès le principe, et d'autant plus vicieuse que, par l'*indépendance* qu'elle confère aux députés, elle permet aux intérêts d'ambition, de carrière et de richesse de se donner libre cours sous le masque de l'intérêt général : on a vu que cette critique, tantôt tournée contre l'institution, tantôt dirigée vers les occupants, avait alimenté le discours jacobin d'opposition.

Il faut constater que le soupçon sur l'institution a continué de marquer jusqu'à aujourd'hui la vie des démocraties ; sans parler des diatribes de Lénine [1], ce soupçon a alimenté en France les poussées d'antiparlementarisme, à travers divers régimes constitutionnels. L'exemplarité jacobine en la matière pouvait, en outre, se fortifier de la référence — maintes fois utilisée — aux thèses énergiques du *Contrat social :* « La souveraineté ne peut être représentée, par la même raison qu'elle ne peut être aliénée ; elle consiste essentiellement dans la volonté générale, et la volonté ne se représente point : elle est la même, ou elle est autre ; il n'y a point de milieu. Les députés du peuple ne sont donc ni ne peuvent être ses représentants, ils ne sont que ses commissaires ; ils ne peuvent rien conclure définitivement. Toute loi que le peuple en personne n'a pas ratifiée est nulle ; ce n'est point une loi » (*Contrat*, III, 15).

Rousseau avait de cette façon préservé l'essence de l'idée de souveraineté — laquelle, provenant de l'héritage monarchique, impliquait que l' « exercice » ne fût pas distinct de la « possession » (chapitres précédents). Dans la mesure où la Révolution transpose le modèle monarchique, et rencontre cette difficulté, il est naturel qu'elle se tourne vers Rousseau ; mais la référence va rester métaphorique.

En effet, la seule notion de représentation que Rousseau admette dans le *Contrat*[2], est une délégation sous forme de *transmission d'ordres*, du législatif à l'exécutif, c'est-à-dire du souverain au gouvernement. L'exécutif « représente » la volonté générale au sens où il en est, et conformément au titre qu'il porte, l'outil pur et simple : « La loi n'étant que la déclaration de la volonté générale, il est clair que, dans la puissance législative, le peuple ne peut être représenté ; *mais il peut et doit l'être dans la puissance exécutive,* qui n'est que la force appliquée à la loi. Ceci fait voir qu'en examinant bien les choses on trouverait que très peu de nations ont des lois » (*ibid.*).

La préoccupation de Rousseau avait été de concilier la nécessité de l'obéissance aux lois, qui appelait l'instauration d'un exécutif pour les faire respecter, et la souveraineté dans le peuple : que tous votent les lois, et que le gouvernement se borne à les exécuter, étaient deux conditions du *règne des lois,* substitué au règne de l'homme sur l'homme. On sait que c'était là le vœu le plus cher de Rousseau[3]. La Révolution et le jacobinisme ne cessent de se référer à cette conception, tout en lui faisant subir de multiples distorsions. Par exemple, la Constituante maintient que la loi est l'expression de la volonté générale, mais la fait résulter de la représentation. Le jacobinisme d'opposition en appelle des gouvernants en place à la vertu, de la légitimité formelle des lois et de la représentation à une légitimité substantielle, éthique. Il apparaît assez vite que cet appel ne conduit pas au « règne de la loi », mais à la substitution, à la place des majorités issues du suffrage, d'*individus spécifiés :* les hommes qui, par leur vertu, reçoivent une légitimité propre.

Le point le plus remarquable chez les Jacobins est que la critique de la représentation — hésitant d'ailleurs entre le refus de l'institution et celui des occupants — finit par s'inverser dans un éloge de la « représentation régénérée »; les dirigeants de l'an II reprennent alors le terme de *démocratie,* considérant que cette dernière est réalisée, réconciliée avec elle-même par l'État révolutionnaire, représentant de type nouveau.

Cette conversion (qui marque le passage du discours d'opposition au discours de pouvoir) supposait une thèse, qui constitue en quelque sorte le sentiment intérieur et non formulé des Jacobins : « Seuls ceux qui ont un *lien privilégié* avec le peuple peuvent représenter le peuple. » Grâce à cette idée d'une légitimité spécifique, la dictature révolutionnaire de l'an II devenait conforme aux promesses de la démo-cratie (pouvoir du peuple) ou constituait le dépassement de l'insuffisance première de la démocratie par rapport à sa propre essence. De là naquit ensuite la notion de « démocratie révolutionnaire » qui eut, jusqu'à nos jours, un tel écho.

Mais en réalité, les Jacobins n'avaient rencontré, et désigné, le problème de la représentation que pour des raisons indirectes — et non par suite d'une fidélité en quelque sorte linéaire et doctrinale envers la pensée de Rousseau. Leur préoccupation principale était en effet d'ordre éthique, comme on a pu le voir ; elle concernait l'altération des *mœurs* que l'individualisme introduisait dans la société moderne. L'altération politique, institutionnelle, de la volonté du peuple, ne faisait que découler, à leurs yeux, d'une altération morale qu'il s'agissait de corriger. Avec des hommes vertueux, on aurait de bons mandataires. La « vertu », source du lien privilégié avec le peuple, appelait donc à d'autres moyens de « représentation »; certes, ces derniers restent largement métaphoriques, puisqu'ils ne passent plus par l'élection, et ne ressortissent pas d'une définition juridique et constitutionnelle.

La spécificité jacobine du lien privilégié avec le peuple commande, et explique, la spécificité de la « représentation révolutionnaire » : qualitative, essentialiste, avant-gardiste aussi, elle reflète le primat de la morale, et finalement du moralisme, sur le politique. D'où d'ailleurs, le problème de l'incarnation des Principes, que l'on n'a cessé de retrouver. Quand il fallut que le club, porteur de la Personne du Peuple, institue un État conforme à cette visée, des modèles antérieurs se sont proposés : l'indivision roi-nation, l'organicisme ancien, l'unité catholique, pourvurent à ce projet. De ce fait, la vision de la souveraineté chez Bodin, puis chez Bossuet, le modèle de la représentation chez Hobbes, se révèlent plus proches de la République jacobine, que la théorie de Rousseau — dont, en l'an II, on multipliait force citations...

Il faut donc constater un décalage important entre la réalité historique du jacobinisme et le *sens* qui lui fut attribué par la suite ; cela tient au fait qu'on a souvent repris le discours qu'il tenait sur lui-même : refus d'aliéner la souveraineté populaire, rousseauisme, nécessité du salut public pour la défense natio-nale, etc.

Ces thèmes sont indéniablement présents, mais comme l'a montré l'ensemble de l'étude, il faut les réinterpréter, à titre d'*effets* d'une vision spécifique, de certaines conditions dans la lutte politique, et d'une tradition venue de plus loin.

Faut-il en conclure que le prisme jacobin est de peu d'utilité pour la compréhension de la démocratie moderne ? En d'autres termes, le « lien privilégié » que le jacobinisme s'est attribué, est-il *entièrement* hors du jeu démocratique normal ? Tel n'est pas le cas, et, au contraire, l'expérience est éclairante. Il ne faudrait pas croire, en effet, que l'éloignement par rapport à Rousseau implique que le jacobinisme s'est inscrit en dehors du fonction-nement effectif de la démocratie. Dans le texte rousseauiste, nous trouvons la démarche d'un philosophe, tandis que dans la pratique de la démocratie une autre logique est à l'œuvre : la rencontre entre une offre politique, portée par le discours, et l'opinion publique appelée à s'y reconnaître (de façon heureuse, ou infructueuse).

C'est ce modèle du fonctionnement et de la vie démocratiques qu'il importe maintenant d'analyser : à la fois pour lui-même, et aussi pour comprendre en quoi le jacobinisme s'y est inscrit, quelles modifications il y a introduit.

Souveraineté du peuple et instance de discours

On sait que dans la mesure où elle montre un élément de constance, la ligne politique des Jacobins a cherché l'avènement d'une *identité* entre peuple et pouvoir, en luttant tout d'abord contre ce qui créait une altérité, et par là une distance, entre les deux pôles.

Cette distance constitue à la fois une nécessité de la démocratie (pour des raisons d'efficacité et de compétence), et un point délicat paraissant compromettre l'idée de gouvernement par le peuple. La Révolution cherche à concilier les deux aspects — identité et distance — en déclarant que le pouvoir s'exerce *au nom* du peuple, ou de la nation.

De là le rôle, proprement immense, du discours — qui veille à ce que la distance que crée la représentation soit en partie assumée, mais aussi effacée, par le lien établi des élus vers les électeurs. Le discours, dans la politique moderne, devient lui-même un agent de représentation, puisque c'est ceux (ou celui) qui s'expriment au nom du peuple, qui sont institutionnellement ses représentants[4]. Il ne suffit pas d'avoir été élu, il faut encore maintenir un rappel constant de la source d'origine. L'ambivalence de la formule « au nom du peuple » veut exprimer à la fois que le représentant est séparé des électeurs, donc libre, mais que, en même temps, il ne constituerait que le prolongement de leur volonté : distance et altérité, distance sans altération...

Il s'ensuit que le représentant de la démocratie moderne ne peut parler au peuple qu'au nom du peuple[5]. La configuration de l'espace démocratique impose en cela une double présence du « peuple » : comme l'allocutaire à qui les dirigeants s'adressent et comme l'instance tutélaire, légitimante, à partir de laquelle on peut et on doit s'exprimer.

Soit qu'il faille rendre des comptes, soit qu'il faille ordonner en légiférant, on ne peut le faire, vis-à-vis du peuple, qu'en son nom. Le Représentant est donc celui qui fait *coïncider*, par une opération du discours, le Peuple symbolique avec le peuple concret des électeurs : il s'agit que ces derniers se reconnaissent comme « le souverain », au moment même où le souverain obéit à des lois faites par d'autres.

Cette attribution de souveraineté, proprement artificialiste, répond au problème qui a été abondamment étudié dans la IIIe partie : la démocratie doit concilier le gouvernement indirect (exercice effectif de la souveraineté), avec la légitimité populaire (possession virtuelle de la souveraineté). Le discours tenu au peuple au nom du peuple, certifie que ceux qui obéissent commandent aussi ; et que ceux qui commandent, agissent fidèlement par rapport aux intérêts de ceux qui sont commandés. Cette assertion peut répondre à une réalité, ou, comme on le sait, n'être que fiction ! Elle est, en tout cas, indispensable dès lors que le régime démocratique se définit à travers la catégorie de *souveraineté*.

C'est dans cette perspective que l'on peut analyser la double fonction de ce que l'on appelle aujourd'hui « consultation électorale ». La fonction explicite réside, bien entendu, dans le choix des gouvernants. Une autre fonction, plus implicite, mais capitale, consiste à persuader le peuple de sa souveraineté — ou, si l'on préfère, à le confirmer dans sa souveraineté. Malgré les évidences, il faut dire que si le premier enjeu se résume dans la question : « Qui sera représentant ? », il y a aussi un autre enjeu : la réponse à la question : « Qui est représenté ? »

Le premier enjeu

En vertu de l'égalité attachée à la démocratie, il faut que le pouvoir soit accessible à tous (du moins en principe), et que sa possession soit strictement délimitée par des délais constitutionnels — de façon à créer, à la fois, la compétition entre des groupes ou des individus, et l'alternance entre eux. Cela implique qu'une *pluralité* d'opinions, de propositions et de candidatures apparaisse sur la place publique.

La démocratie n'est considérée comme vivante que si l'arbitrage est nécessaire (la « consultation » du souverain), c'est-à-dire si le nombre des candidatures surpasse le nombre des postes à pourvoir, mais également si la diversité des « programmes » reste perceptible[6].

Le second enjeu

En fait, cet arbitrage donné par « le souverain » répond du même coup à la question : « Qui est représenté ? » Apparemment, pour la conscience des protagonistes, la question n'a pas lieu d'être : c'est, semble-t-il, parce qu'il y a d'abord le peuple, ou la nation, comme existant premier et bien réel, que la concurrence entre les forces ou les partis se déroule. Selon le point de vue du bon sens, on ne peut *représenter* que ce qui préexiste, avant toute élection et par lui-même !

Mais à cette vue naïve, on doit opposer que ni « le peuple » ni « la souveraineté » (ni d'ailleurs « la démocratie ») ne sont des êtres empiriques : le rôle capital du discours chez les praticiens de la politique est de conforter les électeurs dans l'assurance qu'ils forment le Peuple — dans son existence et sa souveraineté, éventuellement son unité. En d'autres termes, l'artificialisme est au fondement même de la démocratie moderne, car là où il y a des individus différents, des cultures, des régions et des classes sociales, il fait apparaître le Sujet politique souverain. Le Peuple, dans la situation ouverte par 1789, est une *entité* qui redouble le fonctionnement électoral — entité créditée par ce fonctionnement au moment même où elle paraît, au contraire, en être la source et la cause.

De ce point de vue, c'est le Représentant qui « crée » le Souverain, c'est-à-dire en accrédite la notion. Mais on comprend pourquoi cet enjeu implicite de la consultation électorale ne se montre pas comme un enjeu : il constitue une condition nécessaire du fonctionnement du système dans les croyances, sauf à redéfinir la « démocratie » — mais également *dans l'ordre juridique,* depuis que la Constitution de 1791 a intégré dans son édifice la notion de Souveraineté.

La notion est donc devenue une prémisse évidente, une réalité incontestable, tout comme la notion de Peuple ; on dit encore aujourd'hui que « le peuple français s'est prononcé », ou que « Untel a été élu par le peuple » — alors qu'en fait c'est telle *majorité* (parfois très faible) qui a fait la décision. Souverain et Peuple sont des artefacts fonctionnels tenus pour des réalités naturelles[7].

Images du peuple et instance de discours

Le même artificialisme est à l'œuvre, si l'on considère maintenant la démocratie moderne sous l'angle de son *évolution*, qui s'opère par une dialectique entre représentants au pouvoir et candidats pour le pouvoir, ou aussi entre majorité et minorité. Là encore, l'enjeu explicite de la consultation électorale commande un enjeu moins conscient : « Quelle image du peuple deviendra prévalente ? » Après la qualification des électeurs comme Souverain, il s'agit cette fois de leur *identité*.

La démocratie suppose que le souverain ne change pas, tandis que les gouvernements (au sens large) se succèdent : il faut donc que le discours politique ne reste pas le monopole de ceux qui gouvernent actuellement, mais, pour préparer l'élection future, provienne aussi du sein de la société. La dialectique démocratique, reposant sur les couples permanent/provisoire, légitimité/légalité, possession/exercice, appelle à un dialogue incessant entre gouvernants et gouvernés — et entre majorité et minorité.

Ce « dialogue » est en fait un ensemble de controverses, marquées par les multiples tensions, ou alliances, entre les forces politiques ; la règle du jeu étant que les conflits doivent rester à l'intérieur du cadre démocratique, et même, que ce cadre se reproduit *par* les conflits.

Il en résulte que, pour ceux qui exercent le droit de critique, il s'agit de faire apparaître, du sein même de la société, des *candidatures de représentativité*. Les critiques essaient de démontrer qu'autre chose serait possible, que la « volonté du peuple » pourrait être mieux représentée par eux si, de la représentativité informelle, ils accédaient à la représentation institutionnelle, dans le pouvoir d'État.

Guizot, bon analyste du régime représentatif, écrit qu'il s'agit de « contraindre [la majorité] à se légitimer sans cesse pour se conserver, et de mettre la minorité en état de lui contester son pouvoir et son droit [8] ». Mais ce qu'il ne relève pas — du fait de sa répulsion pour l'esprit unitariste de la Révolution —, c'est à quel point les forces pour le moment réputées minoritaires doivent, elles aussi, s'exprimer *au nom* du Peuple, de façon à se faire reconnaître dès maintenant, et à faire jouer prochainement en leur faveur l'octroi de légitimité. Il faut dire, cette fois, que qui veut représenter doit déjà s'exprimer au nom du peuple, et se faire reconnaître comme tel.

Il s'ensuit une dialectique entre le discours des occupants de l'institution (représentants) et celui des postulants (candidatures de représentativité) : dans les délais constitutionnels, cette dialectique engendre la relève de l'équipe en place.

Mais la perte de crédit de l'ancienne équipe, et le succès de la nouvelle, révèlent qu'il y avait un enjeu implicite, au sein de la compétition, consistant dans une *image* particulière du peuple. Chaque force existante a tenté de faire reconnaître, par les électeurs, une vision différente du peuple, de sorte qu'elle devienne leur vision. Le peuple selon les Jacobins doit se distinguer de l'image du peuple que propose le discours des Girondins, ou celui des Cordeliers, ou des Enragés, etc. Le courant qui, pour un temps, réussit, est celui qui permet aux citoyens[9] de s'identifier à cette image du peuple ; par là même, ce courant est implicitement tenu pour l'incarnateur de l'*identité* du peuple.

En réunissant tous les éléments donnés jusqu'à présent, on s'aperçoit que derrière la lutte pour le pouvoir — phénomène explicite du champ démocratique — c'est la question : « Qu'est-ce que le peuple ? » qui est en jeu. Sur deux plans différents (celui de la souveraineté, celui de l'identité du « peuple »), le discours des acteurs politiques répond constamment à cette question. Quand l'électeur choisit des dirigeants, c'est sur lui-même qu'il se prononce, en s'en doutant plus ou moins : « *De te fabula narratur*[10] ».

En fin de compte, l'évolution du régime démocratique naît des *rencontres*, provisoires et successives, entre une souveraineté (supposée) perpétuelle et des identifications passagères, cristallisées sur un groupe politique, ou un homme. Les deux modalités sont induites par une démarche artificialiste, c'est-à-dire par le travail de la démocratie sur elle-même, à travers le discours de ses élites. Cela n'implique pas, bien entendu, que les électeurs — dans leur réalité et leur diversité — se réduisent à ce que les hommes politiques attendent d'eux ; on sait combien l'opinion peut déjouer le façonnement dont elle était l'objet. Et là où certains attendaient parfois « le Souverain », c'est telle opinion, inattendue, qui tranche. Puisqu'il faut premièrement faire

exister le souverain, deuxièmement le consulter sur des alterna-
tives, l'offre politique cherche à créer une demande ; et c'est à
l'art politique qu'il revient d'affronter la part considérable de
l'inconnu : le moment, la manière, les forces. Les grands leaders
jacobins en furent très conscients, quoique Robespierre ait
prétendu s'y sentir mal à l'aise : « Je n'aime point cette science
nouvelle qu'on appelle la tactique des grandes assemblées »
(*Œuvres*, VII, 385 ; 16 mai 1791).

Faire exister dans les esprits la souveraineté du peuple,
développer une candidature de représentativité, consolider ces
traits par le support du parti politique avant la lettre — autant
d'éléments présents chez les Jacobins, qui ont découvert de
manière exemplaire en quoi consiste, à l'âge démocratique, le
métier politique. Mais il y a évidemment plus : la transition du
registre démocratique à la monopolisation de l'État. Continuité
ou rupture ? Fidélité à la logique démocratique ou démantèle-
ment ?

La légitimité jacobine : démocratie et révolution

À s'en tenir à la description qui vient d'être donnée, le modèle
semblerait impropre à rendre compte de ce qui, dans la
Révolution, est proprement révolutionnaire. Les deux logiques
sont-elles absolument séparables ?

Du point de vue *juridique*, la représentation possède une
définition suffisante pour se rendre indépendante de tout
occupant provisoire de l'institution. La compétition entre
acteurs, ou agents politiques, aussi aiguë soit-elle, a toujours une
issue — et aussi populaires que soient certains « partis » crédités
par le vote, aussi changeante que devienne la légalité qu'ils
promeuvent, l'aventure est *a priori* écartée : le propre d'une
Constitution n'est-il pas d'éliminer l'accident révolutionnaire ?

Mais la représentation ne se réduit pas à sa définition
juridique et constitutionnelle ; d'abord parce que la notion est
éminemment plastique et polymorphe, mais surtout parce
qu'elle constitue directement un outil de l'artificialisme démocratique [11] ; il y a des « candidatures de représentativité », qui
anticipent sur l'élection future et sur l'accès à la représentation
proprement institutionnelle. Si l'on compare cette modalité,

habituelle à la démocratie, avec la référence jacobine, on pourrait dire en un sens que toute candidature de représentativité voudrait faire reconnaître un « lien priviligié » entre les électeurs et tel parti (ou tel homme). Que ce soit en termes de sécurité, de justice, d'indépendance nationale, de prospérité économique, etc., les leaders tentent au moins de susciter une espérance, sinon un effet d'identification. Cependant, l'originalité du Club jacobin fut de placer son thème mobilisateur dans le registre de la vertu ; du même coup, seuls certains hommes (les hommes vertueux) pouvaient s'égaler à la *souveraineté* du peuple, et ensuite la représenter. Le thème de la vertu avait ceci de propre qu'il ne s'arrêtait pas à l'enjeu habituel de la compétition (une image et une identité du peuple), mais touchait à l'enjeu plus fondamental et tenu tacitement pour indiscutable — la souveraineté même du peuple ; on a pu observer comment, à travers toutes les variations, le discours jacobin promeut une « souveraineté morale ».

Il y a donc un Bien du peuple, qui est la vraie donnée objective et indiscutable : alors, sa souveraineté en dépend ; réciproquement, l'octroi de la *légitimité* ne peut échoir qu'à ceux qui se font les défenseurs de la souveraineté morale du peuple. Telle est la candidature de représentativité jacobine, et la dynamique dont elle est susceptible si les circonstances s'y prêtent : la « minorité vertueuse » incarne, dans l'opposition, une souveraineté que menacent des représentants corrompus, puis en établit la seule représentation légitime.

Il faut aussi remarquer que le thème de la vertu, en touchant à l'enjeu fondamental, installe non seulement une légitimité exclusive (la minorité s'égale à tout le Souverain), mais une légitimité *excluante* : les adversaires sont politiquement des « ennemis du peuple » parce qu'ils forment moralement des êtres déchus. C'est sur ce point que se fait le passage à l'aspect proprement révolutionnaire. En effet ce discours d'abord restreint à des individus peu nombreux mais plus radicaux que le reste du club, a rencontré une écoute croissante à partir de 1791 ; il faisait jouer dans l'espace démocratique de la compétition pour la représentation, une thèse qui en resserrait drastiquement l'étendue : ne restait légitime qu'une seule image du peuple, par un seul courant, seul garant de la souveraineté...

À partir de septembre 1792 (lorsqu'il s'agit de « forcer » les

Conventionnels de venir aux séances du club), cette conception jacobine de la légitimité est explicite. On peut dire que, comparée à la logique purement démocratique, où la pluralité, la compétition et l'alternance sont régulatrices, la *conduite révolutionnaire*[12] consiste à se faire attribuer le monopole de la légitimité, en vue du salut public. Sur le plan des alliances, le courant jacobin le plus radical a su capter l'écoute d'un certain nombre de forces dans la société (sans-culotterie au premier chef), auprès desquelles il a mené une pédagogie de rationalisation et de dramatisation des conflits ; le choc avec les Feuillants, la lutte avec le roi, puis avec La Fayette, l'incapacité de la Gironde à soutenir ses propres initiatives (dont la déclaration de guerre), firent en quelque sorte la preuve que l'image jacobine du peuple était plus que « meilleure » : la seule authentique. À partir de juin 93, l'exercice du pouvoir a consisté dans le maintien du refus de partager la légitimité, et dans l'exclusion en vue de fortifier. Au fond, le credo du gouvernement révolutionnaire transposait à la légitimité ce que la Révolution avait dit de la souveraineté : la légitimité est une et indivisible, incommunicable et impartageable.

Il faut donc constater que l'art politique jacobin ne s'est pas exercé en dehors des conditions de la démocratie moderne et du règne de l'Opinion, quoiqu'il en ait altéré le mécanisme : au sein de l'artificialisme qui régule le fonctionnement (pour nous) habituel, il a développé efficacement ses thèses propres, jusqu'au tarissement de légitimité. C'est sans doute ce qu'entrevoit Louvet lorsqu'il accuse Robespierre d'avoir « son peuple » — formulation par laquelle il se plaint d'une dextérité qu'il n'a pas réussi à égaler[13]. La légitimité robespierriste avait su effectivement, dans son moment d'ascension, s'allier un certain peuple, d'image jacobine. On a vu quels doutes saisirent ensuite l'Incorruptible — qui en vint même à dire qu'il existait « deux peuples en France[14] ». Faire le peuple jacobin, puis finalement créer un « peuple nouveau », apparaissent comme l'hypertrophie *révolutionnaire* du façonnement démocratique de l'opinion ; ce sont en quelque sorte, des aventures de la légitimité.

Le célèbre problème de la relation entre « 89 » et « 93 » mène donc à une double observation, fruit de la démarche qui a été mise en œuvre : autant l'historien a raison de souligner les facteurs conjoncturels qui accélèrent la déchirure révolutionnaire (le passage du régime constitutionnel au régime d'exception), autant l'analyste de la vie politique prête attention à la plasticité dont est capable la légitimité démocratique. Le « prisme jacobin », à la fois déformant et révélateur (n'est-ce pas la définition d'un prisme ?), fournit un exemple pertinent. Et sans que l'on doive dire que la démocratie engendrerait « nécessairement » la révolution, il faut reconnaître que la seconde éclaire certaines ambiguïtés de la première.

Le citoyen et l'intérêt général

Les adjectifs variés qui peuvent être associés au terme de démocratie confirment que cette dernière se dit en bien des manières, et reste donc imprécise : démocratie « libérale », « représentative », « pluraliste », « unanimiste », « révolutionnaire », « autoritaire », etc. On retrouve ici la même situation que décrivait Claude Nicolet à propos du terme République : « Pour s'entendre, il faut prêter à la République un nombre presque infini d'épithètes, d'attributs ou de génitifs possessifs [15]. »

Mais, comme l'a montré l'analyse de la deuxième partie, c'est largement sur la question de la citoyenneté que reposent nombre d'incertitudes. Il convient, pour finir, d'en dire quelques mots, et d'avancer des interrogations.

On vient de constater que, institutionnellement, la démocratie est un agencement de la souveraineté et de la représentation, mais, en pratique, la rencontre entre le discours des spécialistes et l'attente de l'opinion ; il en résulte que le citoyen constitue à la fois un enjeu et une médiation. En lui se rejoignent le discours et le réel, le public et le privé, le particulier et l'universel.

Dans le contexte de la Révolution, des facteurs puissants ont pesé sur la découverte de la citoyenneté moderne : l'exigence d'unité, la nécessaire cohésion du tiers état pour imposer l'égalité — mais aussi la dure contrainte de la guerre, qui donne au civisme un contenu *patriotique* prédominant. Ces circonstances ont instauré en France l'évidence d'un intérêt général, qui existerait en quelque sorte de façon objective et dont la représentation politique n'aurait qu'à organiser le reflet fidèle. Mais, du même coup, l'intérêt général devenait l'affaire des hommes politiques : c'est l'une des sources de l'omnipotence parlementaire dont la IIIe République a fourni une illustration forte, et fidèle à la tradition révolutionnaire. Il est d'ailleurs caractéristique que, en 1931, lorsque Carré de Malberg critique la doctrine française de la représentation, ce soit pour envisager un élargissement des compétences *du citoyen*, dont la passivité forcée est devenue trop manifeste ; le juriste demandait : « Le droit pour les citoyens d'élever une réclamation contre la loi adoptée par les Chambres et, au cas où cette réclamation réunit un nombre suffisant d'opposants, le droit pour ceux-ci de provoquer, sur la loi ainsi frappée d'opposition, une votation populaire qui en prononcera définitivement l'adoption ou le rejet [16]. »

On reconnaît dans ces propos les idées qui étaient chères à Condorcet, et qui eurent si peu de succès. De même pour une autre modalité demandée par Carré de Malberg : le droit d'initiative des lois donné aux simples citoyens [17]. Chez Condorcet déjà, ces propositions remettaient en question la fausse évidence d'un intérêt général préformé et objectif ; la question de savoir comment, en réalité, on peut faire apparaître cet intérêt, et le définir, reste d'actualité.

La délibération et la négociation au sein même de la société civile constituent une aspiration des démocraties contemporaines, consécutive à un pluralisme explicite et accepté. Si chaque citoyen, à un certain degré, peut participer à l'élaboration des projets d'intérêt commun, il est à présumer que la vitalité de la société civile fournit un contrepoids efficace à l'usage professionnel et à l'artificialisme du discours politique (par ailleurs indispensable). Comme le montre l'exemple américain depuis Tocqueville, c'est sous cet angle que le problème de la représentation peut être reformulé — pour atténuer l'acuité, ou le caractère d'impasse, que l'expérience révolutionnaire lui a donné en France.

Il reste que si la citoyenneté appelle des aménagements de type institutionnel, elle ne se réduit nullement à cet aspect ; elle est inséparable d'une question philosophique pour laquelle Condorcet reste, là encore, un précurseur : quel intérêt, intellectuel et moral, le citoyen peut-il satisfaire dans la vie politique ? Dans la mesure où le pluralisme n'équivaut pas à un relativisme complet, il y a sans doute des valeurs sur lesquelles

les hommes de la démocratie pourraient, et devraient, s'accorder.

Dans son idée de légitimité, le jacobinisme avait ressenti la question ; il lui a donné une réponse extrême, mais qui mérite examen. La conciliation entre justice et loi du nombre, la formation et l'expression d'une *conscience* civique, restent des questions pour notre temps — entre les bornes du catéchisme dogmatique ou de l'utilitarisme calculateur. Pour autant que la démocratie, régime organisant le débat permanent sur les valeurs, ait par elle-même une valeur, c'est vers cette conscience du citoyen qu'il faudrait sans doute se tourner pour en trouver le fondement et le critère. Là est le défi qu'a jeté aux temps modernes le retrait de la transcendance.

APPENDICE

Déclarations des droits de l'homme

— du 26 août 1789
— du 29 mai 1793, dite « girondine »
— du 23 juin 1793, dite « montagnarde »

Déclaration des droits de l'homme et du citoyen du 26 août 1789 *

PRÉAMBULE. — Les représentants du peuple français, constitués en Assemblée nationale, considérant que l'ignorance, l'oubli ou le mépris des droits de l'homme sont les seules causes des malheurs publics et de la corruption des gouvernements, ont résolu d'exposer dans une déclaration solennelle les droits naturels, inaliénables et sacrés de l'homme, afin que cette Déclaration, constamment présente à tous les membres du corps social, leur rappelle sans cesse leurs droits et leurs devoirs ; afin que les actes du pouvoir législatif et ceux du pouvoir exécutif, pouvant être à chaque instant comparés avec le but de toute institution politique, en soient plus respectés ; afin que les réclamations des citoyens, fondées désormais sur des principes simples et incontestables, tournent toujours au maintien de la Constitution et au bonheur de tous.

En conséquence, l'Assemblée nationale reconnaît et déclare, en présence et sous les auspices de l'Être suprême, les droits suivants de l'homme et du citoyen.

ARTICLE PREMIER. — Les hommes naissent et demeurent libres et égaux en droits ; les distinctions sociales ne peuvent être fondées que sur l'utilité commune.

ART. 2. — Le but de toute association politique est la conservation des droits naturels et imprescriptibles de l'homme ; ces droits sont la liberté, la propriété, la sûreté et la résistance à l'oppression.

ART. 3. — Le principe de toute souveraineté réside essentiellement dans la nation ; nul corps, nul individu ne peut exercer d'autorité qui n'en émane expressément.

ART. 4. — La liberté consiste à pouvoir faire tout ce qui ne nuit pas à autrui ; ainsi l'exercice des droits naturels de chaque homme n'a de bornes que celles qui assurent aux autres membres de la société la jouissance de ces mêmes droits ; ces bornes ne peuvent être déterminées que par la loi.

ART. 5. — La loi n'a le droit de défendre que les actions nuisibles à la société. Tout ce qui n'est pas défendu par la loi ne peut être empêché, et nul ne peut être contraint à faire ce qu'elle n'ordonne pas.

ART. 6. — La loi est l'expression de la volonté générale ; tous les citoyens ont

* Adoptée sous sa forme définitive le 2 octobre, mise en tête de la Constitution de 1791 : *Archives parlementaires*, XXXII, 525-526.

droit de concourir personnellement ou par leurs représentants à sa formation ; elle doit être la même pour tous, soit qu'elle protège, soit qu'elle punisse. Tous les citoyens étant égaux à ses yeux sont également admissibles à toutes les dignités, places et emplois publics, selon leur capacité, et sans autres distinctions que celles de leurs vertus et de leurs talents.

ART. 7. — Nul homme ne peut être accusé, arrêté, ni détenu que dans les cas déterminés par la loi, et selon les formes qu'elle a prescrites. Ceux qui sollicitent, expédient, exécutent ou font exécuter des ordres arbitraires, doivent être punis ; mais tout citoyen appelé ou saisi en vertu de la loi doit obéir à l'instant ; il se rend coupable par la résistance.

ART. 8. — La loi ne doit établir que des peines strictement et évidemment nécessaires, et nul ne peut être puni qu'en vertu d'une loi établie et promulguée antérieurement au délit, et légalement appliquée.

ART. 9. — Tout homme étant présumé innocent jusqu'à ce qu'il ait été déclaré coupable, s'il est jugé indispensable de l'arrêter, toute rigueur qui ne serait pas nécessaire pour s'assurer de sa personne doit être sévèrement réprimée par la loi.

ART. 10. — Nul ne doit être inquiété pour ses opinions, même religieuses, pourvu que leur manifestation ne trouble pas l'ordre public établi par la loi.

ART. 11. — La libre communication des pensées et des opinions est un des droits les plus précieux de l'homme. Tout citoyen peut donc parler, écrire, imprimer librement, sauf à répondre de l'abus de cette liberté, dans les cas déterminés par la loi.

ART. 12. — La garantie des droits de l'homme et du citoyen nécessite une force publique ; cette force est donc instituée pour l'avantage de tous, et non pour l'utilité particulière de ceux à qui elle est confiée.

ART. 13. — Pour l'entretien de la force publique, et pour les dépenses d'administration, une contribution commune est indispensable ; elle doit être également répartie entre tous les citoyens, en raison de leurs facultés.

ART. 14. — Les citoyens ont le droit de constater par eux-mêmes ou par leurs représentants la nécessité de la contribution publique, de la consentir librement, d'en suivre l'emploi, et d'en déterminer la quotité, l'assiette, le recouvrement et la durée.

ART. 15. — La société a le droit de demander compte à tout agent public de son administration.

ART. 16. — Toute société dans laquelle la garantie des droits n'est pas assurée, ni la séparation des pouvoirs déterminée, n'a point de Constitution.

ART. 17. — La propriété étant un droit inviolable et sacré, nul ne peut en être privé, si ce n'est lorsque la nécessité publique, légalement constatée, l'exige évidemment, et sous la condition d'une juste et préalable indemnité.

Déclaration des droits de l'homme du 29 mai 1793 *

ARTICLE PREMIER. — Les droits de l'homme en société sont l'égalité, la liberté, la sûreté, la propriété, la garantie sociale et la résistance à l'oppression.

ART. 2. — L'égalité consiste en ce que chacun puisse jouir des mêmes droits.

ART. 3. — La loi est l'expression de la volonté générale ; elle est égale pour tous, soit qu'elle récompense ou qu'elle punisse, soit qu'elle protège ou qu'elle réprime.

ART. 4. — Tous les citoyens sont admissibles à toutes les places, emplois et fonctions publiques. Les peuples libres ne connaissent d'autres motifs de préférence dans leurs choix que les vertus et les talents.

ART. 5. — La liberté consiste à pouvoir faire tout ce qui ne nuit pas à autrui. Elle repose sur cette maxime : *Ne fais pas aux autres ce que tu ne veux pas qu'ils te fassent.*

ART. 6. — Tout homme est libre de manifester sa pensée et ses opinions.

ART. 7. — La liberté de la presse et de tout autre moyen de publier ses pensées ne peut être interdite, suspendue, ni limitée.

ART. 8. — La conservation de la liberté dépend de la soumission à la loi. Tout ce qui n'est pas défendu par la loi ne peut être empêché, et nul ne peut être contraint à faire ce qu'elle n'ordonne pas.

ART. 9. — La sûreté consiste dans la protection accordée par la société à chaque citoyen pour la conservation de sa personne, de ses biens, et de ses droits.

ART. 10. — Nul ne doit être accusé, arrêté ni détenu que dans les cas déterminés par la loi, ou selon les formes qu'elle a prescrites. Mais tout homme appelé ou saisi par l'autorité de la loi doit obéir à l'instant : il se rend coupable par la résistance.

ART. 11. — Tout acte exercé contre un homme hors des cas et sans les formes déterminées par la loi est arbitraire et nul. Tout homme contre qui l'on tenterait d'exécuter un pareil acte a le droit de repousser la force par la force.

ART. 12. — Ceux qui solliciteraient, expédieraient, signeraient, exécuteraient ou feraient exécuter des actes arbitraires seront coupables et doivent être punis.

* *Archives parlementaires*, LXV, 579-580.

ART. 13. — Tout homme étant présumé innocent jusqu'à ce qu'il ait été déclaré coupable, s'il est jugé indispensable de l'arrêter, toute rigueur qui ne serait pas nécessaire pour s'assurer de sa personne doit être sévèrement réprimée par la loi.

ART. 14. — Nul ne doit être jugé et puni qu'en vertu d'une loi établie, promulguée antérieurement au délit, et légalement appliquée : la loi qui punirait des délits commis avant qu'elle existât serait un acte arbitraire.

ART. 15. — L'effet rétroactif donné à la loi est un crime.

ART. 16. — La loi ne doit décerner que des peines strictement et évidemment nécessaires ; les peines doivent être proportionnées au délit, et utiles à la société.

ART. 17. — Le droit de propriété consiste en ce que tout homme est le maître de disposer à son gré de ses biens, de ses capitaux, de ses revenus et de son industrie.

ART. 18. — Nul genre de travail, de culture, de commerce, ne peut lui être interdit ; il peut fabriquer, vendre et transporter toutes espèces de productions.

ART. 19. — Tout homme peut engager ses services, son temps ; mais il ne peut se vendre lui-même : sa personne n'est pas une propriété aliénable.

ART. 20. — Nul ne peut être privé de la moindre portion de sa propriété sans son consentement, si ce n'est lorsque la nécessité publique, légalement constatée, l'exige évidemment et sous la condition d'une juste et préalable indemnité.

ART. 21. — Nulle contribution ne peut être établie que pour l'utilité générale, et pour subvenir aux besoins publics. Tous les citoyens ont droit de concourir personnellement, ou par des représentants, à l'établissement des contributions, d'en surveiller l'emploi, et de s'en faire rendre compte.

ART. 22. — L'instruction est le besoin de tous, et la société la doit également à tous ses membres.

ART. 23. — Les secours publics sont une dette sacrée, et c'est à la loi à en déterminer l'étendue et l'application.

ART. 24. — La garantie sociale des droits de l'homme consiste dans l'action de tous pour assurer à chacun la jouissance et la conservation de ses droits. Cette garantie repose sur la souveraineté nationale.

ART. 25. — La garantie sociale ne peut exister, si les limites des fonctions publiques ne sont pas clairement déterminées par la loi, et si la responsabilité de tous les fonctionnaires publics n'est pas assurée.

ART. 26. — La souveraineté nationale réside essentiellement dans le peuple entier et chaque citoyen a un droit égal de concourir à son exercice ; elle est une et indivisible, imprescriptible et inaliénable.

ART. 27. — Nulle réunion partielle de citoyens et nul individu ne peuvent s'attribuer la souveraineté.

ART. 28. — Nul, dans aucun cas, ne peut exercer aucune autorité et remplir aucune fonction publique, sans une délégation formelle de la loi.

ART. 29. — Dans tout gouvernement libre, les hommes doivent avoir un moyen légal de résister à l'oppression ; et lorsque ce moyen est impuissant, l'insurrection est le plus saint des devoirs.

ART. 30. — Un peuple a toujours le droit de revoir, de réformer et de changer sa constitution. Une génération n'a pas le droit d'assujettir à ses lois les générations futures. Toute hérédité dans les fonctions est absurde et tyrannique.

Déclaration des droits de l'homme et du citoyen du 24 juin 1793 *

Le peuple français, convaincu que l'oubli et le mépris des droits naturels de l'homme sont les seules causes des malheurs du monde, a résolu d'exposer, dans une déclaration solennelle, ces droits sacrés et inaliénables, afin que tous les citoyens pouvant comparer sans cesse les actes du gouvernement avec le but de toute institution sociale, ne se laissent jamais opprimer et avilir par la tyrannie ; afin que le peuple ait toujours devant les yeux les bases de sa liberté et de son bonheur ; le magistrat, la règle de ses devoirs ; le législateur, l'objet de sa mission.

En conséquence, il proclame, en présence de l'Être suprême, la Déclaration suivante des droits de l'homme et du citoyen.

ARTICLE PREMIER. — Le but de la société est le bonheur commun. Le gouvernement est institué pour garantir à l'homme la jouissance de ses droits naturels et imprescriptibles.

ART. 2. — Ces droits sont l'égalité, la liberté, la sûreté, la propriété.

ART. 3. — Tous les hommes sont égaux par la nature et devant la loi.

ART. 4. — La loi est l'expression libre et solennelle de la volonté générale ; elle est la même pour tous, soit qu'elle protège, soit qu'elle punisse ; elle ne peut ordonner que ce qui est juste et utile à la société ; elle ne peut défendre que ce qui lui est nuisible.

ART. 5. — Tous les citoyens sont également admissibles aux emplois publics. Les peuples libres ne connaissent d'autres motifs de préférence, dans leurs élections, que les vertus et les talents.

ART. 6. — La liberté est le pouvoir qui appartient à l'homme de faire tout ce qui ne nuit pas aux droits d'autrui : elle a pour principe la nature ; pour règle la justice ; pour sauvegarde la loi ; sa limite morale est dans cette maxime : *Ne fais pas à un autre ce que tu ne veux pas qu'il te soit fait.*

ART. 7. — Le droit de manifester sa pensée et ses opinions, soit par la voix de la presse, soit de toute autre manière, le droit de s'assembler paisiblement, le libre exercice des cultes, ne peuvent être interdits. La nécessité d'énoncer ces droits suppose ou la présence ou le souvenir récent du despotisme.

* Placée en tête de la Constitution du 24 juin 1793 : *Archives parlementaires*, LXVII, 143-145.

ART. 8. — La sûreté consiste dans la protection accordée par la société à chacun de ses membres pour la conservation de sa personne, de ses droits et de ses propriétés.

ART. 9. — La loi doit protéger la liberté publique et individuelle contre l'oppression de ceux qui gouvernent.

ART. 10. — Nul ne doit être accusé, arrêté ni détenu, que dans les cas déterminés par la loi et selon les formes qu'elle a prescrites. Tout citoyen, appelé ou saisi par l'autorité de la loi, doit obéir à l'instant ; il se rend coupable par la résistance.

ART. 11. — Tout acte exercé contre un homme, hors des cas et sans les formes que la loi détermine, est arbitraire et tyrannique ; celui contre lequel on voudrait l'exécuter par la violence a le droit de le repousser par la force.

ART. 12. — Ceux qui solliciteraient, expédieraient, signeraient, exécuteraient ou feraient exécuter des actes arbitraires, sont coupables, et doivent être punis.

ART. 13. — Tout homme étant présumé innocent jusqu'à ce qu'il ait été déclaré coupable, s'il est jugé indispensable de l'arrêter, toute rigueur qui ne serait pas nécessaire pour s'assurer de sa personne doit être sévèrement réprimée par la loi.

ART. 14. — Nul ne doit être jugé et puni qu'après avoir été entendu ou légalement appelé, et qu'en vertu d'une loi promulguée antérieurement au délit. La loi qui punirait des délits commis avant qu'elle existât, serait une tyrannie ; l'effet rétroactif donné à la loi serait un crime.

ART. 15. — La loi ne doit décerner que des peines strictement et évidemment nécessaires : les peines doivent être proportionnées au délit et utiles à la société.

ART. 16. — Le droit de propriété est celui qui appartient à tout citoyen de jouir et de disposer à son gré de ses biens, de ses revenus, du fruit de son travail et de son industrie.

ART. 17. — Nul genre de travail, de culture, de commerce, ne peut être interdit à l'industrie des citoyens.

ART. 18. — Tout homme peut engager ses services, son temps ; mais il ne peut se vendre, ni être vendu ; sa personne n'est pas une propriété aliénable. La loi ne reconnaît point de domesticité ; il ne peut exister qu'un engagement de soins et de reconnaissance entre l'homme qui travaille et celui qui l'emploie.

ART. 19. — Nul ne peut être privé de la moindre portion de sa propriété, sans son consentement si ce n'est lorsque la nécessité publique, légalement constatée, l'exige, et sous la condition d'une juste et préalable indemnité.

ART. 20. — Nulle contribution ne peut être établie que pour l'utilité générale. Tous les citoyens ont le droit de concourir à l'établissement des contributions, d'en surveiller l'emploi, et de s'en faire rendre compte.

ART. 21. — Les secours publics sont une dette sacrée. La société doit la subsistance aux citoyens malheureux, soit en leur procurant du travail, soit en assurant les moyens d'exister à ceux qui sont hors d'état de travailler.

ART. 22. — L'instruction est le besoin de tous. La société doit favoriser de tout son pouvoir les progrès de la raison publique, et mettre l'instruction à la portée de tous les citoyens.

ART. 23. — La garantie sociale consiste dans l'action de tous pour assurer à chacun la jouissance et la conservation de ses droits ; cette garantie repose sur la souveraineté nationale.

ART. 24. — Elle ne peut exister, si les limites des fonctions publiques ne sont pas clairement déterminées par la loi, et si la responsabilité de tous les fonctionnaires n'est pas assurée.

ART. 25. — La souveraineté réside dans le peuple ; elle est une et indivisible, imprescriptible et inaliénable.

ART. 26. — Aucune portion du peuple ne peut exercer la puissance du peuple entier ; mais chaque section du souverain assemblée doit jouir du droit d'exprimer sa volonté avec une entière liberté.

ART. 27. — Que tout individu qui usurperait la souveraineté soit à l'instant mis à mort par les hommes libres.

ART. 28. — Un peuple a toujours le droit de revoir, de réformer et de changer sa constitution. Une génération ne peut assujettir à ses lois les générations futures.

ART. 29. — Chaque citoyen a un droit égal de concourir à la formation de la loi et à la nomination de ses mandataires ou de ses agents.

ART. 30. — Les fonctions publiques sont essentiellement temporaires ; elles ne peuvent être considérées comme des distinctions ni comme des récompenses, mais comme des devoirs.

ART. 31. — Les délits des mandataires du peuple et de ses agents ne doivent jamais être impunis. Nul n'a le droit de se prétendre plus inviolable que les autres citoyens.

ART. 32. — Le droit de présenter des pétitions aux dépositaires de l'autorité publique ne peut, en aucun cas, être interdit, suspendu ni limité.

ART. 33. — La résistance à l'oppression est la conséquence des autres droits de l'homme.

ART. 34. — Il y a oppression contre le corps social lorsqu'un seul de ses membres est opprimé. Il y a oppression contre chaque membre lorsque le corps social est opprimé.

ART. 35. — Quand le gouvernement viole les droits du peuple, l'insurrection est pour le peuple, et pour chaque portion du peuple, le plus sacré des droits et le plus indispensable des devoirs.

NOTES

Introduction (p. 9-29)

1. Comprendre est à la fois plus qu'analyser — c'est la différence avec la démarche purement historique — et plus que définir, comme peut le faire la pensée purement théorique. Plus qu'analyser : il s'agit de repérer les pressions venues de l'histoire antérieure, issues parfois de plusieurs siècles, et qui influencent les idées et les conduites familières dans la démocratie d'aujourd'hui. L'attachement envers l'égalité, l'appel à l'unité nationale dans les temps de crise, le soupçon envers les intérêts particuliers, ou, à gauche, l'association de la politique aux principes moraux forment quelques-uns de ces traits hérités. En ce sens, comprendre la démocratie, c'est l'analyser dans son moment de naissance en vue de nous comprendre nous-mêmes dans notre temps. Mais on peut dire aussi que comprendre est plus que définir ; il semble qu'il n'y a pas de définition indiscutable de la démocratie, comme le remarquait le philosophe Alain dans un *Propos* de 1910 : « Je connais un certain nombre de bons esprits qui essaient de définir la Démocratie. J'y ai travaillé souvent, et sans arriver à dire autre chose que des pauvretés, qui, bien plus, ne résistent pas à une sévère critique. » Peut-être cette difficulté est-elle principalement due au fait que, dans son exercice effectif, le régime démocratique s'enveloppe d'implicite, utilise des mécanismes qu'aucune Constitution n'énoncera : il s'agit, notamment, du rôle du *discours*, dont l'importance va être précisée plus loin.

2. Cette recherche, commencée il y a six ans (1982), a fait l'objet d'un doctorat d'État en science politique : *Le Discours jacobin et la politique moderne*, Institut d'Études Politiques de Paris, juin 1987, 2 vol. multigraphiés. Depuis, l'étude a été revue et modifiée dans ses axes principaux, les documents ont fait l'objet d'un nouvel examen, certains n'ont pas été repris, tandis que d'autres ont été ajoutés pour les besoins du présent ouvrage.

3. Le terme démocratie est surtout utilisé à partir de 1793, et devient courant sous le gouvernement révolutionnaire, en 1794. On verra que Billaud-Varenne a notablement contribué à la légitimation du mot.

4. Des éléments appréciables ont été donnés dans la thèse citée plus haut (*Le discours jacobin et la politique moderne*).

5. Il convient avant tout de citer *Penser la Révolution française*, Paris, Gallimard, 1978. Parmi les travaux de Mona Ozouf, on peut rappeler un article remarquable sur la définition même du jacobinisme : « Fortunes et infortunes d'un mot », *Le Débat*, n° 13, juin 1981, Gallimard (repr. in *L'École de la France*, Gallimard, 1984).

6. Outre la relecture de Tocqueville et de Cochin, dont l'historiographie est redevable à F. Furet, on aura l'occasion de citer les études de Keith Baker, les monographies de Lynn Hunt, réunies dans *Politics, Culture and Class in the French Revolution* (University of California Press, 1984, Paperback 1986). Bien qu'elle porte en fait sur une période ultérieure, l'étude de Claude Nicolet sur *L'Idée républicaine en France* a constitué pour nous un modèle de référence (voir ici même, note n° 15 de la conclusion générale).

6 bis. Cf., par exemple, cette réflexion que Tocqueville avait consignée dans ses papiers de travail : « La grande difficulté de l'étude de la Démocratie est de distinguer ce qui est démocratique et ce qui n'est que révolutionnaire. Ceci est très difficile parce que les exemples manquent. Il n'y a pas de peuple européen chez lequel la démocratie ait pris son assiette et l'Amérique est dans une situation exceptionnelle » (cité in J.-C. Lamberti, *Tocqueville et les deux démocraties*, Paris, P.U.F., 1983, p. 180).

7. Discours « Sur les principes de morale politique qui doivent guider la Convention... », 18 pluviôse an II (5 février 1794).

8. H. Carnot, *Mémoires sur Carnot par son fils*, Paris, Charavay-Mantoux Martin Éditeurs, 1860, 2ᵉ éd., 1893, t. I, p. 43. Cité in communication O. Rudelle au Colloque Carnot, Paris, février 1988 : « Une dynastie républicaine. Le " républicanisme " de la famille Carnot : Lazare, Hippolyte et Sadi. »

9. La thèse selon laquelle le relativisme moral est le corrélat indispensable du pluralisme politique est notamment développée par un théoricien comme Kelsen, dans son livre sur *La Démocratie. Sa nature, sa valeur* : Kelsen estime que toute conception métaphysique explicite dans la sphère politique conduit, selon son expression, à « l'autocratie ». Parlant de l'attitude relativiste, le grand juriste autrichien la rapproche en ces termes de l'esprit démocratique : « Le parallélisme ne s'impose-t-il pas avec une attitude politique qui, à la question du contenu de l'ordre social, substitue la question des moyens, de la méthode de création de cet ordre ? » La démocratie consiste avant tout dans une « méthode », et le formalisme juridique — condition de possibilité de l'État démocratique — appellerait donc une neutralité éthique : « ... L'idée démocratique suppose une philosophie relativiste. La démocratie estime la volonté politique de tous égale, de même qu'elle respecte également toutes les croyances, toutes les opinions politiques, dont la volonté politique est simplement l'expression » (H. Kelsen, *La Démocratie. Sa nature, sa valeur*, trad. Ch. Eisenmann, prés. de M. Troper, Paris, Economica, 1988, p. 92).

10. Parlant lui aussi d'une « méthode démocratique », Schumpeter écrivait, dans une définition devenue célèbre, qu'il s'agit d'une « lutte concurrentielle portant sur les votes du peuple » (*Capitalisme, socialisme et démocratie*, Paris, Payot, 1954, p. 403).

11. C'est, tout au contraire, le discours sur la souveraineté et sur la représentation qui remplit cette fonction, comme on aura l'occasion de le constater. L'*artificialisme*, inhérent à un système où le « peuple » est le souverain, sans être le gouvernant, fait que le discours politique doit *constituer* le souverain à partir du représentant, pour que le pouvoir soit. On va voir que si le discours jacobin institue le Peuple dans sa souveraineté libérée, c'est parce qu'il y a « quelqu'un » pour tenir ce discours : le Club parisien, représentant à sa façon la Personne du peuple.

12. Concernant le débat français sur la Révolution, outre le tout récent livre de F. Furet sur le XIXᵉ siècle, il convient de rappeler le caractère très précieux de l'ouvrage d'Alice Gérard : *La Révolution française, mythes et interprétations. (1789-1970)*, Paris, Flammarion, 1970.

13. De *prosopôn*, personne, et *poieîn*, faire : qui figure une personne, qui fait parler un être personnifié. On va voir que cette idée est très proche de la théorie de la souveraineté et de la représentation chez Hobbes — pour qui le Représentant assume la Personne collective de la multitude.

14. Robespierre s'en plaint souvent ; par exemple, en octobre 1792, dans les *Lettres à ses commettants*, il critique ceux qui affaiblissent le peuple en prétendant que ce dernier n'est pas réuni au complet dans tel lieu : « Voyez comme ils tendent toujours à ce but, soit qu'ils le flétrissent par les dénominations magiques de factieux ou de brigands, soit qu'ils méconnaissent son vœu, en le présentant comme celui d'une section du peuple, parce que le peuple ne peut s'assembler tout entier. »

15. Comment faire parler le peuple, considéré de façon indépendante de ses représentants : une question qui, au-delà du cas jacobin, tourmente les courants démocratiques de la Révolution. En témoigne, par exemple, la création d'une « Bouche de Fer » — soit à la fois un journal portant ce titre, un club de réflexion et d'action (devenu le Cercle Social), et un *masque* évidé, posé sur la porte du lieu de réunion, destiné à recevoir les messages écrits du « peuple ». Le journal devait ensuite déclarer, publier, et renvoyer au peuple les messages, ou les dénonciations, confiés à la « bouche de fer ». *Cf.* sur ce thème, et ses antécédents possibles : G. Kates, *The Cercle Social, the Girondins, and the French Revolution*, Princeton, Princeton University Press, 1985, p. 56. On peut voir aujourd'hui encore, à la porte du Palais des Doges de Venise, une « Bocca di verità », destinée à recevoir les dénonciations à l'encontre des hérétiques. De même, par le masque dessiné en tête de chaque numéro du journal révolutionnaire, le peuple prenait visage, et parole. Son fondateur, Nicolas de Bonneville, entendait combiner par là les anciennes fonctions romaines de censeur et de tribun du peuple ; dans un article très élogieux, Mathiez rappelait le projet originaire : « Bonneville conseille d'en installer une [il s'agit de l'urne-effigie] dans chaque département et il propose de faire élire librement, par les divers départements, des citoyens éclairés qui seraient chargés de surveiller les bouches de fer, de contrôler et d'utiliser leur contenu. Ces citoyens s'appelleraient tribuns et leur réunion formerait un tribunat » (A. Mathiez, « Sur le titre du journal *La Bouche de Fer* », *Annales révolutionnaires*, IX, 1917, p. 688). Une fois par an, les tribuns donneraient lecture des meilleurs mémoires devant une assistance popu-

laire, ils adresseraient les dénonciations secrètes au Comité des recherches de l'Assemblée nationale, et ils seraient jugés en retour, sur leur gestion, par l'assistance. Ce moyen, dont Mathiez estimait qu'il aurait empêché les députés « de se constituer en oligarchie indépendante de la nation », tentait de concilier démocratie directe et élitisme éclairé. Bonneville lui-même écrivait : « Le pouvoir de surveillance et d'opinion [...] en ce qu'il appartient *également* à tous les individus, en ce que *tous* les individus peuvent l'exercer par eux-mêmes, SANS REPRÉSENTATION, et sans danger pour le corps politique, constitue essentiellement la souveraineté nationale » (in *La Bouche de Fer*, n° 1, oct. 1790, p. 9, rééd. EDHIS, Paris, 1981, t. I). Le club jacobin a tenu, en grande partie, ce rôle de censeur au nom du peuple ; et si l'on en croit J. Castelnau, certaines filiales de province auraient même reçu les dénonciations dans une urne portant le nom proposé par Bonneville.

16. Hobbes jouait sur le mot *persona* (ou son équivalent grec *prosopôn*) qui, à Rome, désignait le rôle, l'acteur et le masque (*Léviathan*, chap. XVI). Sur cette question, décisive pour la pensée de Hobbes, voir L. Jaume, « La théorie de la " personne fictive " dans le *Léviathan* de Hobbes », *Revue française de science politique* (33), n° 6, décembre 1983 ; également notre livre *Hobbes et l'État représentatif moderne*, coll. « Philosophie d'aujour-d'hui », Paris, P.U.F., 1986.

17. Citant de très nombreuses fois Rousseau, le pastichant même par moments (ainsi dans *Lettres à ses commettants*), Robespierre lançait cet avertissement en janvier 1792 : « Lisez ce que Rousseau a écrit du gouvernement représentatif, et vous jugerez si le peuple peut dormir impunément. » L'Incorruptible fait évidemment allusion au passage suivant du *Contrat social :* « La souveraineté ne peut être représentée, par la même raison qu'elle ne peut être aliénée ; elle consiste essentiellement dans la volonté générale, et la volonté ne se représente point : elle est la même, ou elle est autre ; il n'y a point de milieu. [...] Le peuple anglais pense être libre, il se trompe fort ; il ne l'est que durant l'élection des membres du parlement : sitôt qu'ils sont élus, il est esclave, il n'est rien. » (*Contrat*, III, 15). Robespierre est proprement intarissable sur « les vices du gouvernement anglais », au point d'imposer, au printemps 1794, que chaque réunion de la Société des Jacobins soit consacrée à une dissertation sur ce thème.

18. On verra (première partie) qu'il s'agit de militants du courant robespier-riste.

19. In *Œuvres de Maximilien Robespierre*, P.U.F., t. X, p. 601.

20. Sur cette remarquable intervention de Lambert à la Convention (non étudiée dans le présent ouvrage), et le mémoire écrit à la suite, voir : L. Jaume, « Représentation et factions : de la théorie de Hobbes à l'expé-rience de la Révolution française » (à paraître in *Revue d'histoire des facultés de droit*).

21. A. Soboul, *La Civilisation et la Révolution française*, coll. « Les grandes civilisations », Paris, Arthaud, 1982, t. II, p. 342.

22. Il s'agit d'un document de la main du roi : voir ici, note 82, p. 459.

23. Signalons la définition de l'anthropologue C. Geertz, assez voisine de la démarche ici mise en œuvre : « *The function of ideology is to make an autonomous politics possible by providing the authoritative concepts that render*

it meaningful, the suasive images by means of which it can be sensibly grasped »
(« *Ideology as a cultural system* », in *Ideology and discontent*, D.E. Apter
edit., London, The Free Press of Glencoe, Collier-Macmillan Ltd, 1964,
p. 63).

24. Dans son *Histoire de la Révolution française*, Michelet écrit : « Qu'on ne
dise pas que la parole soit peu de choses en de tels moments. Parole et acte,
c'est tout un. La puissante, l'énergique affirmation qui assure les cœurs,
c'est une création d'actes ; ce qu'elle dit, elle le produit » (Liv. III, chap.
3).

25. A. Aulard, *La Société des Jacobins. Recueil de documents pour l'histoire des
Jacobins de Paris*, Paris, Jouaust, Noblet, Quentin, 6 vol., 1889-1897. Nos
citations donneront le tome en chiffres romains, puis la pagination en
chiffres arabes ; exemple : *Aulard*, V, 22.

26. *Archives parlementaires de 1787 à 1860. Recueil complet des débats législatifs
et politiques des Chambres françaises*, fondé par MM. Mavidal et E. Laurent,
continué par l'Institut d'Histoire de la Révolution française de la Faculté
des Lettres et Sciences humaines de Paris, sous la direction de M. Reinhard et M. Bouloiseau, 1re série (1787-1799), Paris, Dupont, puis
C.N.R.S., jusqu'au 9 thermidor an II : t. I à XCIII (1867-1982). Nos
citations seront données sous la forme suivante : A.P., XXX, 15 (pour : la
quinzième page du tome trentième).

27. *Réimpression de l'Ancien Moniteur depuis la réunion des États généraux
jusqu'au Consulat (mai 1789-novembre 1799), avec des notes explicatives*,
Paris, au Bureau Central, 1843. Jusqu'au 9 thermidor an II : t. I à XXIX
(+ vol. non numéroté : *Introduction historique*). Nous indiquerons ainsi les
références : *Moniteur*, II, 20.

28. *Œuvres de Maximilien Robespierre*, 10 vol. — T. I : *Robespierre à Arras : les
œuvres littéraires en prose et en vers*, rev. et publ. par E. Desprez et E.
Lesueur, Paris, E. Leroux, 1912. — T. II : *Robespierre à Arras : les œuvres
judiciaires*, rev. et publ. par E. Lesueur, Paris, E. Leroux, 1914. — T.
III : *Correspondance de Maximilien et Augustin Robespierre*, par G. Michon,
Paris, Alcan, 1926 + *Supplément* par G. Michon, Paris, 1941. — T. IV :
Les journaux : Le Défenseur de la Constitution, par G. Laurent, Nancy,
Thomas, 1939. — T. V : *Les journaux : Lettres à ses commettants*, édit. crit.
par G. Laurent, Gap, Imprimerie L. Jean, 1961. — T. VI à X : *Discours*,
par M. Bouloiseau, G. Lefebvre, A. Soboul, Paris, E.H.E. et Société des
Études Robespierristes, 1950-1967. Nous signalerons de la façon sui-
vante : *Œuvres*, X, 25.

29. J. Poperen, *Robespierre. Textes choisis*, coll. « Les classiques du peuple »,
Paris, Éditions Sociales, 1974, 3 vol.

30. *Saint-Just. Discours et rapports*, coll. « Les classiques du peuple », intr. et
notes par A. Soboul, Paris, Éditions Sociales, 1957.

31. *Saint-Just. Théorie politique*, textes établis et annotés par A. Liénard, Paris,
Le Seuil, 1976. Rappelons qu'il existe aussi l'édition *Saint-Just. Œuvres
complètes*, établie par M. Duval, Paris, Champ Libre, Éd. Gérard Lebovici, 1984.

32. L'édition la meilleure (quoique imparfaite) reste : *Œuvres de Condorcet*, par
A. Condorcet O'Connor, et M. F. Arago, Paris, Firmin-Didot, 12 vol.,
1847-1849. On a pris l'habitude de l'appeler « l'édition Arago ». Nous la

désignerons ainsi : *Œuvres*, X, 120. Exceptionnellement, référence pourra être faite à l'édition dite Cabanis : *Œuvres complètes de Condorcet*, à Brunswick, chez Vieweg, et à Paris chez Henrichs..., an XIII (1804), 21 vol.

Première partie (p. 39-150)

1. Voir plus bas dans ce chapitre, les circonstances entourant le rapport écrit par Le Chapelier à propos des droits à accorder aux sociétés populaires. Le texte est, à notre avis, l'un des plus importants de la période révolutionnaire.

2. Les travaux pionniers en la matière sont ceux d'Augustin Cochin, remis en lumière par F. Furet après un semi-oubli (cf. F. Furet, *Penser la Révolution française, op. cit.* : « Augustin Cochin : la théorie du jacobinisme »). Sur les rapports avec la franc-maçonnerie voir également R. Halévi, *Les loges maçonniques dans la France du XVIIIe siècle*, Paris, Armand Colin, 1984.

3. Sauf exception, nos références aux textes constitutionnels français seront données d'après le recueil suivant : J. Godechot, *Les Constitutions de la France depuis 1789*, Paris, Garnier-Flammarion, 1979. Le passage cité se trouve p. 425.

4. Il s'agit de l'ouvrage cité dans l'introduction : *La Société des Jacobins. Recueil de documents pour l'histoire du Club des Jacobins de Paris*, 6 vol. Comme l'expliquait Aulard dans son introduction, le nom de *Journal des Jacobins* recouvre en fait des publications hétérogènes. Il s'agit principalement du *Journal des Amis de la Constitution* (21 novembre 1790-6 novembre 1791), dont le rédacteur était Choderlos de Laclos ; ainsi que du *Journal des débats de la Société des Amis de la Constitution* séante aux *Jacobins de Paris* (1er juin 1791-23 frimaire an II). Les démêlés de la Société avec ses rédacteurs expliquent qu'à partir du 1er juin 1793, ce soit le *Journal de la Montagne*, de Laveaux, qui devient l'organe officiel. A Laveaux succède Valcour (du 18 floréal au 16 prairial), et enfin Thomas Rousseau jusqu'à la dernière séance (19 vendémiaire an III — 10 octobre 1794).

5. Autour de cette date du 2 juin 1793 (qui voit l'élimination des Girondins) nous distinguons les deux grandes phases du *discours d'opposition*, puis du *discours de pouvoir*.

6. Pour plus de détails, voir les listes données par Aulard, T. I, pp. LXXVII à LXXIX : Comité de correspondance, Comité de présentation et de vérification, Comité d'administration, liste des présidents et secrétaires jusqu'au 1er juin 1791. Ad. t. VI, pp. 713-718. Des notabilités de l'époque (Cabanis, Lacépède, Boissy d'Anglas, etc.) sont également signalées par J. Castelnau, *Le Club des Jacobins (1789-1795)*, Paris, Hachette, 1948, p. 31.

7. Ce texte est un peu postérieur au commencement du club, puisqu'il date du 8 février 1790 (repr. *Aulard*, I, p. XXVIII et suiv.).

8. Les citations de Rousseau sont données d'après les *Œuvres complètes de Jean-Jacques Rousseau*, coll. « La Pléiade », Paris, Gallimard, t. III. La présente citation du *Contrat* se trouve p. 371.

9. Les estimations varient, en l'absence de listes tout à fait précises. G.

Maintenant donne seulement 90 sociétés affiliées pour août 1790, et 400 pour juin 1791 (*Les Jacobins*, coll. « Que sais-je ? », Paris, P.U.F., 1984, p. 63). D'autres auteurs indiquent 1 000 sociétés affiliées à l'automne de 1791.

10. Il faut signaler l'absence de comptes rendus détaillés avant le milieu de 1791, c'est-à-dire avant que le Journal de Laclos ne cède la place au *Journal de la Société des Amis de la Constitution séante aux Jacobins de Paris* par Deflers. La première feuille était très partielle : son objet principal est la correspondance, et non les comptes rendus de séance. Dans ses *Mémoires*, Grégoire décrit ainsi le circuit qui s'établissait du club à l'Assemblée par la médiation des filiales : « Notre tactique était simple. On convenait qu'un de nous saisirait l'occasion opportune de lancer sa proposition dans une séance de l'Assemblée nationale. Il était sûr d'y être applaudi par un très petit nombre et hué par la majorité. N'importe. Il demandait et l'on accordait le renvoi à un comité où les opposants espéraient inhumer la question. Les Jacobins de Paris s'en emparaient. Sur invitation circulaire ou d'après leur Journal, elle était discutée dans 3 ou 400 sociétés affiliées, et trois semaines après, des adresses pleuvaient à l'Assemblée pour demander un décret dont elle avait d'abord rejeté le projet, et qu'elle admettait ensuite à une grande majorité, parce que la discussion avait mûri l'opinion publique. »

11. *Aulard*, I, 129. Loyseau devait faire partie des récents admis qui n'étaient pas députés : il n'apparaît pas sur la liste des membres de la Constituante donnée par les *Archives parlementaires* (A.P., XXXIII, p. 32 et suiv.) Il se peut également que ces remarques aient été ajoutées par l'éditeur de Loyseau (Imprimerie du *Patriote français*), à partir de l'Opinion rédigée par ce dernier et reproduite par Aulard.

12. Comme (voir *infra*) Le Chapelier.

13. Récit dû à Camille Desmoulins — cf. *Œuvres de Robespierre*, VII, 523, note 13.

14. Les droits de l'homme sont « la liberté, la propriété, la sûreté et la résistance à l'oppression » (art. 2), à quoi il faut ajouter la liberté de presse mentionnée à l'article 4. Nous reproduisons en Appendice de cet ouvrage les trois Déclarations publiées entre 1789 et 1793.

15. Voir une abondante reproduction in *Aulard*, t. I.

16. « Ils discutaient d'avance les questions qui devaient être discutées par l'Assemblée. Ils arrêtaient leurs opinions et par ce moyen, ils arrivaient toujours à l'Assemblée, prêts à y manœuvrer comme une colonne serrée en masse au milieu d'une multitude désunie » (cité in P. Avril, *Essais sur les partis*, Paris, L.G.D.J., 1985 et 1986, p. 46). Le duc de Chartres, futur Louis-Philippe, fut présenté aux Jacobins le 21 octobre 1790, et admis le 1er novembre (cf. *Aulard*, I, 325, err. VI, 684, et I, 344).

17. *Tactique des assemblées législatives*, édit. É. Dumont, Paris, Bossange, 2e édit., 1822, t. I, p. 18. Ce livre a été publié d'après les manuscrits de Bentham.

18. Cf. *Aulard*, III, 291 et 347.

19. Expression de Rousseau dans l'article « Économie politique » publié dans l'*Encyclopédie*.

20. « Discours sur l'économie politique », *Œuvres*, t. III, pp. 246-247.

21. Il s'agit du « Discours sur le marc d'argent ». *Cf. Œuvres*, VII, p. 162 et suiv.

22. Il faut relever que ce dernier n'avait pu prononcer à l'Assemblée son « Discours sur le marc d'argent », car les députés étaient trop hostiles ; mais il ne tenta pas pour autant de le prononcer devant les Jacobins. C'est dans le club rival, et plus populaire, des Cordeliers (qui regroupait les amis de Danton) que l'Incorruptible trouva un accueil favorable. À partir de ce succès remporté, il fit imprimer le texte, qui eut une grande diffusion.

23. Repr. in *Aulard*, II, 415-421. Le texte a paru dans le *Journal des clubs*, au n° 26.

24. Cf. *Aulard*, III, 19.

25. Dans son journal *Les Révolutions de France et de Brabant*, Desmoulins écrivait dès février 1791 à propos du club : « Non seulement c'est le grand inquisiteur qui épouvante les aristocrates. C'est encore le grand réquisiteur qui redresse tous les abus et vient au secours de tous les citoyens. Il semble en effet que le club exerce le ministère public auprès de l'Assemblée nationale. C'est dans son sein que viennent se déposer les doléances des opprimés avant d'être portées à l'auguste Assemblée » (repr. in A. Soboul, *La Civilisation et la Révolution française*, coll. « Les grandes civilisations », Paris, Arthaud, 1982, p. 326).

26. Repr. in *Aulard*, I, intr., pp. XCIV-XCXIX, ainsi que dans A.P., XXI, 617-619.

27. Le terme, courant à l'époque, signifie le territoire sur lequel s'exerce la souveraineté nationale. Il continuera d'être employé sous la République.

28. A propos de ces sociétés non affiliées, il faut signaler que les Jacobins firent fermer le 13 mai 1791 le *Club central* regroupant des sociétés concurrentes (G. Maintenant, *op. cit.*, p. 25). De même pour le *Club monarchique,* opération qui, selon Michelet, fut réalisée à coups de bâtons.

29. Le texte célèbre de la proclamation due à Bonaparte disait : « La Révolution est close ; ses principes sont fixés dans ma personne. Le gouvernement actuel est le représentant du peuple souverain, il ne peut y avoir de révolution contre le souverain. »

30. *Cf.* Berville et Barière, *Papiers inédits trouvés chez Robespierre, Saint-Just, Payan...*, Paris, Baudouin, 1828, t. I, p. 273. Il s'agit de documents saisis par Courtois après le 9 Thermidor.

31. Laquelle est d'ailleurs déjà restreinte aux seuls « citoyens actifs », comme on dit à l'époque, définis par des conditions de propriété et de richesse. C'est le 10 août 1792 qui entraînera l'abolition de la barrière censitaire.

32. *Aulard*, III, 165-167.

33. Notamment, comme il est expliqué ensuite à l'article 1ᵉʳ du décret, les sociétés ne pouvaient « mander quelques fonctionnaires publics ou de simples citoyens » à venir s'expliquer devant elles. On verra que ce fut une pratique des Jacobins après le 10 Août.

34. Pourtant Robespierre avait plaidé pour ce droit de pétitionner en nom collectif durant un débat du 9 mai de la même année, contre, déjà, Le Chapelier. L'argumentation robespierriste était que le droit de pétition constituait un droit naturel de l'individu, et par là un droit de chaque *société* populaire : « Si elle a le droit d'exister reconnu par la loi, elle a le

droit d'agir comme une collection d'êtres raisonnables, qui peuvent publier leur opinion commune et manifester leurs vœux. » Par l'idée atomiste de « collection d'êtres raisonnables », il répondait à la critique du rapporteur qui disait qu'une « société pétitionnante » devenait une « société délibérante » et, de ce fait, « un corps subjugant, une autorité menaçante, un pouvoir contraire à tout le système du gouvernement représentatif » (A.P., XXV, 679). De plus, la *majorité* de ce corps parlerait pour la minorité : laquelle deviendrait « pétitionnaire » malgré elle.

35. Déjà, au printemps 1791, le *Journal des Jacobins* relate une anecdote intéressante, qui montre la prudence que devait observer le club. Aux obsèques majestueuses de Mirabeau — lui-même membre du club — le commandant de la Garde nationale, La Fayette, invite *la Société en tant que telle* à attendre, avec les corps constitués, le départ du convoi. Alexandre de Beauharnais, à ce moment président des Jacobins, observe que « la Société des Amis de la Constitution ne formait pas une corporation politique, qu'elle était une réunion de citoyens sans caractère légal, qu'elle faisait partie du peuple et devait rester avec le peuple » (*Aulard*, II, 292).

36. De nouveau, les événements seront suivis selon l'interprétation et les effets observables au sein du club ; on verra que la place importante que tient ce dernier justifie une telle démarche.

37. Les débats sur « instruction » et « éducation » seront examinés dans la seconde partie, à propos de la conception du citoyen.

38. À la date du 30 janvier. L'article de Condorcet fut publié dans *La Chronique du mois,* journal qu'il dirigeait.

39. La même idée avait été développée par Condorcet dans son *Discours sur les conventions nationales,* prononcé aux Jacobins le 7 août 1791, sur lequel on reviendra. La proposition de réviser la Constitution par des conventions périodiques (selon l'exemple américain) nourrit chez Condorcet la matérialisation de ce *progrès de la raison,* qui est son grand postulat philosophique. Considérons en effet une loi fixant des conditions censitaires, et déterminant des citoyens passifs : « Si une telle loi semble avoir une durée indéfinie, ils sont à jamais rayés de la liste des hommes libres. Mais si, au contraire, elle doit être bientôt l'objet d'une discussion nouvelle, on peut leur dire : attendez l'époque prochaine d'une convention réformatrice ; [...] alors on saura que le droit de cité, que celui d'être éligible à une fonction publique, étant les bases de l'ordre social, on ne peut les faire dépendre de la quotité de l'impôt. [...] Reposez-vous sur les progrès de la raison : le faible est sûr de gagner sa cause au tribunal de ce juge incorruptible » (*Œuvres*, X, 216-217).

40. Publié dans le journal de Robespierre, *Le défenseur de la Constitution,* Œuvres, IV, 37. Même thème ensuite dans le discours du 18 floréal an II, en l'honneur de l'Être suprême.

41. Contre Condorcet lui-même, Robespierre revient à la charge un mois plus tard dans *Le Défenseur de la Constitution* : « Et vous aussi Condorcet, n'étiez-vous point membre de cette confédération philosophique, qui dénonçait à l'opinion publique l'auteur du *Contrat social,* comme un fou orgueilleux, et même comme un vil hypocrite ; qui armait contre ce grand homme la puissance des grands, et la vengeance des ministres, et le despotisme des rois ? Non, vous n'aimez pas ces principes éternels de la

morale et de la justice, qui doivent être la base des gouvernements et la véritable politique des législateurs ; vous et vos pareils vous ne pouvez aimer la voix importune qui les réclame ; [...] il est trop vrai que jamais les véritables amis de l'humanité, que les fidèles représentants de la nation n'auront jamais d'ennemis plus implacables que tous les charlatans philosophes et politiques qui paraîtront combattre le plus près d'eux » (*ibid.*, IV, 68-69).

42. Par exemple dans le « Discours sur le marc d'argent », et lors d'autres prises de position en faveur des pauvres, sous la Constituante. En cette période de la Législative, la formule que Robespierre fit afficher aux Jacobins en l'honneur des soldats de Châteauvieux est caractéristique : « Le 15 avril 1792, l'an IVe de la liberté, *la pauvreté et le peuple* triomphèrent avec les gardes-françaises, les soldats de Château-Vieux et tous les bons citoyens persécutés pour la cause de la Révolution » (*Aulard*, III, 506). « La pauvreté et le peuple » sont donc associés, et à l'honneur, dans cette Fête de la Liberté, qui commémorait dans Paris la libération des galères d'une quarantaine de soldats suisses, condamnés à la suite d'un refus d'obéissance. Au sein des Jacobins, et au côté de Robespierre, Collot d'Herbois a été le principal animateur de leur réhabilitation.

43. Ce qui a mené certains historiens, comme Mathiez, à parler d'un *clivage de classe,* thèse aujourd'hui abandonnée, bien que les racines de l'affrontement Gironde-Montagne n'aient reçu à ce jour aucune réponse qui fasse l'accord. Nous y reviendrons.

44. J.-P. Brissot, « De quelques erreurs dans les idées et les mots relatifs à la Révolution française », paru dans la *Chronique du mois* de mars 1793 (t. II, pp. 27-39).

45. Ces discours n'ont pas été reproduits par Aulard : *Sur la nécessité de déclarer la guerre aux princes allemands qui protègent des émigrés* (Bib. Ville de Paris : 95 4211, 8°) ; *Second discours sur la nécessité de faire la guerre aux princes allemands* (V. de P. : 95 5936, 8°).

46. *Sur la théorie du gouvernement démocratique, et sa vigueur utile pour contenir l'ambition, et pour tempérer l'essort de l'esprit militaire ; sur le but politique de la guerre ; et sur la nécessité d'inspirer l'amour des vertus civiles par des fêtes publiques et des institutions morales* (V. de P. : 60 1606 (n° 17) — A.P., LXXXIX, 94-100, sous un autre titre).

47. F. Furet et D. Richet, *La Révolution française*, Paris, Hachette, 2 vol., nouvelle éd. abrégée, Fayard, 1973, rééd. Marabout, p. 150.

48. *Discours prononcé à la Société, le 18 décembre 1791*, Société des Amis de la Constitution, Imprimerie du Patriote français (V. de P. : 676 (n° 86)).

49. Soit cynisme, soit naïveté, Brissot déclare le 25 avril : « Le mal [...] n'est donc pas que quelques places dans les bureaux soient remplies par des Jacobins, mais bien de ce qu'elles ne le sont pas encore toutes. Plût au ciel que tout fût Jacobin, depuis le fonctionnaire assis sur le trône jusqu'au dernier commis des bureaux des ministres ! » (*Aulard*, III, 527).

50. Sur ce soupçon chez Robespierre, voir les analyses de F. Furet (*Penser la Révolution française*, pp. 94-96).

51. Souligné par nous. On voit comment la notion de « députation » suggère le contre-pouvoir établi en face de celui de l'Assemblée.

52. Cette mesure était exceptionnelle, les sections devant en principe se borner

aux fonctions électorales, ce qu'elles avaient fort peu admis. La permanence restera la pratique courante jusqu'au 9 septembre 1793, où un décret proposé par Danton la supprimera.

53. Une circulaire de la Société en date du 15 octobre revendiquera une part de paternité dans le 10 Août : « La nouvelle Commune délibérait sur les circonstances et portait à la barre de l'Assemblée le vœu du peuple trop longtemps méprisé. L'Assemblée, devenue son organe, transforme en lois les mesures salutaires que la Commune de Paris lui présente, et la France est sauvée, grâce aux Jacobins, aux fédérés, à la commune. »

54. Cette attitude fera dire à Vergniaud le 10 avril 1793 : « Nous modérés ! Je ne l'étais pas le 10 août, Robespierre, quand tu étais caché dans ta cave ! » (A.P., LXI, 547).

55. Sur cette « *sanior pars* » au sens jacobin, voir notamment l'étude de la représentation, en troisième partie.

56. D'après E. Mellié, *Les Sections de Paris pendant la Révolution française, 21 mai 1790-19 vendémiaire an IV...*, Paris, Société de l'Histoire de la Révolution Française, 1898, t. II, p. 186.

57. D'après Mortimer-Ternaux, *Histoire de la Terreur, 1792-1794*, Paris, Michel Lévy Frères, 2ᵉ éd., 1863, t. II, p. 176, note 1. Nous avons signalé ce point dans l'introduction.

58. Robespierre avait émis les plus grandes réserves envers la représentation dans deux circonstances : le 18 mai 1791, et le 10 août 1791. *Cf.* notre troisième partie.

59. Repr. in « Le défenseur de la Constitution » (ce qui ajoute au paradoxe) : *Œuvres*, IV, 317-334.

60. Quelqu'un comme Condorcet a cruellement ressenti cette contradiction : on étudiera dans la troisième partie son *Adresse au peuple français sur l'exercice du droit de souveraineté*, adoptée par l'Assemblée le 9 août. Condorcet était, à ce moment, rapporteur de la Commission des Douze, et il a dû répondre, par ce texte, à la députation de la section de Mauconseil.

61. On peut observer de nouveau ici comment « le peuple », sujet politique, devient la classe laborieuse (connotation socio-économique) et magnanime (connotation morale).

62. Outre l'analyse qui sera menée dans la troisième partie, nous signalons l'étude que nous avons consacrée à ce thème de l'indépendance : « Légitimité et représentation sous la Révolution : l'impact du jacobinisme », *Droits. Revue française de théorie juridique*, nº 6, octobre 1987.

63. « Le défenseur de la Constitution », nº 5, *Œuvres*, IV, 145.

64. Il est en effet énoncé dans les *districts* parisiens, avant la constitution des sections, et fait l'objet du discours de Robespierre du 10 août 1791.

65. Pour la préparation du 10 Août en ce qui concerne les sections, on peut consulter E. Mellié et Mortimer-Ternaux (*op. cit.*). Sur le Directoire secret, une synthèse est fournie par G. Maintenant (*op. cit.*, pp. 52-58).

66. Le terme de « mandataire », qui sera fréquent par la suite, insiste sur les limites de la compétence de l'élu, comme c'était le cas dans le mandat impératif d'Ancien Régime : le « mandataire » perd cette *indépendance* que Robespierre remettait en cause le 29 juillet.

67. Variante donnée par Robespierre dans « Le défenseur de la Constitution » : « Organisée comme un empire à part dans sa métropole et dans ses

affiliations, cette secte forme une corporation distincte, au milieu du peuple français, dont elle usurpe les pouvoirs, en subjugant ses représentants et ses mandataires » (*Œuvres*, IV, 207). Cette version, sans doute plus exacte, est donnée aussi in A.P., XLV, 338.

68. D'après G. Maintenant, 28 % des Girondins sont dans ce cas ; au total, les députés du groupe seraient moins de 140. Chez les Montagnards (moins de 270), 48 % auraient reçu l'investiture jacobine (*op. cit.*, p. 78). Ce décompte a cependant le défaut de s'appuyer, pour définir qui est Montagnard, sur la période de juin 1793. Le groupe est plus difficile à cerner au début de la Convention. D'autres recherches (notamment par Françoise Brunel et Patrice Guéniffey) devraient prochainement mieux éclairer la question.

69. Ce point n'a été que peu remarqué par les historiens. Le problème est cependant d'importance car en lui se joue ce qu'il y a d'improvisé et ce qu'il y a de dominé chez les clubistes, la part de ce qui est stratégique et la part de ce qui est imposé par les circonstances.

70. Il faut notamment rappeler que, le 19 mars 1792, Dumouriez, alors ministre de la Guerre, avait fait une entrée triomphale aux Jacobins, coiffé du bonnet rouge. Le président, Mailhe, déclarait alors : « La Société se félicite de vous voir dans son sein, et se fera toujours gloire de vous compter parmi ses membres » (*Aulard*, III, 439). Malgré les défiances exprimées par Collot d'Herbois et par Robespierre, ce dernier dut accepter une accolade avec Dumouriez. Mais les avertissements proférés par l'Incorruptible (*cf. ibid.*, p. 441) préparaient l'avenir.

71. Il s'agit de Gensonné, Vergniaud, Guadet, ténors de la Convention, et désormais plus en avant que le sous-groupe des « brissotins ». Le nom de « Gironde » est né de leur commune origine électorale.

72. Nous soulignons. L'accusation de fédéralisme ne repose sur rien de sérieux, de l'avis général, aujourd'hui, des historiens, et comme déjà Aulard l'avait montré. La « royauté par le fédéralisme » est une outrance encore plus manifeste. Les Girondins étaient républicains, mais ont hésité, notamment pour l'exécution de Louis XVI, devant les mesures extrêmes. Voir note suivante.

73. Ce vote fut obtenu à l'unanimité. Les débats du 23 septembre montrent que les Girondins, et notamment Buzot, avaient une conception tout aussi unitaire de la République. Leur défiance portait sur le rôle d'avant-garde exercé par le département de Paris, acquis à la Montagne. Aussi, lorsque Couthon demande qu'on proclame l'unité de la République, Gensonné veut que soit spécifiée l' « égalité de toutes les sections de la République », pour enlever tout privilège aux sections parisiennes. Lorsque Buzot intervient, il explique que c'est l'*abstraction* unifiante du corps des citoyens qui fait la République, et non une fédération de territoire : « C'est la masse des citoyens [...] et non pas le territoire qui forme la République. L'unité n'est donc point dans le territoire, mais dans les personnes ; et quand Xerxès envahit la Grèce, Thémistocle dit : *Emmenons la République*, car la République était là où se trouvaient les citoyens. Je demande que ce principe soit décrété » (A.P., LII, 143). Ensuite, le 8 octobre 1792, il répétera que la République requiert « l'entière abstraction de tout lieu, de toute personne » (*ibid.*, LII, 400). Par opposition à la monarchie, où qui

possède le sol possède les hommes, où le « roi de France » est souverain sur les Français, Montagnards et Girondins étaient en fait d'accord sur la nature idéale, abstraite et unitaire du corps politique. On peut penser que c'est au nom de cette conception commune que les Girondins se sentaient fondés à rejeter le rôle d'exception tenu par Paris. On le voit dans le célèbre discours de Lasource, en date du 25 septembre, à propos du projet d'une garde départementale pour entourer la Convention : « Je déclare hautement que je voterai pour que tous les départements concourent à la garde du Corps législatif. Je crains le despotisme de Paris, et je ne veux pas que ceux qui disposent de l'opinion des hommes qu'ils égarent, dominent la Convention nationale et la France entière. [...] Il faut que Paris soit réduit à un quatre-vingt-troisième d'influence comme chacun des autres départements. Jamais je ne ploierai sous son joug ; jamais je ne consentirai qu'il tyrannise la République, comme le veulent quelques intrigants contre lesquels j'ose m'élever le premier, parce que je ne me tairai jamais devant aucune espèce de tyrannie » (*ibid.*, LII, 130).

74. Sur les papiers officiels du club, on trouve en fait l'intitulé suivant : « Société des Amis de la Liberté et de l'Égalité. » Mais le nom de Jacobins est effectivement employé dans les débats, malgré une dernière opposition de Robespierre le 21 septembre.

75. Tel était en effet le grand axiome fondateur de la *représentation*, adopté en 1789, à l'encontre des mandats impératifs. Un député ne devait pas être considéré comme exprimant le vœu de sa seule circonscription, mais celui de toute la nation ; il n'était, de ce fait, politiquement responsable que devant la nation entière. L'axiome est resté à la base de la plupart des Constitutions modernes. On verra (Part. III) que sous la Révolution il ne cesse d'engendrer des contradictions, et que, notamment, la Constitution montagnarde tentera de le compenser par l'usage (en fait très théorique) du référendum.

76. Mais on a vu également que, dès les premiers jours de la Convention il mettait en garde ses « commettants » devant la nouvelle période qui s'ouvrait, les prévenant aussi qu'il n'y avait plus que deux partis en France (n° 1 des *Lettres à ses commettants*).

77. On peut noter que le texte de la pétition (A.P., LXII, 134) reprend le parallèle entre La Fayette et Dumouriez, que les Jacobins avaient eux-mêmes développé dans leur circulaire du 26 mars.

78. G. Maintenant fait la même remarque (*op. cit.*, p. 92).

79. *Cf.* aussi *Œuvres de Robespierre*, IX, 487. Une discussion animée se poursuivit le lendemain à la Convention (A.P., LXIV, 211-213).

80. C'est Dufourny qui, en séance des Jacobins, lance cet appel (*Aulard*, V, 211).

81. « Je viens de rendre compte des mesures de la majorité des sections de Paris. Elles s'occupent de punir les traîtres. Je vais à mon poste. » Jean, Henri Hassenfratz, membre de la section du Faubourg-Montmartre, ingénieur de premier plan, aura un rôle important en l'an II comme directeur de l'administration du matériel au ministère de la Guerre. C'est un Jacobin actif. A. Soboul confirme sa participation au 10 Août et au 31 Mai (*Répertoire du personnel sectionnaire en l'an II*, [en coll. R. Monnier], Paris, Public. de la Sorbonne, 1985, p. 241). Hassenfratz conduit la

députation du conseil général de la Commune qui, le 2 juin, demande à la Convention l'arrestation de 25 Girondins. Voir le texte de la pétition in A.P., LXV, 688.

82. On trouve des idées voisines dans le discours du 10 mai, sur le gouvernement représentatif, prononcé devant la Convention (*Œuvres*, IX, pp. 495-510).

83. Mais le sens de cet appel a été controversé : on doit signaler, en particulier, la divergence entre l'école marxiste et l'ouvrage dû à F. Furet et D. Richet. Alors que J. Poperen écrit : « Au 2 Juin, le mécanisme fonctionne parfaitement : l'insurrection populaire oblige la Convention à légaliser une décision jacobine » (*Robespierre. Textes choisis*, coll. « Classiques du peuple », Paris, Éditions Sociales, 1974, t. III, p. 50), et qu'il rejoint en cela l'analyse de Soboul (par ex. *Précis d'histoire de la Révolution*, Paris, Éditions Sociales, 1962, p. 254) ; en revanche les deux historiens cités écartent au moins toute responsabilité *de Robespierre* : « L'essentiel pour lui reste l'action parlementaire. Ce qu'il demande, c'est l' " insurrection morale ", la pression des masses sur le Parlement pour qu'il s'épure lui-même » (*op. cit.*, p. 199). Ces auteurs reprennent une idée déjà exprimée par Aulard et par Michelet. A l'appui de leur thèse, ils citent les *Mémoires* de Levasseur de la Sarthe, Montagnard et Jacobin : cet écrit, trente-six ans après, mérite-t-il beaucoup de crédit ? L'attitude de Robespierre semble nettement plus radicale.

84. Certains, comme Billaud-Varenne et Boissel font l'aller et retour, entre le club et l'Assemblée, pour que circule l'information.

85. Estimation notamment donnée par F. Furet et D. Richet.

86. La plus récente mise au point se trouve chez J. Balossier, *La Commission extraordinaire des Douze (18 mai 1793-31 mai 1793)*, Paris, P.U.F., 1986.

87. On verra que Pétion est partisan en 1789 d'un aménagement du *mandat impératif*.

88. Lorsqu'il attaque violemment les Jacobins, après son exclusion, Brissot écrit : « Les désorganisateurs avant le 10 août étaient de vrais révolutionnaires : car il fallait désorganiser pour être républicain » (« A tous les républicains de France, sur la Société des Jacobins de Paris », Paris, Imprimerie du Patriote français, 29 octobre 1792, an Ier de la République — Ville de Paris : 603 251 (n° 22)). Passage cité : pp. 27-28. Le texte est également publié dans la *Chronique du mois*, où il porte la date du 24 octobre.

89. Michelet a noté la répétition de cette formule : *Histoire de la Révolution française*, liv. IX, chap. III — coll. « Bouquins », Paris, Laffont, 1979, t. II, p. 156.

90. Par exemple celle du 30 novembre, devenue Adresse aux filiales (*Aulard*, IV, 532), celle du 12 mars (V, 83), celle du 26 avril (V, 156), etc. Quant à celle du 5 avril, qui provoqua l'inculpation de Marat, elle reste prudente dans son libellé, quoiqu'elle s'adresse finalement à tous les Français.

91. L'idée sera entièrement explicitée sous le gouvernement révolutionnaire, lors de la lutte menée contre les « sociétés sectionnaires », apparues à partir de septembre 1793. Le 26 décembre, Robespierre déclare : « La grande Société populaire est le peuple français, et celle qui porte la terreur dans l'âme des tyrans et des aristocrates est celle des Jacobins et des

Sociétés qui lui ressemblent, et qui, lui étant affiliées depuis longtemps, ont comme elle commencé la Révolution. Les sociétés *prétendues populaires*, multipliées à l'infini depuis le 31 mai, sont des sociétés bâtardes, qui ne méritent pas ce nom sacré » (*Aulard*, V, 578). La lutte se poursuivra ensuite, jusqu'à la défaite des sociétés sectionnaires.

92. On verra que telle avait été la conception des *parlements* de l'Ancien Régime, qui se définissaient comme « médiateurs » entre le roi et les sujets.

93. Le Jacobin Monestier revendique le rôle de « censeur », qu'il a fait instituer le 25 janvier : « Je demande que mes collègues de la Convention aient parmi eux un censeur qui puisse faire la liste des absents, liste qui sera lue à la Société des Jacobins » (*Aulard*, V, 8).

94. Ce journal, qui résume aussi les débats de la Convention, se révélera en fait plus lacunaire que celui des Jacobins tenu par Deflers (note d'Aulard, n° 1, p. 62 du tome V).

95. Il veut la « dénoncer » pour avoir tenu son assemblée électorale, sans prévenir, dans un lieu nouveau. La discussion s'engage donc pour savoir si la Société peut se prononcer sur cette « dénonciation ». L'affaire est finalement renvoyée au Comité de présentation des Jacobins (V, 24-25). Même hésitation précédemment, lorsqu'un dragon de la République vient dénoncer son capitaine (IV, 570 ; 12 décembre).

96. Le 18 nivôse an II (7 janvier 1794), Robespierre appelle à brûler *Le Vieux Cordelier* en présence de Desmoulins : « Je demande, pour l'exemple, que les numéros de Camille soient brûlés dans la Société. — *Desmoulins* : C'est fort bien dit Robespierre, mais je te répondrai comme Rousseau : " Brûler n'est pas répondre " » (*Moniteur*, XIX, 168, et *Aulard*, V, 599).

97. Pour ce qui concerne le travail de mobilisation conduisant aux journées des 31 mai-2 juin 1793, on ne donnera ici que les éléments qui n'ont pas été évoqués plus haut.

98. Le mois de septembre 1793 constituera en ce sens une étape importante : le club fait défiler devant lui l'ensemble de l'état-major de l'Armée révolutionnaire, pour exercer l'épuration.

99. Le Comité des Jacobins comprenait six membres en titre (Collot d'Herbois, Billaud-Varenne, Robespierre, Chabot, Danton, Couthon) et six membres suppléants (*cf. Aulard*, V, 404 et 413) : la structure est calquée sur celle de l'Assemblée.

100. Le Comité de salut public fut institué par le décret du 6 avril (voir A.P., LXI, 373-378). L'idée avait été lancée par Barère le 18 mars, et fut mise au point par un comité où siégeait Danton. Le projet opposa entre eux les Girondins comme Isnard (rapporteur du projet) et Buzot. Délibérant en secret, prenant « dans les circonstances urgentes, toutes les mesures de salut public qu'il croira nécessaires » (rapport Isnard), et devant surveiller les ministres, le Comité de salut public apparaissait comme une violation caractérisée de la séparation des pouvoirs. D'abord dirigé par Danton, le Comité ne prit vraiment d'importance que durant l'été, avec le gouvernement révolutionnaire.

101. Sur Dobsen, on peut se reporter à G. Laurent, « Un magistrat révolutionnaire. Claude-Emmanuel Dobsen l'homme du 31 mai », *Annales Historiques de la Révolution Française*, 1938, pp. 2-11. Pour G. Laurent, il est

proprement le chef du mouvement du 31 mai. Lié à Robespierre (qu'il aurait aidé pour la création du *Défenseur de la Constitution*), le 9 Thermidor, il « se rend à la Commune [...] à la tête des citoyens de la section de la Cité, accompagnant l'officier municipal Tanchon et le commandant de la force armée de la section, son ami et fidèle Vaneck qui est chargé de protéger la personne même de Robespierre ». Il présidera le Tribunal révolutionnaire à partir du 23 thermidor, mais sera remplacé pour trop grande mansuétude. Il participera encore à l'insurrection du 12 germinal, et deviendra finalement babouviste. Il est remarquable que cette individualité révolutionnaire si active n'ait pas été officiellement membre des Jacobins.

102. En cela reparaît la vieille « *sanior pars* » des institutions ecclésiastiques, depuis la règle de saint Benoît. L'expression « partie saine » est très fréquente à l'époque de la Révolution, soit à titre ironique, soit comme revendication : chez les Jacobins, la minorité vertueuse a valeur de majorité (*vice omnium*, disait-on dans l'Église), du fait de sa vertu.

103. Nous soulignons.

104. D'après J. Godechot, *La contre-révolution, 1789-1804*, coll. « Quadrige », Paris, P.U.F., 1961, 2ᵉ éd., 1984, p. 234.

105. *Cf.* énoncé de ce thème par le rapporteur Hérault de Séchelles, in A.P., LXVII, 139.

106. Les historiens n'ont pas mis en lumière l'étroitesse des liens qui unissent la genèse de la Terreur et l'offensive (ou, dans certains cas, la contre-offensive) en direction de la Gironde. Nous apporterons ci-dessous des éléments sur ce point trop laissé dans l'ombre.

107. « Sur les principes de morale politique qui doivent guider la Convention nationale dans l'administration intérieure de la République », *Œuvres*, X, 357.

108. « Rapport sur les principes du Gouvernement révolutionnaire fait au nom du Comité de salut public », *ibid.*, X, 274 — 5 nivôse an II (25 décembre 1793).

109. Robespierre a notamment développé cette idée durant l'année 1791 : cf. *Œuvres*, VII, 170 — VII, 612 — VII, 641. Selon ce dernier extrait, « Jean-Jacques Rousseau [est] l'homme qui a le plus contribué à préparer la Révolution ».

110. Cette analyse, se situant sur le plan de la longue durée, et donc des représentations de l'État souverain, fait l'objet du début de notre troisième partie.

111. Elle a été élue pour élaborer une nouvelle Constitution, et si elle avait des « pouvoirs illimités » (selon la formule de la Législative, au moment du 10 Août), ils se renfermaient dans le pouvoir constituant.

112. Mais les députés girondins continuent à être décimés : 41 d'entre eux sont décrétés d'accusation le 3 octobre, sur rapport d'Amar (A.P., LXXV, 520), tandis que 73 en théorie, 63 en fait (*ibid.*, p. 534, note 2) sont mis en état d'arrestation. Le chiffrage des proscriptions girondines est très variable chez les historiens du fait, à la fois, d'erreurs matérielles et de rebondissements multiples.

113. « Lettre sur la Terreur », supplément au nº 29 de la *Revue Obsidiane*, n.p. — reproduit également in F. Furet, *La gauche et la Révolution au milieu du* XIXᵉ *siècle*, Paris, Hachette, 1986, pp. 243-255.

114. Claude Royer, curé de Chalon-sur-Saône, membre et délégué de la section du Tribunal (*cf.* « Liste des citoyens envoyés à Paris par les assemblées primaires [...] du 10 août 1793 », p. 233 [Ville de Paris : 12 029 (t. IV, n° 12)] et A.P., LXXIV, 109)).

115. Durant la fête du 10 Août, une statue colossale représentant en Hercule le Peuple français, écrasait de sa massue l'hydre fédéraliste sortant du marais. Le scénario, conçu par David, était exposé dans le rapport que ce dernier fit au nom du Comité d'instruction publique : « La quatrième station se fera sur la place des Invalides ; au milieu de la place, sur la cime d'une montagne sera représenté en sculpture, par une figure colossale, le *Peuple français*, de ses bras vigoureux rassemblant le faisceau départemental ; l'ambitieux fédéralisme sortant de son fangeux marais, d'une main écartant les roseaux, s'efforce de l'autre d'en détacher quelque portion ; le peuple français l'aperçoit, prend sa massue, le frappe, et le fait rentrer dans ses eaux croupissantes, pour n'en sortir jamais » (A.P., LXVIII, 565-566).

116. Nous rappelons qu'il devient le Journal officiel des Jacobins à partir de cette date, en remplacement du *Journal des Jacobins* rédigé par Deflers, que la Société a rejeté.

117. Nous soulignons.

118. Nous le prenons dans le *Journal des Jacobins*, plutôt que dans le *Journal de la Montagne*, Aulard donnant les deux versions : elles restent très voisines.

119. Les bombardements ne ménagèrent guère « le peuple », dans certains cas. Un décret de la Convention voté, contre Lyon, le 12 octobre, précisait : « Tout ce qui fut habité par les riches sera démoli. » Barère, pour faire voter le décret, avait affirmé : « Ce n'est pas une ville celle qui est habitée par des conspirateurs ; elle doit être ensevelie sous ses ruines. [...] Le nom de Lyon ne doit plus exister : vous l'appellerez Ville-Affranchie. [...] Ce seul mot dira tout : Lyon fit la guerre à la liberté, Lyon n'est plus » (*Moniteur*, XVIII, 104). *Cf.* E. Herriot, *Lyon n'est plus*, Paris, Hachette, 3 vol., 1937. De même, Marseille devint, pour un temps, « Sans-Nom ».

120. Pour faire bonne mesure, on accuse également Brissot d'avoir organisé des soulèvements dans l'Eure, le Calvados, le Finistère, et tout le Midi...

121. Siégeaient en outre au Grand Comité (réorganisé de juillet à septembre, après son premier moment « dantoniste ») : R. Lindet, Carnot, Prieur (de la Marne) et Prieur de la Côte-d'Or. Ils sont soit membres des Jacobins, soit ardents Montagnards.

122. Les Montagnards avaient reproché au projet constitutionnel de Condorcet (achevé en février 1793) de faire élire les *ministres* par un scrutin direct et national : c'était leur donner une légitimité égale à celle des « représentants du peuple », les députés.

123. Organisé dans le cadre des assemblées primaires, il donne 1 800 000 oui, contre 17 000 non (ou 11 600, selon d'autres sources). Plus de 5 millions d'électeurs s'abstinrent.

124. Mais, par ailleurs, les deux factions sont opposées entre elles et se détestent. Danton et Camille Desmoulins vont, à partir de frimaire, recevoir le qualificatif réprobateur de « modérés », ou d' « indulgents ».

125. C'est en partie le cas, puisque à la suite de la loi des suspects du

17 septembre, un décret (le 20 du même mois) donne aux Comités révolutionnaires le pouvoir de dresser la liste des suspects. Mais il est vrai que la centralisation et la monopolisation par Paris de la *justice* révolutionnaire vont revêtir une importance écrasante : à partir du 27 germinal, Saint-Just fait supprimer les tribunaux révolutionnaires de départements ; tous les « conspirateurs » devront être jugés à Paris.

126. Cette centralisation a fait parfois l'admiration des historiens républicains ; ainsi Aulard, qui la magnifie en ces termes : « Par rapport à l'anarchie, si je puis dire, chaotique et fantaisiste de l'ancien régime, et par rapport à l'anarchie légale de la monarchie constitutionnelle, il y eut alors, en 1793 et 1794, de sérieux progrès dans le sens de l'unité gouvernementale et administrative, de la centralisation. Jamais on n'avait eu l'impression d'une marche d'ensemble ainsi concertée. Ce gouvernement, en dépit des irrégularités que nous avons signalées, se faisait obéir bien mieux, bien plus rapidement, bien plus uniformément, que n'avait pu faire la royauté, même en sa plus grande puissance. Ce n'est pas que ses agents soient meilleurs ou plus rationnellement choisis : c'est qu'il y a maintenant une nation, qui veut être une » (*Histoire politique de la Révolution française...*, Paris, Armand Colin, 4e éd., 1909, p. 348.

Il est de même étonnant de voir l'éloge de la Terreur que fait Aulard, pourtant contesté ensuite par Mathiez. Selon lui, elle est l'expression directe de la riposte à la *guerre extérieure :* « Le Tribunal révolutionnaire remplit son office : il terrorisa les royalistes, les prêtres réfractaires complices des Vendéens et de l'étranger, les agents de la contre-révolution ; *il assura ainsi le succès de la défense nationale* » (*ibid.*, p. 362 — souligné par nous). De même, un peu plus loin : « Les quelques centaines de personnes qui furent guillotinées en vertu de ces lois [23 ventôse et 22 prairial] servirent d'exemple. Personne n'osa plus contrarier la défense nationale. »

127. In « Instructions adressées aux autorités constituées des départements du Rhône et de Loire par la Commission Temporaire » (16 novembre 1793), repr. in W. Markov, A. Soboul, *Die sansculotten von Paris...*, préf. G. Lefebvre, Berlin, Akademie Verlag, 1957. La citation se trouve p. 224.

128. Élie Lacoste, commissaire de la Convention, et le Comité de sûreté générale d'Excideuil avaient été freinés dans leurs décisions par l'administration locale (le procureur général-syndic du département de la Dordogne). La Convention décrète en conséquence que « les arrêtés des représentants du peuple étant des lois provisoires, nulle autorité, autre que la Convention nationale, ne peut y porter atteinte » (A.P., LXIX, 87).

129. « Le Comité de salut public aux départements », in Aulard, *Recueil des actes du Comité de salut public...*, Paris, Imprimerie Nationale, 1889-1933, 29 vol. La circulaire est donnée in. t. IX, p. 171. Voir troisième partie pour l'analyse de ces diverses circulaires qui, en décembre 1793, rationalisent l'édifice du gouvernement révolutionnaire.

130. En principe, le Comité de salut public exerçait l'inspection de tout corps et de tout fonctionnaire, pour ce qui concernait les mesures de gouvernement et de salut public ; le Comité de sûreté générale avait l'inspection de ce qui est relatif aux personnes et à la police générale (conformément à la loi des suspects du 17 septembre). En pratique, des rivalités et des heurts se

produisirent : c'est l'un des facteurs de la chute des robespierristes au 9 Thermidor. Au sein du Comité de salut public, la haute main exercée par Saint-Just sur un « Bureau de police générale », qui ne rendait de comptes qu'à lui, fut très peu appréciée. Il faut remarquer que les Comités révolutionnaires (composés d'une douzaine de membres, et au nombre de 21 000 sur les 45 000 d'abord prévus) avaient une *double* fonction : devant le Comité de salut public, ils étaient responsables de l'exécution des lois ; devant le Comité de sûreté générale, ils tenaient le dénombrement des suspects. L'étanchéité des deux filières, à l'intérieur d'un même organisme, pouvait paraître aléatoire.

131. L'expression est de F. Furet et D. Richet.

132. « Le Comité de salut public aux sociétés populaires », 16 pluviôse an II (4 février 1794), in Aulard, *Recueil..., op. cit.*, t. X, p. 680.

133. Nous soulignons.

134. Dans son livre sur les sans-culottes en l'an II, A. Soboul écrit que la référence à la souveraineté populaire disparaît à cette époque des textes officiels. En fait elle est évoquée, mais généralement sur un registre métaphorique ; il est exact que les textes à portée législative ou administrative font une place très voyante à l'idée, opposée, de « centralité ». On peut citer les propos de Couthon lors de la discussion du décret Billaud-Varenne sur le gouvernement révolutionnaire. Il s'agissait de savoir si on continuerait à faire élire les administrateurs ou si la Convention les nommerait elle-même : « Dans le gouvernement ordinaire, au peuple appartient le droit d'élire ; vous ne pouvez l'en priver. Dans le gouvernement extraordinaire, c'est de la centralité que doivent partir toutes les impulsions, c'est de la Convention que doivent venir les élections. Nous sommes dans des circonstances extraordinaires. Ceux qui invoquent les droits du peuple veulent rendre un hommage faux à sa souveraineté » (*Moniteur*, XVIII, 591).

135. *Cf.* le célèbre discours de Robespierre : « Le ressort du gouvernement populaire en révolution est à la fois la vertu et la terreur : la vertu, sans laquelle la terreur est funeste ; la terreur, sans laquelle la vertu est impuissante » (« Sur les principes de morale politique... », 17 pluviose an II).

136. Nous renvoyons à l'analyse de Cochin, ainsi qu'aux brillants développements du commentaire de F. Furet (*Penser la Révolution française*). Appliquée à la Société des Jacobins, la perspective « machiniste » de Cochin manque de nuances, et par là, d'exactitude : voir notamment *Les Sociétés de pensée et la démocratie moderne*, Paris, Copernic, 1978, pp. 128-138. Perspective évidemment pessimiste et hostile à la démocratie, qui débouche sur des thèses tranchantes (« Où la liberté règne, c'est la machine qui gouverne », *ibid.*, p. 133), affirmant une domestication de l'opinion publique que la vie politique ne confirme pas, ou pas avec tant de simplicité. De même pour les assimilations pratiquées par Cochin : les Jacobins, « c'est le caucus de Birmingham, la machine américaine, notre Grand-Orient, notre C.G.T., tous les lobbies contemporains ». Il reste cependant des indications de recherche capitales, comme le rôle des sociétés de pensée dans la genèse de la Révolution, ou la transposition des « ordres intérieurs » maçonniques dans le Club jacobin. Sur la philosophie générale de Cochin, signalons le recueil trop rarement cité, et pourtant

rempli de pages remarquables : A. Cochin, *Abstraction révolutionnaire et réalisme catholique*, préf. M. de Boüard, Paris, Desclée de Brouwer, s. d. [1935]. Il n'est pas possible de mener ici une discussion détaillée des analyses de Cochin, qui sera conduite dans une étude ultérieure.

137. Sur la dénonciation, voir notre deuxième partie.

138. Ce rapport est resté inachevé ; *cf. Œuvres de Robespierre* : « C'est Maribon, dit Montaut, naguère créature et partisan déclaré du ci-devant duc d'Orléans, le seul de sa famille qui ne soit point émigré, jadis aussi enorgueilli de son titre de marquis et de sa noblesse financière qu'il est maintenant hardi à les nier ; servant de son mieux ses amis de Coblence dans les sociétés populaires, où il vouait dernièrement à la guillotine cinq cents membres de la Convention nationale ; cherchant à venger sa caste humiliée par ses dénonciations éternelles contre le Comité de salut public et contre tous les patriotes » (X, 332).

139. A rapprocher de ce qu'avait dit Collot d'Herbois envoyé chez les Cordeliers pour les sermonner lorsque, le 14 ventôse, ils ont voilé la Déclaration des droits de l'homme : « On a voilé les Droits de l'Homme parce que deux individus ont souffert dans la Révolution. Eh bien ! quels sont les patriotes qui n'ont rien souffert ? On doit s'estimer trop heureux d'avoir servi de victime. Quelles obligations la patrie peut-elle avoir aux individus persécutés pour elle, quand ils font sonner si haut les maux qu'ils ont soufferts ? » (*Moniteur*, XIX, 664).

140. Le 1ᵉʳ mars 1793, le trésorier de la Société avait dit qu'il se trouvait 1 000 membres dans la Société-mère (*cf.* G. Maintenant, p. 62 : sur l'évolution peu sensible du recrutement parisien).

141. Félix Lepelletier avait rédigé un livre en l'honneur de son frère, rendu glorieux par l'assassinat dont il avait été victime, et ensuite par le plan d'éducation nationale, que Robespierre défendit à la tribune de la Convention.

142. Couthon et Robespierre avaient été les artisans de cette loi, comme il ressort des débats menés à la Convention le 22 prairial. Ce n'est qu'à force d'insistance, en proclamant « qu'il n'y en a pas un article qui ne soit fondé sur la justice et la raison » que Robespierre fit passer le décret qui le condamnait lui-même. Mais, juridiquement, c'est un décret exprès de la Convention qui mit hors la loi Robespierre, Saint-Just, Couthon et la Commune : Fouquier-Tinville reçut la mission de l'appliquer immédiatement (*cf.* H. Fleischmann, *Les Coulisses du Tribunal révolutionnaire*, Paris, Société d'éditions et de publications parisiennes, s.d. [1910], p. 254).

143. Parlant de l'épuration dans les sociétés et les administrations de province, Garnier (de Saintes) avait dit : « Nous ne laisserons aucun corps hétérogène dans la République » (*Aulard*, VI, 47).

144. Ou, du moins, l'expression majoritaire supposée telle : les Jacobins ont maintes fois manipulé les résultats, ou conditionné l'expression du vote. On attend la thèse de P. Guéniffey, qui doit étudier l'organisation des élections à la Convention.

145. Sur la commune reconnaissance du problème, et sur la divergence d'appréciation quant à son traitement, voir le livre de J. Guilaine, *Billaud-Varenne, l'ascète de la Révolution* [titre jaquette : *l'ultra de la Révolution*], Paris, Fayard, 1969.

146. A. Soboul, *Les Sans-culottes parisiens en l'an II. Mouvement populaire et gouvernement révolutionnaire. 2 juin 1793-9 thermidor an II*, Paris, Clavreuil, 1958, nouv. éd. 1962. Republié sous forme abrégée : même titre, coll. « Histoire », Paris, Le Seuil, 1968, — ainsi que *Mouvement populaire et gouvernement révolutionnaire en l'an II*, Paris, Flammarion, 1973. Nous citons d'après l'édition intégrale.

147. Un certain nombre de sections déclarèrent aussitôt qu'elles refusaient cette indemnité ; *cf.* Soboul, *Les Sans-culottes parisiens...*, p. 187.

148. Voir les exemples, et l'arrêté cònsécutif pris par la Commune de Paris, in Soboul, *op. cit.*, pp. 279-280.

149. Dans son journal *L'Ami du Peuple*, Leclerc avait proclamé le 4 septembre : « La Constitution, toute la Constitution, rien que la Constitution » (formule provocatrice, car elle venait de La Fayette !). *Le Publiciste* de Jacques Roux et *L'Ami du Peuple* concurrençaient sur ces thèmes le *Père Duchesne* rédigé par Hébert. Le mois de septembre vit la défaite des Enragés : Roux fut arrêté (il l'avait déjà été en août), et finit par se suicider en séance du Tribunal révolutionnaire. Varlet fut également arrêté (le 18 de ce mois, comme on l'a vu), et Leclerc dut cesser *L'Ami du Peuple*. Mais la campagne contre le gouvernement révolutionnaire semble avoir repris une nouvelle vigueur dans l'été 1794, puisque le 11 messidor, dans son *Adresse à la Convention nationale*, la section de la Montagne fit amende honorable, après avoir brûlé le registre où plus de 2 000 citoyens avait inscrit leur vœu en rappelant qu'ils « avaient accepté la Constitution » (*Moniteur*, XXI, 100). A. Soboul signale d'autres initiatives dans le même sens (*op. cit.*, p. 980). Il est difficile d'éclaircir si l'idée venait des modérés ou du courant de gauche, ex-hébertiste. Plus probablement, et comme dans les « banquets fraternels » (fin de messidor), il y eut conjonction des deux tendances, par une commune lassitude devant la Terreur.

149 bis. Aux Jacobins, Boissel apparaît toujours comme le défenseur de l'autonomie des sociétés populaires ; il avait envisagé, après le 2 Juin, qu'elles fassent elles-mêmes les élections : *cf.* ici, troisième partie, p. 337.

150. C'est Hébert qui a lancé le mot d'ordre (compte rendu au *Moniteur*, XIX, 629). En fait, les Cordeliers ne firent rien pour organiser cette « insurrection ».

151. Observation faite la veille, au sein des Jacobins, à l'encontre de Momoro qui représentait les Cordeliers (*Aulard*, V, 673).

152. Nous soulignons.

153. Soboul, *Les sans-culottes...*, p. 367. Éd. Flammarion, p. 246.

154. Couthon n'accepte plus la distinction que le dantoniste Legendre venait de faire entre les authentiques sociétés populaires et les « misérables rassemblements » appelés sociétés sectionnaires (VI, 125).

155. Ainsi, la société des Amis de la Vertu le 28 floréal (*Aulard*, VI, 138), les sociétés des sections Poissonnière, des Lombards, des Champs-Élysées, le 1ᵉʳ prairial (VI, 143), etc. Dans son remarquable essai « Saint-Just. La logique de la Terreur » (*Libre*, n° 6, Payot, 1973), Bernard Manin écrit : « Dès lors le processus s'éclaire : le peuple s'épure (et est épuré) pour se rendre identique au gouvernement » (p. 200). L'auteur a soin ensuite de redéfinir la notion de Peuple qui soutient une telle description. *Cf.* p. 206 : « La Terreur est [...] l'autre pratique politique, celle dans laquelle le

peuple se définit en excluant » ; et p. 217 : « La Terreur donc crée son peuple. » On observe d'ailleurs que, pas plus que l'auto-épuration, l'auto-dissolution prétendue, n'est spontanée. Dufourny éclaire le processus réel lorsque le 21 pluviôse il explique qu'il faut à tout prix empêcher que deux sociétés sectionnaires fusionnent entre elles ; car « l'épurement devient très difficultueux, puisque chacun a pour lui les anciens souteneurs [sic] de sa Société ». Il rallie donc les Jacobins sur le programme suivant : « Il faut premièrement s'épurer chacun chez soi, puis ensuite se dissoudre, après quoi l'on peut, non se réunir, mais composer une nouvelle Société » (*Aulard*, V, 649).

156. L'armée révolutionnaire était une revendication importante des sans-culottes, obtenue le 5 septembre avec la Terreur : elle devait assurer les réquisitions, forcer les « riches » et les « accapareurs » à plier. Des armées révolutionnaires furent ensuite créées en province. Le pouvoir central vit toujours d'un mauvais œil cette structure à recrutement sans-culotte, et il en prononça dès que possible la dissolution (le 14 frimaire pour celles de province, le 7 germinal pour celle de Paris).

157. La « conspiration de l'étranger » a motivé le décret d'accusation contre Chabot, Basire, Fabre d'Églantine et quelques autres ; ils sont accusés d'avoir fait le jeu des puissances étrangères en favorisant l'agiotage, et en falsifiant le décret sur la fondation de la Compagnie des Indes.

158. Il faut signaler que Bourdon va mener la troupe, dans la nuit du 9 au 10 thermidor, à l'assaut de l'Hôtel-de-Ville tenu par les robespierristes. *Cf.* « Récit de ce qui s'est passé dans la Maison Commune de Paris dans la nuit du 9 Thermidor », repr. in *Œuvres de Robespierre*, X, 599-600.

159. Nous soulignons cette étonnante « preuve » qui montre dans quelles contradictions se déplace maintenant le discours robespierriste : celui qui est inactif est contre-révolutionnaire, mais les gens trop actifs se montrent également coupables. Il est clair qu'en ce jour où Danton est exécuté, il s'agit de rattacher Dufourny à l'un des courants cordeliers — alors que, en fait, il avait été exclu de ce dernier club.

160. On a vu (*cf.* note 80) que Dufourny avait fait un appel, aux Jacobins, en faveur du Comité insurrectionnel de l'Évêché.

161. *Cf.* de même V, 486 : Blanchet demande à quel titre Collot fait nommer ces commissaires : de son propre mouvement ? en tant que Jacobin ? en tant que membre du Comité de salut public ?

162. Il s'agit d'un article dans *Le Temps*, du 30 janvier 1866. Contre Alphonse Peyrat, qui avait écrit : « Historiquement, oui mille fois, nous sommes Jacobins », Ferry tente d'opposer l'esprit républicain à celui façonné par le jacobinisme : « Il est dans l'histoire de la Révolution deux dates décisives, deux coups d'État qui se lient l'un à l'autre, comme la première et la dernière pierre de l'édifice : le 31 Mai et le 18 Brumaire. Les premiers Jacobins, les vrais, ne les séparaient pas. Il n'y avait pas si loin des bureaux du Comité de salut public aux antichambres du Premier Consul : d'illustres exemples l'ont fait voir. Les fauteurs de la dictature convention-nelle applaudirent tous au coup d'État de Bonaparte. Un petit nombre seulement s'arrêta sur le seuil du Sénat conservateur. Les Jacobins furent les meilleurs préfets de l'Empire » (repr. in F. Furet, *La Gauche et la Révolution au milieu du XIXe siècle*, Paris, Hachette, 1986, p. 207).

Deuxième partie (pp. 153-253)

1. Problème d'*incarnation*, de type quasiment métaphysique, et, en fait, à résonances religieuses, puisqu'il reproduit la question célèbre de la « présence réelle » du Christ dans les « espèces matérielles ». Cette question, il faut le rappeler, avait agité les sphères théologiques et philosophiques au XVIIᵉ siècle : c'est le motif avancé par l'Église pour la mise à l'Index de Descartes, après sa mort. Une telle controverse a indéniablement marqué la *culture politique* française, notamment sous l'aspect de ce que Michelet a appelé « la manie des incarnations ». L'incarnation du Peuple (dans une section, dans un club, dans une partie de l'Assemblée nationale, dans un homme même...) est une sollicitation permanente pour l'art oratoire des Jacobins, sans en rester le monopole.

2. On le voit notamment chez Billaud-Varenne, dès septembre 1790, où il fait une intervention dans le club en ce sens, mais aussi chez Léonard Bourdon, en octobre 1791 : la Société fait l'éloge de son projet en faveur d'un pensionnat de jeunes gens, « une institution qui puisse devenir pour les autres écoles de l'empire ce que la société mère est pour les sociétés affiliées » (*Aulard*, III, 172). Le programme de Bourdon cherche une « méthode de rendre la jeunesse libre et docile », et envisage des expériences en vue des questions suivantes : « Si la mesure des passions d'un individu peut devenir la mesure nécessaire de ses vertus et de son patriotisme » ; « Si la perfectibilité de l'espèce humaine peut être soumise au calcul. » Bourdon a déjà reçu l'accord de la municipalité de Paris, du Comité de Constitution, et de Talleyrand (auteur d'un rapport sur l'instruction publique). Dans une lettre aux filiales du 4 juin 1792 III 659-660), le club fait un vif éloge de l'institution fondée par Bourdon.

3. Nous distinguerons désormais entre *individualisme* et individualité : le premier terme désigne la préoccupation centrée sur l'intérêt personnel au sens étroit ; si, du point de vue jacobin, le citoyen est un individu, il doit aussi faire taire en lui toute tendance individualiste qui le mène à s'isoler et à mépriser le dévouement à l'intérêt commun.

4. Ce libelle qui connut un succès immense dans les mois précédant les États Généraux (quatre éditions successives) sera cité par nous dans l'édition courante : *Qu'est-ce que le tiers état ?*, éd. Champion-Aulard (1889), rééd. coll. « Quadrige », préf. J. Tulard, Paris, P.U.F., 1981. Nous donnerons la pagination pour chaque passage cité, afin que le lecteur puisse se reporter au libellé complet, souvent dense et complexe.

5. Voir la communication de F. Furet au Colloque de Chicago, repr. in *The French Revolution and the creation of modern political culture*, t. I, K. Baker édit., Oxford, Pergamon Press, 1987 : « Les élections aux États généraux. »

6. Le nᵒ 10 du *Fédéraliste*, dû à Madison, expose cette problématique combinant le jeu des intérêts et des passions avec le filtre de la représentation ; l'effet de ce dernier « est d'épurer et d'élargir l'esprit public, en le faisant passer dans un milieu formé par un corps choisi de

citoyens, dont la sagesse saura distinguer le véritable intérêt de leur patrie, et qui, par leur patriotisme et leur amour de la justice, seront moins disposés à sacrifier cet intérêt à des considérations momentanées ou partiales » (in *Le Fédéraliste*, par A. Hamilton, J. Jay et G. Madison, nouveau tirage de l'édit. de 1901 par Boucard et Jèze, Paris, L.G.D.J., 1957, p. 73). Pour Madison, il est vain d'espérer que l'on égalisera les classes et les intérêts, tout comme de croire qu'on surmontera les passions des hommes à force de vertu. En revanche, chez les représentants, sagesse pratique et vertu morale sont nécessaires. Ces réflexions, écrites en 1788 pour faire accepter aux divers États la Constitution fédérale, sont donc contemporaines de la Révolution : le livre était connu en France dès 1789, et fut traduit deux fois en 1792. Mais son influence réelle apparaît comme quasiment nulle dans le personnel révolutionnaire français, à l'exception très notable des Monarchiens — et surtout, de Lally-Tollendal (discours du 31 août 1789). Pour une comparaison entre la vision française et celle exposée dans le *Fédéraliste*, voir notre thèse de science politique (*Le discours jacobin et la politique moderne*, I.E.P. de Paris, chap. IV).

7. C'est dans la préface de son *De cive* que Hobbes exposait le plus clairement la démarche de décomposition analytique qui lui paraissait convenir à la « machine » sociale : « Il me semble en effet qu'on ne saurait mieux connaître une chose qu'en bien considérant celles qui la composent. Car de même qu'en un horloge, ou en quelque autre machine automate, [..] on ne peut pas savoir quelle est la fonction de chaque partie, si on ne la démonte. [...] Ainsi en la recherche du droit de l'État, et du devoir des sujets, bien qu'il ne faille pas rompre la société civile, il la faut pourtant considérer comme si elle était dissoute, etc. » (trad. Sorbière, R. Polin édit., Paris, Sirey, 1981, pp. 63-64). Cette démarche (qu'on a appelée « résolutive-compositive ») est caractéristique d'une vision atomiste du citoyen. Il ne faut pas oublier que dans ses traités politiques, Hobbes pose les hommes comme des êtres tous *égaux* par la nature, et rendus inégaux par les lois sociales. Le théoricien anglais montre, vis-à-vis des privilèges aristocratiques, le même irrespect que Sieyès.

8. *Cf.* le dispositif, dans la Déclaration de 89, des articles 1 à 6 (textes in Appendice du présent ouvrage).

8 bis. On sait que la France n'a découvert (et en tout cas, pratiqué) que récemment le contrôle de constitutionnalité ; les spécialistes notent que c'est depuis 1971 que le Conseil constitutionnel n'hésite plus à annuler un texte législatif qu'il juge contraire à la Constitution de la Ve République (y compris le préambule, renvoyant à la fois à la Déclaration de 1789 et au préambule de la Constitution de 1946). Tout en rappelant à diverses reprises qu'il ne possède pas un « pouvoir général d'appréciation et de décision identique à celui du Parlement », le Conseil constitutionnel a énoncé le 23 août 1985 une règle capitale : « La loi votée n'exprime la volonté générale que dans le respect de la Constitution. » (Voir L. Favoreu et L. Philip, *Les grandes décisions du Conseil Constitutionnel*, Paris, Sirey, 4e éd. 1986.) Pendant la Révolution, c'est Sieyès, en l'an III, qui formula le plus clairement le principe d'un contrôle de constitutionnalité, par l'organe de ce qu'il appelait le « jury constitutionnaire » : voir la reproduction de l'Opinion du 2 thermidor an III (20 juillet 1795), et surtout du 18

thermidor (5 août) in P. Bastid, *Les Discours de Sieyès dans les débats constitutionnels de l'an III*, Paris, Hachette, 1939 ; le projet de décret en dix-sept articles se trouve p. 45.

9. Cette formule, employée par Tocqueville, exprime judicieusement la différence avec la culture révolutionnaire française, qui ne cessa d'interdire aux sociétés populaires et aux clubs de former des « corps délibérants ».

10. Tocqueville, *De la démocratie en Amérique*, intr. F. Furet, Paris, Garnier-Flammarion, 1981, t. II, pp. 274-275.

11. On le voit principalement dans les manuscrits de Sieyès conservés aux Archives Nationales. *Cf.* aussi la thèse de C. Clavreul, *L'Influence de la théorie d'Emmanuel Sieyès sur les origines de la représentation en droit public*, doct. d'État en droit, Paris, 2 vol., Univ. Paris-I-Panthéon-Sorbonne, multigraphié, et plus récemment : M. Forsyth, *Reason and Revolution. The political thought of the Abbé Sieyès*, New York, Leicester University Press, 1987.

12. Nous parlons de non-dit dans la mesure où Sieyès suppose des jugements de valeur et, en même temps, s'en défend ; il est plus explicite par ailleurs sur l'opérateur institutionnel qui effectue la discrimination : la majorité élue.

13. « La liberté de la presse entraîna une véritable prolifération de journaux. On a pu en cataloguer cent cinquante pour l'année 1791 : encore s'agit-il d'un dénombrement incomplet, limité, pour l'essentiel, à la presse parisienne » (F. Furet et D. Richet, *op. cit.*, p. 109).

13 bis. Mirabeau fait exception en ce qu'il a parfois une vision très neuve de l'opinion publique, préfigurant nos modernes « catégories socio-professionnelles » — *cf.* le texte cité par nous : L. Jaume, « Les Jacobins et l'opinion publique », in S. Berstein et O. Rudelle (sous dir.), *Le modèle républicain*, Paris, Champ Vallon, 1989.

14. Certains conseillers de Louis XVI avaient une vue réaliste des conditions de formation de l'opinion. Ainsi Sainte-Foy et Talon, dont on a un état de frais adressé au roi, retrouvé dans l'armoire de fer des Tuileries. Selon leur expression, il fallait « tâter l'opinion publique et la diriger un peu ». Ils demandent, par exemple, 20 000 livres pour payer « deux cent cinquante personnes répandues aux Tuileries, Palais-Royal, cafés, lieux de rendez-vous », afin de « rapporter seulement ce qui s'y passera, sans chercher à y influer ». De même, sont rétribués les auteurs de pamphlets comme « Les sabbats jacobites », les chanteurs de chansons sur la voie publique, divers espions aux Jacobins, Cordeliers et autres clubs. Les guinguettes ont droit à une attention spéciale : « Dans les guinguettes : motionneurs, lecteurs, applaudisseurs et observateurs, 160 à 100 livres, [soit] 1 600 livres. Distribution pour payer du vin aux buveurs et du pain aux malheureux... 5 000 livres. Total : 21 000 livres » (Rapport lu par Rühl à la Convention, le 5 décembre 1792, A.P., LIV, 364-365).

15. Avant la prise du pouvoir, Robespierre affirme le respect nécessaire de l'opinion publique, ainsi le 10 mai 1793 : « Ne perdez jamais de vue que c'est à l'opinion publique de juger les hommes qui gouvernent, et non à ceux-ci de maîtriser et de créer l'opinion publique » (*Œuvres*, IX, 501).

16. Ad. de Bacourt, *Correspondance entre le comte de Mirabeau et le comte de La Marck...*, Paris, Vve Le Normant, 1851, 3 vol. — Rééd. partielle : G.

Chaussinant-Nogaret, *Mirabeau entre le roi et la Révolution,* coll. « Pluriel », Paris, Hachette, 1986. Nous citons d'après l'édition intégrale.

17. 23ᵉ note adressée à la cour, éd. cit., t. II, p. 197. Bien des passages de cette correspondance font penser à Tocqueville (qui l'avait lue) ; ainsi lorsque Mirabeau écrit : « L'idée de ne former qu'une classe de citoyens aurait plu à Richelieu, cette surface égale facilite l'exercice du Pouvoir. »

18. Dans un esprit voisin, deux mémoires remis au roi lui conseillaient de refuser tout rétablissement des privilèges, et de s'appuyer sur « la haute et opulente bourgeoisie de son royaume ». L'auteur faisait valoir que cette *classe* était la détentrice de l'opinion majoritaire, qui veut l'alliance de la richesse et de l'égalité civile : « Tôt ou tard les Empires seront forcés de marcher dans son sens ; c'est elle qui règle leurs destinées ; jamais le gouvernement ne peut l'entraver ; elle l'entraîne toujours avec elle ; c'est elle, elle seule, qui a changé la face de l'Europe depuis deux ou trois siècles. Tout était gouvernement militaire ; tout est devenu gouvernement financier et commerçant, et tout le deviendra encore davantage avec le temps. » Dans ce tableau décrivant l'histoire en termes d'ascension de classes, et non en termes d'individus, on reconnaît à n'en pas douter, la plume de Barnave — bien que le manuscrit soit anonyme : Pièces trouvées dans l'armoire de fer des Tuileries, A.P., LIX, 567.

19. *Moniteur,* VIII, 721.

20. Autre passage de la lettre de Louis XVI où l'on voit bien ce calcul à courte vue qui consiste à vouloir gouverner avec des députés mais sans opinion publique consistante : « Français, est-ce là ce que vous entendiez en envoyant vos représentants ? Désiriez-vous que le despotisme des clubs remplaçât la monarchie sous laquelle le royaume a prospéré pendant quatorze cents ans ? » Louis XVI voit dans ce qu'il appelle la domination de « l'esprit des clubs », l'amorce d'un « gouvernement métaphysique et philosophique, impossible dans son exécution ». Signalons que la lettre du roi est incomplète au *Moniteur,* et intégrale in A.P., XXVIII, 378-383.

21. Édit. cit., t. II, p. 121.

22. Guizot, *Histoire de la civilisation en Europe...,* Paris, Didier, nouv. éd. 1846. Napoléon écrivit lui-même à Caulaincourt en décembre 1812 : « Premier Consul, Empereur, j'ai été le roi du peuple » (in A. Dansette, *Napoléon. Vues politiques,* Paris, Fayard, 1939, p. 45). Ce que Guizot décrit ainsi : « nous avons vu la souveraineté passer du peuple dans un homme : c'est l'histoire de Napoléon. Celui-là aussi a été une personnification du peuple souverain ; il le disait sans cesse ; il disait : " Qui a été élu comme moi par dix-huit millions d'hommes ? Qui est comme moi le représentant du peuple ? " Et quand sur ses monnaies on lisait d'un côté *République française,* de l'autre *Napoléon, empereur,* qu'était-ce donc sinon [...] le peuple devenu roi ? » (édit. cit., p. 253).

23. 24ᵉ note à la Cour. Rappelons que lors de la fusillade du Champ-de-Mars (17 juillet 1791), Bailly était maire de Paris et La Fayette chef de la Garde nationale.

24. *Histoire de la Révolution française, op. cit.,* t. II, p. 152.

25. Robespierre a demandé qu'aucune couronne (selon l'usage romain) ne soit plus donnée, à aucun individu vivant.

26. Motion de Legendre, en septembre 1792 (*Aulard,* IV, 379).

27. Motion d'Anthoine, en décembre 1792 (*ibid.*, IV, 585).

28. Nous rappelons que le scrutin épuratoire par interpellation publique, à la tribune des Jacobins, se déroule de façon ininterrompue entre novembre 1793 et juillet 1794 (*cf.* partie précédente).

29. C'est la définition même que Rousseau donnait de la Loi — toute différente qu'en fût la problématique philosophique qui la sous-tendait, comparée à la pratique jacobine.

30. Sur ce point, l'analyse de la Terreur par Hegel garde tout son intérêt. Elle souligne la contradiction qui s'établit, dans un monde où la conscience la plus singulière se veut « liberté absolue », c'est-à-dire présente *sa* volonté comme valant de façon universelle pour toutes les consciences. C'est la conscience elle-même qui se déchire entre ce que Hegel appelle le « moment » de sa particularité personnelle — qu'elle refuse — et le moment de son universalité, qu'elle postule. Alors, « il ne lui reste que l'opération négative ; elle est seulement la furie de la destruction ». De même, toute force politique au pouvoir perd aussitôt l'universalité au nom de laquelle elle a conquis le pouvoir : « Ce qu'on nomme gouvernement, c'est seulement la faction victorieuse, et justement dans le fait d'être faction se trouve immédiatement la nécessité de son déclin ; et le fait qu'elle soit au gouvernement la rend inversement faction et coupable » (Hegel, *Phénoménologie de l'esprit*, trad. J. Hyppolite, coll. « Philosphie de l'Esprit », Paris, Aubier-Montaigne, 1939, t. II, pp. 130-136). Nous reprendrons, *infra*, le problème proprement philosophique de la médiation entre le particulier et l'universel : « Le problème d'un fondement rationnel de la citoyenneté ».

31. Selon Albitte, « Marat dit la vérité mal à propos » (*Aulard*, V, 100).

32. *Cf. L'Ami du Peuple* (journal de Marat, avant d'être celui de Leclerc), du 13 novembre *1789*, repr. in G. Walter, *La Révolution française vue par ses journaux*, Paris, Tardy, 1948, p. 378.

33. Guadet avait lancé l'idée en mars 1792, alors qu'il était encore influent aux Jacobins ; elle fut reprise à l'automne suivant par Barbaroux, Rebecqui, Louvet (*cf. infra*, le discours de Louvet).

34. Marat dut s'expliquer plusieurs fois devant les Jacobins sur le fait qu'il ait parlé (notamment le 2 juin 1793) de la nécessité d'un « chef ». Il avait déclaré à ce propos : « Je demande un guide, un chef et non pas un maître » (*Aulard*, V. 226). Faisant référence à l'exemple romain, Marat se flatte d'avoir réclamé dès les premiers jours de la Révolution un triumvirat, ou un dictateur.

35. L'expression est à prendre au propre ; le cœur de l'Ami du peuple, comparé au cœur de Jésus, fut mis en adoration au club des Cordeliers (*cf.* Dr Robinet, *Le Mouvement religieux à Paris pendant la Révolution (1789-1801)*, Paris, Cerf et Noblet, 1898, p. 529). Le culte de Marat fut vivant un temps chez les sans-culottes parisiens.

36. Sur Jullien, dit Jullien de Paris, *cf.* P. Gascar, *L'Ombre de Robespierre*, Paris, Gallimard, 1979. C'est Marc-Antoine Jullien qui ira débusquer les leaders girondins (Buzot, Salle, Pétion, Barbaroux), réfugiés dans les souterrains de Saint-Émilion, et que les Jacobins locaux voulaient ignorer, considérant qu'ils n'étaient plus dangereux. Cet épisode est retracé par A.

Dauban dans un recueil de documents intéressants : *Mémoires inédits de Pétion et mémoires de Buzot et de Barbaroux*, Paris, Plon, 1866.

37. Il s'agit du discours déjà cité : *Sur la théorie du gouvernement démocratique...*

38. On pourrait être tenté de voir là un curieux équivalent de ce que le philosophe Popper appelle, en matière scientifique, « test de falsifiabilité » : une proposition scientifique se prouve non pas de façon positive et directe, mais par les réfutations dont elle est sortie victorieuse.

39. C'est l'achèvement de la Révolution dans l'avatar napoléonien qui permet cette lecture chez Hegel et Goethe. À propos de « l'homme démonique », ce dernier disait : « Cela nous rappelle le *Démonique* qui fait de l'homme ce qu'il veut, et auquel l'homme doit bien souvent être considéré comme l'instrument de la puissance qui régit l'univers, comme un vase reconnu digne d'accueillir un contenu divin. En disant cela, je considère combien de fois une seule idée a changé la physionomie de siècles entiers et combien de fois des individus isolés, par ce qui émanait d'eux, ont marqué leur époque d'une empreinte qu'on reconnaît encore dans les générations suivantes, où elle a continué d'exercer son action bienfaisante » (Goethe, *Conversations avec Eckermann*, Paris, Gallimard, 1931, p. 473).

40. L. Hunt, *Politics, Culture and Class in the French Revolution*, University of California Press, 1984, Methuen and Co, London, Paperback, 1986, p. 26 (passage traduit par nous).

41. « Sur les factions de l'étranger », in *Saint-Just. Discours et rapports*, p. 165.

42. Il s'agit, chez les Cordeliers, du courant hébertiste — mais peut-être aussi de Desmoulins, évoqué un peu plus haut.

43. In *Saint-Just. Discours et rapport*, p. 213.

44. Nous citons d'après ce prospectus, in A.P., LXVII, 220-246.

45. Dans la note 0 du *Discours sur l'origine de l'inégalité*, Rousseau avait distingué « l'amour de soi » à effets positifs, et « l'amour-propre », de caractère plus égoïste. *Cf.* édit. de La Pléiade, t. III, p. 219 (devenue note xv), et commentaire p. 1376.

46. Billaud-Varenne est particulièrement disert pour appliquer cette considération aux femmes qui, entre autres, « à 40 ans [...] auraient [...] le ridicule d'être mises comme à 20 » (*cf.* A.P., *loc. cit.*, toute la page 235). Marié, Billaud-Varenne est connu pour avoir maintenu son ménage dans une vie ascétique, comparable à celle de Robespierre chez son hôte Duplay.

47. *Cf.* G. Lefebvre, « La première proposition d'instituer un tribunal révolutionnaire », in *Annales historiques de la Révolution française*, 1933, pp. 354-356.

48. C'est l'un des objectifs que Brissot donnait aux sociétés populaires, dans son discours du 29 septembre 1791, prononcé devant les Jacobins : « Discours sur l'utilité des sociétés patriotiques et populaires, sur la nécessité de les maintenir et de les multiplier partout. » On trouve une idée voisine dans le règlement des Cordeliers : « Dénoncer au tribunal de l'opinion publique les abus des différents pouvoirs et toute espèce d'atteinte aux droits de l'homme. »

49. Il concluait son intervention en proposant de décréter « que le droit d'intenter l'action de calomnie n'est accordé qu'aux personnes privées ». Devant les murmures soulevés, il demandait en outre « qu'à l'exemple de l'Amérique, dont la Constitution n'a pas été huée, les fonctionnaires

publics ne [puissent] poursuivre les personnes qui les calomnieront ».

50. Sur ce débat, *cf.* part. précédente.

51. « Je t'ai longtemps aimé, longtemps j'ai voulu te garder mon estime. Tu étais, aux derniers jours de l'Assemblée constituante, l'un des sept ou huit hommes dont j'eusse voulu répondre » (5 novembre 1792).

52. Il le fera imprimer sous le titre : *À Maximilien Robespierre et à ses royalistes;* le libelle aura un certain succès. Il est reproduit in A.P., LIII, 170-190.

53. Louvet, qui n'oublie pas qu'il est écrivain, fait une étonnante description de Robespierre en séance aux Jacobins; il le montre faisant passer des billets, surveillant les débats, les encourageant d'un simple coup d'œil ou, au contraire, intimidant certains membres « d'un regard de fureur » : « Dans les moments de relâche où ta langue se reposait, ton corps en travail faisait représentation. »

54. Il faut relever que Louvet avait été un ardent Jacobin. Dans son journal-affiche *La Sentinelle*, il appelait, le 15 août 1792, à sélectionner « 224 représentants fidèles » en vue des élections à la Convention (n° 48 de *La Sentinelle*, rééd. EDHIS, Paris, 1981). Le 21 août, il demande le scrutin à voix haute, ce qui fut effectivement réalisé à Paris où les Jacobins firent l'élection, dans leur local (du fait des troubles occasionnés par les massacres dans les prisons). À partir de la mi-septembre, et notamment à propos des massacres, on le voit s'écarter de la mouvance jacobine.

55. Nous citons d'après *Aulard*, II, 336-411.

56. La pièce, *Paméla ou la vertu récompensée*, était de François de Neufchâteau, ancien député de la Législative, et accusé de « modérantisme ».

57. Cet Essai fait partie des *Discours prononcés les jours de décadi dans la section Guillaume Tell*, Paris, Massot, s.d., 4 vol. — B.N. : LC^{2}809. L'ensemble est un « cours complet dont les braves sans-culottes peuvent tirer le plus grand avantage pour leur instruction » (t. II, p. 3). L'*Essai* dû à Barry figure aux pages 24 à 32 du tome II.

58. Ce point a déjà été signalé (*Aulard*, V, 316).

59. *Discours prononcés les jours de décadi...*, t. II, p. 9.

60. En réalité la novation est toute relative : la loi du 16 septembre 1791, déjà citée, envisageait elle aussi, la possibilité de dénonciations anonymes : *cf.* l'article 8 : « Si le dénonciateur refuse de signer et d'affirmer sa dénonciation, l'officier de police ne sera pas tenu d'y avoir égard : il pourra néanmoins, d'office, prendre connaissance des faits, entendre les témoins, délivrer un mandat d'amener contre le prévenu. »

61. Sade écrit en effet : « J'avoue avec la plus extrême franchise que je n'ai jamais cru que la calomnie fût un mal et surtout dans un gouvernement comme le nôtre, où tous les hommes, plus liés, plus rapprochés, ont évidemment un plus grand intérêt à se bien connaître. [...] La calomnie porte-t-elle sur un homme vertueux ? Qu'il ne s'en alarme pas. [...] La calomnie, pour de telles gens, n'est qu'un scrutin épuratoire dont leur vertu ne sortira que plus brillante. [...] Que l'on se garde donc bien de prononcer aucune peine contre la calomnie ; considérons-la sous le double rapport d'un fanal et d'un stimulant, et dans tous les cas comme quelque chose de très utile » (*Français encore un effort*, coll. « Libertés nouvelles », préf. M. Blanchot, Paris, Pauvert, 1965, pp. 94-96). Sade continue en expliquant que le législateur doit négliger ce qui « ne frappe qu'individuel-

lement », or, les effets collectifs de la calomnie sont bons. On trouve ici la même conception « holiste » que chez Barry, et même dans l'individualisme poussé de Sade, l'individu est peu de chose — selon un retournement que les commentateurs du Marquis ont analysé.

62. Préfecture de Police de Paris, carton AA/265.

63. F. Brunot, *Histoire de la langue française des origines à nos jours*, Paris, Armand Colin, 1967, t. IX, 2ᵉ partie (« La Révolution et l'Empire »), p. 1064.

64. Pour le premier exemple, dénonciation faite par la section de la Réunion (Préfect., pièce n° 297), pour le second, dénonciation de la section de la Cité (pièce n° 1794).

65. *Ibid.*, pièce n° 1636 — 24 juillet 1793.

66. A. Soboul, *Les sans-culottes parisiens...*, p. 530.

67. La formule est citée et commentée in J. Hyppolite, *Études sur Marx et Hegel*, Paris, Marcel Rivière, 1965, p. 76.

68. In *Les sans-culottes parisiens...*, p. 560.

69. In Soboul, *Saint-Just. Discours et rapports*, p. 168.

70. Nous renvoyons à l'étude du discours du 18 floréal que nous avons rédigée pour le *Dictionnaire des œuvres politiques*, sous dir. F. Châtelet, O. Duhamel, E. Pisier, Paris, P.U.F., 1986, article « Robespierre ».

71. *Cf.* Général Herlaut, *Le Général rouge Ronsin (1751-1794)*, coll. « Bibliothèque d'histoire révolutionnaire », Paris, Clavreuil, 1956, p. 228.

72. On comprend l'hésitation de Fouquier dans le premier moment : Ronsin était général de l'armée révolutionnaire, Momoro président du département de Paris et Hébert (outre son charisme chez les sans-culottes), substitut de l'agent national de la Commune de Paris. Pour une étonnante réhabilitation de Fouquier, et de la Terreur, on peut lire H. Fleischmann, œuvre déjà citée : *Les Coulisses du Tribunal révolutionnaire (Fouquier-Tinville intime)*, 1910.

73. Rappelons que les « Brissotins » avaient eux-mêmes tenu des propos de ce genre. C'est le fameux thème de décembre 1791 : « Détruisez Coblentz. Coblentz détruit, tout est tranquille au-dehors, tout est tranquille au-dedans. »

74. Le poids de l'idée de la *souveraineté* — qui s'exerce tout autant sur la représentation, que sur la conception du citoyen — fait l'objet de la troisième partie.

75. L'autre portée du discours d'opposition consiste dans la dévalorisation de la représentation (en tant que danger pour la souveraineté du peuple).

75 bis. Pour des réflexions différentes mais qui rejoignent nos propres conclusions sur la citoyenneté à la française, voir B. Barret-Kriegel, *Les Chemins de l'État*, Paris, Calmann-Lévy, 1986, chap. « Malaise dans la citoyenneté ».

76. Sieyès écrivait en 1789 : « La raison, ou du moins l'expérience, dit encore à l'homme : Tu réussiras d'autant mieux dans tes occupations, que tu sauras les borner. En portant toutes les facultés de ton esprit sur une partie seulement de l'ensemble des travaux utiles, tu obtiendras un plus grand produit avec de moindres peines et de moindres frais. [...] Cette matière est parfaitement développée dans l'ouvrage du Docteur Smith. Cette séparation est à l'avantage commun de tous les membres de la société. Elle

appartient aux travaux politiques comme à tous les genres du travail productif. L'intérêt commun, l'amélioration de l'état social lui-même, nous crient de *faire du gouvernement une profession particulière* » (*Observations sur le rapport du Comité de Constitution*, Paris, Baudouin, 1789, p. 35 — fin soulignée par nous).

77. La Déclaration mentionne le principe d'une certaine inégalité pour ce qui concerne l'attribution des responsabilités, mais non pour ce qui touche à la capacité de juger de chaque citoyen. Elle dit en effet que « les distinctions sociales ne peuvent être fondées que sur l'utilité commune » (art. 1) ; et elle prescrit que, aux yeux de la loi « tous les citoyens étant égaux [...] sont également admissibles à toutes les dignités, places et emplois publics, selon leur capacité, et sans autres distinctions que celles de leurs vertus et de leurs talents » (art 6).

78. Dans le *Discours sur le marc d'argent* (avril 1791), Robespierre met en regard les thèses issues du droit naturel (*Tous* les hommes naissent et demeurent libres et égaux... *Tous* les citoyens sont admissibles à tous les emplois...), et les restrictions apportées par la Constituante (*cf. Œuvres*, VII, 161 et suiv.).

79. La Déclaration de Robespierre est reproduite in *Œuvres*, V, 360-363 (*Lettres à ses commettants*). Elle est donnée in A.P., LXIII, 197-200.

80. Le 17 avril 1793, la Convention abandonne, par un vote *à l'unanimité*, la référence au droit naturel : *cf.* le texte de la Déclaration girondine, donné ici en Appendice. Les historiens des idées n'ont prêté que peu d'attention à ce point, quand ils ne le négligent pas complètement. Après le texte montagnard, qui rétablit l'invocation à l'Être suprême et le recours au droit naturel, la Déclaration de l'an III (22 août 1795) va, de nouveau, se borner à des « droits de l'homme en société » (complétés, d'ailleurs, par ses « devoirs ») : voir ce texte in J. Godechot, *Les Constitutions de la France, op. cit.*, p. 101. On peut par ailleurs, s'interroger sur la signification du vote unanime de la Convention : que faisaient ce jour-là les Montagnards, eux qui avaient défendu le droit naturel de façon si virulente ? Que faisait Robespierre ? G. Walter, dans sa biographie de l'Incorruptible, ne signale pas l'abandon girondin du droit naturel, et il se borne à écrire : « Robespierre n'intervient pas dans les débats », pour ce jour-là (in *Robespierre*, coll. « Leurs figures », Paris, nouv. éd. Gallimard, 1961, t. II, p. 48). Il faut tenir compte , très probablement, des tâches *en province* qui mobilisaient à ce moment les députés, et spécifiquement les Montagnards. Sur 749 députés, « D'ordinaire le nombre des votants s'éleva rarement au-dessus de 350, et il tombe une fois (25 juillet 1793) à 186 » (Aulard, *Histoire politique de la Révolution française, op. cit.*, p. 321). Il importerait donc de savoir combien de votes effectifs représentait l'unanimité signalée aux Archives Parlementaires : F. Brunel, que nous remercions, a bien voulu mener l'enquête sur les procès-verbaux de la Convention ; malheureusement, là aussi, aucune précision chiffrée n'est donnée. En l'absence de plus de données, on peut supposer que Jacobins et Montagnards ont joué l'attentisme : sept jours après, le 24 avril, sous couleur de « proposer quelques articles additionnels importants » (A.P., LXIII, 197), Robespierre lit un texte entièrement différent — et qui va inspirer, après l'élimination des Girondins, la Déclaration montagnarde.

81. *Cf.* notamment l'article 13 : « La société doit favoriser de tout son pouvoir les progrès de la raison publique, et mettre l'instruction à portée de tous les citoyens. »

82. On la trouve même sous la plume de Louis XVI : un document du 17 septembre 1792, « Pièce écrite en entier de la main du roi », évoque à plusieurs reprises la « volonté générale » (A.P., LIV, 508-509).

83. Sur cette confusion, voir B. Manin, « Volonté générale ou délibération ? Esquisse d'une théorie de la délibération politique », *Le Débat*, n° 33, Gallimard, 1985. Cet auteur montre de façon suggestive combien la notion de volonté générale a recouvert, dans la Révolution à tout le moins, l'activité délibérante proprement dite. On avait déjà rencontré (épigraphe de la première partie) un extrait du discours de Delfau. Nous avons commenté l'analyse de Delfau dans la contribution suivante : L. Jaume, « Les Jacobins : une organisation dans le processus de la Révolution », in F. Bluche et S. Rials (sous dir.), *Les Révolutions françaises*, Paris, Fayard, 1989.

84. Même idée dans un écrit de Roederer consacré, sous le Directoire, aux sociétés populaires : « Non seulement la formation d'une opinion collective dans les sociétés patriotiques, est une tyrannie exercé sur les opinions de leurs membres, mais encore c'en est une exercée sur l'opinion publique, qui ne peut se composer que de la majorité des opinions individuelles des citoyens, et ne peut naître que d'une manière silencieuse, et spontanée, au sein des lumières et de la liberté. » (« Des sociétés particulières, telles que clubs, réunions, etc. », Paris, Imprimerie Demonville, an VIIe — V. de P. : 964 687). Également reproduit in Roederer, *Journal d'économie publique, de morale et de politique*, Paris, Imprimerie Demonville, t. I, p. 367 et suiv., à la date du 30 prairial an V (18 juin 1797). De Le Chapelier à Delfau, ou à Roederer, la filiation est évidente.

85. B. Constant, « De la liberté des anciens comparée à celle des modernes », in *De la liberté chez les modernes*, textes choisis et annotés par M. Gauchet, coll. « Pluriel », Paris, Hachette, 1980, p. 512. Pour ce qui concerne chez les libéraux la dissociation des droits naturels et des droits civiques, il faut dire, de façon plus précise, que le refus du *suffrage universel* avant 1848 signifie proprement pour eux l'excellence des « talents et capacités ».

86. Une première analyse en a été donnée dans notre article « Le public et le privé chez les Jacobins (1789-1794) », *Revue française de science politique* (37), n° 2, avril 1987.

87. « Sur les principes de morale politique... », *Œuvres*, X, 354-355.

88. Discours non prononcé sur les factions, *ibid.*, p. 397.

89. *Ibid.*, p. 404.

90. Ces *Mémoires* furent publiés par Condorcet dans la collection qu'il dirigeait (« Bibliothèque de l'homme public »), et sont reproduits au tome VII de l'édition des *Œuvres* par O'Connor et Arago, ainsi qu'au tome IX de l'édition dite Cabanis. Sur la distinction entre instruction et éducation chez Condorcet, nous renvoyons au livre de Catherine Kintzler, *Condorcet. L'instruction publique et la naissance du citoyen*, Paris, Le Sycomore, 1984, réédit. coll. « Folio/Essais », Minerve, S.P.A.D.E.M., 1987. Pour tout le débat révolutionnaire sur l'école, voir aussi D. Julia, *Les trois couleurs du*

tableau noir, coll. « Fondateurs de l'Éducation », Paris, Belin, 1981.

91. Nous citerons ce rapport d'après l'édition des *Archives parlementaires* : t. XLII, pp. 196-225. Sauf indication expresse, les *Mémoires* sont cités dans l'édition O'Connor et Arago.

92. G. Bouquier, « Rapport et projet de décret formant un plan général d'instruction publique », 18 frimaire an II (8 décembre 1793). *Cf.* D. Julia, *op. cit.*, p. 11. Les lois adoptées par les thermidoriens (écoles primaires, grands corps techniques de l'État) tombent hors du cadre de notre étude, qui s'arrête au 9 Thermidor : nous renvoyons au livre de D. Julia.

93. La Convention a publié en l'an III, aux frais de la République, la célèbre *Esquisse d'un tableau historique des progrès de l'esprit humain*. En fait, il ne s'agit là que du prospectus de l'ouvrage, dont le manuscrit reste à ce jour (1988) inédit. La parution devrait être prochainement réalisée.

94. Le bon sens est en effet la chose du monde la mieux partagée, ainsi que Descartes l'a enseigné, ce qu'il faut entendre comme une « puissance de bien juger et distinguer le vrai d'avec le faux » *(Discours de la méthode)*, même s'il est patent que les hommes en font souvent un usage inapproprié, sous l'influence des passions et des préjugés.

95. *Vie de M. Turgot*. Nous citons d'après l'édition Cabanis, t. XV, p. 292.

96. En témoigne, par exemple, le projet de décret d'avril 1792, où il est envisagé pour la classe des sciences morales et politiques « un professeur d'analyse des sensations et des idées, de morale, de méthode des sciences, ou logique, de principes généraux des constitutions politiques » (A.P., LV, 217).

97. Condorcet est l'un des rares protagonistes de la Révolution à avoir demandé le droit de vote pour les femmes. Vis-à-vis des « citoyens passifs », on l'a déjà signalé, il parla tout d'abord en leur faveur, puis a plaidé pour la patience : *cf.* le discours déjà cité (note 39, première partie).

98. Rapport déjà cité de G. Bouquier (repr. in J. Guillaume, *procès-verbaux du Comité d'Instruction publique...*, Paris, Imprimerie Nationale, 1889-1907, t. III, p. 57). « La Révolution, poursuit Bouquier, a pour ainsi dire d'elle-même organisé l'éducation publique et placé partout des sources inépuisables d'instruction. » Il ne manque pas de s'emporter contre la vision précédente : « Organisation factice et calquée sur des statuts académiques, qui ne doivent plus infecter une nation régénérée. » Cette conception anti-intellectualiste s'est particulièrement exprimée dans le courant de juillet 1793. Le 29 de ce mois, Robespierre a présenté pour la seconde fois à la Convention le projet de Lepelletier, à titre de « projet de décret sur l'éducation publique » (A.P., LXIX, 659). Parmi les annexes à la séance de ce jour, les Archives parlementaires reproduisent divers mémoires qui vont dans le même sens. Celui de Nicolas Hentz, député et membre des Jacobins, porte pour épigraphe : « Ce n'est pas des savants qu'il nous faut, ce sont des hommes libres et dignes de l'être » *(ibid.*, p. 675). Énumérant neuf cas de « délits moraux », Hentz demande un « tribunal moral » pour les citoyens et les élèves. La culture du XVIIIᵉ siècle est systématiquement mise en accusation : « Qu'on ne croie pas que la conquête de la liberté soit le fruit des sciences et des arts. Ce qui prouve le contraire, c'est que ce ne sont pas des savants qui l'ont conquise. Voyez les sans-culottes, voyez les

patriotes ; sont-ce des savants ? Voyez au contraire ces académiciens, ces hommes à grandes phrases, ces érudits ; je vous le demande, sont-ce des républicains ? »

99. L'expression est de Claude Nicolet, dans un livre consacré à P. Mendès France. L'exemple est probablement significatif de l'insuccès de l'homme politique refusant d'employer les moyens courants.

100. « Des conventions nationales, [discours] dont l'assemblée fédérative des Amis de la Vérité a voté l'impression », *Œuvres*, X, 189 et suiv. Il s'agit du premier grand discours de Condorcet sur les « conventions » (avril 1791).

101. « Discours sur les conventions nationales »... *Œuvres*, X, 207 et suiv. (août 1791).

102. *Cf.* notamment le paradoxe du « mal élu », et celui de « l'introuvable élu », in P. Favre, *La décision de majorité,* Paris, Presses de la Fondation Nationale des Sciences Politiques, 1976.

103. Cette formule figure dans un écrit de 1789 : « Sur la nécessité de faire ratifier la Constitution par les citoyens », *Œuvres de Condorcet,* IX, 429.

104. Tout au plus le théoricien admet-il, dans le Rapport de 1792, le projet de fêtes publiques.

105. Le projet de décret fut lu le 12 décembre par Marie-Joseph Chénier : A.P., LV, 25. Le rapport de Lanthenas est reproduit aux annexes de la séance : *ibid.*, p. 33 et suiv.

106. « Motifs de faire du 10 août un jubilé fraternel, une époque solennelle de réconciliation générale entre tous les républicains... », A.P., LXX, 602 et suiv.

107. « Bases fondamentales de l'instruction publique et de toute Constitution... », A.P., LXIV, 456 et suiv. (10 mai 1793).

108. « Les pays libres sont tous religieux : dans les États-Unis de l'Amérique, personne n'oserait prêcher l'athéisme » (*ibid.*, p. 468 — note de Lanthenas).

109. Repr. in A.P., LXX, 619 et suiv.

109 bis. C'est dans une proportion non négligeable que les multiples projets de Déclaration qui furent soumis à la Convention en 1793, contiennent l'idée, ou l'énoncé, de *devoirs.* Nous rééditerons et commenterons certains d'entre eux, dans un recueil à paraître (Flammarion, 1989).

110. H. Arendt, *Essai sur la Révolution,* trad. M. Chrestien, coll. « Les Essais », Paris, Gallimard, 1967 : « Le problème d'un absolu apparaît forcément durant une révolution : il est inhérent au fait même de la Révolution » (p. 231).

111. Incontestable sur ce plan, la perspective libérale est moins nette dans le rapport de *tension* entre la souveraineté et les droits individuels (*cf.* part. III).

112. J. Habermas, *Théorie et pratique,* préf. et trad. G. Raulet, Paris, Payot, 1975, t. I, p. 111 (chap. 2 : « Droit naturel et révolution »).

113. *Cf.* art 2. de la Déclaration : « Le but de toute association politique est la *conservation* des droits naturels et imprescriptibles de l'homme. »

114. Sur cette opération du discours politique, *cf.* l'étude suivante sur la souveraineté, où nous qualifions la démarche accomplie de « *speech act* » (acte de parole), au sens de la linguistique contemporaine.

115. Nous nous servons particulièrement du commentaire de saint Thomas par

J. T. Delos, o.p., in *La justice* (t. I.), trad. M. S. Gillet, Édition de la Revue des Jeunes, Paris, Desclée et Cie, 2ᵉ éd., 1948. Le Traité de la justice représente un passage de la *Somme théologique* : IIa, IIae, qu. 57-62 (pour le tome I ici utilisé).

116. C'est le rôle du dirigeant que de contraindre à l'unification : « De nombreux individus ne peuvent vivre en société s'il n'y a pas un chef du groupe chargé de pourvoir au bien commun. De soi le nombre engendre la multiplication des tendances, chaque individu ayant son intention propre. C'est au chef d'unifier tous les vouloirs : *multi per se intendunt ad multa, unus vero ad unum* » (cit. saint Thomas donnée par C. Spicq, in *La justice*, t. II, p. 335). On trouve la même idée dans le *De regno*, où saint Thomas explique que, pour cette raison, le gouvernement monarchique est préférable.

117. « *Jus sive justum naturale est quod ex sua natura est adaequatum vel commensuratum alteri* » (IIa, IIae, qu. 57, art. 3).

118. *Cf.* aussi ce passage : « La justice, parmi les autres vertus, a pour fonction propre d'orienter l'homme dans les choses relatives à autrui [*in his quae sunt ad alterum*]. En effet, elle implique une certaine égalité, comme son nom lui-même l'indique : ce qui s'égale *s'ajuste*, dit-on vulgairement ; or l'égalité se définit par rapport à autrui. Les autres vertus au contraire ne perfectionnent l'homme que dans les choses qui le concernent personnellement » (qu. 57, art. 1, cit. in *La justice*, t. I, pp. 11-12).

119. Il s'agit du projet déjà cité, en date du 24 avril 1793, et faisant pièce au projet girondin, notamment en matière et propriété, de référence au droit naturel et à l'Être suprême. L'article 4 est ainsi rédigé par Robespierre : « La liberté est le pouvoir qui appartient à l'homme d'exercer, à son gré, toutes ses facultés. Elle a la justice pour règle, les droits d'autrui pour bornes, la nature pour principe, et la loi pour sauvegarde. » On remarque que Robespierre concilie ici le point de vue moderne des droits subjectifs (« exercer... toutes ses facultés ») et l'exigence, toute classique, de justice envers autrui.

120. *Cf.* A.P., LVIII, 601 : « La liberté consiste à faire tout ce qui n'est pas contraire aux droits d'autrui : ainsi, l'exercice des droits naturels de chaque homme n'a de bornes que celles qui assurent aux autres membres de la société la jouissance de ces mêmes droits » (projet Condorcet).

121. Le 17 avril, Romme, rapporteur du Comité d'analyse, signale à plusieurs reprises que la définition de la liberté est mauvaise tant dans le texte de 1789 que dans le projet présenté par Condorcet (A.P., LXII, p. 265 et p. 266).

122. Nous avons donné cette étude dans notre thèse en science politique, déjà citée.

123. *Cf.* art. 16 de la Déclaration girondine : « Le droit de propriété est celui qui appartient à tout citoyen de jouir et de disposer à son gré de ses biens, de ses revenus, du fruit de son travail et de son industrie. »

124. Les art. 16 à 20 de la Déclaration montagnarde sont identiques au texte girondin (*cf.* ici, Appendice). L'article 21 s'en distingue à peine : « Les secours publics sont une dette sacrée. La société doit la subsistance aux citoyens malheureux, soit en leur procurant du travail, soit en assurant les moyens d'exister à ceux qui sont hors d'état de travailler. »

125. Par un arrêté du Comité de salut public du 28 pluviôse, il est décidé de tirer chaque numéro à 150 000 exemplaires. Au total, cinq numéros furent imprimés, le dernier en date du 12 thermidor an II. Le projet de cet ouvrage fut d'abord discuté à la Convention sous le titre d'*Annales du civisme et de la vertu*, n° 1ᵉʳ (*cf.* J. Guillaume, *Procès-verbaux du Comité d'Instruction publique*, t. III, p. 161).

126. On a vu qu'en avril Robespierre disait à Buzot : « Les révolutions sont faites pour établir les droits de l'homme. Or l'intérêt de la Révolution peut exiger certaines mesures qui répriment une conspiration fondée sur la liberté de la presse » (A.P., LXII, 707).

127. Contre les Girondins, le Montagnard Harmand disait qu'il fallait distinguer « égalité de droit » et « égalité de fait », d'où devait suivre la limitation de la propriété, et la taxation des productions de la terre : « Ce n'est pas une égalité mentale qu'il faut à l'homme qui a faim ou qui a des besoins : il l'avait cette égalité dans l'état de nature » (A.P., LXII, 273).

128. « Rapport sur la fête héroïque pour les honneurs du Panthéon à décerner aux jeunes Bara et Viala » (23 messidor).

129. Saint-Just développait les mêmes idées dès avril 1793, en réponse au projet constitutionnel de Condorcet : « Les mœurs mêmes résultent de la nature du gouvernement. [...] La corruption chez un peuple est le fruit de la paresse et du pouvoir. »

130. Cette citation a déjà été donnée (part. I), tirée du discours *Sur le gouvernement démocratique...* de floréal an II.

131. *Réflexions de Fouché (de Nantes), représentant du peuple, sur l'instruction publique*, A.P. LXVIII, 207, d'après J. Guillaume, *op. cit.*, t. I, p. 616. Bien que cet écrit ait été édité à « Commune-Affranchie » (Lyon), la première rédaction doit être de mai 1793, avant l'entrée dans la Terreur.

132. Repr. in *Robespierre. Textes choisis*, préf. et notes J. Poperen, éd. cit., t. II, p. 174.

133. Quoique non ordonné, et à la différence de Fouché, Billaud-Varenne enseigna à Juilly pour une période assez brève (mars 1783-fin 1784) : les oratoriens faisaient fréquemment appel à des laïcs, tout en s'en plaignant souvent. Voir notamment J. Guilaine, *Billaud-Varenne. L'ascète de la Révolution*, éd. cit., pp. 11-16. Nous reprenons par la suite certaines citations données par J. Guilaine.

134. Pensée n° 477 in édition L. Brunschvicg, *Pensées et opuscules*, Paris, Hachette, s.d., p. 550. Sur la pensée politique de Pascal, voir P. Guénancia, *Descartes et l'ordre politique*, coll. « Philosophie d'aujourd'hui », Paris, P.U.F., 1983, p. 200.

135. A. Aulard, *Les Orateurs de la Révolution. L'Assemblée Constituante*, Paris, Cornély et Cie, 1852, 2ᵉ éd. 1905, p. 25.

136. A. Aulard, *Les Orateurs de la Révolution. Législative et Convention*, Paris, Cornély, 1885, nouv. éd. 1906, t. II, p. 443.

137. Voici le passage de Billaud-Varenne cité par P. Vidal-Naquet : « Citoyens, l'inflexible austérité de Lycurgue devint à Sparte la base inébranlable de la République ; le caractère faible et confiant de Solon replongea Athènes dans l'esclavage. Ce parallèle renferme toute la science du gouvernement. [...] Il faut, pour ainsi dire, recréer le peuple qu'on veut rendre à la

liberté. » In « Tradition de la démocratie grecque », préface à M. Finley, *Démocratie antique et démocratie moderne*, Paris, Payot, 1976, p. 29. En fait, c'est la suite de la citation, l'appel à « extirper des vices invétérés » qui constitue, à notre sens, l'inspiration réelle du texte de Billaud-Varenne.

138. Une délégation du club à la Convention vint faire l'éloge du décret qui fondait le nouveau culte. Cette délégation était conduite par M.-A. Jullien : *Aulard*, VI, 132.

Troisième partie (pp. 257-385)

1. Cette considération s'applique ici à la période de la Révolution ; mais le lecteur peut se demander si la dépendance de la société envers l'État n'est pas restée un trait prédominant de l'histoire et de la politique française.

2. Cette diversité féconde est remarquablement exprimée par Madison dans les numéros 10 et 51 du *Fédéraliste*. Dans le second texte, il observe que la coalition majoritaire représente toujours un risque pour la ou les minorités : « Il existe nécessairement des intérêts divers dans les différentes classes de citoyens. Si la majorité est unie par un intérêt commun, les droits de la minorité seront en péril. Il n'y a que deux manières pour parer à ce danger ; la première c'est de créer dans la nation une volonté indépendante de la majorité, c'est-à-dire de la nation elle-même » (éd. cit., p. 432). Ce moyen consiste soit dans un monarque, soit dans une Représentation « absolue » qui en tient lieu : pour défendre l'intérêt général la volonté d'unité absorbe tout. L'autre moyen consiste, au contraire, à tirer profit du fractionnement, à équilibrer les intérêts par les intérêts, les opinions par les opinions. La diversité *religieuse,* par exemple, est providentielle pour la République fédérale américaine : « En même temps que toute autorité dans ce gouvernement découlera et dépendra de la nation, la *nation elle-même sera divisée* en un si grand nombre de parties, d'intérêts et de classes de citoyens, que les droits des individus ou de la minorité seront peu menacés par les combinaisons intéressées de la majorité. Dans un gouvernement, les droits civils doivent être défendus de la même manière que les droits religieux : le moyen, c'est la multiplicité des intérêts dans un cas, et dans l'autre la multiplicité des sectes. »

3. Si, en, effet, on ne prend pas soin d'interpréter les formes de représentation en fonction des époques d'appartenance, on croira trouver une *continuité* qui est trompeuse. On peut retrouver la représentation dans le Moyen Âge, dans la commune, dans les « estats », les ordres religieux, etc. Certains remonteront à l'Antiquité. Dans l'étude du jacobinisme, il s'agit de peser la part du nouveau et ce qui est le retour de l'archaïque, en matière de représentation politique. Pareillement, pour une période donnée, la représentation aux État-Unis ne découle pas des mêmes « causes » et ne produit pas les mêmes effets que la représentation dans la France révolutionnaire.

4. É. Laboulaye, *Questions constitutionnelles*, Paris, Charpentier et Cie, 1872, p. 413 (réédition d'un article de mai 1872 : « De la souveraineté »). C'est toute la réflexion de Laboulaye sur la comparaison France-États-Unis qu'il faudrait citer, réflexion échelonnée entre 1848 et 1872, et qui, éclipsée par

Tocqueville, commence à être redécouverte. Rappelons que Laboulaye a prononcé des leçons, réunies sous le titre : *Histoire des États-Unis* (3 vol.). C'est le problème du bonapartisme et de la forme impériale en France qui conduisait le courant libéral à s'interroger sur « l'autre révolution », apparemment prémunie contre le risque du pouvoir personnel.

5. On a parfois tenté de faire remonter la notion de souveraineté à la *Politique* d'Aristote ; nous avons eu l'occasion de discuter cette conception qui ne peut être sérieusement défendue (*cf.* notre communication au colloque de Chicago, repr. in *The French Revolution and the creation of modern political culture*, vol. I, K. Baker édit., Oxford, Pergamon Press, 1987 : « Citoyenneté et souveraineté : le poids de l'absolutisme »). Parmi les études classiques sur la question, auxquelles on peut adresser ce même reproche : P.-L. Léon, « L'évolution de l'idée de la souveraineté avant Rousseau », *Archives de philosophie du droit et de sociologie juridique*, nos 3-4, 1937. L'auteur prétend déterminer le rôle de la souveraineté chez Platon et Aristote.

6. B. de Jouvenel, *De la souveraineté*, Paris, Éditions Génin, Librairie de Médicis, 1955, p. 217.

7. Du latin médiéval *superanus*. Le mot souverain a donné lui-même naissance, au XVIe siècle, à « suzerain ». Les deux éditions de Bodin qui ont été consultées sont celles de 1580, et de 1593 (la dizième en français). Titre de la première : *Les six livres de la République*, à Monseigneur du Faure, seigneur de Pibrac, édit. revue, corrigée et augmentée, à Lyon, Jacques du Puys, 1580. L'édition de 1593 est reproduite chez Fayard : « Corpus des œuvres philosophiques en langue française », Paris, 1986, 6 vol. L'édition de 1593 précise que du Faure est « conseiller du Roi en son privé Conseil » ; l'éditeur est Gabriel Cartier. Nous avons, comme pour Loyseau ensuite, modernisé l'orthographe.

8. Pour une vue synthétique du monde féodal et de l'émergence de la souveraineté royale, on peut consulter l'article « féodalité », par G. Duby, in *Encyclopaedia Universalis*.

9. La note est de Davot, in *Institutes coutumières d'Antoine Loysel...*, nouv. éd., revue, corrigée et augmentée par M. Dupin et E. Laboulaye, Paris, Durand, etc., 1846, t. II, p. 29. Le traité de Loysel avait paru en 1607, et constitue également une référence classique.

10. *Institutes...*, éd. cit., p. 36.

11. Le fondement territorial de la souveraineté, ainsi que la nécessité pour la nation d'occuper la place du roi, ont été clairement énoncés par Robespierre, le 17 pluviôse an II (5 février 1794) : « De tous les habitants des États, le monarque est le seul qui ait une patrie. N'est-il pas le souverain, au moins de fait ? N'est-il pas à la place du peuple ? [...] Il n'est que la démocratie où l'État est véritablement la patrie de tous les individus qui la composent. »

12. Le *Traité des seigneuries* a paru en 1608, avec dédicace à Catherine de Gonzagues. Nous citons d'après l'édition suivante : *Les Œuvres de maistre Charles Loyseau...*, Paris, Edmé Couterot, 1678, à laquelle renvoie la pagination donnée.

13. Le sens des nuances de Loyseau peut s'expliquer par le fait qu'il est lui-même bailli du comte de Dunois, pour la duchesse de Longueville. La

remarque est faite par R. Mousnier, *Les Institutions de la France sous la monarchie absolue*, Paris, P.U.F., 1974, t. I, p. 512. Notre analyse des différences entre Bodin et Loyseau concorde en tout point avec celle de R. Mousnier.

14. Rappelons que les guerres de Religion se déroulent de 1560 à 1598 (édit de Nantes), et que les *Six livres de la République* paraissent quatre ans après la Saint-Barthélemy.

15. Cité par J.-P. Brancourt, « Des " estats " à l'État : évolution d'un mot », *Archives de philosophie du droit*, Sirey, t. XXI, 1976, p. 52.

16. Dans ses leçons sur la civilisation en Europe, Guizot a rendu hommage au caractère unificateur et simplificateur qu'a eu l'œuvre royale, par rapport à la diversité de la société féodale ; la *distinction peuple-gouvernement* est, dit-il, « le trait essentiel qui distingue l'Europe moderne de l'Europe primitive ; voilà la métamorphose qui s'est accomplie du XIIIᵉ au XVIᵉ siècle » (éd. cit., p. 218). Pratiquant un retour vers la période médiévale, il ajoute : « Un peuple proprement dit, un gouvernement véritable, dans le sens qu'ont aujourd'hui ces mots pour nous, il n'y a rien de semblable dans l'époque dont nous nous sommes occupés. Nous avons rencontré une multitude de forces particulières, de faits spéciaux, d'institutions locales ; mais rien de général, rien de public, point de politique proprement dite, point de vraie nationalité. » L'observation est banale pour les historiens d'aujourd'hui, mais, au moment où Guizot écrit, il est le premier à chercher l'origine des termes qui ont dominé la Révolution française : légitimité, souveraineté, peuple, nation, etc. Dans les leçons sur le gouvernement représentatif, il s'attachera particulièrement à la souveraineté, et à la légitimité.

17. Question capitale à l'époque, mais plus en Angleterre qu'en France, comme le rappelle Ralph Giesey. Voir R. Giesey, *Cérémonial et puissance souveraine. France XVᵉ-XVIIᵉ siècle*, « Cahiers des Annales », Paris, Armand Colin, 1987, pp. 64-66. L'auteur montre comment Bodin et Loyseau appliquent à la souveraineté une maxime du droit privé (« Le mort saisit le vif »), dans un contexte où la continuité de la monarchie ne fait pas véritablement problème. Voici comment l'expérience française et celle de l'Angleterre peuvent être mises en opposition : « On peut dire en gros que le problème qui ne cessa de perturber l'histoire de l'Angleterre à la fin du Moyen Âge et au début de l'époque moderne — la continuité dynastique — ce problème n'existe pas en France. D'autre part, à la même époque, la difficulté majeure à laquelle était affrontée la monarchie française — la diversité et l'autonomie des provinces — apparaît à peine en Angleterre. Alignons ces deux facteurs dans chaque nation : en France, la dynastie capétienne ne manqua jamais de fournir un héritier mâle à la couronne, mais la diversité des lois et des coutumes locales dans tout le royaume rendait prodigieusement difficile la construction d'un État. En Angleterre, la volonté du roi était respectée et son administration efficace [...] mais les coups d'État et les guerres civiles ayant pour enjeu l'exercice de ce pouvoir royal étaient endémiques » (*op. cit.*, pp. 65-66).

18. La formule reprend les termes de la doctrine impériale romaine (*Digeste*) : « *Princeps legibus solutus est* ».

19. Le 2 avril 1662, Bossuet commente devant Louis XIV le verset des

Proverbes « *Per me reges regnant* » : « " Vous êtes des dieux, dit David, et vous êtes tous enfants du Très-Haut. " Mais ô dieux de chair et de sang ! ô dieux de terre et de poussière, vous mourrez comme des hommes. N'importe, vous êtes dieux, encore que vous mouriez... » *Cf.* G. Lacour-Gayet, *L'éducation politique de Louis XIV*, Paris, Hachette, 1898, ouvrage riche, en matière d'écrits consacrés à la légitimation de la souveraineté louis-quatorzième.

20. G. Lacour-Gayet, *op. cit.* — Voir toute la discussion menée dans ce dernier livre, au chapitre 7 : « Le pouvoir absolu » (pp. 401-425). Inversement, parmi les ouvrages récents qui insistent sur les éléments modérateurs avec lesquels devait composer le souverain, voir F. Bluche, *Louis XIV*, coll. « Pluriel », Paris, Hachette, 1986.

21. Lacour-Gayet, p. 155, note 1, et p. 408.

22. Le fait a davantage été remarqué par les théoriciens peu indulgents envers la démocratie. Ainsi F. A. Hayek, pour la période récente : « L'idée que la volonté d'un législateur suprême est nécessairement libre de toute limitation a servi, depuis Bacon, Hobbes et Austin, d'argument supposé irréfutable pour justifier le pouvoir absolu, d'abord des monarques et plus tard des assemblées démocratiques » (*Droit, législation et liberté*, 1973, trad. Audouin, Paris, P.U.F., 1970, t. I, p. 110). C'est toute la notion de *volonté*, jointe à celle de souveraineté, que Hayek a tenté de ruiner. Voir notre communication au Colloque de Chicago, déjà citée (« Citoyenneté et souveraineté : le poids de l'absolutisme »). La question, dans la perspective qui est celle de la Révolution, est de savoir comment ce légicentrisme peut se concilier avec l'idée d'un *droit naturel*, donc préexistant et premier en valeur.

23. D'où, chez Carré de Malberg, juriste du XXe siècle, la proposition de séparer trois sens qui sont restés jusque-là en constante interférence : « souveraineté » proprement dite, *souverain*, et enfin, « puissance d'État » (*cf.* R. Carré de Malberg, *Contribution à la théorie générale de l'État*, Paris, Sirey, 1920, réimp. C.N.R.S., 1962 — t. I, p. 79). De même, G. Burdeau a repris ces distinctions, en les fondant sur les catégories allemandes homologues (« *Souveränitat* », « *Herrscher* », « *Staatsgewalt* ») : in *Traité de science politique*, Paris, L.G.D.J., 2e éd. 1966, t. II (1967), p. 86.

24. Cité par R. Carré de Malberg, éd. cit., t. I, p. 79.

25. « Comme le signale O. Gierke, [...] ces épithètes se retrouvent toutes les trois dans le *Contrat social : indivisible* (liv. II, chap. II, titre...); *inaliénable* (liv. II, chap. I, titre...), *incommunicable* (liv. II, chap. VII...) » : R. Derathé, in *Jean-Jacques Rousseau et la science politique de son temps*, Paris, Vrin, 2e éd. 1970, note 5, p. 94. Curieusement, le savant ouvrage de R. Derathé ne remarque pas l'influence de Bodin sur Rousseau ; et même, il la déclare négligeable (note 2, p. 100).

26. Soit 1) la « puissance de donner loi à tous en général, et à chacun en particulier [...] sans le consentement de plus grand, ni de pareil, ni de moindre que soi » ; 2) le droit de guerre et de paix ; 3) l'institution des principaux officiers ; 4) le jugement en dernier ressort ; 5) le droit de grâce (*Les six livres...*, I, 10).

27. Les derniers mots de Bodin en appellent à « faire que la monarchie soit gouvernée populairement et aristocratiquement » : soit exactement le cas

de figure inverse de ce que tentera la Constituante, qui donne la souveraineté à la nation, l'exécutif au roi (si l'on laisse de côté le problème du veto), et le législatif aux députés.

28. Circulaire aux sociétés populaires : « Tout congrès ou réunion centrale vous est interdit. C'est un piège où le fédéralisme a fait tomber des patriotes séduits ; [...] le corps politique, comme le corps humain, devient un monstre s'il a plusieurs têtes : la seule qui doit régler tous ses mouvements est la Convention » (*cf. infra*, chapitre IV : « Le gouvernement révolutionnaire et son idée de représentation »).

29. Ainsi liv. I, chap. I : « La première marque de souveraineté est donner la loi aux sujets : et qui seront les sujets qui obéiront, s'ils ont aussi puissance de faire loi ? Qui sera celui qui pourra donner loi, étant lui-même contraint de la recevoir de ceux auxquels il la donne ? »

30. Rousseau connaît l'objection. On a déjà vu sa réponse : « L'obéissance à la loi qu'on s'est prescrite est liberté » (*Contrat*, I, 8). Par le caractère *raisonnable* de la volonté générale, le citoyen rousseauiste obéit à lui-même.

31. F. Guizot, *Philosophie politique : de la souveraineté*, repr. in *Histoire de la civilisation en Europe...*, édit. P. Rosanvallon, coll. « Pluriel », Paris, Hachette, 1985, p. 339.

32. Cité par P. Rosanvallon, *op. cit.*, p. 374, note 2.

33. Parmi les ouvrages de synthèse qui jouent un rôle à la veille de la Révolution, on peut citer les *Maximes du droit public français*, ouvrage paru d'abord en 1772, et attribué à l'abbé C. Mey, puis réédité (en édition augmentée) en 1775 ; les auteurs supposés de la nouvelle édition sont Maultrot (qui aura un rôle important sous la Constituante), G. C. Aubry, Blonde, et quelques autres. D'autres thèmes venus des États-Unis à travers quelqu'un comme Delolme, favorisent également l'idée du gouvernement représentatif. En fait, le recensement des sources intellectuelles du personnel révolutionnaire, reste encore presque entièrement à constituer. L'idée vague d'une « influence des Lumières », en a trop souvent tenu lieu, malgré quelques exceptions notables.

34. *A contrario*, l'une des réformes les plus spectaculaires est celle des administrations locales (gérées par des représentants élus et jouissant de pouvoirs régionaux), ainsi que de la justice (rendue par des juges *élus* par le peuple) : le point de départ en est le décret du 22 décembre 1789, devenu ensuite un élément de la Constitution de 1791.

35. Fragment « De la politique », in *Œuvres complètes de Montesquieu*, prés. et notes D. Oster, préf. G. Vedel, coll. « L'Intégrale », Paris, Le Seuil, 1964, p. 173.

36. « La nation existe avant tout, elle est l'origine de tout. Sa volonté est toujours légale, elle est la loi elle-même. Avant elle et au-dessus d'elle il n'y a que le droit naturel » (Sieyès, *Qu'est-ce que le tiers état ?*, éd. cit., p. 67).

37. Les linguistes appellent ainsi (d'après l'expression anglo-saxonne « *speech act* ») une opération par laquelle le locuteur *réalise* quelque chose par le discours. Par exemple, à la différence du simple constat : « La fenêtre est ouverte », la parole d'un président d'assemblée déclarant : « La séance est ouverte » constitue un acte de discours. On comprend qu'une telle modalité soit essentielle dans des fonctions d'autorité ou de prise d'autorité (dirigeants, chefs de famille, leaders de groupes spontanés, etc.). Le

Serment du Jeu de Paume, prononcé le 20 juin 1789, est un acte de discours, ou se voudrait tel : les députés *disent* que rien ne peut arrêter leurs délibérations, « que partout où ses membres sont réunis, là est l'Assemblée nationale ». Cette parole est encore redoublée par le serment ainsi annoncé : « ... Arrête que tous les membres de cette Assemblée prêteront à l'instant serment solennel de ne jamais se séparer. » Pour reprendre le titre français d'un ouvrage classique en la matière, de telles formulations rentrent dans la catégorie suivante : « Quand dire c'est faire » (J. L. Austin, *How to do things with words*).

38. Ainsi : « Assemblée des représentants connus et vérifiés de la nation française », ou encore, « Assemblée légitime des représentants de la majeure partie de la nation, agissant en l'absence de la mineure partie. »

39. Voici le texte complet : « La dénomination d'*Assemblée nationale* est la seule qui convienne à l'Assemblée dans l'état actuel des choses, soit parce que les membres qui la composent sont les seuls représentants légitimement et publiquement connus et vérifiés, soit parce qu'ils sont envoyés directement par la presque totalité de la nation, soit enfin parce que *la représentation étant une et indivisible,* aucun des députés, dans quelque ordre ou classe qu'il soit choisi, n'a le droit d'exercer ses fonctions séparément de la présente Assemblée » (A.P., VIII, 127).

40. Quelques instants auparavant, l'un des intervenants dans la discussion, Pison de Galand, disait : « La nation est une, indivisible ; le clergé n'est qu'une corporation stipendiaire de la nation pour le service au pied des autels ; la noblesse est une corporation de gens illustres. »

41. « Considérations sur le gouvernement et principalement sur celui qui convient à la France, soumises à l'Assemblée nationale » (A.P., VIII, 407-422).

42. Sieyès dira de même le 7 septembre : « Je sais qu'à force de distinctions d'une part, et de confusion de l'autre, on en est parvenu à considérer le vœu national comme s'il pouvait être autre chose que le vœu des représentants de la nation, comme si la nation pouvait parler autrement que par ses représentants. » Et encore : « Le peuple, je le répète, dans un pays qui n'est pas une démocratie (et la France ne saurait l'être), le peuple ne peut parler, ne peut agir que par ses représentants. » Dans les papiers inédits de Sieyès, recueillis aux Archives Nationales, on trouve ces précisions supplémentaires : « Le peuple ne peut pas *vouloir en commun,* donc il ne peut faire aucune loi ; il ne peut rien en commun puisqu'il n'existe pas de cette manière. [...] Ainsi, strictement parlant, la représentation n'est pas nommée par le peuple, elle est nommée par les sections du peuple. Elle seule est le peuple réuni, puisque l'ensemble des associés ne peut pas se réunir autrement » (cit. d'après P. Guéniffey, « Les Assemblées et la représentation », Colloque international d'Oxford, sept. 1987, à paraître). Il faut noter que ces réflexions de Sieyès confirment singulièrement la proximité avec la théorie de la représentation chez Hobbes, pour qui le « peuple » est ce qui résulte directement du procès de représentation (*cf.* notre livre *Hobbes et l'État représentatif moderne*).

43. Un peu plus tard, le 4 septembre, Mounier revient à la dissociation nation/représentants, comme à la différence entre possesseur et agent de la souveraineté : « Je sais que le principe de la souveraineté réside dans la

nation, votre Déclaration des droits renferme cette vérité. Mais être le principe de la souveraineté et exercer la souveraineté sont deux choses très différentes ; et je soutiens avec confiance qu'une nation serait bien insensée et bien malheureuse si elle retenait l'exercice de la souveraineté. On doit entendre par ce dernier mot la puissance indéfinie et absolue » (A.P., VIII, 560).

44. Cette fiction a pesé sur toute la doctrine française de la représentation, jusqu'à la IIIe République, sinon jusqu'à nos jours. Devant les difficultés qu'elle créait, elle conduira après la Révolution, chez les libéraux, à la notion de *vote-fonction*, substituée à celle de l'électorat en tant que droit naturel de l'homme et du citoyen. Il nous paraît excessif de dire que telle est déjà, de façon précise, la doctrine de Mounier ou de Sieyès.

45. Pour une analyse critique de cette question chez Sieyès, *cf.* L. Jaume, *Hobbes et l'État représentatif moderne*, éd. cit., p. 204, et, de façon plus développée : notre thèse (*Le Discours jacobin et la politique moderne*), t. II, pp. 256-274.

46. Publiée ensuite et connue sous le nom de « Dire sur le veto royal ». Nous citons d'après A.P., VIII, 592-597.

47. La formule est évidemment insupportable pour l'image que la majorité des élus du Tiers État voulaient donner d'eux-mêmes !

48. Outre l'ouvrage de Soboul sur les sans-culottes parisiens, nous utilisons principalement les documents des Archives Nationales mis à notre disposition par Patrice Guéniffey (thèse en cours d'élaboration), que nous tenons à remercier. Il faut signaler également le livre récent de M. Genty, *L'apprentissage de la citoyenneté. Paris, 1789-1795*, Paris, Messidor, 1987. De précieuses indications se trouvent, enfin, chez G. Kates, *The Cercle Social, the Girondins, and the French Revolution*, Princeton, Princeton University Press, 1985.

49. Selon les recherches de P. Guéniffey, demandent la révocabilité : les Enfants-Rouges (31 juillet), Saint-Nicolas du Chardonnet (4 septembre), Saint-Roch (9 novembre), les Cordeliers (11-12 novembre), Saint-Honoré (16 novembre). Le district des Minimes révoque effectivement un délégué (29 octobre) dénoncé par Marat dans *L'Ami du Peuple*. G. Kates signale qu'en mars 1790 Brissot et Fauchet furent rappelés par leurs districts respectifs — mesure annulée par le Conseil de la commune (*op. cit.*, p. 63).

50. Comme nous l'a fait remarquer Jean-Marie Beyssade, ce problème d'une hiérarchie des volontés, « générales » chacune dans son ordre, avait été envisagé par Rousseau, qui écrivait dans l'article de l'*Encyclopédie* sur l'économie politique : « Telle délibération peut être avantageuse à la petite communauté, et très pernicieuse à la grande. Il est vrai que les sociétés particulières étant toujours subordonnées à celles qui les contiennent, on doit obéir à celles-ci préférablement aux autres, que les devoirs du citoyen vont avant ceux du sénateur, et ceux de l'homme avant ceux du citoyen » (éd. de La Pléiade, t. III, p. 246). Il nous semble que Rousseau tranche très clairement en faveur du point de vue le plus extensif (« la volonté la plus générale est toujours aussi la plus juste »), alors que J.-M. Beyssade atténue la condamnation dans son article « Du contrat social en général », in *Revue philosophique*, n° 3, 1978.

51. *Journal du Club des Cordeliers. Société des droits de l'homme et du citoyen*, n° 10, 4 août 1791, réédit. EDHIS, Paris, 1981, p. 87.

52. *Cf.* motion portée par le maire, Bailly, à l'Assemblée, le 23 mars 1790 (A.P., XII, 333), et dépôt, par le même, d'un plan de municipalité, le 10 avril (*ibid.*, XII, 663).

53. Titre IV, art. 1 : « L'assemblée des quarante-huit sections devra être convoquée par le corps municipal, lorsque le vœu de huit sections, résultant de la majorité des voix, dans une assemblée de chaque section, composée de cent citoyens actifs au moins, et convoquée par le président des commissaires de la section, se sera réuni pour le demander. Le président des commissaires d'une section sera tenu de convoquer sa section, lorsque cinquante citoyens actifs se réuniront pour le demander. » In A.P., annexe à la séance du 22 juin 1790, « Lettes patentes du roi, sur le décret de l'Assemblée concernant la municipalité de Paris, du 27 juin 1790 », XVI, 419-428.

54. Le 25 janvier 1790, à l'Assemblée, Robespierre s'exclame : « Voulez-vous qu'un citoyen soit parmi nous un être rare ? » En Artois, sa province d'origine, seuls les moines pouvaient voter... Cette intervention, relayée par les districts, dut être prise en considération par la Commune, qui envoya une motion à l'Assemblée : ainsi se crée le circuit de pression et de contestation. « La condition du marc d'argent, qui avait été exigée pour être député aux Assemblées nationales, est supprimée, sans que néanmoins cette suppression puisse s'appliquer aux élections qui vont être faites » : telle fut la maigre concession, accordée par la Constituante, le 11 août 1791. Robespierre, Desmoulins et les démocrates eurent beau jeu de rappeler que s'il eût été vivant, Jean-Jacques Rousseau n'eût même pas été citoyen actif, ou encore Pierre Corneille !

55. Ce glissement se produira encore à l'époque de la Législative : Condorcet proteste contre la confusion, dans son *Instruction sur l'exercice du droit de souveraineté*, le 9 août 1792. On voit réapparaître le glissement dans la Constitution montagnarde : « Chaque section du souverain assemblée doit jouir du droit d'exprimer sa volonté avec une entière liberté » (art. 26 de la Déclaration, mise en tête de la Constitution). Le mot « volonté » substitué à *vœu*, crée le caractère insoluble de telles assertions.

56. Bien que l'idée du monarque *représentant de son peuple* ait des antécédents, comme on le verra dans l'étude des origines de la représentation.

57. Il y a des variantes dans les comptes rendus des journaux, reproduits par les Archives parlementaires. Nous suivons tout d'abord le texte retenu dans les *Œuvres de Robespierre* (lequel ne provient pas des Archives parlementaires, contrairement à ce que dit l'éditeur).

58. Pétion, démocrate ardent resté aux Jacobins après la scission des Feuillants, en organise avec Robespierre la reprise en main ; le 7 août, il venait de proposer un système de conventions (tous les six, huit ou dix ans) avec mandats, mais non impératifs, donnés par les assemblées primaires (*cf.* Aulard, III, 71, et Pétion, *Discours sur les conventions nationales...*, B.N., LB 40/622). De même, Condorcet avait prononcé, comme on l'a vu, deux discours en ce sens (1er avril et 7 août 1791). Quant à Pétion et Robespierre, unis pour le moment sur des revendications d'esprit démocratique, ils deviendront ennemis mortels, à l'intérieur du clivage Gironde/

Montagne. Traqué par M.-A. Jullien (*cf.* chap. précédent), Pétion mourra
dans les champs de neige de Saint-Émilion, dévoré par les chiens.

59. Nous soulignons cette formule, qui se révélera très importante pour l'idée
jacobine de représentation. Ce passage a été corrigé par nous d'après la
version des Archives parlementaires (A.P., XXIX, 327).

60. Les Constituants sont en effet déjà conscients d'une situation devant
laquelle se retrouvera le groupe girondin au printemps 1793. Ainsi
Lanjuinais, en avril, commentant au nom du Comité des Six (qui prépare
la Constitution) le terme de *souveraineté* : « Aujourd'hui les anarchistes
abusent de ce mot, en l'appliquant sans cesse à de petites sections qu'ils
traitent comme souveraines » (A.P., LXIII, 194).

61. Nous soulignons (*cf.* note 59, ci-dessus).

62. On pourrait nous opposer quelques cas où Robespierre a défendu la
doctrine des Constituants, mais il s'agit toujours d'interventions au vu de
circonstances pressantes. Par exemple, il est vrai que dans le « Dire...
contre le veto royal » il déclarait : « La volonté de ces représentants doit
être regardée et respectée comme la volonté de la nation » (*Œuvres*, VI, 87 ;
sept. 1789). Mais à l'époque, l'orateur s'opposait aux pouvoirs qu'on
envisageait de donner *au roi ;* certains considéraient même que le veto royal
vaudrait comme un appel au peuple. C'est donc contre l'exécutif que
Robespierre défend à ce moment le législatif, attitude qu'il reprendra au
printemps de 1792 (*cf.* Part. I), et cette fois à l'encontre de La Fayette.

63. A. Soboul a noté la *continuité* qui, de ce point de vue, apparaît entre les
citoyens censitaires de 1790-91 et les militants de l'an II. *Cf.* par exemple
le passage suivant : « Les sans-culottes furent d'autant plus entêtés à
réclamer le maintien de la permanence qu'ils concevaient la section non
seulement comme organe régulateur de la politique générale, dont émanait
la représentation nationale et qui la contrôlait, mais encore comme un
organisme autonome s'administrant lui-même : la section est souveraine,
ses affaires intérieures ne relèvent que de son assemblée générale. » Il
ajoutait alors pour établir le parallélisme : « En 1790, tandis que se
préparait la loi sur la nouvelle organisation municipale, un certain Boileux
de Baulieu demande que chaque section ou district soit organisé comme
une municipalité et soit chargé de sa police, de son administration, de la
répartition et de la perception des contributions ; bien plus, que la
Commune ne puisse faire " aucun règlement soit d'administration ou de
police qu'après avoir proposé la motion dans chaque section ou district
pour y être délibérée et arrêtée " » (*Les Sans-culottes parisiens...*, p. 537).

64. Ces notes ont été publiées par E. Tardif, sous le titre de *Projet de la
Constitution française de 1791, notes manuscrites et inédites de Robespierre,*
Aix, 1894 (*cf. Œuvres de Robespierre*, VII, note 2, p. 612, ainsi qu'aux
pages suivantes).

65. *Cf.* ici même, première partie : « Robespierre le 29 juillet : une reformula-
tion de la souveraineté inaliénable du peuple. »

66. Robespierre s'inspire librement de Rousseau, lorsque ce dernier explique
que le droit n'est pas la force, et que la force se déguise en pseudo-droit.
Rousseau écrivait : « Si je ne considérais que la force, et l'effet qui en
dérive, je dirais : tant qu'un peuple est contraint d'obéir et qu'il obéit, il
fait bien ; sitôt qu'il peut secouer le joug et qu'il le secoue, il fait encore

mieux ; car recouvrant sa liberté par le même droit qui la lui a ravie, ou il est fondé à la reprendre, ou on ne l'était point à la lui ôter » (*Contrat*, I, 1).

67. *Cf.* chap. précédent, et notamment la comparaison avec saint Thomas.

68. *Lettre de Maximilien Robespierre à MM. Vergniaud, Gensonné, Brissot et Guadet sur la souveraineté du peuple et sur leur système de l'appel du jugement de Louis Capet* (repr. in *Lettres à ses commettants, Œuvres*, V, 189 et suiv.).

69. Reproduction du dernier texte in *Œuvres*, X, 533-539, sous le titre : *Instruction sur l'exercice du droit de souveraineté.*

70. Le 5 août on avait lu dans l'Assemblée l'extrait des registres de Mauconseil que nous avons déjà cité (A.P., XLVII, 457), ainsi qu'une *Adresse à tous les citoyens du département de Paris*, par la même section (*ibid.*, p. 458). Un peu plus tard dans la journée, la section vint faire lecture elle-même de son Adresse (*ibid.*, p. 505).

71. Question déjà signalée au chapitre précédent. On peut lire, de ce point de vue, l'essai que Condorcet a publié en 1785 : *Essai sur l'application de l'analyse à la probabilité des décisions rendues à la pluralité des voix.*

72. Nous soulignons.

73. Certaines sections l'ont dit à la Législative (A.P., XLVII, 594 et 595). Le maire de Paris avait d'ailleurs employé une formule euphémistique lors de la députation du 3 août : « Je vais vous donner lecture de l'Adresse rédigée par les commissaires des 48 sections et approuvée par la très grande majorité des sections de Paris » (*ibid.*, p. 425).

74. Voir *infra* son projet de Constitution, lu à la Convention en février 1793.

75. Comme l'écrit Keith Baker : « Il ne peut y avoir de plus poignante expression de l'échec dans l'attitude de Condorcet au sein de la Législative que le spectacle du philosophe faisant lecture au peuple des principes de la représentation, à la veille même de l'insurrection du 10 août 1792 » (K. Baker, *Condorcet. From natural philosophy to social mathematics*, Chicago and London, The University of Chicago Press, 1975, p. 314 — passage traduit par nous).

76. Outre le chapitre précédent, cf. notre étude « Condorcet : des progrès de la raison aux progrès de la société », in S. Berstein et O. Rudelle (sous dir.), *Le modèle républicain*, éd. cit., et également : « Individu et souveraineté chez Condorcet », *Actes du colloque Condorcet*, à paraître (1989).

77. Prospectus pour le « Journal d'instruction sociale », *Œuvres*, XII, 605.

78. *Ibid.*, X, 587 et suiv. (novembre 1792).

79. « Exposition des motifs d'après lesquels l'Assemblée nationale a proclamé la convocation d'une Convention nationale, et prononcé la suspension du pouvoir exécutif dans les mains du roi », A.P., XLVIII, 95, ou *Œuvres*, X, 558.

80. *Cf.* « Lettre à un jeune Français habitant Londres sur le 10 août » (Papiers Condorcet, Bibliothèque de l'Institut, XVII, n° 864).

81. La formule se trouve dans les papiers de Robespierre saisis après le 9 thermidor (Berville et Barière, *Papiers inédits trouvés chez Robespierre*, éd. cit., t. II, p. 14). On estime que cette note rédigée par l'Incorruptible est contemporaine de l'insurrection du 2 juin 1793 (à laquelle il semble être fait allusion).

82. Le Comité comprenait Danton et Sieyès, six amis de la Gironde (Condorcet, Pétion, Vergniaud, Gensonné, Brissot remplacé ensuite par

Barbaroux, l'Américain Thomas Paine), et enfin Barère, qui passa dans le camp de la Montagne après le 2 Juin. Les projets de Constitution et de Déclaration ont été lus à la tribune les 15 et 16 février — successivement par Condorcet, Barère et Gensonné : *cf.* A.P., LVIII, 583-609 et 616-624. Le *Moniteur* fait erreur en datant du 23 février le *Discours au nom du Comité de Constitution* (*Moniteur*, XV, 456). De plus, la version donnée par le *Moniteur* n'est pas définitive. Cf. sur ce dernier point, et pour toute la comparaison avec la Constitution ultérieure des Montagnards : A. Mathiez, « La Constitution de 1793 », *Annales historiques de la Révolution française*, 1928, vol. 5, p. 497 et suiv. Nous nous réfèrerons plusieurs fois à cet article de Mathiez.

83. A l'initiative d'un nouveau Comité, dit Comité des Six : le Montagnard Romme y côtoie quatre Girondins (Jean Debry, Sébastien Mercier, Valazé, Lanjuinais), et l'indispensable Barère.

84. Papiers de Condorcet, Bibliothèque de l'Institut : XVII (864) — « Papiers politiques — Convention ».

85. Projet de Constitution, titre III, sect. II, art. 2 (A.P., LVIII, 604).

86. *Cf.* tit. III, sect. V, art. 2 et 3 : « Pendant l'ajournement [des réunions] le local où l'assemblée primaire se réunit, sera ouvert tous les jours aux citoyens pour discuter l'objet soumis à leurs délibérations. La salle sera aussi ouverte tous les dimanches de l'année aux citoyens qui voudront s'y réunir » (*ibid.*, p. 605).

87. A.P., LXIII, 200-204, pour le discours de Saint-Just, et pp. 204-215, pour le projet constitutionnel du même. Le discours seul est reproduit in Soboul, *Saint-Just. Discours et rapports*, p. 94 et suiv.

88. Dans tout ce discours Saint-Just reprend, parfois tels quels, des passages de son manuscrit *De la nature* cité plus haut. Il transpose des notations primitivement d'esprit pessimiste vers, cette fois, un espoir de régénération par les lois. Nous avons développé cette analyse dans notre thèse (*Le Discours jacobin et la politique moderne*).

89. Après un grand éloge de Rousseau « précepteur du genre humain », Robespierre disait le 18 floréal : « Tel artisan s'est montré habile dans la connaissance des droits de l'homme, quand tel faiseur de livres, presque républicain en 1788, défendait stupidement la cause des rois en 1793. Tel laboureur répandait la lumière de la philosophie dans les campagnes, quand l'académicien Condorcet, jadis grand géomètre, dit-on, au jugement des littérateurs, et grand littérateur, au dire des géomètres, depuis conspirateur timide, méprisé de tous les partis, travaillait sans cesse à l'obscurcir par le perfide fatras de ses rhapsodies mercenaires » (*Œuvres*, X, 456). Même tonalité dans la dénonciation que Chabot fait d'un écrit de Condorcet contre la Constitution montagnarde (A.P., LXVIII, 438-439 — 8 juillet 1793).

90. « La souveraineté de la nation réside dans les communes » (projet Saint-Just — I, I, art. 6, A.P., LXIII, 205).

91. D'autres Jacobins avaient fait le même reproche ; ainsi Coupé (de l'Oise) le 17 avril : « La souveraineté du peuple n'est plus qu'un nom impuissant relégué dans l'impossibilité d'une *réunion totale* » (A.P., LXII, 338 — souligné par nous).

92. Même interprétation chez Mathiez, pour qui la Gironde « masque sa

politique de classe d'un vernis de libéralisme démocratique » (*art. cit.*, p. 510).

93. En une phrase, Saint-Just croit pouvoir résumer la Constitution qu'il rejette : « Voici son plan : une représentation *fédérative* qui fait les lois, un conseil *représentatif* qui les exécute. » Le premier élément fait allusion au rôle du département dans les élections, le second concerne l'élection des ministres chez Condorcet : comme on l'a déjà signalé, ceux-ci étaient élus par un scrutin direct et *national*. Les Jacobins en déduisent qu'il y a deux représentations du peuple rivales, dont la seconde supplante la première : un exécutif représentant du peuple apparaissait comme une impardonnable audace, un substitut de royauté ; idée, d'ailleurs, que l'on retrouvera ensuite maintes fois chez les républicains français. On peut même se demander si les grandes controverses autour de la réforme gaullienne de 1962 (élection du président de la République au suffrage universel direct), ne renouent pas avec cette vieille hantise d'un « monarque républicain » venant supplanter les députés dans le suffrage populaire. Mais il faut aussi, en la matière, tenir compte du précédent créé par le Prince-Président au XIXe siècle.

94. *Cf.* son discours du 15 mai sur la division constitutionnelle du territoire (A.P., LXIV, 698) et du 24, sur le maximum de population des municipalités (LXV, 271). Les *cantons*, « qui appartiennent à la terre », doivent être remplacés par les *communes* « qui désignent les hommes ». De même le mot de *municipalité* devrait être remplacé par « conseils de communauté ». Pour Saint-Just, un conseil de communauté est l'équivalent des « tribus » antiques fondées sur la consanguinité.

95. Ainsi J.-L. Seconds (texte donné à la Convention en avril), dont les idées sont étudiées *infra* (chap. IV).

96. *Cf.* art. 29 de la Déclaration girondine : « Dans tout gouvernement libre, les hommes doivent avoir un moyen légal de résister à l'oppression ; et lorsque ce moyen est impuissant, l'insurrection est le plus saint des devoirs. »

97. Même accusation chez Desmoulins, dans sa lettre de juillet 1793 au général Dillon : « Le venin y était dans une seule source qui coulait à la vérité sur tout ce plan [de Constitution], l'infectait dans son entier, et eût fait redemander au peuple la royauté avant six mois.. Ce piège consistait à flagorner le souverain, à faire par lui toutes les élections directement, et l'arracher à ses travaux en l'accablant du fardeau du gouvernement. La contre-révolution était donc immanquable, mais le piège était grossier, et il était impossible que la Montagne y donnât » (A.P., LXVIII, 577, note par Desmoulins).

98. Avec Hérault de Séchelles pour rapporteur, ce nouveau Comité comporte Ramel, Couthon, Saint-Just et Mathieu : tous membres des Jacobins, sauf Ramel.

99. On a le manuscrit, conservé aux Archives Nationales (*cf.* Aulard, *Histoire politique de la Révolution française*, p. 296). Le Comité de salut public a donné son aval au projet : Michelet a raison de dire qu'il s'agit d'une « Constitution jacobine ».

100. Voici comment s'exprimait Hérault, dans son rapport du 10 juin : « La Constitution française ne peut pas être exclusivement *représentative*, parce

qu'elle n'est pas moins *démocratique* que représentative. En effet, la loi n'est point le décret, comme il est facile de le démontrer ; dès lors, le député sera revêtu d'un double caractère. Mandataire dans les lois qu'il devra proposer à la sanction du peuple, il ne sera représentant que dans les décrets » (A.P., LXVI, 258). Seuls les décrets devaient donc échapper à la ratification par le référendum.

101. A.P., LXVI, 260-264. Il est à noter qu'il s'ouvrait par la Déclaration des droits... girondine ! Signe supplémentaire de la hâte des rédacteurs.

102. Jean-François Ducos avait été porté le 2 juin sur la liste des proscriptions, mais fut épargné (ainsi que son beau-frère Boyer-Fonfrède) sur intervention de Marat — tout comme, on l'a vu, Lanthenas. Aulard et Kuscinski (*Dictionnaire des Conventionnels*, 1916) ont signalé également que le Girondin Ducos faisait, à ce moment, amende honorable.

103. L'article 59 de la Constitution montagnarde stipule : « Quarante jours après l'envoi de la loi proposée, si, dans la moitié des départements plus un, le dixième des assemblées primaires de chacun d'eux, régulièrement formées, n'a pas réclamé, le projet est accepté et devient *loi* ». L'article 60 ajoute en conséquence : « S'il y a réclamation, le corps législatif convoque les assemblées primaires. » Rappelons que le seul référendum mis en pratique (sur initiative de l'Assemblée) fut celui qui ratifia la Constitution.

104. Affirmation absurde comme la suite va le montrer, mais bien caractéristique du *fractionnement de souveraineté* auquel les esprits restent attachés, comme malgré eux.

105. Une légère compensation, si l'on peut dire : des conventions de révision de la Constitution seront possibles, à certaines conditions (voir art. 115-117, in Godechot, *Les Constitutions de la France...*, p. 91).

106. Les principales interventions en ce sens sont de juillet 1792 (*cf. supra*), du 24 avril 1793 (projet de Déclaration des droits), du 10 mai 1793 (discours sur le gouvernement représentatif). Mais dès le 15 juin 1793, Robespierre se situait en retrait par rapport à ses thèses antérieures. On discutait de savoir si l'on allait instituer un « juré national » (c'est-à-dire un tribunal défini constitutionnellement) pour contrôler les députés, et si cela contredisait l'article proposé par Hérault de Séchelles : « Les députés représentants du peuple ne peuvent être recherchés, accusés ni jugés en aucun temps, pour les opinions qu'ils ont énoncées en public, dans le sein du Corps législatif » (A.P., LXVI, 542). Raffron et Basire demandent le « juré national », mais se heurtent à une réplique de Robespierre : « Par qui feriez-vous juger le représentant du peuple accusé ? Par une autorité constituée. Mais ici vous apercevrez sans peine qu'il est possible que le tribunal soit aussi corrompu que l'homme qui lui serait livré ; et d'ailleurs, n'est-il pas probable que le représentant fidèle soit traduit à ce tribunal par la faction et l'intrigue, plutôt que le mauvais député par la volonté des représentants vertueux ? » Robespierre reconnaît qu'en cela il rompt avec les perspectives qui précédemment furent les siennes ; il rappelle, dans la même intervention, qu'il avait envisagé non un tribunal, mais « qu'à la fin de chaque législature les mandataires du peuple fussent tenus de rendre compte [au peuple] de leur conduite ». Ce moyen, qui faisait appel aux assemblées électorales, annonçait le nouveau projet de « censure du peuple ». Cependant, le lendemain 16 juin, le projet du « grand juré

national » fut examiné : il constituait un moyen de recours à la disposition de chaque citoyen. « Le grand juré est institué pour garantir les citoyens de l'oppression du Corps législatif et du Conseil [exécutif] » (A.P., LXVI, 577). Hérault et Robespierre font alors renvoyer la question devant le Comité de Constitution (en l'occurrence : le Comité de salut public). Finalement, le dernier avatar du projet réside dans l'intitulé qui est discuté ce 24 juin : « De la censure du peuple contre ses députés, et de sa garantie contre l'oppression du Corps législatif. »

107. Nous soulignons.

108. *Cf.* son intervention aux Jacobins — citée *supra*, p. 114 —, où le peuple est invité à abandonner la « défiance » envers les représentants. En faveur de Paris, Robespierre déclarait également ce jour-là : « Le peuple est sublime, mais les individus sont faibles ; cependant, dans une tourmente politique, dans une tempête révolutionnaire, il faut un point de ralliement. Le peuple en masse ne peut se gouverner ; ce point de ralliement doit être Paris ; [...] C'est là que doit être placé le centre de la Révolution » (*Œuvres*, IX, 559).

109. Delacroix, quoique secrétaire de la Convention du 13 juin au 11 juillet, est un Montagnard assez modéré, qui resta neutre par la suite, jusqu'au 9 Thermidor. Génissieu « siégea sur les bancs de la Plaine, mais la plupart des votes émis par lui et les opinions émises par lui le rapprochèrent de la Montagne » (J. Kuscinski, *Dictionnaire des Conventionnels*, p. 289).

110. G. Laurent fait donc erreur lorsqu'il écrit : « Robespierre a toujours distingué avec soin les délégués du peuple et les mandants ou les mandataires qui n'étaient que des agents d'exécution » (*Œuvres de Robespierre*, V, 57, note 3 par G. Laurent).

111. *Art. cit.*, p. 513.

112. La Déclaration de Varlet a été rééditée par EDHIS, d'après l'exemplaire de la Bibliothèque Nationale. Il est intéressant de signaler que Jean-François Varlet est aussi l'auteur du *Projet d'un mandat spécial et impératif aux mandataires du peuple et à la Convention nationale* (sept. 1792 — repr. A.P., LIV, 719-722). Varlet est l'un des très rares (avec notamment C. Glaizal) a avoir repris *explicitement* la notion de mandat impératif. Membre du Comité central du 31 mai 1793, Varlet eut des relations mouvementées avec le club jacobin, qui redoute son extrémisme. On a vu (Part. I) qu'il fut arrêté le 18 septembre 1793 pour avoir présenté une pétition contre le décret Danton qui supprimait la permanence des sections.

112 bis. F. Boissel, *Les entretiens du père Gérard, sur la Constitution politique et le gouvernement révolutionnaire du peuple français*, repr. in A.P., LXVI, 613-642. Auteur en 1789 du *Catéchisme du genre humain*, qui a été étudié notamment par Jaurès (*Histoire socialiste de la Révolution française*), Boissel reprend dans son nouvel écrit des idées de tendance communiste, en matière de propriété et de mariage. On a de lui de nombreuses interventions aux Jacobins. Victime en novembre 1793 du scrutin épuratoire (*cf. Aulard*, V, 533), il reparaît au club après le 9 Thermidor. Lors de la translation des cendres de Rousseau au Panthéon, Boissel prend la parole au nom des Jacobins, dont il est le vice-président (*ibid.*, VI, 611).

113. La formule est de P. Guéniffey (« Les Assemblées et la représentation », communication déjà citée, à paraître).

114. « Sur les principes de morale politique... », 17 pluviôse an II.

115. Dans son *Histoire* de la Révolution, Aulard exprime cette opinion ; par ailleurs, il estime que les circulaires sont probablement dues à Billaud-Varenne. Nous partageons entièrement cette hypothèse, au vu du style comparable des autres écrits de Billaud (*cf. infra*). En revanche, outre le fait que chacune des circulaires a été approuvée et signée par *tous* les membres du Grand Comité, il n'est plus possible de tenir pour insigni-fiante — au sens propre du terme — la vision de l'Etat exprimée à cette occasion.

116. Décret reproduit par Aulard, in *Recueil des actes du Comité de salut public...*, éd. cit., au tome VII, p. 342. Les dix circulaires se trouvent au tome IX, pp. 161-181. Elles sont adressées aux destinataires suivants : représentants en mission, généraux en chef, Comités de surveillance ou Comités révolutionnaires, départements, districts, agents nationaux près les districts, communes, agents nationaux près les communes, tribunaux révolutionnaires.

117. In *Politics, Culture ans Class in the French Revolution*, éd. cit. Sur l'Hercule révolutionnaire conçu par David (fête du 10 août 1793) voir ici même, part. I, note 115.

118. *Cf.* sur ce point R. Giesey, *Cérémonial et puissance souveraine, op. cit.*, p. 50 et p. 59 : « De plus en plus la Majesté se trouva investie de qualités propres aux divinités antiques. On peut même soutenir que Henri IV *est* Hercule, ou que Louis XIV *est* Apollon. La Majesté s'enrichit de la sorte d'une dimension métaphorique qui compense le déclin des qualités mystiques autrefois incluses dans son homologue, la *dignitas regia*. »

119. O. Gierke écrit : « Les théoriciens du parti ecclésiastique déduisirent la proposition que sur terre le Vicaire du Christ représente la seule et unique Tête de ce Corps mystique ; car si l'empereur formait une tête supplémen-taire, nous aurions devant nous un monstre bicéphale, un *animal biceps* » (O. Gierke, *Political theories of the Middle Age*, translated by F. W. Maitland, Cambridge, Cambridge University Press, 1900 — passage p. 22, traduit par nous). O. Gierke cite (*cf.* sa note 69, p. 130) de nombreux textes pour cette idée de monstre politique polycéphale, dont Pétrarque (vers 1350), Engelbert de Volkersdorf (vers 1310), Nicolas de Cuse (1431) et Pierre d'Andlo (1460). De même, commentant les traités du juriste nîmois Jean de Terrevermeille (XV° siècle), un auteur écrit : « Symbole même de l'imperfection, le chiffre deux est synonyme de schisme, de dégradation, de monstruosité. » Jean Barbey, *La Fonction royale. Essence et légitimité d'après les Tractatus de Jean de Terrevermeille*, Paris, Nouvelles Éditions Latines, 1983 — *cf. ibid.*, note 167, p. 188 : « *Binarius est numerus infamis quia principium divisionis.* »

120. *L'Acéphocratie* [sic] *ou le gouvernement fédératif, démontré le meilleur de tous pour un grand empire, par les principes de la politique et les faits de l'histoire*, « par M. Billaud de Varenne [sic]... », 1791, rééd. EDHIS, 1977. Comme l'écrit Aulard, « on voit régner dans ce livre une phraséologie à la fois barbare et claire, qui constitue proprement la manière personnelle de Billaud, un nouveau jargon de métaphysique sociale » (Aulard, *Les orateurs de la Révolution*, vol. 2, t. II, p. 489).

121. La formule est de Bossuet, dans sa *Politique*, étudiée plus loin.

122. De même, l'idée que le territoire est désormais entièrement pénétrable par l'œil de la Convention, se lit dans les circulaires aux sociétés populaires qui concernent la collecte et le traitement du salpêtre (*cf. Actes du Comité...*, XI, 252).

123. Les administrations instituées par la Gironde freinaient ce que le Comité appelle « le câble révolutionnaire » : « Aminci en quelque sorte dans cette longue filière, [il] n'avait plus de consistance, tandis qu'il doit être lancé avec violence, et, touchant en un instant les extrémités au moindre signe du législateur, lier, s'attacher tout fortement au centre du gouvernement » (p. 169).

124. Rappelons que dans son introduction au *Léviathan*, Hobbes avait expliqué qu'en érigeant l'État, l'art humain ne faisait qu'imiter l'art qui opère dans la nature ; *cf.* aussi pour la comparaison entre la société et « un horloge », ici même, note 7, p. 448 (Part. II).

125. *Cf.* « Liste des 267 députés montagnards en juin 1793 », par F. Brunel, in *Actes du colloque Girondins et Montagnards* (sous dir. A. Soboul, Paris, Société des Études robespierristes, 1980), p. 346 et suiv. — F. Brunel signale (p. 359) que, parmi les députés de l'Aveyron, elle n'admet pas Seconds comme membre de la Montagne. De façon générale, on sait que la répartition est difficile car les frontières se montrent mouvantes. Une telle liste, reconnaît F. Brunel, « ne peut être rigoureuse et exacte : elle se fonde toujours sur l'interprétation de l'historien ».

126. A.P., LXII, 533-548, Annexe à la séance du 17 avril 1793 : « Idée d'une bonne Constitution. De l'art social ou des vrais principes de la société politique, par Jean-Louis Seconds, citoyen français du département de l'Aveyron, et député à la Convention nationale. Quatrième cahier. » Cet essai se présente comme la suite de trois autres chapitres ou « cahiers », répétant chacun le même sous-titre (« De l'art social »), et déposés successivement devant la Convention. Au répertoire de la B.N. comme dans les *Archives parlementaires*, le cahier n° 3 est manquant. Pour les cahiers 1 et 2, voir A.P., LVI, 577-585 (*ad.* Opinion de Seconds sur le jugement de Louis XVI : *ibid.*, 556-564) et LXII, 513-533. Le quatrième cahier, que nous citons ici dans la pagination des *Archives*, se trouve à la B.N. sous les cotes : 8° Lb[41] 2384 — R 50902 — R 55322. Dans notre thèse *Le Discours jacobin et la politique moderne*, nous avons reproduit en Annexe les passages les plus importants de ce remarquable écrit.

127. Le terme de « constitution » présente la même ambiguïté que chez Billaud-Varenne, pour les mêmes raisons. L'essai de Seconds porte pour premier titre : *Idée d'une bonne constitution*.

128. Le texte en latin a été reproduit en épigraphe de la présente section de ce chapitre IV. La citation est donnée par G. de Lagarde, in *Bulletin of the International Committee of Historical Sciences*, n° 37, Paris, P.U.F., décembre 1937, vol. IX, partie IV, p. 432, note 4.

129. *Cf. art. cit.*, ci-dessus, note précédente : « L'idée de représentation dans les œuvres de Guillaume d'Ockam », par G. de Lagarde. Dans une importante note sur Agostino Triompho, l'auteur relève, à l'intérieur de la *Summa de Ecclesiastica potestate*, au moins trois modalités de cette logique

métonymique : soit l'incarnation, la figuration, la fonction *per successionem* (p. 430, note 4). Il va sans dire que ce qui est à chaque fois affirmé, c'est la prééminence, absolue ou relative, d'une instance de *pouvoir*. Voir aussi, de G. de Lagarde, *La naissance de l'esprit laïque au déclin du Moyen Âge*, Louvain, Neuwelaerts, 1956, 3ᵉ éd. 1973, 5 vol.

130. Repr. in P. Bastid, *Les discours de Sieyès dans les débats constitutionnels de l'an III (2 et 18 thermidor)*, Paris, Hachette, 1939, texte p. 17.

131. C'est sur ce « principe » que Billaud-Varenne va greffer ensuite le rôle de la *vertu*, qui fait de la machine un être intelligent et bon.

132. Seconds a voté « la mort la plus prompte pour Louis XVI » (A.P., LXXI, vol. II, p. 585).

133. Il est arrivé à Billaud-Varenne lui-même de laisser percer son mépris pour la passivité du peuple, mépris qui entre certainement dans l'appel à l'Hercule révolutionnaire chargé de régénérer le peuple ; dans les *Éléments du républicanisme* (donc dès avril 1793), il écrivait : « Avec un chef, le peuple est capable des plus grands efforts ; le perd-il il n'est plus qu'un troupeau, qu'un rien épouvante et disperse dans un instant. » Signalons aussi que dès 1789 Seconds avait formulé son intuition centrale ; il écrivait : « Le Corps politique est un dôme immense, dont la clef est le chef, qui, en même temps qu'il contient, est contenu par toutes les pierres de l'édifice. » Mais il exprimait en même temps ses défiances envers le « chef » de l'époque, Louis XVI ; in *Essai sur les droits des hommes, des citoyens et des nations ; ou adresse au roi sur les États Généraux et les principes d'une bonne Constitution*, récemment reproduit in C. Fauré, *Les déclarations des droits de l'homme de 1789*, Paris, Payot, 1988, pp. 59-83.

134. C'est dans la question d'un appel éventuel du jugement de Louis XVI que Robespierre avait déclaré : « La vertu fut toujours en minorité sur la terre » (A.P., LVI, 22). Il entendait, comme représentant du peuple, et malgré la Gironde, être dans la « vraie majorité » ; le même discours disait en effet : « Je sais qu'il faut entendre par le peuple la nation, moins les ci-devants privilégiés et les honnêtes gens. » Dans la bouche des adversaires, l'expression « minorité vertueuse » devint un signal de reconnaissance, pour discréditer les Jacobins. *Cf.* par exemple, Gensonné, « Discours sur le jugement de Louis XVI et sur la nécessité de l'appel au peuple », A.P., LVI, 148-153.

135. L. Hunt a repris, en les appliquant à la mutation révolutionnaire, les analyses de l'anthropologue Clifford Geertz menées sur des sociétés traditionnelles où un pouvoir central structure l'ordre symbolique ; *cf.* l'essai de Geertz : « Centers, Kings and Charisma », in *Culture and its creators : Essays in honor of Edmund Shils*, J. Ben-David and T. N. Clark édit., Chicago, 1977, pp. 150-171.

136. *Cf.* notamment J. Egret, *Louis XV et l'opposition parlementaire, 1715-1744*, Paris, Armand Colin, 1970 ; Jean-Yves Guiomar, *L'idéologie nationale. Nation, représentation, propriété*, La taupe bretonne, Paris, Champ Libre, 1974 ; K. Baker, « The ideas of representation at the end of the Old Regime » (Colloque de Chicago, éd. cit.). Pour les recueils de textes parlementaires qui ont été utilisés : J. Flammermont, *Remontrances du Parlement de Paris au XVIIIᵉ siècle*, Paris, Imprimerie Nationale, 1888-

1898, 3 vol., et Le Moy, *Remontrances du Parlement de Bretagne au XVIIIe siècle*, Angers, 1909 (thèse lettres).

137. *Cf.* F. Bluche, *Louis XIV*, éd. cit., p. 61. De façon générale, pour la période de la Fronde, nous renvoyons à cet ouvrage récent.

138. Flammermont, *op. cit.*, II, 508.

139. *Ibid.*, I, 549. Texte notamment cité par K. Baker.

140. Voici la citation complète : « Je ne souffrirai pas qu'il se forme dans mon royaume une association qui ferait dégénérer en une confédération de résistance le lien naturel des mêmes devoirs et des obligations communes, ni qu'il s'introduise dans la Monarchie un corps imaginaire qui ne pourrait qu'en troubler l'harmonie ; la magistrature ne forme point un corps, ni un ordre séparé des trois ordres du royaume. »

141. Flammermont, I, 128.

142. F. Bluche signale qu'en 1648, au moment de la révolution anglaise (où Charles Ier est emprisonné, avant d'être décapité), une « tentation consiste à transformer le parlement de Paris en une sorte de parlement de Londres, ce qui changerait le régime en lui donnant subrepticement la forme constitutionnelle » (*op. cit.*, p. 61). La révolution cromwellienne a essayé de réviser au profit des Communes le partage de souveraineté défini par la formule « King in Parliament ». La France monarchique est en définitive restée fermée à une telle vision, malgré diverses velléités.

143. Du roi, Sieyès disait ce jour-là : « Il ne doit point, je le répète, entrer dans la formation de la loi, comme partie intégrante ; en un mot, si le pouvoir exécutif peut *conseiller* la loi, il ne doit point contribuer à la *faire*. Le droit d'*empêcher* n'est point suivant moi différent du droit de *faire* » (A.P., VIII, 593).

144. Guiomar, *op. cit.*, p. 91.

145. A.P., VIII, 1. Il faut voir là sans doute l'origine de la disposition adoptée par nos assemblées parlementaires.

146. Le philosophe Bachelard a montré comment le foyer d'une ellipse est, pour l'imaginaire humain, un point surdéterminé. Géométriquement, il permet d'engendrer la figure par une rotation mécanique ; astronomiquement, il désigne depuis Newton la place occupée par le Soleil : ce point est bien connu au XVIIIe siècle, on voit par exemple E. Barry donner des leçons d'astronomie newtonienne aux sans-culottes de sa section. Enfin, selon une association sémantique et affective, le « foyer » est aussi une source de chaleur et de vie. Pour les effets sur l'inconscient repérables dans les sciences exactes, *cf.* G. Bachelard, *La Formation de l'esprit scientifique*, Paris, Vrin, 1974, pp. 234-235.

147. Le 28 juin 1793, Robespierre déclare : « Une Assemblée qui fut quelque temps contre-révolutionnaire [la Convention, venant d'achever la Constitution de l'an I], a fait cette grande œuvre, mais elle avait auparavant subi de grandes altérations. Le double miracle de son renouvellement, de son épurement est dû tout entier au *foyer de lumière*, dont le peuple l'avait entourée et au centre de probité qui existe au sein même de la Convention nationale » (*Aulard*, V, 277). L'image est peu cohérente (car on ne peut *entourer* la Convention par un « foyer de lumière »), mais on voit que l'idée du « centre » a attiré à elle, et en miroir, la notion de foyer — pour rendre hommage au « peuple » qui a fait le coup de force du 2 Juin. Au 31 mai d'ailleurs, Lhuillier (procureur général-syndic de la Commune), lisant

l'adresse des 48 sections, exprima une vision similaire ; cette fois, Paris tient la place de la Convention : « Paris, qui n'est rien par lui-même, est cependant l'extrait de tous les départements, dont l'éclat consiste à être le miroir de l'opinion et le point de réunion des hommes libres. » A la fois centre, miroir et extrait de la substance française, Paris forme ce « foyer » qui confère un ordre au tout et le vivifie.

148. Il y a plusieurs éditions de valeur. Nous citons d'après les *Œuvres de Bossuet*, « évêque de Meaux, revues sur les manuscrits originaux et les éditions les plus correctes », Versailles, Imprimerie J. A. Lebel, t. 36 (1818).

149. En 1608, dans sa traduction latine des *Six livres de la République*, Bodin rend ainsi la célèbre formule : « La souveraineté est la puissance absolue et perpétuelle d'une République », « *Majestas est summa in cives ac subditos legibusque soluta potestas* ». Sur la notion de « majesté » *cf.* également, ici même, note 118.

150. De même au livre V de la *Politique* : « Voyez un peuple immense réuni en une seule personne ; voyez cette puissance sacrée, paternelle et absolue ; voyez la raison secrète qui gouverne tout le corps de l'État, renfermée dans une seule tête ; vous voyez l'image de Dieu dans les rois, et vous avez l'idée de la majesté royale. »

151. Th. de Bèze, *Du droit des magistrats*, 1574, intr., éd. et notes par R. M. Kingdom, Genève, Droz, 1970, p. 24. Nous modernisons l'orthographe.

152. *Ibid.*, p. 5, chap. 2 : « Jusqu'où le sujet doit présumer être juste ce qui lui est commandé. »

153. *Cf.* F. Bluche, *op. cit.*, chap. 21 : « Unité religieuse, unité nationale », et E. Le Roy Ladurie, préface à B. Cottret, *Terre d'exil*, « Collection historique », Paris, Aubier, 1985. Consacré aux protestants anglais, le livre de Bernard Cottret montre la complexité, dans leur cas, du lien religion-politique.

154. Citation donnée par F. Bluche, p. 607.

155. Sur Jurieu voir *infra*.

156. Citation prise par Bossuet dans le Livre des Rois.

157. Sur la révérence dont on entoure Hobbes à l'époque, voir G. Lacour-Gayet, *L'Éducation politique de Louis XIV*, éd. cit. — Du Verdus traduit en 1660 les *Elements of law*, et déclare dans une épître à Louis XIV : « J'oserais assurer, Sire, que s'il plût à Votre Majesté que quelques professeurs fidèles en lisent dans vos États cette traduction ou autre meilleure, on n'y verra de tout son règne ni séditions ni révoltes. » Les traités de Hobbes furent présentés à quatre reprises au public français. Le dernier ouvrage important de Hobbes, le *Léviathan*, est de 1651 : on peut noter que la *Politique* de Bossuet a sans doute été rédigée à partir de 1667 (*cf.* art. A. Philonenko sur Bossuet, in *Dictionnaire des œuvres politiques*, éd. cit.).

158. Nous renvoyons, pour plus de détails, à notre livre *Hobbes et l'État représentatif moderne*.

159. Il s'agit des *Elements of law moral and politic* (1640), du *De cive* (1642), et du *Léviathan*, publié en 1651.

160. *Cf.* le passage suivant : « Taisez-vous, pensées vulgaires ; cédez aux pensées royales. Les pensées royales sont celles qui regardent le bien

général. » Pour la comparaison avec Pascal (« il faut tendre au général »), voir ici même, note 134, p. 465 (Part. II).

161. La formule « Vous pouvez tout » est employée par le Comité de salut public lorsqu'il s'adresse aux représentants en mission, dans l'été et l'automne 1793 (*cf.* notamment J. Castelnau, *Le Comité de salut public, 1793-1794*, Paris, Hachette, 1941, chap. 6).

162. Repr. in W. Markov et A. Soboul, *Die Sansculotten von Paris...*, éd. cit.

163. Rappelons que le même Louis XVI qui, à la veille de la Révolution, va signer l'Édit de tolérance, avait dû, comme ses prédécesseurs, prêter le serment suivant : « Je promets de m'appliquer sincèrement et de tout mon pouvoir à exterminer les hérétiques nommément désignés par l'Église. »

163 bis. Outre l'Épître aux Corinthiens (I, 12-27), Bossuet songe certainement à une autre lettre de Paul : « Il y a un seul Seigneur, une seule foi, un seul baptême, un seul Dieu et Père de tous, qui est au-dessus de tous, et parmi tous, et en tous » (Ép. aux Éphésiens, 4, 5-7).

164. Art. cit. in *Dictionnaire des œuvres politiques*, p. 107. Chez Louis XIV lui-même, la volonté de répandre cette doctrine de l'État est attestée. Dans un bel essai sur le Roi-Soleil, Lémontey, érudit, ancien membre de la Législative, écrivait : « J'ai retrouvé les manuscrits d'un cours de droit public en France, que Louis XIV avait fait composer, sous l'inspection de M. de Torcy, pour l'instruction du duc de Bourgogne [le dauphin] ; en voici le début, qu'on peut regarder comme l'abrégé de l'opinion du roi : " La France est un État monarchique dans toute l'étendue de l'expression ; le roi y représente la nation entière, et chaque particulier ne représente qu'un seul individu envers le roi ; par conséquent, toute puissance, toute autorité réside entre les mains du roi, et il ne peut y en avoir d'autre dans le royaume que celle qu'il établit. [...] La nation ne fait pas corps en France, elle réside tout entière dans la personne du roi, etc. " » (in P. É. Lémontey, *Essai sur l'établissement monarchique de Louis XIV...*, Paris, Deterville, 1818, p. 327, note 3).

165. In *Discours politiques*, 1652.

166. In *Le grand homme d'État... en la harangue funèbre... de Léon Bouthilier*, prononcée le 24 novembre 1652 en la cathédrale de Saint-Brieuc.

167. *Cf.* E. H. Kantorowicz, *The king's two bodies*, Princeton, Princeton University Press, 1957, Paperback printing 1981 — spécialement p. 207 et suiv. : « Corpus Reipublicae mysticum » ; et, plus récemment, J. Barbey, *La Fonction royale. Essence et légitimité d'après les Tractatus de Jean de Terrevermeille*, éd. cit. : le modèle du Christ (*caput Ecclesiae*), appliqué à un royaume dont le roi constitue l'unique « chef » (*unum caput*), est exposé pp. 186-211.

168. En effet, la cause est plus noble que l'effet, vient-il d'expliquer ; le modèle théologique est évident (la divinité créatrice étant Cause première de l'univers).

169. *Lettres pastorales adressées aux fidèles de France qui gémissent sous la captivité de Babylone*, Rotterdam, 1687-1694. Passage tiré de la 16ᵉ lettre : « De la puissance des souverains, de son origine et de ses bornes. »

170. « Cinquième avertissement aux protestants sur les lettres du ministre Jurieu. Le fondement des empires renversé par ce ministre », in *Œuvres de Bossuet*, éd. cit., t. XXI (1816), p. 445.

170 bis. Dans la vision américaine, l'autosuffisance de la société civile a pour complément le système des « freins et contrepoids » *(checks and balances)*, qui remplace dans l'ordre politique et institutionnel ce que la France appelle « souveraineté » — tout comme le¯ « gouvernement limité » remplace « l'État ». Cette vision dans laquelle Chambre des représentants, Sénat et président à la fois s'affrontent et coopèrent a rencontré peu de sympathie en France, malgré l'héritage de Montesquieu. Une très remarquable exception existe, en 1789, chez les Monarchiens — notamment Lally-Tollendal, dont le discours du 31 août reste un classique de la doctrine bicaméraliste. Lally-Tollendal fait explicitement référence au « modèle » américain pour justifier la thèse d'un jeu institutionnel triangulaire (représentants, pairie, roi), et il montre bien que cela implique un type de société, une conception de la *concurrence* des intérêts sociaux et des passions, etc. Cf. *Archives parlementaires*, VIII, 514-522. Pour l'étude de ce discours, la comparaison entre France et États-Unis du point de vue du modèle du pouvoir et de l'autonomie de la société civile : notre thèse, *Le Discours jacobin et la politique moderne*, pp. 382-405.

171. Dans le premier article, écrit par Bossuet, il est dit que « l'Église n'a d'empire que sur les âmes, et les Rois ne sont soumis à aucune puissance ecclésiastique pour le Temporel » (cité par E. Le Roy Ladurie, *op. cit.*, p. 20). Reconnaissante envers Louis XIV pour son attitude vis-à-vis des protestants — qui subissent déjà des tracasseries —, l'Église française lui prête, en échange, son appui contre la papauté.

172. *Jean*, 17, 22, trad. L. Segond, *La Sainte Bible*, Paris, 1910, nouv. éd. 1932. Nous avons préféré cette traduction, proche de celle donnée par Bossuet, mais plus vigoureuse.

173. Le pape Jean-Paul II a récemment (1987) rappelé cette thèse. Elle a choqué nombre de fidèles, peut-être oublieux de l'origine, et de l'exceptionnalité, de cette institution que forme l'Église catholique. Il est vrai cependant que, des siècles durant, la doctrine conciliaire a tenté de limiter la *plenitudo potestatis* du pape. Pour ces débats, *cf.* notamment B. Tierney, *Foundations of the conciliar theory*, Cambridge, Cambridge University Press, 1955 (reprint. 1968), et M. Wilks, *The problem of sovereignty in the later Middle Ages*, Cambridge, Cambridge University Press, 1963. On constate, à travers ces ouvrages, que le problème de la localisation de souveraineté dure des siècles dans l'Église, alors que la monarchie française a tranché très vite, dans le sens absolutiste.

174. Ces formulations prises dans la correspondance de Bossuet se retrouvent en termes identiques si l'on consulte sa préface à l'*Histoire des variations des Églises protestantes* (éd. cit., t. XIX, p. 27).

175. Sieyès disait : « Le peuple, je le répète, *dans un pays qui n'est pas une démocratie* (et la France ne saurait l'être), le peuple ne peut parler, ne peut agir que par ses représentants » (7 septembre 1789).

176. *Cf.* p. 473, la note 38 : l'autodésignation de l'Assemblée, en 1789, comme nationale et constituante.

177. *Cf.*, également dans le présent chapitre, les développements sur « Les parlements en lutte pour la représentation » (spécifiquement p. 364).

Conclusion (pp. 387-403)

1. La critique de la représentation est centrale dans *L'État et la révolution*, mais elle engendre, de façon inévitable, la recherche d'autres formes de représentation : « Les organismes représentatifs demeurent, mais le parlementarisme comme système spécial, comme division du travail législatif et exécutif, comme situation privilégiée pour les députés, n'est plus. Nous ne pouvons concevoir une démocratie, même prolétarienne, sans organismes représentatifs ; mais nous pouvons et devons la concevoir sans parlementarisme » (Lénine, *L'État et la révolution*, Éditions Sociales, Paris-Moscou, 1967, p. 63). Avant Lénine, il faut remarquer que les trois caractères admirés par Marx dans le système de la Commune de Paris (1871) renvoient aux principes (sinon à la réalité) du jacobinisme de salut public : révocabilité permanente, spécificité des élus, confusion des pouvoirs. « La Commune fut composée des conseillers municipaux, élus au suffrage universel dans les divers arrondissements de la ville. Ils étaient responsables et révocables à tout moment. La majorité de ses membres était naturellement des ouvriers ou des représentants reconnus de la classe ouvrière. La Commune devait être non pas un organisme parlementaire, mais un corps agissant, exécutif et législatif à la fois » (K. Marx, *La Guerre civile en France, 1871*, Paris, Éditions Sociales, 1968, p. 41).

2. On sait que sa position est plus nuancée dans les écrits d'application directe ; il admet des moyens de députation dans le *Gouvernement de Pologne*, mais sous forme de mandats impératifs : il reste vrai que les députés « ne peuvent rien conclure définitivement ».

3. Parmi les passages les plus célèbres : « Mettre la loi au-dessus de l'homme est un problème en politique que je compare à celui de la quadrature du cercle en géométrie. Résolvez bien ce problème, et le gouvernement fondé sur cette solution sera bon et sans abus. Mais jusque-là soyez sûrs que, où vous croirez faire régner les lois, ce seront les hommes qui régneront » (*Gouvernement de Pologne*, chap. I). « Un peuple est libre, quelque forme qu'ait son gouvernement, quand, dans celui qui le gouverne, il ne voit point l'homme mais l'organe de la loi » (*Lettres de la Montagne*, part. II, lettre 8). « Un peuple libre obéit aux lois mais il n'obéit qu'aux lois, et c'est par la force des lois qu'il n'obéit pas aux hommes » (*ibid.*).

4. On va voir qu'inversement, qui veut représenter doit tenter de s'exprimer au nom du peuple : les candidats au pouvoir.

5. Dans le cadre de sa théorie propre, Rousseau l'avait remarqué, à propos du « gouvernement », au sens strict du terme chez lui : « Le gouvernement reçoit du souverain les ordres qu'il donne au peuple » (*Contrat*, III, 1). « Bien que le gouvernement puisse régler sa police comme il lui plaît, il ne peut jamais parler au peuple qu'au nom du souverain, c'est-à-dire au nom du peuple même » (*ibid.*, III, 5).

6. Dans la Révolution française cet aspect des choses ne va pas sans réticences, du fait de l'importance qu'y tient le thème de l'unité de la nation. Qu'un seul et même « représenté » puisse rencontrer une pluralité

de candidatures à la représentation, ne constitue pas une évidence pour le personnel révolutionnaire.

7. Sur ce que cette analyse doit à la problématique de Hobbes, voir : L. Jaume, « Représentation et factions : de la théorie de Hobbes à l'expérience de la Révolution française » (*Revue d'histoire des facultés de droit...*, n° 8, 1989).

8. Guizot, *Histoire des origines du gouvernement représentatif en Europe*, Paris, Didier, 1851, t. I, p. 112.

9. C'est-à-dire, en principe, à la *majorité* des citoyens.

10. Cette formule, que nous avions destinée au lecteur dans l'introduction, concerne cette fois le citoyen ; on pourrait traduire : « Tu es le héros de cette action théâtrale. »

11. On verrait mal une Constitution expliciter le rôle du discours en démocratie. Ce point éclaire, pour une bonne part, la différence dans l'approche des questions, entre l'homme politique, le juriste, le philosophe. Le discours jacobin, qui n'est ni juridique ni philosophique, relève éminemment de l'art politique, de l'union d'un « dire » et d'un « faire ».

12. La notion de « conduite révolutionnaire » peut être soumise à discussion. On pourrait voir là le moment où des groupes dans la société refusent le principe même de la représentation institutionnelle, tendent à l'autogouvernement, et légifèrent « pour ce qui les concerne » (comme disait Robespierre le 10 août 1791). C'est le *sens* que Soboul donne au conflit entre la Montagne et la sans-culotterie en l'an II, selon une authentique révolution populaire dans la révolution bourgeoise. Mais on dira aussi que la conduite révolutionnaire n'implique pas nécessairement la démocratie directe : elle résiderait plutôt dans le moment où des groupes exercent des fonctions de dénonciation, d'arrestation, de perquisition, en coordination avec un appareil répressif qu'ils aident à faire apparaître — soit au sein de l'État, soit contre l'État en place. L'enjeu d'une telle discussion n'est rien moins que de savoir si la terreur est ou non de l'essence de toute révolution. Pour la présente analyse, il suffit de constater que la révolution est l'affirmation d'une coïncidence momentanée, non constitutionnelle, entre les masses et le groupe dirigeant : une légitimité d'exception.

13. Voir la deuxième partie, spécialement la note 51.

14. Voici ce passage très remarquable, dans un discours à la Convention au moment du culte de l'Être suprême : « J'ai parlé de la vertu du peuple ; et cette vertu, attestée par toute la Révolution, ne suffirait pas seule pour nous rassurer contre les factions qui tendent sans cesse à corrompre et à déchirer la République. Pourquoi cela ? C'est qu'il y a deux peuples en France : l'un est la masse des citoyens, pure, simple, altérée de justice et amie de la liberté ; c'est ce peuple vertueux qui verse son sang pour fonder la République, qui en impose aux ennemis du dedans, et ébranle le trône des tyrans ; l'autre est ce ramas d'ambitieux et d'intrigants ; c'est ce peuple babillard, charlatan, ambitieux, qui se montre partout, qui persécute le patriotisme, qui s'empare des tribunes, et souvent des fonctions publiques. [...] Tant que cette race impure existera, la République sera malheureuse et précaire » (*Œuvres*, X, 476-477 ; 7 prairial an II).

15. Cl. Nicolet, *L'Idée républicaine en France (1789-1924)*. *Essai d'histoire critique*, Paris, 1982, p. 10. Beaucoup de points rapprochent le présent

livre de l'étude de Cl. Nicolet, sans que nous puissions développer la comparaison. Citons, par exemple, ce passage qui annonce la perspective de *L'Idée républicaine* : « La politique est, à un double titre, un langage » (*op. cit.*, p. 14).

16. Carré de Malberg, *La Loi, expression de la volonté générale*, 1931, réédit. Economica, préf. G. Burdeau, Paris, 1984, p. 217.

17. Le juriste ajoutait que la souveraineté populaire appelle « l'élection du chef de l'Exécutif par le peuple ». On sait que cette disposition a été adoptée en France en 1962 ; de même, à des dates plus récentes, pour le contrôle de constitutionnalité, dont Carré de Malberg considère qu'il devient indispensable (pour limiter l'omnipotence parlementaire) si la loi n'est plus supposée être « l'expression de la volonté générale ». G. Burdeau, dans la préface à cet ouvrage, montre que le grand juriste annonçait les idées directrices de la Ve République.

BIBLIOGRAPHIE SÉLECTIVE *

I. — *Sources documentaires sur la Révolution française*

ANONYME (1794), *Le Livre du républicain dédié aux amis de la vertu*, P. Chemin, B.N. : 8° Lb⁴¹ 3845.

ANONYME (1794), *Culte de l'Éternel, ou recueil des rapports, instructions, hymnes et discours sur la Fête à l'Être suprême*, Paris, an III.

ARCHIVES PARLEMENTAIRES DE 1787 À 1860. *Recueil complet des débats législatifs et politiques des Chambres françaises*, fondé par MM. Mavidal et E. Laurent, continué par l'Institut d'Histoire de la Révolution française de la Faculté des Lettres et Sciences humaines de Paris, sous la direction de M. Reinhard et M. Bouloiseau, 1ʳᵉ série (1787-1799), Paris, Dupont, puis C.N.R.S. — jusqu'au 9 thermidor an II : t. I à XCIII. 1867-1982.

AULARD, F. A. (1889-1933), « *Recueil des Actes du Comité de Salut public*, avec la correspondance officielle des représentants en mission et le registre du Conseil exécutif provisoire », Paris, Imprimerie Nationale, 27 vol.

AULARD, F. A. (1889-1897), *La Société des Jacobins. Recueil de documents pour l'histoire du Club des Jacobins de Paris*, Paris, Jouaust, Noblet, Quentin, 6 vol.

BACOURT, Ad. de (1851), *Correspondance entre le Comte de Mirabeau et le Comte de La Marck...*, Paris. rééd. partielle, in G. Chaussinand-Nogaret, *Mirabeau entre le roi et la Révolution*, Paris, coll. « Pluriel », Hachette, 1986.

---

* Cette bibliographie se limite aux matériaux, ouvrages ou articles directement utilisés pour le présent livre. Sauf exception en faveur de quelques textes de première importance, les discours ou écrits reproduits in *Archives parlementaires* ne seront pas cités dans cette liste ; mais les noms de leurs auteurs apparaîtront dans l'Index donné plus loin.

BARRY, É. (s.d.), *Discours prononcés les jours de décadi dans la section Guillaume Tell*, Paris, Massot, 4 vol., B.N. : LC^2 809.

BERVILLE et BARRIÈRE (1828), *Papiers inédits trouvés chez Robespierre, Saint-Just, Payan... supprimés ou omis par Courtois, précédés du rapport de ce député à la Convention nationale*, Paris, Baudouin, 3 vol.

BILLAUD-VARENNE, J.-N. (1789), *Le dernier coup porté aux préjugés et à la superstition*, Londres.

BILLAUD-VARENNE, J.-N. (1791), *L'Acéphocratie [sic] ou le gouvernement fédératif, démontré le meilleur de tous, pour un grand Empire, par les principes de la politique et les faits de l'histoire*, Paris, réédit. EDHIS, 1977.

BILLAUD-VARENNE, J.-N. (1793), *Les éléments du républicanisme*, repr. du Prospectus, in *Archives parlementaires*, t. LXVII, pp. 220-246, 15e annexe à la discussion de l'acte constitutionnel.

BILLAUD-VARENNE, J.-N. (1793), *Discours de Billaud-Varenne sur les événements de septembre dernier*, prononcé dans la séance du 20 février 1793, l'an II de la République française, Société des Amis de la Constitution. Biblio. Ville de Paris : 12029 (t. IV, n° 3) 8°.

BILLAUD-VARENNE, J.-N. (1793), « *Rapport fait au nom du Comité de Salut public sur un mode de gouvernement provisoire et révolutionnaire*, imprimé par ordre de la Convention nationale », s.l.n.d. [28 brumaire an II, 18 novembre 1793]. Biblio. Ville de Paris : 951420, 8°. *Archives parlementaires*, t. LXXIX, pp. 451-457.

BILLAUD-VARENNE, J.-N. (1794), *Sur la théorie du gouvernement démocratique, et sa vigueur utile pour contenir l'ambition et pour tempérer l'essor de l'esprit militaire ; sur le but politique de la guerre ; et sur la nécessité d'inspirer l'amour des vertus civiles par des fêtes publiques et des institutions morales*, 1er floréal an II (20 avril 1794). Biblio. Ville de Paris : 601606 [17]. *Archives parlementaires*, t. LXXXIX, pp. 94-100.

BILLAUD-VARENNE, J.-N. (1831), *Mémoires*.

La Bouche de fer (1790-1791), réédition, Paris, EDHIS, 1981, 3 vol.

BOUQUIER, G. (1793), « Rapport et projet de décret formant un plan général d'instruction publique », in J. GUILLAUME, t. III, p. 56.

BOURDON, L. (1794), éditeur du *Recueil des actions héroïques des républicains français*, imprimé par ordre de la Convention, 5 numéros (13 messidor-12 thermidor an II).

BRISSOT, J.-P. (1791), *Discours sur l'utilité des sociétés patriotiques et populaires, sur la nécessité de les maintenir et de les multiplier partout*, Société des Jacobins, Biblio. Ville de Paris : 603251 (n° 1).

BRISSOT, J. P. (1791), *Sur la nécessité de déclarer la guerre aux princes allemands qui protègent les émigrés*, Société des Jacobins, 16 déc. 1791. Biblio. Ville de Paris : 954211, 8°.

BRISSOT, J.-P. (1791), *Second discours sur la nécessité de faire la guerre aux princes allemands*, Biblio. Ville de Paris : 955936, 8°.

BRISSOT, J.-P. (1792), *À tous les républicains de France, sur la Société des Jacobins de Paris*, Biblio. Ville de Paris : 603251 (n° 22). Égal. in *Chronique du mois* (24 octobre 1792).

BRISSOT, J.-P. (s.d.), *Jean-Pierre Brissot. Mémoires. 1754-1793*, Paris, Picard, 2 vol.

BUCHEZ, P. J.-B. et ROUX P. C. (1834-1838), *Histoire parlementaire de la Révolution française*, Paris, Paulin, 40 vol.

COLLOT D'HERBOIS, J.-M. (1792), *Almanach du Père Gérard...*, repr. in *La Révolution française*, t. XVII, 1889, pp. 434-457.

CONDORCET (Marie J. A. CARITAT, marquis de) (1785), *Essai sur l'application de l'analyse à la probabilité des décisions rendues à la pluralité des voix*, Paris, Imprimerie royale.

CONDORCET (Marie J. A. CARITAT, marquis de), « Lettre à un jeune Français habitant Londres sur le 10 août », Biblio. de l'Institut, Papiers Condorcet, XVII n° 864.

CONDORCET (Marie J. A. CARITAT, marquis de), *Œuvres complètes de Condorcet*, Brunswick chez Vieweg, Paris chez Henrichs, etc., 1804, 21 vol.

CONDORCET (Marie J. A. CARITAT, marquis de), *Œuvres* par A. Condorcet O'Connor et M. F. Arago, Paris, Firmin-Didot, 1847-1849, 12 vol.

DANSETTE, A. (1939), *Napoléon. Vues politiques*, Paris, Fayard.

DAUBAN, C. A. (1866), *Mémoires inédits de Pétion et mémoires de Buzot et de Barbaroux*, Paris, Plon.

DAVID, J. L. (1794), « Rapport sur la fête héroïque pour les honneurs du Panthéon à décerner aux jeunes Barra et Viala », repr. in *Le livre du républicain dédié aux amis de la vertu* (t. I, livraison n° 8).

DESMOULINS, C. (1792-1793), *J.-P. Brissot démasqué*, s.l.n.d. suivi de *Histoire des Brissotins ou Fragments de l'histoire secrète de la Révolution et des six premiers mois de la République*. Impr. patriotique. Volume factice, Sorbonne : HFr 130, 8°.

FAURÉ, C. (1988), *Les déclarations des droits de l'homme de 1789*, Paris, Payot.

La Gazette nationale ou le Moniteur universel, réimpression de l'Ancien *Moniteur* depuis la réunion des États généraux jusqu'au Consulat (mai 1789-novembre 1799) avec des notes explicatives, Paris, au Bureau Central, 1843 ; jusqu'au 9 thermidor an II : t. I à XXIX (+ 1 vol. non numéroté : « Introduction historique »).

GODECHOT, J. (1979), *Les constitutions de la France depuis 1789*, Paris, Garnier-Flammarion.

GUILLAUME, J. (1889-1907), *Procès-verbaux du Comité d'Instruction publique...*, Paris, Imprimerie nationale (6 + 2 vol. Table générale).

Journal de la Société de 1789 (1790), n°s 1-14 (5 juin-4 septembre 1790), Paris, Lejay, réédit. Paris, EDHIS, 1982.

Journal d'instruction sociale, « Par les citoyens Condorcet, Sieyès et Duhamel », réédit. Paris, EDHIS, 1981.

Journal du Club des Cordeliers, Réédit. année 1791, Paris, EDHIS, 1981.

LALLY-TOLLENDAL G., (marquis de) (1789). Discours du 31 août 1789, *Archives parlementaires*, t. VIII, pp. 514-522.

LEPELLETIER, M. (1793), « Plan d'éducation nationale », présenté à la Convention par Robespierre, au nom de la commission d'instruction publique, reproduit in *Robespierre. Textes choisis* avec préface et notes de J. Poperen, coll. « Les classiques du peuple », Paris, Éditions Sociales, 1974, t. 2, pp. 157-198.

LEQUINIO, J.-M. (1793), *Les préjugés détruits*, « par J.-M. Lequinio, membre de la Convention et citoyen du Globe », Paris.

Les plus beaux discours des Girondins, coll. « Les grands orateurs républicains », avec notice bio. et crit. par F. Crastre, Paris, éd. du Centaure, s.d.

LHÉRITIER, M. (1949-1950), *Vergniaud*, préf. et comm. par M. Lhéritier, coll. « Les grands orateurs républicains », Monaco, Héméra.

LOUVET DE COUVRAI, J.-B., *La Sentinelle* (journal-affiche), réédit. année 1792, Paris, EDHIS, 1981.

MARKOV, W., SOBOUL A. (1957), *Die Sansculotten von Paris*. Dokumente zur geschichte der Volksbewegung (1793-1794), mit einem vorwort von Lefebvre G. Akad. Verlag., Berlin.

MOREAU, J. N. (1789), *L'exposition et défense de notre Constitution monarchique*, Paris, 2 vol.

NECKER, J. (1793), « Réflexions philosophiques sur l'égalité », in t. X, *Œuvres complètes publiées par M. le baron de Staël son petit-fils*, Paris, Treuttel et Würtz (1820-1821), 15 vol.

PÉTION, J. (1791), *Discours sur les conventions nationales...*, B.N. : Lb 40/622.

POPEREN, J. (1974), *Robespierre. Textes choisis*, coll. « Les classiques du peuple », Paris, Éditions Sociales, 3 vol.

ROBESPIERRE, M., *Œuvres*, 10 vol. t. I : Robespierre à Arras : les œuvres littéraires en prose et en vers, rev. et pub. par E. Desprez et E. Lesueur, Paris, E. Leroux, 1912 ; t. II : Robespierre à Arras : les œuvres judiciaires, rev. et pub. par E. Lesueur, Paris, E. Leroux, 1914 ; t. III : Correspondance de Maximilien et Augustin Robespierre, par G. Michon, Paris, Alcan 1926 + Supplément, par G. Michon, Paris, 1941 ; t. IV : Les journaux : *Le Défenseur de la Constitution*, par G. Laurent, Nancy, G. Thomas, 1939 ; t. V : Les journaux : *Lettres à ses Commettants*, édit. crit. par G. Laurent, Gap, Imprimerie L. Jean, 1961 ; t. VI à X : *Discours*, par M. Bouloiseau,

G. Lefebvre, A. Soboul, Paris, E.H.E. et Société des Études Robespierristes, 1950-1967.

ROEDERER, P.-L. (1791), *Discours prononcé à la Société, le 18 déc. 1791*, Société des Amis de la Constitution, Imprimerie du Patriote français.

ROEDERER, P.-L. (1797), « De la faction et du parti (synonymes) », t. I, *Journal d'économie publique, de morale et de politique*, Paris, Imprimerie Demonville.

ROEDERER, P.-L. (1798), *Des sociétés particulières, telles que clubs, réunions, etc.*, Paris, Imprimerie Demonville, an VII.

ROEDERER, P.-L. (1798), *Journal d'économie publique, de morale et de politique*, Paris, Imprimerie Demonville, 5 vol.

SADE, D.A.F. (marquis de) (1795), *Français encore un effort*, Paris, coll. « Libertés nouvelles », préf. M. Blanchot, Pauvert, 1965.

SAIGE, (1787), *Catéchisme du citoyen, ou éléments du droit public français par demandes et réponses*, Genève, Paris, EDHIS, 1977.

SAINT-JUST, L.A.L. de, *Discours et rapports*, coll. « Les classiques du peuple », intr. et notes par A. Soboul, Paris, Éditions Sociales, 1957.

SAINT-JUST, L.A.L. de, *Saint-Just. Théorie politique*, textes établis et an. par A. Liénard, Paris, Le Seuil, 1976.

SAINT-JUST, L.A.L. de, *Œuvres complètes*, établies par M. Duval, Paris, Champ Libre, Éditions Gérard Lebovici, 1984.

SECONDS, J.-L. (1789), *Essai sur les droits des hommes, des citoyens et des nations...*, repr. in C. Fauré, pp. 59-83.

SECONDS, J.-L. (1793), *De l'art social...* Cahier n° 1, *Archives parlementaires*, LVI, 577-585 — Cahier n° 2, *ibid*, LXII, 513-533 — Cahier n° 4, *ibid.*, LXII, 533-548, et B.N. : 8° Lb[41] 2384, R 50902, R 55322. [Le Cahier n° 3 est perdu].

SIEYÈS, E. (1789), *Qu'est-ce que le tiers état ?*, édit. Champion-Aulard (1889), rééd. avec préface J. Tulard, Paris, coll. « Quadrige », P.U.F., 1981.

SIEYÈS, E. (1789), *Observations sur le rapport du Comité de constitution...*, Paris, Baudouin.

SOBOUL, A. (1980), *Camille Desmoulins. Œuvres*. Soboul édit., Munchen, Kraus reprint.

TARDIF, E. (1894), *Projet de la Constitution française de 1791*, notes manuscrites et inédites de Robespierre, Aix.

VARLET, J.-F. (1793), *Déclaration solennelle des droits de l'homme dans l'état social*, réédit. Paris, EDHIS, 1969.

WALTER, G. (1948), *La Révolution française vue par ses journaux*. Paris, Tardy.

WALTER, G. (1968), *Actes du Tribunal révolutionnaire*, Paris, coll. « Le temps retrouvé », Mercure de France.

II. — *Études sur la Révolution ou le jacobinisme*

ABENSOUR, M. (1966), « La philosophie de Saint-Just », in *Annales Historiques de la Révolution française*, n° 185.

ABENSOUR, M. (1968), « La théorie des institutions et les relations du législateur et du peuple selon Saint-Just », *Actes du Colloque Saint-Just*, Bibliothèque d'histoire révolutionnaire, 3ᵉ série, n° 9, Paris, Société des Études Robespierristes, p. 59 et suivantes.

ABENSOUR, M. (1986), « Saint-Just », in *Dictionnaire des œuvres politiques*, sous dir. F. Châtelet, O. Duhamel, E. Pisier, Paris, P.U.F., pp. 711-725.

ACTES DU 111ᵉ CONGRÈS NATIONAL DES SOCIÉTÉS SAVANTES (1986), « Existe-t-il un fédéralisme jacobin ? — Études sur la Révolution », Paris, Éd. du C.T.H.S.

ACTES DU COLLOQUE GIRONDINS ET MONTAGNARDS (1980), sous dir. A. Soboul, coll. « Biblio. d'Histoire révolutionnaire », Paris, Société des Études Robespierristes.

ACTES DU COLLOQUE SAINT-JUST (1968), Bibliothèque d'Histoire révolutionnaire, 3ᵉ série, n° 9, Paris, Société des Études Robespierristes.

ALENGRY, F. (1904), *Condorcet guide de la Révolution française, théoricien du droit constitutionnel et précurseur de la science sociale*, Paris, Slatkine reprints, 1971.

ANSART-DOURLEN, M. (1978), « L'utopie politique de Rousseau et le jacobinisme », in *Le discours utopique*, pub. du Centre culturel de Cerisy-la-Salle, coll. « 10/18 », Paris, U.G.E.

ARENDT, H. (1963), *Essai sur la Révolution*, trad. M. Chrestien, coll. « Les Essais », Gallimard, N.R.F. (1967).

AULARD, F. A. (1882), *Les Orateurs de la Révolution. L'Assemblée Constituante*, Paris, E. Cornély et Cie, nouv. éd. 1905.

—, *Les Orateurs de la Révolution : Législative et Convention*, Paris, E. Cornély et Cie, 1885, 2 vol., 2ᵉ éd. 1906.

AULARD, F. A. (1892), *Le Culte de la Raison et le culte de l'Être suprême, (1793-1794). Essai historique*, Paris, F. Alcan.

AULARD, F. A. (1901), *Histoire politique de la Révolution française. Origines et développement de la démocratie et de la République (1789-1804)*, Paris, Armand, Colin, 4ᵉ éd. 1909.

BACOT, G. (1985), *Carré de Malberg et l'origine de la distinction entre souveraineté du peuple et souveraineté nationale*, Paris, Éd. du C.N.R.S. [porte en majeure partie sur le discours révolutionnaire de la souveraineté].

BAKER, K. (1975), *Condorcet. From natural philosophy to social mathematics*, Chicago and London, The University of Chicago Press.

BAKER, K. (1986), « The ideas of representation at the end of the Old Regime », Colloque de Chicago, paru in *The French Revolution and the creation of modern political culture*, K. Baker edit., Oxford, Pergamon Press, t. I.

BALOSSIER, J. (1986), *La Commission extraordinaire des Douze (18 mai 1793-31 mai 1793)*, Paris, P.U.F.

BASTID, P. (1939), *Sieyès et sa pensée*. Paris, Hachette, éd. révisée 1970. *Les discours de Sieyès dans les débats constitutionnels de l'an III (2 et 18 thermidor)*, thèse complémentaire, Hachette.

BIRÉ, Ed. (1896), *La légende des Girondins*. Paris, Libr. Acad. Perrin (nouv. édit.).

BLANC, L. (1866), *Lettre sur la Terreur*, supplément au n° 29 de la *Revue Obsidiane*, s.d. Repr. in F. Furet, *La gauche et la Révolution au milieu du XIX*ᵉ *siècle*, Paris, Hachette, 1986, pp. 243-255.

BOUCHARY, M. (1947), *La Déclaration des droits de l'homme et du citoyen et la Constitution de 1791*, Paris, édit. Tiranty.

BOULOISEAU, M. (1985), *Robespierre*, Paris, Coll. « Que sais-je ? », P.U.F., 5ᵉ édit.

BOUTMY, E. (1902), « La Déclaration des droits de l'homme et du citoyen et M. Jellinek », in *Annales de Sciences politiques*, pp. 415-443.

BRINTON, C. C. (1930), *The Jacobins. An essay in the new history*, The Macmillan Company, New York.

BRUNEL, F. (1980), « Les députés montagnards », appendice in *Actes du colloque Girondins et Montagnards*, Biblio. d'histoire révolutionnaire, 3ᵉ série, n° 19, Paris, pp. 343-361.

BRUNOT, F. (1967), *Histoire de la langue française des origines à nos jours*, Paris, Armand Colin, t. IX, 2ᵉ partie (« La Révolution et l'Empire »).

BURKE, E. (1790), *Réflexions sur la Révolution de France*, coll. « Ressources », Paris-Genève, Slatkine Reprints, 1980.

CARNOT, H. (1860), *Mémoires sur Carnot par son fils*, Paris, Charavay-Mantoux Martin éditeurs, 2ᵉ éd. 1893, 2 vol.

CASTELNAU, J. (1948), *Le Club des Jacobins (1789-1795)*, Paris, Hachette.

CERTEAU de M., JULIA, D., REVEL, J. (1975), *Une politique de la langue*, Paris, Coll. « Bibliothèque des histoires », Gallimard.

CLAVREUL, C. (oct. 1982), *L'influence de la théorie d'Emmanuel Sieyès sur les origines de la représentation en droit public*, doctorat d'État en droit, Paris, 2 vol., Univ. Paris I — Panthéon-Sorbonne.

COCHIN, A., *La Révolution et la libre pensée*, Paris, Plon, 1924.

COCHIN, A., *Abstraction révolutionnaire et réalisme catholique*, coll. « Jalons », préf. Michel de Boüard, Paris, Desclée de Brouwer, s.d. [1935].

COCHIN, A., *Les Sociétés de pensée et la démocratie moderne. Études d'histoire révolutionnaire*, Paris, Copernic, 1978.

DOUMERGUE, (1904), « Les origines politiques de la Déclaration des droits de l'homme et du citoyen » in *Revue du droit public et de la Science politique en France et à l'étranger*, t. XXI, pp. 673-733.

FLEISCHMANN, H., s.d. (1910), *Les Coulisses du tribunal révolutionnaire, (Fouquier-Tinville intime)*, Paris, Société d'éditions et de publications parisiennes.

FORSYTH, M. (1987), *Reason and Revolution. The political thought of the Abbé Sieyès*, New York, Leicester University Press.

FURET, F. et RICHET, D. (1965), *La Révolution française*, Paris, Hachette, 2 vol., nouvelle édit. abrégée Fayard, 1973, réédit. Marabout (s.d.).

FURET, F. (1978), *Penser la Révolution française*, coll. « Biblio. des histoires », Paris, Gallimard.

FURET, F. (1986), *Marx et la Révolution française*, Paris, coll. « Nouvelle Bibliothèque scientifique », Flammarion.

FURET, F. (1986), *La gauche et la Révolution au milieu du XIXe siècle*, Paris, Hachette.

FURET, F. (1987), « *Les élections aux États Généraux* », Communication au colloque de Chicago (sept. 1986), paru in *The French Revolution and the creation of modern political culture*, K. Baker edit., Oxford, Pergamon Press, t. I.

GASCAR, P. (1979), *L'ombre de Robespierre*, Paris, Gallimard.

GEFFROY, A. (1968), « le " peuple " selon Saint-Just », in *Actes du Colloque Saint-Just*, Biblio. d'histoire révolutionnaire, 3e série, n° 9, Paris, Société des Études Robespierristes, pp. 231-237.

GENTY M. (1987), *L'apprentissage de la citoyenneté. 1789-1795*, préf. M. Vovelle, Paris, Messidor, Éditions Sociales.

GÉRARD, A. (1970), *La Révolution française, mythes et interprétations (1789-1970)*, Paris, Flammarion.

GODECHOT, J. (s.d.), *L'influence des États-Unis sur les constitutions françaises de l'époque révolutionnaire (1789-1799)*. Bicentenaire de la Constitution américaine, Bibliothèque du Congrès américain.

GODECHOT, J. (1961), *La Contre-révolution, 1789-1804*, Paris, coll. « Quadrige », P.U.F., 2e éd. 1984.

GROSS, J. P. (1968), « Saint-Just en mission. La naissance d'un mythe », in *Actes du colloque Saint-Just*, Paris, Biblio. d'Histoire révolutionnaire, 3e série, n° 9, Société des Études Robespierristes, p. 37 et suiv.

GUÉNIFFEY, P., « Les Assemblées et la représentation », à paraître in *The French Revolution and the creation of modern political culture*, C. Lucas edit., Oxford, Pergamon Press, 1988, t. II.

Guilaine, J. (1969), *Billaud-Varenne l'ascète [l'ultra] de la Révolution*, Paris, Fayard.

Guiomar, J. Y. (1974), *L'idéologie nationale. Nation, représentation, propriété*, La taupe bretonne, Paris, Champ Libre.

Herlaut, général (1956), *Le Général rouge Ronsin (1715-1794)*, Paris, coll. « Bibliothèque d'Histoire révolutionnaire », Clavreuil.

Herriot, Éd. (1937), *Lyon n'est plus*, Paris, Hachette, 3 vol.

Hunt, L. (1984), *Politics, Culture and Class in the French Revolution*, University of California Press, Methuen and Co, London, Paperback 1986.

Jaume, L. (1986), « Robespierre » in *Dictionnaire des œuvres politiques*, sous dir. F. Châtelet, O. Duhamel, E. Pisier, P.U.F.

Jaume, L. (1987), « Le Public et le Privé chez les Jacobins (1789-1794) », in *Revue Française de Science Politique*, n° 2, (37), pp. 230-248.

Jaume, L. (1987), « Légitimité et représentation sous la Révolution : l'impact du jacobinisme », *Droits. Revue française de théorie juridique*, Paris, P.U.F., n° 6.

Jaume, L. (1987), « Citoyenneté et souveraineté : le poids de l'absolutisme », colloque de Chicago. Paru in *The French Revolution and the creation of modern political culture*, K. Baker edit., Oxford, Pergamon Press, t. I.

Jaume, L., « La Révolution française en tant qu'objet de la théorie politique », à paraître in *Cahiers Bernard Lazare*.

Jaume, L., *La déclaration de 1789. Projets, refontes, controverses*. À paraître, Paris, 1989.

Jaume, L., « Individu et souveraineté chez Condorcet », à paraître in *Actes du colloque Condorcet*, 1989.

Jaume, L., « Condorcet : des progrès de la raison aux progrès de la société », à paraître in S. Berstein et O. Rudelle (sous dir.), *Le modèle républicain*, Paris, Champ Vallon, 1989.

Jaume, L., « Les Jacobins : une organisation dans le processus de la Révolution », à paraître in F. Bluche et S. Rials (sous dir.), *Les révolutions françaises...*, Paris, Fayard, 1989.

Jaume, L., « Représentation et factions : de la théorie de Hobbes à l'expérience de la Révolution française », *Revue d'histoire des facultés de droit et de la science juridique*, n° 8, 1989.

Jaurès, J. (1901-1904), *Histoire socialiste de la Révolution française*, édition revue et annotée par A. Soboul, préf. par E. Labrousse, Paris, 1969-1973, 6 + 1 vol., index.

Jellinek, G. (1902), « La Déclaration des Droits de l'Homme et du Citoyen. Réponse de M. Jellinek à M. Boutmy », in *Revue du droit public et de la science politique en France et à l'étranger*, t. XVIII, pp. 385-400.

JELLINEK, G. (1902), *La Déclaration des Droits de l'Homme et du Citoyen*. Contribution à l'histoire du droit constitutionnel moderne. Trad. G. Fardis, préf. F. Larnaude. Paris, Fontemoing.

JULIA, D. (1981), *Les trois couleurs du tableau noir. La Révolution*, coll. « Fondateurs de l'Éducation », Paris, Belin.

KATES, G. (1985), *The Cercle Social, the Girondins and the French Revolution*, Princeton, Princeton University Press.

KINTZLER, C. (1984), *Condorcet. L'instruction publique et la naissance du citoyen*, préf. J.-C. Milner, Paris, Le Sycomore, rééd., coll. Folio/ Essais, Minerve, S.P.A.D.E.M., 1987.

KUSCINSKI, A. (1916), *Dictionnaire des Conventionnels*, Paris, Société de l'Histoire de la Révolution française.

LAURENT, G. (1938), « Un magistrat révolutionnaire, Claude-Emmanuel Dobsen, l'homme du 31 mai », *Annales historiques de la Révolution française*, pp. 2-11.

LEFEBVRE, G. (1930), *La Révolution française*, coll. « Peuples et civilisations », Paris, P.U.F., 3e éd., 1951.

LEFEBVRE, G. (1933), « La première proposition d'instituer un tribunal révolutionnaire », in *Annales historiques de la Révolution française*, Paris.

MAINTENANT, G. (1979), « Les Jacobins à l'épreuve. La scission des Feuillants, été 1791 », *Cahiers d'histoire de l'Institut Maurice Thorez*, Paris, « Les Jacobins », nos 32-33.

MAINTENANT, G. (1984), *Les Jacobins*, Paris, coll. « Que sais-je ? », P.U.F.

MANIN, B. (1979), « Saint-Just, la logique de la Terreur », *Libre*, n° 6, coll. « Petite bibliothèque Payot », Payot.

MARCAGGI, V., *Les Origines de la Déclaration des droits de l'homme de 1789*, Paris, Fontemoing et Cie, 2e éd., 1912.

MATHIEZ, A. (1917), « Sur le titre du journal " La Bouche de Fer " », *Annales révolutionnaires*, t. 9, pp. 685-690.

MATHIEZ, A. (1920), « Le bolchevisme et le jacobinisme » *Scientia*, Bologne, Londres, Paris, vol. 27, 14e année, n° XCIII-1 (16 pages).

MATHIEZ, A. (1928), « La constitution de 1793 », *Annales historiques de la Révolution française*, t. V, p. 511 et suiv.

MEAUX, A. de (1928), *Augustin Cochin et la genèse de la Révolution*, coll. « Le Roseau d'Or », Paris, Plon.

MELLIÉ, E. (1898), *Les Sections de Paris pendant la Révolution française, 21 mai 1790-19 vendémiaire an IV...*, Paris, Société de l'Histoire de la Révolution Française.

MICHELET, J. (1847-1853), *Histoire de la Révolution française*, coll. « Bouquins », intr. C. Mettra, Paris, Laffont, 1979.

MORTIMER-TERNAUX (1862), *Histoire de la Terreur (1792-1794)*, Paris, Michel Lévy frères, 2ᵉ éd., 1863.

OZOUF, M. (1984), « Fortunes et infortunes d'un mot », repr. in M. Ozouf, *L'École de la France*, Paris, Gallimard.

OZOUF, M. (1987), « L'opinion publique ». Communication au colloque international de Chicago (sept. 1986). Paru in *The French Revolution and the creation of modern political culture*, K. Baker édit., Oxford, Pergamon Press.

PAINE, Th., *Théorie et pratique des droits de l'homme*, trad. Lanthenas, Imprimerie du Cercle Social, 1792.

REVAULT D'ALLONNES, M. (1986), « Le jacobinisme ou les apories du politique », *Revue française de Science politique*, n° 4 (36), pp. 519-527.

RIALS, S. (1986), « Des droits de l'homme aux lois de l'homme », *Commentaire*, n° 34 (9).

RIALS, S. (1987), *Révolution et contre-révolution au XIXᵉ siècle*, Paris, Diffusion Université Culture/Albatros.

ROBINET Dr. (1898), *Le mouvement religieux à Paris pendant la Révolution (1789-1801)*, Paris, Cerf et Noblet.

SA'ADAH, A. (1982), *Conflict and Community? The shaping of liberal politics in revolutionary France, England and America*, Ph. D., Harvard University.

SOBOUL, A. (s.d.), « Robespierre et les sociétés populaires » in *Bicentenaire de la naissance de Robespierre*, Paris, Société des Études Robespierristes.

SOBOUL, A. (1962), *Précis d'histoire de la Révolution française*, Paris, Éditions Sociales.

SOBOUL, A. (1958), *Les sans-culottes parisiens en l'an II. Mouvement populaire et gouvernement révolutionnaire. 2 juin 1793-9 thermidor an II*, Paris, Clavreuil, nouv. éd., 1962.

SOBOUL, A. (1982), *La civilisation et la Révolution française*, Paris, coll. « Les grandes civilisations », Arthaud, vol. 2, « La Révolution française ».

SOBOUL, A. et MONNIER, R. (1985), *Répertoire du personnel sectionnaire en l'an II*, Paris, Publications de la Sorbonne.

SYDENHAM, M.-J. (1961), *The Girondins*, London, The University of London, the Athlone Press.

TAINE, H. (1875-1893), *Les origines de la France contemporaine*, 1ʳᵉ partie, « L'Ancien Régime », 2ᵉ partie, t. I : « La révolution » — t. II : « La conquête jacobine », Paris, Hachette, 5ᵉ éd., 1878.

THEURIOT, F. (1968), « Saint-Just. Esprit et conscience publique », in *Actes du colloque Saint-Just*, Bibliothèque d'histoire révolutionnaire, 3ᵉ série, n° 9, Paris, Société des Études Robespierristes.

TOCQUEVILLE, A. de (1856), *L'Ancien Régime et la Révolution*, Paris, coll. « Folio/Histoire », intr. J. P. Mayer, Gallimard, 1964, 1967.

TOCQUEVILLE, A. de, *L'Ancien Régime et la Révolution. Fragments et notes inédites sur la Révolution*, texte établi et annoté par A. Jardin, Paris, Gallimard, 1953, in *Œuvre complètes de Tocqueville*, t. II, vol. 2.

VELLEY, S. (1980), *La Théorie de l'État chez Robespierre*, D.E.A. de droit public général, Université, Paris X-Nanterre.

VOVELLE, M. (1985), *La Mentalité révolutionnaire*, coll. « Problèmes/ Histoire », Paris, Messidor, Éditions Sociales.

WALTER, G. (1936), « Robespierre », t. 1, La vie, t. 2, L'œuvre, coll. « Leurs figures », nouvelle édit., Gallimard, 1961.

WASCHSMANN, P. (1985), « " Naturalisme et volontarisme " dans la Déclaration des droits de l'homme et du citoyen », *Droits. Revue française de théorie juridique*, n° 2, Paris, P.U.F., pp. 13-22.

III. — *Autres ouvrages ou articles*

ANONYME (1772), *Maximes du droit public français...*, Amsterdam. Attribué à l'abbé C. Mey. Réédit. 1775 : édit. augmentée, attr. à C. Aubry, Blonde, *et alii*.

ARISTOTE, *La Politique*, intr., trad. et notes par J. Tricot, Paris, Vrin, 1982.

ARISTOTE, *Éthique à Nicomaque*, intr., trad. et notes par J. Tricot, Paris, Vrin, 1983.

AUSTIN, J.-L. (1962), *Quand dire, c'est faire*, trad. et intr. G. Lane, coll. « L'ordre philosophique », Paris, Le Seuil, 1970. 1re éd. : *How to do things with words*, Oxford, Oxford University Press.

AVRIL, P. (1985), « Les origines de la représentation parlementaire », in *Commentaires*, n° 30 (8), Paris, Julliard.

AVRIL, P. (1985), *Essais sur les partis*, Paris, Librairie Générale de Droit et de Jurisprudence, nouv. éd. 1986.

BACHELARD, G. (1947), *La Formation de l'esprit scientifique. Contribution à une psychanalyse de la connaissance objective*, Paris, Vrin.

BALIBAR, R. (1985), *L'Institution du français. Essai sur le colinguisme des Carolingiens à la République*, Paris, coll. « Pratiques théoriques », P.U.F.

BARBEY, J. (1983), *La Fonction royale. Essence et légitimité d'après les Tractatus de Jean de Terrevermeille*, Paris, Nouvelles Éditions Latines.

BARNY, R. (1985), *Prélude idéologique à la Révolution française. Le rousseauisme avant 1789*, Annales littéraires de l'Université de Besançon, Paris, Les Belles Lettres.

BARRET-KRIEGEL, B. (1986), *Les Chemins de l'État*, Paris, Calmann-Lévy.

BASTID, P., POLIN, R. et *alii* (1967), *L'Idée de légitimité*, Annales de philosophie politique, Institut International de philosophie politique, Paris.

BENTHAM, J., voir à DUMONT É.

BEYSSADE, J.-M. (1978), « Du contrat en général », *Revue philosophique*, n° 3.

BLUCHE, F. (1986), *Louis XIV*, coll. « Pluriel », Paris, Hachette.

BODIN, J. (1576), *Les six livres de la République*, édit. revue, corrigée, augmentée, Lyon, Jacques du Puys, 1580.

BODIN, J. (1576), *Les six livres de la République de Jean Bodin Angevin...*, Lyon, Gabriel Cartier, 1593, réédit. coll. « Corpus des œuvres de philosophie en langue française », Paris, Fayard, 1986, 6 vol.

BODIN, J., *Œuvres philosophiques*, texte établi, trad. et publié par P. Mesnard, Paris, P.U.F., 1951, Corpus général des philosophes français, Auteurs modernes, t. V, 3.

BOSSUET, B., *Sermon sur l'unité de l'Église*, 1681, in *Œuvres complètes*, Besançon et Paris, Outhenin-Chalandre fils édit., 1840, t. VII.

BOSSUET, B., *Politique tirée des propres paroles de l'Écriture Sainte*, in *Œuvres de Bossuet*, « évêque de Meaux, revues sur les manuscrits originaux et les éditions les plus correctes », à Versailles, imprimerie J. A. Lebel, 1818, t. XXVI.

BOSSUET, B., *Cinquième avertissement aux protestants sur les lettres du ministre Jurieu*, in *Œuvres de Bossuet...* 1816, t. XXI.

BOURDIEU, P. (1982), *Leçon sur la leçon*, Paris, Éditions de Minuit, ou *Leçon inaugurale faite le vendredi 23 avril 1982*, Paris, Collège de France.

BRANCOURT, J.-P. (1976), « Des " estats " à l'État : évolution d'un mot », *Archives de philosophie du droit*, Paris, Sirey, t. XXI, pp. 39-54.

BRAUD, P. et BURDEAU, F. (1983), *Histoire de la pensée politique depuis la Révolution*, coll. « Université nouvelle », Paris, Montchrestien.

BURDEAU, G. (1966), *Traité de Science politique*, Paris, Librairie générale de droit et de jurisprudence (t. II, 1967 : sur la souveraineté).

BURDEAU, G. (1984), Préface à R. CARRÉ DE MALBERG, *La Loi, expression de la volonté générale*.

BURLAMAQUI, J.-J. (1748), *Principes du droit naturel*, Genève, Barillot.

CARRÉ DE MALBERG, R. (1920), *Contribution à la théorie générale de l'État*, Paris, Sirey, réimp. C.N.R.S., 1962, 2 vol.

CARRÉ DE MALBERG, R. (1931), *La Loi, expression de la volonté générale*, préf. G. Burdeau, coll. « Classiques », Paris, Economica, 1984.

CONSTANT, B., *Cours de politique constitutionnelle ou collection des ouvrages publiés sur le gouvernement représentatif*, intr. et notes par É. Laboulaye, Paris, Guillaumin, 1861, 2 vol.

CONSTANT, B., *De la liberté chez les modernes*, textes choisis présentés et annotés par M. Gauchet, coll. « Pluriel », Paris, Librairie Générale Française, 1980.

COTTRET, B. (1985), *Terre d'exil. L'Angleterre et ses réfugiés, XVIᵉ-XVIIᵉ siècle*, « coll. historique », Paris, Aubier.

DELEULE, D. (1979), *Hume et la naissance du libéralisme économique*, coll. « Analyse et raisons », Paris, Aubier.

DERATHÉ, R. (1950), *Jean-Jacques Rousseau et la science politique de son temps*, coll. « Bibliothèque de la science politique », Paris, P.U.F., rééd. Vrin, 1970.

DERATHÉ, R. (1984), « *L'homme selon Rousseau* », rééd. in *Pensée de Rousseau*, Paris, Le Seuil.

Dictionnaire des œuvres politiques (1986), sous dir. F. Châtelet, O. Duhamel et E. Pisier, Paris, P.U.F.

DUBY, G. (1968), Art. « Féodalité », in *Encyclopaedia Universalis*, Paris, vol. 6.

DUMONT, É. (1822), *Tactique des assemblées législatives*, Paris, Bossange, 2ᵉ édit., d'après les manuscrits de Bentham.

ÉGRET, J. (1970), *Louis XV et l'opposition parlementaire, 1715-1744*, Paris, Armand Colin.

L'Encylopédie (1765), Art. « Souveraineté », s. l., Neufchastel, Samuel, Faulche, t. XV.

FAVOREU, L. et PHILIP, L. (1986), *Les grandes décisions du Conseil constitutionnel*, Paris, Sirey, 4ᵉ éd.

FAVRE, P. (1976), « Unanimité et majorité dans le *Contrat Social* de J.-J. Rousseau », in *Revue du droit public et de la science politique en France et à l'étranger*, Paris, L.G.D.J.

FAVRE, P. (1976), *La décision de majorité*, coll. « Cahiers de la Fondation Nationale de Sciences Politiques », n° 205, Paris, Presses de la F.N.S.P.

FERGUSON, A. (1766), *Essai sur l'histoire de la société civile*, trad. Bergier, Paris, Veuve Desaint, 1783, 2 vol.

FINLEY, M. (1976), *Démocratie antique et démocratie moderne*, Paris, Payot.

FLAHAULT, F. (1978), *La parole intermédiaire*, préf. R. Barthes, Paris, Le Seuil.

FLAMMERMONT, J. (1888-1898), *Remontrances du Parlement de Paris*, 3 vol., Paris, Imprimerie nationale.

GEERTZ, C. (1964), « Ideology as a cultural system », in *Ideology and discontent*, D.E. Apter. edit., London, The Free Press of Glencoe, Collier-Macmillan Ltd.

GEERTZ, C. (1977), « Centers, Kings and Charisma : Reflections on the symbolic of power », in *Culture and its creators : Essays in honor of Edmund Shils*, J. Ben-David and T. N. Clark ed., Chicago.

GIERKE, O. VON (1881), *Political theories of the Middle Age*, translated with an intr. by F. W. Maitland, Cambridge, Cambridge University Press, 1900. Trad. partielle de *Das deutsch Genossenschaftsrecht*, Berlin, Weidmann.

GIESEY, R. (1987), *Le roi ne meurt jamais*, préf. F. Furet, Paris, Flammarion.

GIESEY, R. (1987), *Cérémonial et puissance souveraine. France, XVe-XVIIe siècles*, Cahiers des Annales, Paris, Armand Colin.

GROTIUS, (Hugo de Groot) (1625), *Le Droit de la guerre et de la paix*, trad. et notes de M. P. Pradier-Fodéré, Paris, Guillaumin, 1867, 3 vol.

GUENANCIA, P. (1983), *Descartes et l'ordre politique*, coll. « Philosophie d'aujourd'hui », Paris, P.U.F.

GUIZOT, F. (1826), « Philosophie politique : de la souveraineté » — révisé en 1837 : « De la démocratie dans les sociétés modernes », voir à ROSANVALLON, P.

GUIZOT, F. (1828), *Histoire de la civilisation en Europe...*, Paris, Didier, nouvel. édit. 1846.

GUIZOT, F. (1851), *Histoire des origines du gouvernement représentatif en Europe*, Paris, Didier, 2 vol.

HABERMAS, J. (1963), « Droit naturel et révolution », in *Théorie et Pratique*, coll. « Critique de la politique », préf. et trad. G. Raulet, Paris, Payot, 1975, 2 vol. (*Theorie und Praxis*, Hermann, Luchterhand Verlag, 1963).

HALEVI, R. (1984), *Les loges maçonniques de la France du XVIIIe siècle*, Paris, Armand Colin.

HAMILTON, A., JAY, J., MADISON, G. (1788), *Le Fédéraliste*, préf. A. Tunc, coll. « Bibliothèque de textes et d'études fédéralistes », Paris, L.G.D.J., 1957 : Rééd. édit. Boucard et G. Jèze, avec préf. A. Esmein, Paris, 1901.

HEGEL, F. (1807), *Phénoménologie de l'Esprit*. Trad. J. Hyppolite, coll. « Philosophie de l'Esprit », Paris, Aubier-Montaigne, 1939, 2 vol.

HEGEL, F. (1821), *Principes de la philosophie du droit...*, Paris, texte trad., prés. et annoté par R. Derathé, Vrin, 1986.

HEGEL, F., *Leçons sur la philosophie de l'histoire*, Paris, trad. J. Gibelin, Vrin, 1979.

HIRSCHMAN, Albert D. (1977), *Les passions et les intérêts. Justifications politiques du capitalisme avant son apogée*, trad. P. Andler, Paris, coll. « Sociologies ». P.U.F., 1980.

HOBBES, T. (1642), *De cive*, trad. Sorbière, édit. R. Polin, Paris Sirey, 1981.

HOBBES, T. (1651), *Léviathan*, intr., trad. et notes F. Tricaud, Paris, Sirey, 1971.

HYPPOLITE, J. (1965), *Études sur Marx et Hegel*, Paris, Marcel Rivière.

JARDIN, A. (1985), *Histoire du libéralisme politique...*, coll. « Littérature », Paris, Hachette.

JAUME, L. (1983), « La théorie de la " personne fictive " dans le *Léviathan* de Hobbes », *Revue française de science politique*, 33, n° 6, pp. 1009-1035.

JAUME, L. (1985), « Peuple et individu dans le débat Hobbes-Rousseau. D'une représentation qui n'est pas celle du peuple à un peuple qui n'est pas représentable », communication au 2ᵉ Congrès national de l'Association Française de Science Politique ; repris in *La Représentation*, F. d'Arcy dir., Paris, Economica, pp. 39-53.

JAUME, L. (1985), « Hobbes ou l'État représentatif », et « Rousseau ou les principes du droit politique », in L.-L. Grateloup (sous dir.), *Les philosophes de Platon à Sartre*, Paris, Hachette, 2ᵉ éd. 1988.

JAUME, L. (1986), *Hobbes et l'État représentatif moderne*, coll. « Philosophie d'aujourd'hui », Paris, P.U.F.

JOUVENEL, B. de (1955), *De la souveraineté*, Paris, Éditions Génin, Librairie de Médicis.

JOUVENEL, B. de(1978), *Essai sur la politique de Rousseau*, repris in *J.-J. Rousseau, Du Contrat social*, coll. « Pluriel », Le Livre de Poche, Paris, Librairie Générale Française.

JULLIARD, J. (1985), *La faute à Rousseau. Essai sur les conséquences historiques de l'idée de souveraineté populaire*, Paris, Le Seuil.

JURIEU, P. (1687-1694), *Lettres pastorales adressées aux fidèles de France, qui gémissent sous la captivité de Babylone*, Rotterdam.

KANTOROWICZ, E. H. (1957), *The king's two bodies*, Princeton, Princeton University Press, Paperback, 1981.

KELSEN, H. (1920), *La Démocratie. Sa nature, sa valeur*, trad. Ch. Eisenmann, rééd. avec préf. M. Troper, Paris, Economica, 1988.

KENDALL, W. (1959), *John Locke and the doctrine of majority-rule*, Urbana, University of Illinois Press.

KITROLOMIDES, P. (1985), *Legitimacy/Legitimité*, A. Moulakis ed. Proceedings of the Conference held in Florence June 3 and 4, 1982, Berlin, Walter de Gruyter.

LABOULAYE, É. (1872), *Questions constitutionnelles*, Paris, Charpentier et Cie.

LACOUR-GAYET, G. (1898), *L'éducation politique de Louis XIV*, Paris, Hachette.

LAGARDE, G. de (1937), « L'idée de représentation dans les œuvres de Guillaume d'Ockam », in *Bulletin of the International Committee of Historical Sciences*, n° 37, Paris, P.U.F., t. IX.

Lagarde, G. de (1956), *La naissance de l'esprit laïque au déclin du Moyen-Âge*, Louvain, Neuwelaerts, 3ᵉ éd., 1973, 3 vol.

Lagroye, J. (1985), « La légitimation », in t. I. *Traité de Science politique*, sous dir. M. Grawitz et J. Leca, paris, P.U.F.

Lavau, G., Duhamel, O. (1985), « La démocratie » in *Traité de Science Politique*, sous dir. M. Grawitz et J. Leca, Paris, P.U.F., t. II.

Leca, J. (1985), « La théorie politique », in *Traité de Science Politique*, sous dir. M. Grawitz et J. Leca, Paris, P.U.F.

Leca, J. (1986), « Individualisme et citoyenneté », in *Sur l'individualisme*, sous dir. P. Birnbaum et J. Leca, Paris, Presses de la Fondation Nationale des Sciences Politiques.

Le Moy (1909), *Remontrances du Parlement de Bretagne au XVIIIᵉ siècle*, Angers, thèse lettres, Rennes.

Lénine (V. I. Oulianov, dit), (1917), *L'État et la révolution*, Paris, Moscou, Éditions Sociales, 1967.

Léon, P.-L. (1937), « L'évolution de l'idée de la souveraineté avant Rousseau », *Archives de philosophie du droit et de sociologie juridique*, n° 3-4.

Le Roy Ladurie, E. (1985), « Unité religieuse, unité nationale », préf. à B. Cottret.

Lindsay, A. D. (1943), *The modern democratic state*, New York, Oxford University Press, 1962.

Locke, J. (1690), *Two treatises of government*, intr. by W. S. Carpenter, Everyman's library, London and Melbourne, 1924, paperback 1984.

Locke, J. (1690), *Deuxième traité du gouvernement civil... Résumé du premier traité du gouvernement civil*, intr. et notes par B. Gilson, Paris, Vrin, 1985.

Loyseau, C. (1608), *Traité des seigneuries*, in *Les œuvres de maistre Charles Loyseau...*, Paris, Edmé Couterot, 1678.

Loysel, A. (1607), *Institutes coutumières d'Antoine Loysel...*, nouvel. édit. par M. Dupin et E. Laboulaye, Paris, Durand, etc., 1846, 2 vol.

Manent, P. (1977), *Naissances de la politique moderne*, coll. « Critique de la politique », Paris, Payot.

Manent, P. (1986), *Les Libéraux*, textes choisis et présentés par P. Manent, Paris, coll. « Pluriel », Hachette, 2 vol.

Manent, P. (1987), *Histoire intellectuelle du libéralisme. Dix leçons*. Coll. « Liberté de l'esprit », Paris, Calmann-Lévy.

Manin, B. (1983), « Friedrich August Hayek et la question du libéralisme », in *Revue Française de Science Politique*, n° 1 (33).

Manin, B. (1985), « Volonté générale ou délibération ? Esquisse d'une théorie de la délibération politique », in *Le Débat*, n° 33, Paris, Gallimard.

MANIN, B. (1985), « Montesquieu et la politique moderne », in *Cahiers de philosophie politique*, Université de Reims.

MARX, K. (1871), *La guerre civile en France, 1871*, Paris, Éditions Sociales, 1968.

MONTESQUIEU (Ch. de SECONDAT, baron de LA BRÈDE et de), *Œuvres complètes*, prés. et notes de D. Oster, préf. G. Vedel, Paris, coll. « L'Intégrale », Seuil, 1964.

MOULIN, L. (1953), « Les origines religieuses des techniques électorales et délibérations modernes », in *Revue internationale d'histoire politique et constitutionnelle*, Paris, P.U.F., t. III.

MOULIN, L. (1958), *Sanior et Maior pars* — Note sur l'évolution des techniques électorales dans les ordres religieux du VIᵉ au XIIIᵉ siècle », in *Revue historique du droit français et étranger*, 36ᵉ année, Paris, Sirey, pp. 368-397 et 491-529.

MOULIN, L. (1983), « Une source méconnue de la philosophie politique marsilienne : l'organisation constitutionnelle des ordres religieux », in *Revue Française de Science Politique* », nº 1 (33), Paris, Presses de la Fondation Nationale des Sciences Politiques.

MOUSNIER, R. (1974), *Les institutions de la France sous la monarchie absolue*, Paris, P.U.F., 2 vol.

NICOLET, Cl. (1982), *L'idée républicaine en France (1789-1924). Essai d'histoire critique*, Paris, Gallimard.

PANGLET, T. (1973), *Montesquieu's philosophy of liberalism*, Chicago and London, the University of Chicago Press.

PASCAL, B., *Pensées et opuscules*, par L. Brunschvicg, Paris, Hachette, s.d.

PASSERIN D'ENTRÈVES, A. (1967), *La notion de l'État*, trad. J. R. Weiland, Paris, Sirey, 1969.

POCOCK, J. G. A. (1975), *The Machiavellian moment*, Princeton, Princeton University Press.

ROUSSEAU, J.-J. (1762), *Du Contrat social*, in t. 3, *Œuvres complètes de Jean-Jacques Rousseau*, coll. La « Pléiade », Paris, Gallimard, 1964.

ROUSSEAU, J.-J. (1762), *Émile ou de l'Éducation*, intr. M. Launay, Paris, Garnier-Flammarion, 1966.

RUDELLE, O. (1982), *La République absolue — Aux origines de l'instabilité constitutionnelle de la France républicaine, 1870-1889*, Publications de la Sorbonne.

RUDELLE, O., « Une dynastie républicaine. Le " républicanisme " de la famille Carnot : Lazare, Hippolyte, et Sadi », colloque Carnot, Paris, février 1988.

SCHMITT, C. (1932), *Légalité, légitimité*, trad. W. Guyedan de Roussel, Paris, Pichon et Durand, 1936.

SMITH, A., *Lectures on jurisprudence*, édit. by R. L. Meek, D. D. Raphael, P. G. Stein, Oxford, The Clarendon Press, 1978.

SMITH, A. (1776), *Recherches sur la nature et les causes de la richesse des nations*, intr. G. Mairet, Paris, coll. « Idées », Gallimard, 1976.

STEPHENS, S. (1986), « Le Fédéraliste », in *Dictionnaire des œuvres politiques*, sous dir. F. Châtelet, O. Duhamel, E. Pisier, Paris, P.U.F., pp. 225-230.

SAINT-THOMAS D'AQUIN, *La Justice* (= *Somme théologique*, IIa-IIae, quaest. 57-62 et 63-66), t. 1 : trad. M. S. Gillet, notes par J. Th. Delos — t. 2 : trad. et appendice par C. Spicq, Revue des Jeunes, Paris, Tournai, Rome, Desclée et Cie, 2ᵉ édit. 1948.

TOCQUEVILLE, A. de (1835-1840), *De la démocratie en Amérique*, intr. F. Furet, Paris, Garnier-Flammarion, 2 vol., 1981.

TROPER, M. (1973), *La Séparation des pouvoirs et l'histoire constitution-nelle française*, préf. Ch. Eisenmann, coll. « Bibliothèque Constitu-tionnelle et de Science politique », Paris, L.G.D.J.

TROPER, M. (1986), « Montesquieu », in *Dictionnaire des œuvres politiques*, sous dir. F. Châtelet, O. Duhamel, E. Pisier, Paris, P.U.F.

VIDAL-NAQUET, P. (1976), « Tradition de la démocratie grecque », préf. à M. Finley.

WEBER, M. *Économie et Société*, trad. par J. Freund, P. Kamnitzer, P. Bertrand, E. de Dampierre, J. Maillard et J. Clavy, sous dir. de J. Clavy et d'E. de Dampierre, 2. vol., Paris, Plon, 1971. Trad. de *Wirtschaft und Gesellschaft*, Tübingen, Mohn, 1956 et de *Rechtssozio-logie*, Neuwied am Rhein, Luchterhand, 1967.

WEIL, É. (1956), *Philosophie politique*, Vrin.

WEURLESSE, G. (1910), *Le mouvement physiocratique en France*, Paris, Alcan, Johnson reprint, 1968, 2 vol.

WINCH, D. (1978), *Adam Smith's politics. An essay in historiographic revision*, Cambridge, London, etc., Cambridge University Press.

Index des noms de personnes

* Cité comme historien, soit, plus souvent, comme auteur du recueil des débats du club.

Table des matières

PREMIÈRE PARTIE

LES JACOBINS DANS LE PROCESSUS DE LA RÉVOLUTION (1789-1794) : INVENTION D'UNE ORGANISATION RÉVOLUTIONNAIRE

TABLE 503

DEUXIÈME PARTIE

L'INDIVIDU DANS LE DISCOURS JACOBIN

TABLE 505

TROISIÈME PARTIE

LA SOUVERAINETÉ ET LA REPRÉSENTATION

TABLE   507

CONCLUSION

SOUS LE PRISME JACOBIN : LES AMBIGUÏTÉS DE LA DÉMOCRATIE

508   TABLE

APPENDICE

Dans la même série :

NOUVELLES ÉTUDES HISTORIQUES

Jacques HEERS, *Esclaves et domestiques au Moyen Âge dans le monde méditerranéen.*
— *Fêtes des fous et carnavals.*
Steven L. KAPLAN, *Les Ventres de Paris. Pouvoir et approvisionnement dans la France d'Ancien Régime.*
Paul Murray KENDALL, *L'Angleterre au temps de la guerre des Deux-Roses.*
Marcel LACHIVER, *Vins, vignes et vignerons. Histoire du vignoble français.*
Maurice LEVER, *Les Bûchers de Sodome.*
— *Le Sceptre et la marotte. Histoire des fous de cour.*
Victor LÉONTOVITCH, *Histoire du libéralisme en Russie.* Préface d'Alexandre Soljénitsyne.
Bernard LEWIS, *Sémites et antisémites.*
— *Islam et laïcité. La Naissance de la Turquie moderne.*
Isabel DE MADARIAGA, *La Russie au temps de la Grande Catherine.*
Georges MINOIS, *Histoire de la vieillesse. De l'Antiquité à la Renaissance.*
— *Le Confesseur du roi. Les directeurs de conscience sous la monarchie française.*
Jean-Yves MOLLIER, *L'Argent et les lettres. Histoire du capitalisme d'édition, 1880-1920.*
Robert MUCHEMBLED, *L'Invention de l'homme moderne. Sensibilités, mœurs et comportements collectifs sous l'Ancien Régime.*
Claude NICOLET, *L'Inventaire du monde. Géographie et politique aux origines de l'Empire romain.*
Marcel PACAUT, *l'Ordre de Cluny.*
Léon POLIAKOV (avec la collaboration de Jean-Pierre CABESTAN), *Les Totalitarismes au XXᵉ siècle.*
Geneviève REYNES, *Couvents de femmes. La vie des religieuses cloîtrées dans la France des XVIIᵉ et XVIIIᵉ siècles.*
Daniel ROCHE, *Les Républicains des lettres. Gens de culture et Lumières au XVIIIᵉ siècle.*
Jean-Paul ROUX, *Les Explorateurs au Moyen Âge.*
— *Le Sang. Mythes, symboles et réalités.*
Jean-François SIRINELLI, *Génération intellectuelle, khâgneux et normaliens dans l'entre-deux-guerres.*
Jean-François SOLNON, *La Cour de France.*

Charles TILLON, *Le Laboureur et la République. Michel Gérard, député paysan sous la Révolution française.*

Marc VIGIÉ, *Les Galériens du roi, 1661-1715.*

Vladimir VODOFF, *Naissance de la chrétienté russe.*

Jean-Claude WAQUET, *De la corruption. Morale et pouvoir à Florence aux XVIIe et XVIIIe siècles.*

Eugen WEBER, *Fin de siècle. La France à la fin du XIXe siècle.*

— *La Fin des terroirs.*

— *L'Action française.*

Yosef Hayim YERUSHALMI, *De la cour d'Espagne au ghetto italien. Isaac Cardoso et le marranisme au XVIIe siècle.*

Cet ouvrage a été composé
par l'Imprimerie BUSSIÈRE
et imprimé sur presse CAMERON
dans les ateliers de la S.E.P.C.
à Saint-Amand-Montrond (Cher)
en janvier 1989

35-14-8054-01

ISBN : 2-213-02282-8

N° d'édit. : 1845. N° d'imp. : 6745-2404.
Dépôt légal : février 1989

Imprimé en France